SECOND EDITION

Experiencias

INTERMEDIATE SPANISH

Diane Ceo-DiFrancesco, Ph.D.
Xavier University

Gregory L. Thompson, Ph.D.
Brigham Young University

Alan V. Brown, Ph.D.
University of Kentucky

Kathy Barton, Ph.D.
Professor Emerita Indiana University of Pennsylvania

VISTA®
HIGHER LEARNING

Boston, Massachusetts

Creative Director: José A. Blanco

Senior Director, Editorial: Judith Bach

Editorial Development: Gisela María Aragón-Velthaus, Marissa Fiala, Juan Sebastián Gómez Alférez

Project Management: Chrystie Hopkins, Rosemary Jaffe

Rights Management: Juan Mora, Kristine Janssens, Annie Pickert Fuller

Technology Production: Diana Arias, Matthew Haronian, Lauren Krolick, Lillyana Uribe

Design: Ilana Aguirre, Daniela Hoyos, Radoslav Mateev, Gabriel Noreña, Andrés Vanegas, Manuela Zapata

Production: Thomas Casallas, Esteban Correa, Sebastián Díez, Oscar Díez, Andrés Escobar, Adriana Jaramillo, Daniel Lopera, Daniela Peláez, Sol Vásquez

Student Text ISBN: 978-1-66991-362-7

Instructor's Annotated Edition ISBN: 978-1-66993-010-5

Library of Congress Control Number: 2023935190

1 2 3 4 5 6 7 8 9 TC 29 28 27 26 25 24

Printed in Canada.

The Vista Higher Learning Difference

Vista Higher Learning's singular focus is developing print and digital solutions that meet the needs of all language learners—those learning a new language, improving their skills in a second language, or perfecting their native language.

We are committed to partnering with educators to raise the teaching and learning of language and culture to a higher level.

Founded by a native Spanish speaker with experience teaching at the high school and college levels, Vista Higher Learning relies on the continual and invaluable feedback of language instructors and students nationwide. This partnership allows us to develop programs that create powerful results for you and your students.

We believe

- It is essential to prepare students for a world in which learning another language is a necessity, not a luxury.

- Language learning should be fun and rewarding, and all students should have the tools they need to achieve success.

- Students who experience success learning a language will be more likely to continue their language studies both inside and outside the classroom.

Exceptional Service and Support

In addition to the highest quality language-learning programs, Vista Higher Learning is committed to providing the best service and support to instructors and students. We do this with the following:

- Modern Language Specialists who work with you to deliver the best solutions for your department's needs.

- In-house Digital and Editorial teams that use customer input to improve products and generate new ideas.

- Customer Service and Technical Support teams who are focused exclusively on language learning.

- A dedicated Accessibility support team that can provide the resources needed so that you can teach all your students in the same course.

The Vista Higher Learning Team

VISTA®
HIGHER LEARNING

Contents

Developed for Classroom and Mobile Learning

The Vista Higher Learning Supersite is the only online learning environment created specifically for world language acquisition, developed based on input from thousands of language students and instructors. The Supersite makes language learning comfortable and accessible, helping students succeed.

The Supersite's mobile-friendly design serves students inside and outside the classroom. Students enjoy the flexibility to keep up with their learning on-the-go and the ability to complete their classwork and homework on mobile devices.

Learn more at **vistahigherlearning.com/mobile-friendly**

Built for Accessibility

Vista Higher Learning strives to make our print and digital products and services accessible to all users. All materials are evaluated through all stages of the publication process to ensure the creation of thoughtful, accessible content.

In addition, our digital products undergo testing to be sure they meet strict standards for delivery of accessible content.

Learn more at **vistahigherlearning.com/accessibility**

The *Experiencias* Story

Experiencias is a Spanish language program for beginning and intermediate learners based on research on second language acquisition, metacognition, and learner-centered pedagogy. The program was created in response to what students told us they really wanted in a Spanish course. We designed the program to be practical, easy to use, with a focus on communication. As authors, our commitment to you is to provide you with a meaningful learning experience, no matter whether you meet face-to-face, online, or in a hybrid configuration. In this new edition, you will find contemporary and engaging topics, a highly visual new design, and a learning sequence that is effective and personalized. We continue to improve on the quality of our program with many new features, content updates, and new technology to support you in your learning.

> "To learn another language is not only to experience a new side of oneself, but also to better understand others' experiences. Welcome to *Experiencias*."
>
> Diane, Greg, and Alan
> The *Experiencias* Authors

What is the *Experiencias* approach?

Experiencias is a research-informed language program inspired by these key concepts:

- **Backward Design** The learning experience is more effective and intentional when lessons are designed with a final goal in mind.

- **Metacognitive Strategies** Strategies help you better understand the process of learning a new language. They foster reflective thinking and teach you the value of using multiple approaches to accomplish different tasks.

- **Comprehensible Input** As a language learner, you can't really be expected to communicate without first hearing and reading many examples of similar language that you can understand. To this end, the activities will support you by modeling new language in context as you work toward creative communication in Spanish.

- **Authentic Learning** Purposeful activities and projects support you to creatively work toward a tangible goal, create a product, and complete a real-world task.

- **Intercultural Competence** You will work toward your ongoing development of intercultural competence by critically reflecting on your own cultural products, practices and perspectives to better understand the world around you.

- **Career Readiness** You will explore the relevance of learning Spanish in your own field of study.

What are your course goals as a learner in *Experiencias Intermediate*?

Your focus in this course will be on using language to communicate and to learn about Spanish-speaking cultures. Using the *ACTFL World-Readiness Standards for Learning Languages* (2015) as its organizational framework, and the *ACTFL Proficiency Guidelines* (2012), **Experiencias** fosters active, student-centered learning.

By the end of this intermediate Spanish course, you will be able to:

- Identify main ideas and some supporting details in non-specialized authentic oral and written texts.

- Participate effectively in spontaneous conversations about familiar and contemporary topics related to self, Spanish-speaking cultures and global issues.

- Compare and research cultural products and practices to better understand cultural perspectives of Spanish-speaking communities around the world.

- Present information to a general audience on topics related to daily life and personal experiences, local and global communities.

How do strategies support your academic growth?

When you are able to reflect on your learning, you can better monitor your progress, make adjustments, and drive your own success. In **Experiencias Intermediate**, strategies are intended to continue to support your reading and writing skills as well as your ongoing development of intercultural competence.

In addition, **Experiencias Intermediate** features practical tips from real students like you who contribute with suggestions of what worked for them during their Spanish courses. Students were asked 'What worked for you?' and they were eager to share ways that helped them to be successful language learners.

How does *Experiencias* set you up for success?
Backward Design

We used Backward Design as an approach to designing learning experiences that focus on what you as a learner will be able to accomplish with the language. This means that at the beginning of each chapter you will find a guiding question. By the time you reach the end of the chapter you will be able to answer that question, and everything you learn in the chapter—vocabulary, language structures, culture, and activities—will help you get there. The result is a learning experience that is intentional, meaningful, and effective.

Planning for Your Success with Backward Design

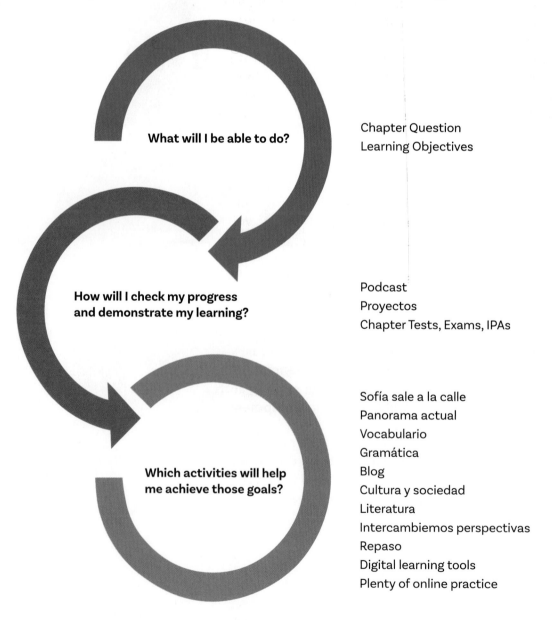

What will I be able to do?

Chapter Question
Learning Objectives

How will I check my progress and demonstrate my learning?

Podcast
Proyectos
Chapter Tests, Exams, IPAs

Which activities will help me achieve those goals?

Sofía sale a la calle
Panorama actual
Vocabulario
Gramática
Blog
Cultura y sociedad
Literatura
Intercambiemos perspectivas
Repaso
Digital learning tools
Plenty of online practice

What is the *Experiencias* approach to culture?

Contemporary, culturally rich content is carefully integrated throughout the program so that you develop communication abilities while gaining cultural awareness.

Products, Practices, and Perspectives

You will examine the products, practices, and perspectives of a diverse range of people and communities around the world. *Experiencias Intermediate* takes it further by providing a worldwide view of the chapter themes.

Interculturality

Intercultural communicative competence allows people from different backgrounds to interact appropriately and effectively. Throughout the program, you will work toward gaining intercultural competency, by critically reflecting on your own cultural values and practices to increase cultural awareness. Then, you will focus on an analysis of the attitudes, skills, and knowledge you need in order to interact appropriately with people from other backgrounds and beliefs, whether when coming in contact with people from other countries or interacting with people in your own community.

Diversity, Inclusion, and Social Justice

Experiencias aims to foster contexts that are inclusive of a range of backgrounds and perspectives in order to bring awareness, celebrate, and uplift diverse voices and their communities. Readings, videos, and cultural topics lead to nuanced discussions about important issues, such as where we come from in connection to cultural identity and migration, why art serves as a mirror of society, and why engage with the community.

The *Experiencias* video programs

Video: *Sofía sale a la calle*

Each chapter begins with an interview from **Sofía sale a la calle**, a fully-integrated video program shot specifically for *Experiencias Intermediate*.

Sofía is a Spanish heritage speaker with Argentinian roots, raised between Mexico and the United States. In each episode, Sofía interviews Spanish speakers who share their perspectives on topics related to each chapter.

In addition to the interviews, she is also going to give you some helpful strategies to support your ongoing growth as a language learner.

Authentic videos: *Intercambiemos perspectivas*

Experiencias Intermediate features twelve authentic videos—made by Spanish speakers for Spanish speakers. These videos were carefully selected to help you develop intercultural awareness, and support the chapter themes and your language learning. They focus on contemporary and thought-provoking topics, such as finding a job in the times of social media, protesting against injustice through a work of art, and understanding where food comes from. Through these videos, you will be exposed to different regional accents, sometimes from within the same country.

These are the authentic videos you'll find in *Experiencias Intermediate*:

Capítulo 1: *Home*, México

Capítulo 2: *Contrata a mi padre*, España

Capítulo 3: *Nuestra voz*, Chile

Capítulo 4: *Nicolás Marín: fotógrafo y activista por los ecosistemas marinos*, Argentina

Capítulo 5: *Manifiesto contra la barbarie: el arte como protesta,* Venezuela

Capítulo 6: *Ichó, Colombia: mujeres que inspiran turismo comunitario,* Colombia

Capítulo 7: *¿Qué es la agroecología?,* Argentina

Capítulo 8: *Jardín infantil en las islas flotantes de los uros,* Chile/Perú

Capítulo 9: *Cocodrilo,* España

Capítulo 10: *¿Qué es aprendizaje servicio en la UC?,* Chile

Capítulo 11: *Sueños,* Argentina

Capítulo 12: *Entre Campus: Pasantía Perú,* Colombia/Perú

Supersite

Supersite

Each section of the textbook comes with resources on the *Experiencias Intermediate Supersite*, including auto-graded activities with immediate feedback. Plus, the Supersite is mobile-friendly, so it can be accessed on the go! Visit **vhlcentral.com** to explore this wealth of exciting resources.

SOFÍA SALE A LA CALLE
- Streaming video with instructor-managed options for subtitles and transcripts
- Interactive video with integrated viewing activity for guided support
- Textbook activities and additional online-only activities for extra practice and reflection

PANORAMA ACTUAL
- Textbook activities, including chat

VOCABULARIO
- Vocabulary hotspots with audio or audio-sync readings
- Textbook activities, including audio and chat activities
- WebSAM activities for extra practice

GRAMÁTICA
- Grammar tutorial
- Textbook activities, including audio and chat activities
- WebSAM activities for extra practice

PODCAST
- Audio-sync reading for scaffolded listening comprehension
- Textbook activities and additional online-only activities for extra practice and reflection

BLOG
- Textbook activities, including composition engine
- Editable rubric for the instructor

CULTURA Y SOCIEDAD
- Audio-sync reading
- Textbook activities, including chat and composition engine
- Online-only activity for extra practice
- Editable rubric for the instructor

LITERATURA
- Audio-sync reading
- Textbook activities, including chat
- Online-only activity for extra practice

INTERCAMBIEMOS PERSPECTIVAS
- Streaming video with instructor-managed options for subtitles and transcripts
- Interactive video with integrated viewing activity for guided support
- Textbook activities, including chat

PROYECTOS
- Textbook activities, including composition or student video recording
- Editable rubric for the instructor

REPASO
- Audio-enabled vocabulary list
- Vocabulary Tools with customizable word lists and audio-enabled flashcards
- Survey activity for reflection

Program Components

Student Edition

Icons Familiarize yourself with these icons that appear throughout *Experiencias*:

 Presentation, tutorial, video, or vocabulary tools available online

 Listening activity/section

 Textbook activity available online

 Partner activity for print only

 Partner Chat activity available online

 Recycling

 Group activity for print only

 Group Chat activity available online

 Info Gap activity available online

Student Edition vText

This virtual, interactive Student Edition provides a digital text, plus links to Supersite activities and media.

Student Activities

Offers the Student Edition activities in a digital format.

Online-Only Activities

Offers auto-graded practice for **Sofía sale a la calle, Podcast, Cultura y sociedad, Literatura,** and **Intercambiemos perspectivas** sections. Additionally, there are two **Repaso general** modules that appear just before **Capítulos 1** and **7**. These modules don't introduce new material—they review key concepts from *Beginning* or previous chapters.

WebSAM

Offers auto-graded practice for **Vocabulario** and **Gramática** sections.

Plus! Also found on the Supersite: Reference tools, video clips, News and Cultural Updates, Instructor Resources, Audio MP3 files, and more.

Table of Contents

	Encuentros	**Exploraciones**
Supersite **Repaso general:** Experiencias Beginning		**Vocabulario** **Experiencias Beginning:** Vocabulario

Exploraciones

Experiencias

Table of Contents

	Encuentros	**Exploraciones**

Exploraciones

Experiencias

Table of Contents

Encuentros   **Exploraciones**

Exploraciones

Experiencias

Table of Contents

Exploraciones

Experiencias

Experiencias Intermediate at-a-glance

Encuentros: Chapter Opener and Sofía sale a la calle

outlines the content and chapter objectives, and presents multiple perspectives on topics related to the chapter theme.

The chapter title is a guiding question related to the chapter theme.

The Learning Objectives for each chapter make the learning process transparent and help you understand the purpose behind everything you will study.

Interactive video with activity

Streaming video

Sofía sale a la calle video series features interviews with native speakers who offer different perspectives. They also introduce the themes of the chapters.

An intercultural strategy provides an intercultural mindset and supports your ongoing development of intercultural competence.

Pre-, during, and post-viewing activities support you at every step.

Textbook and additional online-only activities

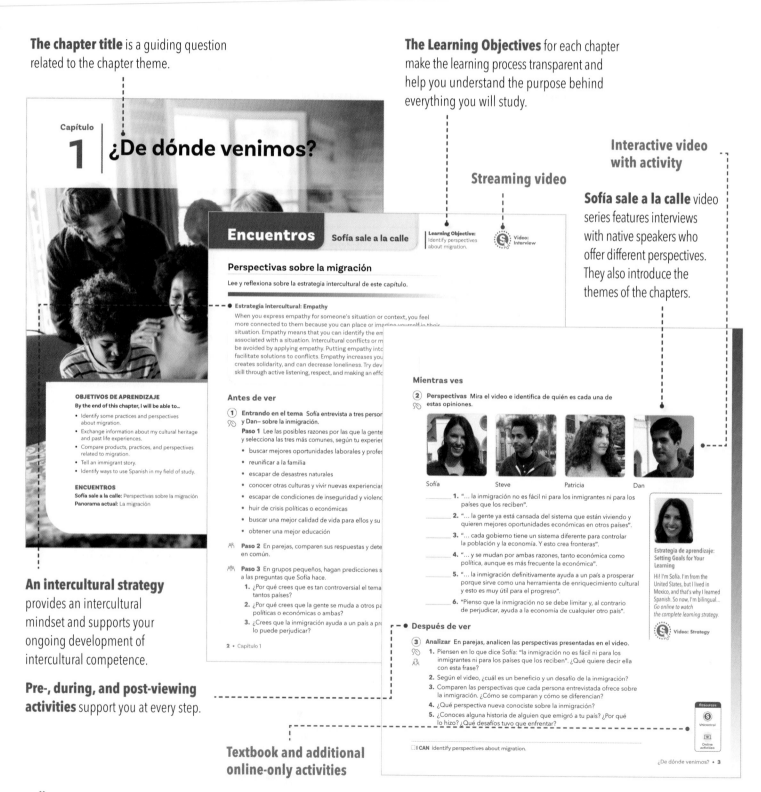

Encuentros: Panorama actual

highlights relevant worldwide data related to the chapter theme and encourages you to analyze and interpret information through a global lens.

Contemporary topics are introduced through a **variety of engaging visuals**, such as infographics and photos.

Activities are designed to have you **comprehend, analyze, and evaluate** multiple texts. What information is included? What is left out? These are some of the questions you are invited to discuss.

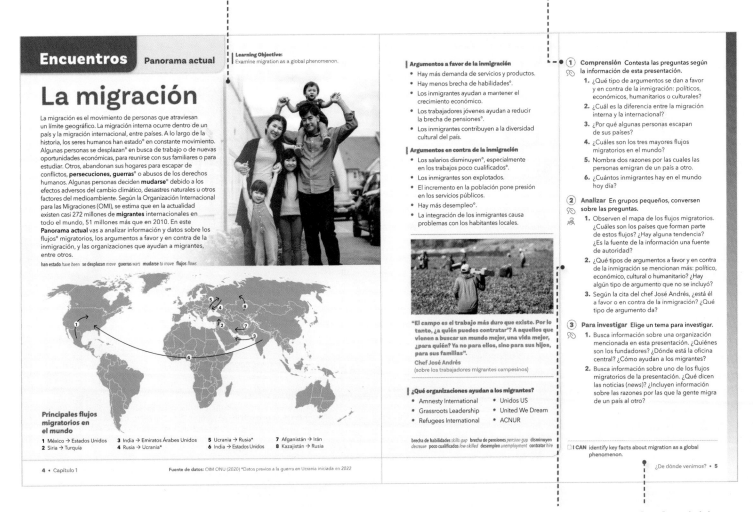

The **inquiry-based approach** to culture is designed to spark your curiosity and take it further with an internet research activity. As you share your findings with your peers, you will develop a broader understanding of the topics and gain new perspectives.

Textbook activities

Experiencias Intermediate at-a-glance

Exploraciones: Vocabulario
presents and practices the chapter vocabulary in meaningful contexts.

Active vocabulary is presented in a variety of contextualized formats, such as illustrations with labels and comprehensible texts. English translations are provided for items that may be difficult to understand.

Vocabulary with audio

Activities practice new vocabulary in relatable and meaningful contexts, including real-world tasks to engage with your peers, collaborate, and build community.

Exploraciones — Vocabulario 1

Learning Objective: Talk about cultural heritage and identity.

Audio: Vocabulary

La identidad cultural

¡ATENCIÓN!
Antes de empezar, repasa la sección Vocabulario 1 del Capítulo 2 de *Experiencias: Beginning Spanish.*

Estados Unidos es un país **multicultural** con muchos grupos diversos. Muchos estadounidenses tienen también **raíces** de distinto origen. El lugar de origen, la **raza**, el idioma, las tradiciones, las **costumbres** y los **valores**, entre otros, forman parte de la **identidad cultural** de cada individuo. En el caso de la comunidad latina, no existe una única experiencia latina: esta comunidad se caracteriza por su gran **diversidad**. Muchos miembros de la comunidad latina **se identifican** con la nacionalidad de su país de origen en lugar de con términos asignados por el gobierno, como "hispanos" o "latinos". El idioma, otro aspecto de la identidad cultural, tampoco es un factor homogéneo en esta comunidad. La preservación del español no siempre es exitosa, ya que según un estudio del Centro de Investigaciones Pew, solo la mitad de los estadounidenses de segunda **generación** son **bilingües** y para la tercera generación, ese porcentaje se reduce a la mitad.

Más palabras	Cognados
la ascendencia *ancestry*	los conflictos generacionales
el/la antepasado/a *ancestor*	el estereotipo
la herencia *heritage*	la libertad
cómodo/a *comfortable*	bicultural
orgulloso/a *proud*	multilingüe
adaptarse *to adapt*	celebrar
crecer (c:zc) *to grow*	conservar
mantener (e:ie) contacto *to maintain contact*	emigrar
mudarse *to move, to relocate*	inmigrar
promover (o:ue) *to promote*	
provenir (e:ie) *to come from*	
recordar (o:ue) *to remember*	
respetar *to respect*	
tener (e:ie) éxito *to be successful*	

6 • Capítulo 1

1 **¿Cierto o falso?** Escucha cada definición y decide si es **cierta (C)** o **falsa (F)**.

1. _____   3. _____   5. _____

2. _____   4. _____   6. _____

2 **Diagrama** Los diagramas nos ayudan a organizar la información que estudiamos. Analiza las palabras del vocabulario y cómo se relacionan entre ellas. Luego clasifica cada una según el diagrama.

> La identidad cultural

5 **La diversidad en nuestro grupo** Vas a investigar las diversas identidades de tu clase.

Paso 1 Completa la tabla con tres costumbres o prácticas culturales (por ejemplo, comer algunos alimentos con las manos o saludar a otros con un abrazo), tres tradiciones o celebraciones (por ejemplo, el Año Nuevo o el Día de Acción de Gracias) y tres valores de tu cultura (por ejemplo, la igualdad o la individualidad).

Costumbres	Tradiciones o celebraciones	Valores

Paso 2 En grupos pequeños, compartan sus listas y observen si hay elementos comunes. ¿Cuáles son? ¿Qué elementos son únicos y no los comparten con nadie de la clase?

Paso 3 Compartan con la clase los elementos en común y los elementos únicos de su grupo. ¿Consideran que su clase es culturalmente muy diversa o poco diversa?

Paso 4 Escribe una breve reflexión sobre lo que aprendiste de las identidades culturales de tu clase.

6 **El español cerca de ti** En muchas comunidades se celebran eventos culturales. Busca información sobre una organización que promueva la herencia cultural de las comunidades hispanohablantes.

Paso 1 Completa la tabla con la información que encuentres.

Nombre	Objetivo o misión	Actividades que realizan	Dirección	Página web

Paso 2 En parejas, intercambien información sobre las organizaciones que encontraron. Luego contesten las preguntas.

1. En su opinión, ¿cómo contribuyen los eventos y actividades de estas organizaciones en la preservación de la cultura latina?

2. ¿Comparten algunas de las perspectivas o valores culturales que promueven estas organizaciones? ¿Cuáles?

☐ **I CAN** talk about cultural heritage and identity.

Resources

Vhlcentral

WebSAM

¿De dónde venimos? • 9

...ncias: Intermediate ...ou will find student tips ...udents. These students ...as worked for them as ...Spanish. Perhaps some ...will work for you, too!

...T TIP: Learning ...Language (by Sofia ...esco, University of ...ati)

...ed that it takes a lot of ...and practice to learn a ...anguage and it's really ...t to not be shy in ...o online to watch ...lete learning tip.

Video: Tip

...ónde venimos? • 7

The active vocabulary for each chapter is broken down into **meaningful, manageable chunks**, tied to the communication goals of the section.

Textbook and additional WebSAM activities

Exploraciones: Gramática

presents and practices linguistic functions in meaningful contexts.

The **grammar presentations** are student-friendly and simple.

Grammar tutorials

¿Qué observas? boxes are strategically located within the grammar explanations. They offer guiding questions, prompting you to observe and analyze grammar elements in order to construct your own conceptual model of the structures that are explored.

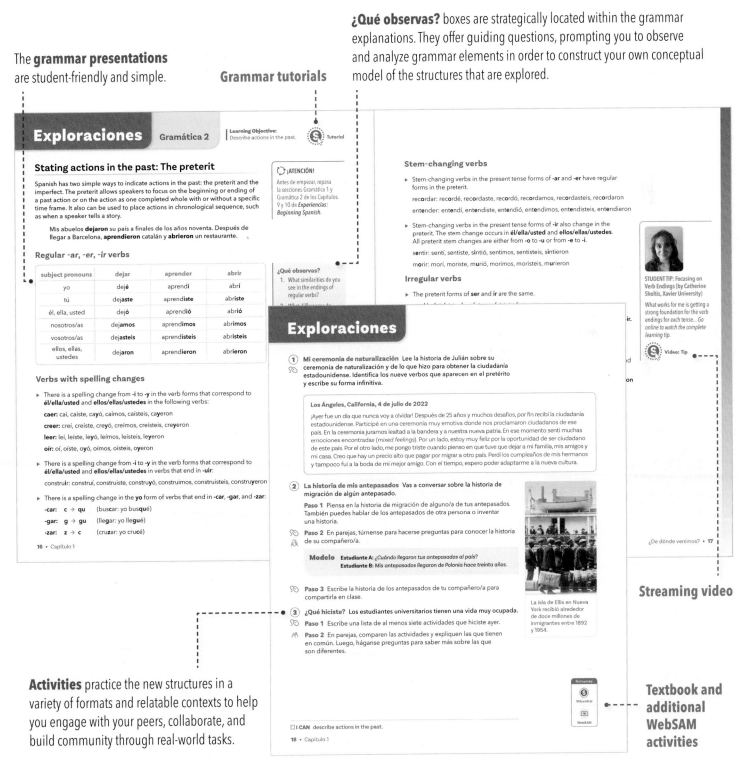

Exploraciones — Gramática 2

Learning Objective: Describe actions in the past.

Tutorial

Stating actions in the past: The preterit

Spanish has two simple ways to indicate actions in the past: the preterit and the imperfect. The preterit allows speakers to focus on the beginning or ending of a past action or on the action as one completed whole with or without a specific time frame. It also can be used to place actions in chronological sequence, such as when a speaker tells a story.

Mis abuelos **dejaron** su país a finales de los años noventa. Después de llegar a Barcelona, **aprendieron** catalán y **abrieron** un restaurante.

Regular -ar, -er, -ir verbs

subject pronouns	dejar	aprender	abrir
yo	dej**é**	aprend**í**	abr**í**
tú	dej**aste**	aprend**iste**	abr**iste**
él, ella, usted	dej**ó**	aprend**ió**	abr**ió**
nosotros/as	dej**amos**	aprend**imos**	abr**imos**
vosotros/as	dej**asteis**	aprend**isteis**	abr**isteis**
ellos, ellas, ustedes	dej**aron**	aprend**ieron**	abr**ieron**

Verbs with spelling changes

▸ There is a spelling change from **-i** to **-y** in the verb forms that correspond to **él/ella/usted** and **ellos/ellas/ustedes** in the following verbs:

caer: caí, caíste, cayó, caímos, caísteis, cayeron

creer: creí, creíste, creyó, creímos, creísteis, creyeron

leer: leí, leíste, leyó, leímos, leísteis, leyeron

oír: oí, oíste, oyó, oímos, oísteis, oyeron

▸ There is a spelling change from **-i** to **-y** in the verb forms that correspond to **él/ella/usted** and **ellos/ellas/ustedes** in verbs that end in **-uir**:

construir: construí, construiste, construyó, construimos, construisteis, construyeron

▸ There is a spelling change in the **yo** form of verbs that end in **-car**, **-gar**, and **-zar**:

-car: c → qu (buscar: yo busqué)

-gar: g → gu (llegar: yo llegué)

-zar: z → c (cruzar: yo crucé)

16 • Capítulo 1

¡ATENCIÓN!

Antes de empezar, repasa la secciones Gramática 1 y Gramática 2 de los Capítulos 9 y 10 de *Experiencias: Beginning Spanish.*

¿Qué observas?
1. What similarities do you see in the endings of regular verbs?

Stem-changing verbs

▸ Stem-changing verbs in the present tense forms of **-ar** and **-er** have regular forms in the preterit.

recordar: recordé, recordaste, recordó, recordamos, recordasteis, recordaron

entender: entendí, entendiste, entendió, entendimos, entendisteis, entendieron

▸ Stem-changing verbs in the present tense forms of **-ir** also change in the preterit. The stem change occurs in **él/ella/usted** and **ellos/ellas/ustedes.** All preterit stem changes are either from **-o** to **-u** or from **-e** to **-i.**

sentir: sentí, sentiste, sintió, sentimos, sentisteis, sintieron

morir: morí, moriste, murió, morimos, moristeis, murieron

Irregular verbs

▸ The preterit forms of **ser** and **ir** are the same.

STUDENT TIP: Focusing on Verb Endings (by Catherine Sholtis, Xavier University)

What works for me is getting a strong foundation for the verb endings for each tense... *Go online to watch the complete learning tip.*

Video: Tip

Exploraciones

(1) **Mi ceremonia de naturalización** Lee la historia de Julián sobre su ceremonia de naturalización y de lo que hizo para obtener la ciudadanía estadounidense. Identifica los nueve verbos que aparecen en el pretérito y escribe su forma infinitiva.

> **Los Ángeles, California, 4 de julio de 2022**
>
> ¡Ayer fue un día que nunca voy a olvidar! Después de 25 años y muchos desafíos, por fin recibí la ciudadanía estadounidense. Participé en una ceremonia muy emotiva donde nos proclamaron ciudadanos de ese país. En la ceremonia juramos lealtad a la bandera y a nuestra nueva patria. En ese momento sentí muchas emociones encontradas (*mixed feelings*). Por un lado, estoy muy feliz por la oportunidad de ser ciudadano de este país. Por el otro lado, me pongo triste cuando pienso en que tuve que dejar a mi familia, mis amigos y mi casa. Creo que hay un precio alto que pagar por migrar a otro país. Perdí los cumpleaños de mis hermanos y tampoco fui a la boda de mi mejor amigo. Con el tiempo, espero poder adaptarme a la nueva cultura.

(2) **La historia de mis antepasados** Vas a conversar sobre la historia de migración de algún antepasado.

Paso 1 Piensa en la historia de migración de alguno/a de tus antepasados. También puedes hablar de los antepasados de otra persona o inventar una historia.

Paso 2 En parejas, túrnense para hacerse preguntas para conocer la historia de su compañero/a.

> **Modelo** Estudiante A: *¿Cuándo llegaron tus antepasados al país?*
> Estudiante B: *Mis antepasados llegaron de Polonia hace treinta años.*

Paso 3 Escribe la historia de los antepasados de tu compañero/a para compartirla en clase.

(3) **¿Qué hiciste?** Los estudiantes universitarios tienen una vida muy ocupada.

Paso 1 Escribe una lista de al menos siete actividades que hiciste ayer.

Paso 2 En parejas, comparen las actividades y expliquen las que tienen en común. Luego, háganse preguntas para saber más sobre las que son diferentes.

La isla de Ellis en Nueva York recibió alrededor de doce millones de inmigrantes entre 1892 y 1954.

¿De dónde venimos? • 17

Streaming video

☐ **I CAN** describe actions in the past.

18 • Capítulo 1

Restaurantes

Vhlcentral

WebSAM

Activities practice the new structures in a variety of formats and relatable contexts to help you engage with your peers, collaborate, and build community through real-world tasks.

Textbook and additional WebSAM activities

Experiencias Intermediate at-a-glance

Exploraciones: Podcast

allows you to reflect on your progress and see how you are doing.

Podcast features individuals that share personal stories connected to the chapter themes. They integrate the vocabulary and grammar you have seen so far.

Audio-sync reading

The audio-sync reading available online offers another way to practice your listening comprehension if you feel you need additional support.

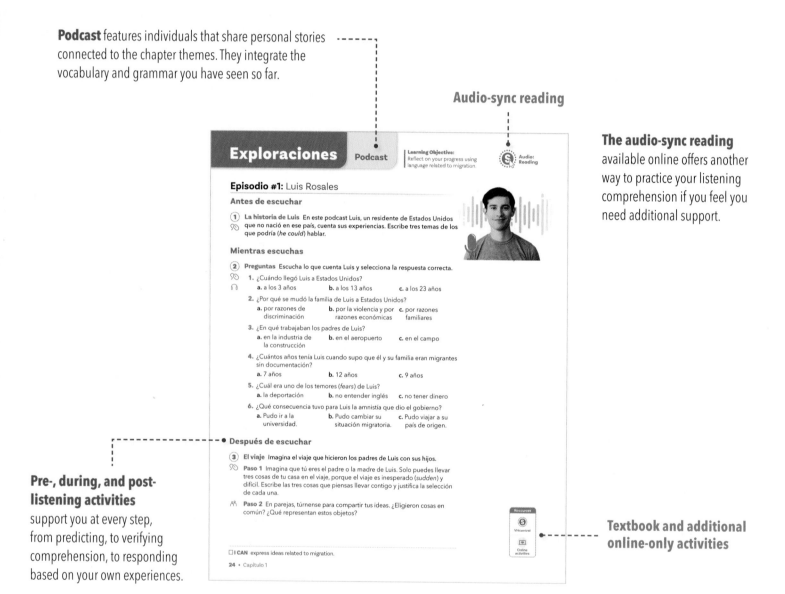

Pre-, during, and post-listening activities support you at every step, from predicting, to verifying comprehension, to responding based on your own experiences.

Textbook and additional online-only activities

Experiencias: Blog and Cultura y sociedad

features contemporary topics, and develops your reading and writing skills.

Sofía´s blog gives you a window into specific places, events, and experiences in the countries and cultures of focus through her own eyes and experiences, including photos, anecdotes, recommendations, and contemporary cultural information.

High-interest leveled readings help you grow as a reader while gaining deeper understanding of products, practices, and perspectives from a diverse range of people and communities around the world.

Audio-sync reading

Experiencias — Blog

Learning Objective:
Investigate bilingualism and biculturalism.

Ser bilingüe y bicultural

Lee las opiniones de Sofía sobre el bilingüismo y la biculturalidad en su blog.

www.el_blog_de_sofia.com/Ser_bilingüe_y_bicultural

Ser bilingüe y bicultural

El otro día leí un artículo que hablaba sobre la importancia de ser bilingüe y bicultural. Según algunos estudios, ser bilingüe mejora nuestras habilidades cognitivas, como la concentración, la resolución de problemas y la flexibilidad mental. Además, ser bilingüe nos abre muchas puertas en el área profesional. Pero las ventajas no terminan ahí. Ser bicultural significa que podemos disfrutar y comprender dos culturas diferentes. Esto nos da una perspectiva única y nos permite adaptarnos más fácilmente a diferentes entornos (*environments*). También, nos hace más empáticos hacia las otras personas y promueve la aceptación de la diversidad.

Pensando en esto, recordé a mi amiga Silvia. Ella creció en un hogar bilingüe y bicultural, donde sus padres tuvieron un papel fundamental en su desarrollo. Desde pequeña, le leían cuentos y veían películas en ambos idiomas. También sus padres le enseñaron a leer y escribir en español. Cuando entró a la secundaria, Silvia decidió tomar clases de español para seguir aprendiendo sobre el idioma. Ahora, Silvia está muy agradecida de que sus padres hayan reconocido (*have recognized*) las ventajas de ser bilingüe y bicultural. Gracias a ellos, puede comunicarse fluidamente en dos idiomas y disfrutar de lo mejor de ambas culturas. ¡Una verdadera fortuna!

① **¿Cierto o falso?** Indica si cada oración es **cierta (C)** o **falsa (F)**, según el blog.

1. Algunas personas creen que hablar dos idiomas tiene efectos positivos en el cerebro (*brain*). .... C F

2. Según Sofía, una persona bicultural tiene la habilidad de "ponerse en los zapatos" de otra persona. .... C F

3. Silvia aprendió español exclusivamente en casa. .... C F

② **Escuela bilingüe** Busca en internet una escuela bilingüe (inglés-español) en tu comunidad, estado o país, y contesta las preguntas.

1. ¿Dónde está la escuela?

2. ¿Qué clases se enseñan en inglés? ¿Y cuáles en español?

③ **Mi blog** Busca ejemplos del uso de español en tu comunidad o en internet (televisión, restaurantes, tiendas...). Luego escribe una reflexión sobre la presencia del español en tu comunidad. Incluye fotos de ser posible.

☐ I CAN investigate bilingualism and biculturalism.

¿De dónde venimos? • 25

Textbook activities and additional online-only activity

Readings shed light on real and **contemporary issues**, such as immigration, how AI is shaping art and education, as well as how to actively engage with your community.

A writing strategy guides you to develop your confidence in reading and writing independently.

Experiencias — Cultura y sociedad

Learning Objective: Compare practices and perspectives related to immigration in Mexico and your own country.

🎧 Audio: Reading

Al pensar en los flujos migratorios relacionados con México, muchas personas se centran en la salida de mexicanos a otros países en el mundo. Sin embargo, México es hoy en día el destino de muchos migrantes del mundo. Vas a leer una lectura sobre este tema.

Antes de leer

① **Los refugiados** Analiza el gráfico sobre las solicitudes (*applications*) de condición de refugiado/a en México y contesta las preguntas. Luego, en parejas, expliquen posibles razones del cambio en el número de solicitudes.

Solicitudes de condición de refugiado/a en México por país de origen (2013-2021)

■ 2013 ■ 2017 ■ 2019 ■ 2021

50%

40%

México: destino de inmigración global

En los últimos años, México se ha convertido° en un destino para migrantes internacionales. El número total de habitantes de México bordea los ciento treinta millones. En 2021, según un informe titulado
5 "Inmigración en México", el número de extranjeros en México sobrepasó el millón doscientas mil personas, lo cual representa aproximadamente el 1% de la población del país. Ese porcentaje todavía no se puede comparar con la proporción de extranjeros en
10 Estados Unidos (15,4%), España (14,6%), Chile (5%) o Argentina (4,9%), pero el incremento de inmigrantes en México demuestra que esta tendencia va en aumento° a pesar de que el número decreció durante la pandemia. Sin embargo, algunas fuentes no oficiales
15 afirman que el número total de extranjeros en México asciende a cuatro millones, sin incluir a aquellos que están nacionalizados.

El país no ha buscado° históricamente la inmigración masiva, sino que ha sido foco de atracción de
20 una inmigración selectiva al ofrecer asilo político a muchas personas por razones de persecución religiosa o ideológica, y también al abrir sus puertas a intelectuales, científicos y artistas que contribuyen en diversos campos. Ana es una refugiada de Guatemala
25 que vive en la ciudad de Monterrey. Escapó de la violencia en su comunidad y ahora trabaja en un supermercado: "Aquí puedo vivir una vida normal y también tengo oportunidades de desarrollarme".

De acuerdo con el INEGI (Instituto Nacional de
30 Estadística y Geografía), el número de inmigrantes con documentos se duplicó en apenas diez años. Según sus datos, la mayoría se muda por razones familiares y en segundo lugar, por razones económicas. Muchos de estos extranjeros provienen de Estados Unidos,
35 seguido por Guatemala, Venezuela y Colombia. En años recientes, ha habido° un incremento de inmigrantes haitianos debido a la inestabilidad política de ese país. También hay residentes temporales que llegan a México. Estadounidenses,
40 colombianos, argentinos, venezolanos y chinos son las nacionalidades de la mayoría de los residentes temporales en la actualidad.

Alrededor del lago Chapala —el más grande de México— vive una gran concentración de migrantes internacionales.

¿Por qué emigran las personas de todo el mundo a México? Muchos artículos señalan a México como
45 el lugar perfecto para ir en busca de oportunidades. Por ejemplo, es una de las principales economías de América Latina y ofrece excelentes oportunidades para nuevos emprendedores°. El costo de vida es menor en México para una persona que proviene, por
50 ejemplo, de Estados Unidos o de Europa. Sin embargo, existe una gran desigualdad entre ricos y pobres. Para Nancy, una consultora de negocios de Chicago que se mudó a Guadalajara y trabaja de forma virtual, "vivir aquí es un sueño hecho realidad: México tiene una
55 historia muy rica, hay muchos atractivos turísticos, la gente es muy amable y la comida es deliciosa. Además, el costo de vida es más económico que en Estados Unidos". Pero añade, "a muchos extranjeros les preocupa el tema de la seguridad antes de mudarse
60 aquí. En mi experiencia, la mayoría de los lugares son seguros para los extranjeros. Desde luego, hay que tomar precauciones como en muchos otros lugares y también hay zonas a las que se recomienda no ir".

La migración es un proceso global, continuo y
65 permanente, y México es uno de los tantos países que atrae a inmigrantes de diferentes lugares y puede así enriquecer su cultura e impulsar su crecimiento económico. ●

se ha convertido *has turned* **va en aumento** *is rising* **no ha buscado** *has not looked for* **ha habido** *there has been* **emprendedores** *entrepreneurs*

¿De dónde venimos? • 27

Experiencias Intermediate at-a-glance

Experiencias: Literatura

features literary readings and further develops your interpretive skills.

Exposes you to **unique perspectives** related to the chapter theme through the lens of literature.

Audio-sync reading

Literatura | **Learning Objective:** Interpret a perspective related to cultural identity.

Jesús Abraham "Tato" Laviera (1950–2013)

Jesús Abraham Laviera, conocido como Tato Laviera, nació en Santurce, San Juan, Puerto Rico, el 5 de septiembre de 1950. Su familia se mudó a Nueva York cuando tenía diez años, y fue allí donde creció en un ambiente bilingüe, moviéndose fácilmente entre el inglés y el español. Laviera escribió sobre la identidad puertorriqueña en Estados Unidos y era un apasionado participante de recitales poéticos. "Niuyorican" –el título del poema que vas a leer– es un término compuesto de las palabras "New York" y "Puerto Rican", y hace referencia a los miembros de la comunidad puertorriqueña y sus descendientes que viven en la ciudad de Nueva York.

Antes de leer

Estrategia de lectura: Reading a Poem

Poetry is meant to be read on its own terms. Don't try to get a poem to relate to your life necessarily. Instead try to see what world the poem aloud and silently several times. Notice the ch images that the word combinations create in your mind thoughts in the margins. Pay attention to the poem and your own world in a different light.

(1) **¿Qué sabes de Puerto Rico?** Utiliza las siguientes describir lo que sabes de Puerto Rico. Luego, en pa ideas y presenten la información a la clase.

animal emblemático historia
geografía idioma(s)

(2) **Ideas** "Niuyorican" trata del deseo del autor de co y con un país que lo rechazan (reject) por no vivir e posibles temas que el autor va a discutir en el poer

☐ el baile ☐ el clima agradable ☐ la escuela
☐ la capital ☐ la comida ☐ la familia

(3) **Vocabulario** Vas a familiarizarte con el vocabulario

Paso 1 Lee por encima (skim) el poema e identifica

Paso 2 Lee por encima nuevamente el poema y bus palabras. Escribe una definición en español para cae

1. barrio 3. callejones
2. boricua 4. pobre

Experiencias

Calle del Viejo San Juan

...orican

...uerto rico, ¿sabes?
...r tu nombre, ¿sabes?
...iento extraño, ¿sabes?
...ás y más, ¿sabes?
...us calumnias°,
...° tu sonrisa,
...mal, agallao°,
...y tu hijo,
...nigración,
...r forzado,
... nativo en otras tierras,
...mos pobres, ¿verdad?
...arte° de tu gente pobre,
...n corazón boricua, y tú,
...mal, me atacas mi hablar,
...ds en discotecas americanas,
...sa en san juan, la que yo
...enos de tus costumbres,
...quieres, pues yo tengo
...mo en que buscar refugio
...uchos otros callejones
...ncia, preservando todos
...ue, por favor, no me
...rir, ¿sabes?

...ón **vaciarte** empty

Después de leer

(3) **Imágenes** Piensa en el mundo que describe Laviera en su poema. ¿Qué imágenes provocan las palabras del autor en ti? Luego, compartan y comparen sus ideas en clase.

(4) **Comprensión** Selecciona las ideas del poema que representan el rechazo (rejection) que siente el poeta y la idea de que no se siente cómodo cuando vuelve a Puerto Rico.

☐ y tú, me desprecias ☐ me miras mal
☐ yo soy tu hijo ☐ me niegas tu sonrisa
☐ me atacas mi hablar ☐ entro a tu isla
☐ comes mcdonalds en discotecas americanas ☐ ahora regreso, con un corazón boricua

(5) **Análisis** En parejas, reflexionen sobre las preguntas y contéstenlas.

1. ¿Qué quiere decir "me defiendo por tu nombre"?
2. ¿Por qué se fue de Puerto Rico la familia del poeta?
3. En su opinión, ¿por qué no se siente cómodo el autor en Puerto Rico?
4. ¿Por qué piensan que el poeta ya no es aceptado en su lugar de origen?
5. ¿Qué representa Nueva York para el poeta y qué ejemplos de su cultura hay en Nueva York?
6. ¿Cómo expresa el poeta la tristeza por el rechazo (rejection) de su lugar y cultura de origen?
7. El poeta utiliza la pregunta ¿sabes? al final de varias líneas. ¿Con quién está hablando?
8. ¿Se sienten cómodos/as ustedes cuando vuelven a su lugar de origen? ¿Qué sentimientos tienen?

(6) **Investigación** Investiga sobre los puertorriqueños que viven en la ciudad de Nueva York. ¿Cómo esta información te ayuda a comprender mejor el poema de Laviera?

1. Características de los flujos migratorios de Puerto Rico a Estados Unidos
2. Número de puertorriqueños en la ciudad
3. Barrios donde viven algunas comunidades puertorriqueñas
4. Centros culturales, teatros u otros lugares culturales

Resources
VHLcentral
Online activities

☐ **I CAN** interpret a perspective related to cultural identity.

¿De dónde venimos? • 31

Textbook activities and additional online-only activity

Pre-, during, and post-reading activities

support you every step of the way, from writing questions, to identifying the purpose of a literary work, to analyzing and interpreting.

Experiencias: Intercambiemos perspectivas

develops your intercultural communication competence in the context of the chapter theme.

Exposes you to **compelling authentic video** to help you notice, analyze, and compare aspects of culture related to practices and perspectives.

Streaming video

Interactive video with activity

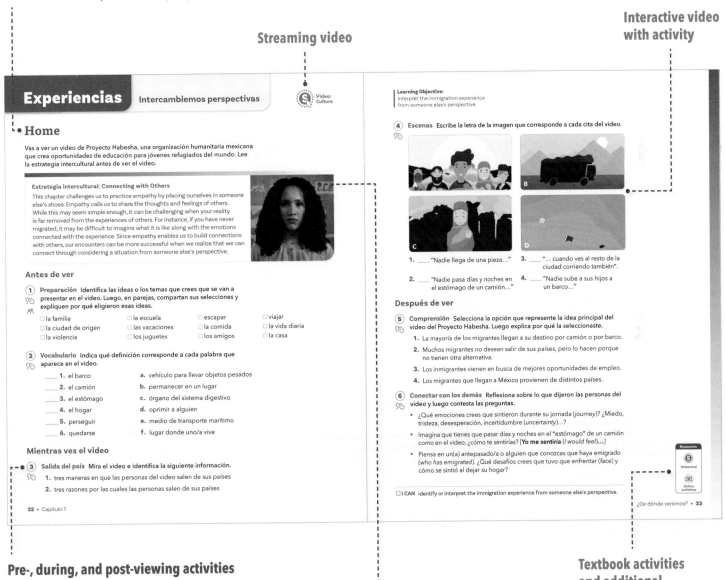

Experiencias — Intercambiemos perspectivas

🅢 Video: Culture

• Home

Vas a ver un video de Proyecto Habesha, una organización humanitaria mexicana que crea oportunidades de educación para jóvenes refugiados del mundo. Lee la estrategia intercultural antes de ver el video.

Estrategia intercultural: Connecting with Others

This chapter challenges us to practice empathy by placing ourselves in someone else's shoes. Empathy calls us to share the thoughts and feelings of others. While this may seem simple enough, it can be challenging when your reality is far removed from the experiences of others. For instance, if you have never migrated, it may be difficult to imagine what it is like along with the emotions connected with the experience. Since empathy enables us to build connections with others, our encounters can be more successful when we realize that we can connect through considering a situation from someone else's perspective.

Antes de ver

1 **Preparación** Identifica las ideas o los temas que crees que se van a presentar en el video. Luego, en parejas, compartan sus selecciones y expliquen por qué eligieron esas ideas.

☐ la familia   ☐ la escuela   ☐ escapar   ☐ viajar
☐ la ciudad de origen   ☐ las vacaciones   ☐ la comida   ☐ la vida diaria
☐ la violencia   ☐ los juguetes   ☐ los amigos   ☐ la casa

2 **Vocabulario** Indica qué definición corresponde a cada palabra que aparece en el video.

_____ 1. el barco   a. vehículo para llevar objetos pesados
_____ 2. el camión   b. permanecer en un lugar
_____ 3. el estómago   c. órgano del sistema digestivo
_____ 4. el hogar   d. oprimir a alguien
_____ 5. perseguir   e. medio de transporte marítimo
_____ 6. quedarse   f. lugar donde uno/a vive

Mientras ves el video

3 **Salida del país** Mira el video e identifica la siguiente información.

1. tres maneras en que las personas del video salen de sus países
2. tres razones por las cuales las personas salen de sus países

32 • Capítulo 1

Learning Objective:
Interpret the immigration experience from someone else's perspective.

4 **Escenas** Escribe la letra de la imagen que corresponde a cada cita del video.

1. _____ "Nadie llega de una pieza…"
2. _____ "Nadie pasa días y noches en el estómago de un camión…"
3. _____ "… cuando ves al resto de la ciudad corriendo también".
4. _____ "Nadie sube a sus hijos a un barco…"

Después de ver

5 **Comprensión** Selecciona la opción que represente la idea principal del video del Proyecto Habesha. Luego explica por qué la seleccionaste.

1. La mayoría de los migrantes llegan a su destino por camión o por barco.
2. Muchos migrantes no desean salir de sus países, pero lo hacen porque no tienen otra alternativa.
3. Los inmigrantes vienen en busca de mejores oportunidades de empleo.
4. Los migrantes que llegan a México provienen de distintos países.

6 **Conectar con los demás** Reflexiona sobre lo que dijeron las personas del video y luego contesta las preguntas.

- ¿Qué emociones crees que sintieron durante su jornada (*journey*)? ¿Miedo, tristeza, desesperación, incertidumbre (*uncertainty*)…?
- Imagina que tienes que pasar días y noches en el "estómago" de un camión como en el video, ¿cómo te sentirías? [**Yo me sentiría** (*I would feel*)…]
- Piensa en un(a) antepasado/a o alguien que conozcas que haya emigrado (*who has emigrated*). ¿Qué desafíos crees que tuvo que enfrentar (*face*) y cómo se sintió al dejar su hogar?

☐ **I CAN** identify or interpret the immigration experience from someone else's perspective.

Resources
🅢 Vhlcentral
📄 Online activities

¿De dónde venimos? • 33

Pre-, during, and post-viewing activities support you every step of the way, from activating your background knowledge, to checking your comprehension, to analyzing and interpreting.

Each section features **an intercultural strategy** to support your cultural exploration.

Textbook activities and additional online-only activity

Experiencias Intermediate at-a-glance

Experiencias: Proyectos

sparks your creativity to further develop your speaking and writing skills.

The end-of-chapter project is a culminating oral task. Everything you have done up to this point will help you answer the chapter question posed in the chapter title. The projects are meaningful and center around the community. They promote your self-expression and give you opportunities to use the language in real-world contexts. Online rubrics are designed to help you understand expectations for how your work will be assessed.

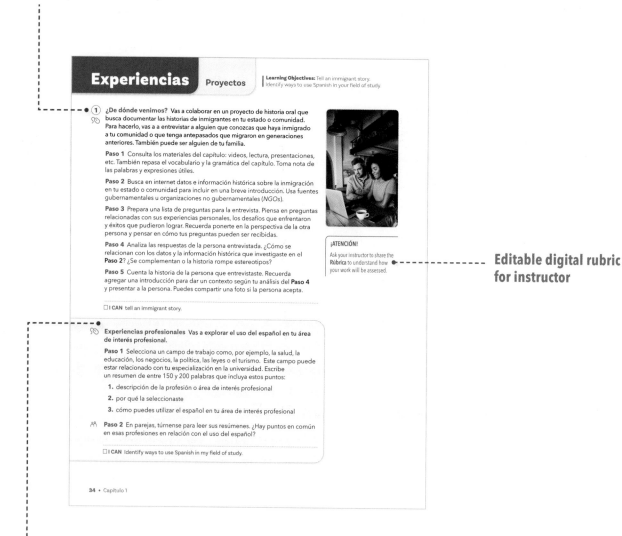

Experiencias — Proyectos

Learning Objectives: Tell an immigrant story. Identify ways to use Spanish in your field of study.

1 ¿De dónde venimos? Vas a colaborar en un proyecto de historia oral que busca documentar las historias de inmigrantes en tu estado o comunidad. Para hacerlo, vas a a entrevistar a alguien que conozcas que haya inmigrado a tu comunidad o que tenga antepasados que migraron en generaciones anteriores. También puede ser alguien de tu familia.

Paso 1 Consulta los materiales del capítulo: videos, lectura, presentaciones, etc. También repasa el vocabulario y la gramática del capítulo. Toma nota de las palabras y expresiones útiles.

Paso 2 Busca en internet datos e información histórica sobre la inmigración en tu estado o comunidad para incluir en una breve introducción. Usa fuentes gubernamentales u organizaciones no gubernamentales (NGOs).

Paso 3 Prepara una lista de preguntas para la entrevista. Piensa en preguntas relacionadas con sus experiencias personales, los desafíos que enfrentaron y éxitos que pudieron lograr. Recuerda ponerte en la perspectiva de la otra persona y pensar en cómo tus preguntas pueden ser recibidas.

Paso 4 Analiza las respuestas de la persona entrevistada. ¿Cómo se relacionan con los datos y la información histórica que investigaste en el **Paso 2**? ¿Se complementan o la historia rompe estereotipos?

Paso 5 Cuenta la historia de la persona que entrevistaste. Recuerda agregar una introducción para dar un contexto según tu análisis del **Paso 4** y presentar a la persona. Puedes compartir una foto si la persona acepta.

☐ **I CAN** tell an immigrant story.

¡ATENCIÓN!
Ask your instructor to share the **Rúbrica** to understand how your work will be assessed.

Editable digital rubric for instructor

Experiencias profesionales Vas a explorar el uso del español en tu área de interés profesional.

Paso 1 Selecciona un campo de trabajo como, por ejemplo, la salud, la educación, los negocios, la política, las leyes o el turismo. Este campo puede estar relacionado con tu especialización en la universidad. Escribe un resumen de entre 150 y 200 palabras que incluya estos puntos:

1. descripción de la profesión o área de interés profesional
2. por qué la seleccionaste
3. cómo puedes utilizar el español en tu área de interés profesional

Paso 2 En parejas, túrnense para leer sus resúmenes. ¿Hay puntos en común en esas profesiones en relación con el uso del español?

☐ **I CAN** Identify ways to use Spanish in my field of study.

34 • Capítulo 1

Experiencias profesionales allow you to explore the application of Spanish in your own field of study and future career.

Diane Ceo-DiFrancesco, Ph.D.

As a professor of Spanish, I have spent my professional career focusing on the best ways to teach students like you to be successful communicators in the Spanish language. I also train students who want to become teachers, and have worked on projects related to virtual encounters with native speakers, collaborative virtual projects, and the development of intercultural competence. Writing *Experiencias* has been a fun way to share my enthusiasm for the Spanish language and cultures with learners. My love of travel and making friends with people from diverse backgrounds has taken me around the world, leading study abroad and immersion programs for students and colleagues to numerous Spanish-speaking countries. I hope that *Experiencias* inspires you to explore, experience, and interact with different peoples, opening your mind to diverse ideas and perspectives.

I dedicate *Experiencias* to my students, for all the fun that we have learning together.

Gregory L. Thompson, Ph.D.

I come from a long line of teachers, and knew from a young age that I wanted to be a teacher myself. I received my bachelors in Math and Spanish teaching, and an M.A. in Spanish Pedagogy from Brigham Young University, and a Ph.D. in Second Language Acquisition and Teaching from the University of Arizona. I have taught classes in language pedagogy, bilingualism, Spanish phonetics, applied linguistics, and language skill development. I have published articles and books about code-switching in the foreign language classroom; heritage language learners; service-learning and language acquisition; bilingualism and languages in contact; placement exams; service learning, Spanish language curriculum, languages in contact, and Spanish in the U.S. Currently I work at Brigham Young University in the Department of Spanish and Portuguese, where I supervise intermediate Spanish. I feel strongly that my training, my research experience, and 20+ years of teaching have helped me in working on *Experiencias*, and I look forward to sharing it with you.

Alan V. Brown, Ph.D.

I was raised in Southern California by a high school Spanish teacher, but it never crossed my mind that I might follow a similar path. When I got my first taste of teaching Spanish in 1995 as a part-time instructor of small groups of volunteer missionaries during college, I fell in love. It was then that I realized that Spanish language teaching brought out the parts of my personality that I enjoyed most. I became certified as a secondary Spanish teacher at Brigham Young University, received an M.A. in Spanish Pedagogy from the same university, and subsequently completed a Ph.D. in Second Language Acquisition and Teaching from the University of Arizona. I am currently on faculty at the University of Kentucky as a member of the Hispanic Studies Department and enjoy teaching and learning about all things related to Spanish applied linguistics, Spanish language teaching and learning, and second language acquisition. I dedicate this work to those tireless, underpaid Spanish teachers who truly believe in the transformative power of multi-lingualism.

Acknowledgments

The **Experiencias** authors wish to express a very sincere and heartfelt thank you to the many individuals who were instrumental in making this work. We are grateful to Kate Grovergrys and Dr. Brianne Orr-Álvarez for contributing insightful teaching annotations to further support instructors. For their generous assistance in providing photos, we acknowledge and thank Edwin Aguilar, Mark DiFrancesco, Vincent DiFrancesco, and Oscar Kennedy Mora.

Reviewers for the Second Edition

Special thanks to those instructors whose thoughtful and constructive feedback was instrumental in shaping the Second Edition:

Ana Boone, *Baton Rouge Community College*
Marcela Lozoya Mireles, *Eastern Michigan University*
Barbara K. Fraser, *Vancouver Island University*
Kate Grovergrys, *Madison Area Technical College in Madison, Wisconsin*
Mónica Millán-Serna, *Eastern Michigan University*
Brianne Orr-Álvarez, *The University of British Columbia*
Stephanie Spacciante, *The University of British Columbia*

And finally, Vista Higher Learning is grateful to the reviewers of the First Edition who provided valuable insights and suggestions:

Amy Carbajal, *Western Washington University*, Susana Blanco-Iglesias, *Macalester College*, Todd Hernández, *Marquette University*, Dolores Flores-Silva, *Roanoke College*, Lilian Baeza-Mendoza, *American University*, Sean Dwyer, *Western Washington University*, Ryan LaBrozzi, *Bridgewater State University*, D. Eric Holt, *University of South Carolina, Columbia*, Karina Kline-Gabel, *James Madison University*, Jealynn Liddle Coleman, *Wytheville Community College*, Linda McManness, *Baylor University*, Julio Hernando, *Indiana University South Bend*, Robert Turner, *University of South Dakota*, Bridget Morgan, *Indiana University South Bend*, Jorge Muñoz, *Auburn University*, Barry Velleman, *Marquette University*, Catherine Wiskes, *University of South Carolina, Columbia*, Mirna Trauger, *Muhlenberg College*, Rachel Payne, *University of St. Joseph*, Patricia Orozco, *University of Mary Washington*, Héctor Enríquez, *University of Texas at El Paso*, Ava Conley, *Harding University,* Chelsa Ann Bohinski, *Binghamton University*, Ron Cere, *Eastern Michigan University*, Terri Wilbanks, *University of South Alabama*, Rebecca Carte, *Georgia College & State University*, James Davis, *Howard University*, Mónica Millán, *Eastern Michigan University*, Jorge González del Pozo, *University of Michigan-Dearborn*, Deyanira Rojas-Sosa, *SUNY New Paltz*, Luz Marina Escobar, *Tarrant County College Southeast Campus*, Louis Silvers, *Monroe Community College*, Julia Farmer, *University of West Georgia*, Alan Hartman, *Mercy College*, Jeff Longwell, *New Mexico State University*, John Burns, *Rockford College*, Martha Simmons, *Xavier University*, Rosa María Moreno, *Cincinnati State Tech*, Teresa Roig-Torres, *University of Cincinnati*, Francisco Martínez, *Northwestern Oklahoma State University*, Dana Monsein, *Endicott College*, David Schuettler, *The College of St. Scholastica*, Kenneth Totten, *The University of Cincinnati and The Art Institute of Ohio, Cincinnati*, Marlene Roldan-Romero, *Georgia College & State University*, Aurora Castillo, *Georgia College & State University*, Marta Camps, *George Washington University, Foggy Bottom*, Carla Aguado Swygert, *University of South Carolina, Columbia*, Nuria R. López-Ortega, *University of Cincinnati*, Terri Rice, *University of South Alabama*, Deanna Mihaly, *Virginia State University, Petersburg*, Simone Williams, *William Paterson University*, Rafael Arias, *Los Angeles Valley College*, Lourdes Albuixech, *Southern Illinois University*, Cristina Sparks-Early, *Northern Virginia Community College, Manassas*, Melany Bowman, *Arkansas State University*.

Experiencias

INTERMEDIATE SPANISH

SECOND EDITION

¿De dónde venimos?

OBJETIVOS DE APRENDIZAJE

By the end of this chapter, I will be able to...

- Identify some practices and perspectives about migration.
- Exchange information about my cultural heritage and past life experiences.
- Compare products, practices, and perspectives related to migration.
- Tell an immigrant story.
- Identify ways to use Spanish in my field of study.

ENCUENTROS

Sofía sale a la calle: Perspectivas sobre la migración

Panorama actual: La migración

EXPLORACIONES

Vocabulario

La identidad cultural

La migración

Gramática

Interrogative words

The preterit

The imperfect

The preterit and the imperfect

EXPERIENCIAS

Blog: Ser bilingüe y bicultural

Cultura y sociedad: México

Literatura: "*Niuyorican*", de Tato Laviera

Intercambiemos perspectivas: *Home*

Proyectos: ¿De dónde venimos?, Experiencias profesionales

Encuentros — Sofía sale a la calle

Video: Interview

Perspectivas sobre la migración

Lee y reflexiona sobre la estrategia intercultural de este capítulo.

Estrategia intercultural: Empathy

When you express empathy for someone's situation or context, you feel more connected to them because you can place or imagine yourself in their situation. Empathy means that you can identify the emotions that are likely associated with a situation. Intercultural conflicts or misunderstandings can be avoided by applying empathy. Putting empathy into practice can even facilitate solutions to conflicts. Empathy increases your sense of belonging, creates solidarity, and can decrease loneliness. Try developing this important skill through active listening, respect, and making an effort to withhold judgment.

Antes de ver

(1) Entrando en el tema Sofía entrevista a tres personas –Steve, Patricia y Dan– sobre la inmigración.

Paso 1 Lee las posibles razones por las que la gente emigra a otros países y selecciona las tres más comunes, según tu experiencia.

- buscar mejores oportunidades laborales y profesionales
- reunificar a la familia
- escapar de desastres naturales
- conocer otras culturas y vivir nuevas experiencias
- escapar de condiciones de inseguridad y violencia en sus comunidades
- huir de crisis políticas o económicas
- buscar una mejor calidad de vida para ellos y su familia
- obtener una mejor educación

Paso 2 En parejas, comparen sus respuestas y determinen si tienen puntos en común.

Paso 3 En grupos pequeños, hagan predicciones sobre posibles respuestas a las preguntas que Sofía hace.

1. ¿Por qué crees que es tan controversial el tema de la inmigración en tantos países?

2. ¿Por qué crees que la gente se muda a otros países: por cuestiones políticas o económicas o ambas?

3. ¿Crees que la inmigración ayuda a un país a prosperar o, por el contrario, lo puede perjudicar?

Mientras ves

(2) Perspectivas Mira el video e identifica de quién es cada una de estas opiniones.

Sofía

Steve

Patricia

Dan

_____ **1.** "… la inmigración no es fácil ni para los inmigrantes ni para los países que los reciben".

_____ **2.** "… la gente ya está cansada del sistema que están viviendo y quieren mejores oportunidades económicas en otros países".

_____ **3.** "… cada gobierno tiene un sistema diferente para controlar la población y la economía. Y esto crea fronteras".

_____ **4.** "… y se mudan por ambas razones, tanto económica como política, aunque es más frecuente la económica".

_____ **5.** "… la inmigración definitivamente ayuda a un país a prosperar porque sirve como una herramienta de enriquecimiento cultural y esto es muy útil para el progreso".

_____ **6.** "Pienso que la inmigración no se debe limitar y, al contrario de perjudicar, ayuda a la economía de cualquier otro país".

Estrategia de aprendizaje: Setting Goals for Your Learning

Hi! I'm Sofía. I'm from the United States, but I lived in Mexico, and that's why I learned Spanish. So now, I'm bilingual... *Go online to watch the complete learning strategy.*

 **Video: Strategy**

Después de ver

(3) Analizar En parejas, analicen las perspectivas presentadas en el video.

1. Piensen en lo que dice Sofía: "la inmigración no es fácil ni para los inmigrantes ni para los países que los reciben". ¿Qué quiere decir ella con esta frase?

2. Según el video, ¿cuál es un beneficio y un desafío de la inmigración?

3. Comparen las perspectivas que cada persona entrevistada ofrece sobre la inmigración. ¿Cómo se comparan y cómo se diferencian?

4. ¿Qué perspectiva nueva conociste sobre la inmigración?

5. ¿Conoces alguna historia de alguien que emigró a tu país? ¿Por qué lo hizo? ¿Qué desafíos tuvo que enfrentar?

Resources

Vhlcentral

Online activities

☐ **I CAN** identify perspectives about migration.

Exploraciones

(4) **Gráfico de tu identidad** Vas a reflexionar sobre las identidades que coexisten en tu vida.

Paso 1 Piensa sobre las múltiples identidades que tienes, especialmente en las siguientes categorías: edad, idioma, género, profesión, religión, región (rural o urbana), raza, estado civil, herencia cultural, región geográfica, valores, costumbres, etc. Escribe tu nombre en el rectángulo y completa tus identidades alrededor.

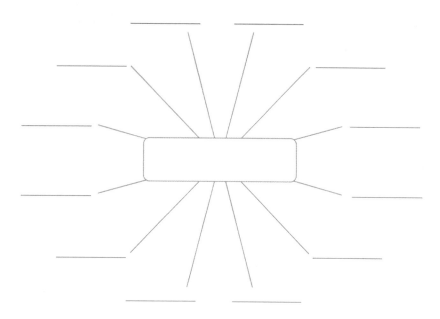

Paso 2 En parejas, usen las preguntas para conversar sobre el gráfico.

1. Elige las tres identidades que son más importantes para ti. ¿Cuáles son? ¿Por qué las seleccionaste?

2. ¿Qué identidad desarrollaste específicamente según los valores de tu cultura? ¿Cómo?

3. ¿Con qué identidad te sientes más cómodo/a? ¿Por qué?

4. ¿De qué identidad estás más orgulloso/a?

5. ¿Con qué identidad te sientes menos cómodo/a? ¿Por qué?

6. ¿Qué debe hacer una persona que quiere conocerte mejor?

Paso 3 Compartan con la clase observaciones y comparaciones que hicieron sobre sus identidades culturales.

Mientras ves

2 Perspectivas Mira el video e identifica de quién es cada una de estas opiniones.

Sofía

Steve

Patricia

Dan

_____ **1.** "… la inmigración no es fácil ni para los inmigrantes ni para los países que los reciben".

_____ **2.** "… la gente ya está cansada del sistema que están viviendo y quieren mejores oportunidades económicas en otros países".

_____ **3.** "… cada gobierno tiene un sistema diferente para controlar la población y la economía. Y esto crea fronteras".

_____ **4.** "… y se mudan por ambas razones, tanto económica como política, aunque es más frecuente la económica".

_____ **5.** "… la inmigración definitivamente ayuda a un país a prosperar porque sirve como una herramienta de enriquecimiento cultural y esto es muy útil para el progreso".

_____ **6.** "Pienso que la inmigración no se debe limitar y, al contrario de perjudicar, ayuda a la economía de cualquier otro país".

Estrategia de aprendizaje: Setting Goals for Your Learning

Hi! I'm Sofía. I'm from the United States, but I lived in Mexico, and that's why I learned Spanish. So now, I'm bilingual... *Go online to watch the complete learning strategy.*

 **Video: Strategy**

Después de ver

3 Analizar En parejas, analicen las perspectivas presentadas en el video.

1. Piensen en lo que dice Sofía: "la inmigración no es fácil ni para los inmigrantes ni para los países que los reciben". ¿Qué quiere decir ella con esta frase?

2. Según el video, ¿cuál es un beneficio y un desafío de la inmigración?

3. Comparen las perspectivas que cada persona entrevistada ofrece sobre la inmigración. ¿Cómo se comparan y cómo se diferencian?

4. ¿Qué perspectiva nueva conociste sobre la inmigración?

5. ¿Conoces alguna historia de alguien que emigró a tu país? ¿Por qué lo hizo? ¿Qué desafíos tuvo que enfrentar?

☐ **I CAN** identify perspectives about migration.

Resources

Ⓢ
VhIcentral

Online activities

La migración

La migración es el movimiento de personas que atraviesan un límite geográfico. La migración interna ocurre dentro de un país y la migración internacional, entre países. A lo largo de la historia, los seres humanos han estado° en constante movimiento. Algunas personas se desplazan° en busca de trabajo o de nuevas oportunidades económicas, para reunirse con sus familiares o para estudiar. Otros, abandonan sus hogares para escapar de conflictos, **persecuciones, guerras°** o abusos de los derechos humanos. Algunas personas deciden **mudarse°** debido a los efectos adversos del cambio climático, desastres naturales u otros factores del medioambiente. Según la Organización Internacional para las Migraciones (OMI), se estima que en la actualidad existen casi 272 millones de **migrantes** internacionales en todo el mundo, 51 millones más que en 2010. En este **Panorama actual** vas a analizar información y datos sobre los flujos° migratorios, los argumentos a favor y en contra de la inmigración, y las organizaciones que ayudan a migrantes, entre otros.

han estado *have been* **se desplazan** *move* **guerras** *wars* **mudarse** *to move* **flujos** *flows*

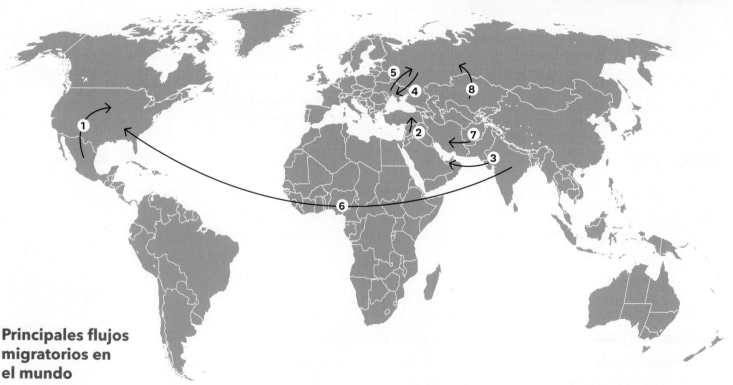

Principales flujos migratorios en el mundo

1 México → Estados Unidos
2 Siria → Turquía
3 India → Emiratos Árabes Unidos
4 Rusia → Ucrania*
5 Ucrania → Rusia*
6 India → Estados Unidos
7 Afganistán → Irán
8 Kazajistán → Rusia

Fuente de datos: OIM ONU (2020) *Datos previos a la guerra en Ucrania iniciada en 2022

Argumentos a favor de la inmigración

- Hay más demanda de servicios y productos.
- Hay menos brecha de habilidades°.
- Los inmigrantes ayudan a mantener el crecimiento económico.
- Los trabajadores jóvenes ayudan a reducir la brecha de pensiones°.
- Los inmigrantes contribuyen a la diversidad cultural del país.

Argumentos en contra de la inmigración

- Los salarios disminuyen°, especialmente en los trabajos poco cualificados°.
- Los inmigrantes son explotados.
- El incremento en la población pone presión en los servicios públicos.
- Hay más desempleo°.
- La integración de los inmigrantes causa problemas con los habitantes locales.

"El campo es el trabajo más duro que existe. Por lo tanto, ¿a quién puedes contratar°? A aquellos que vienen a buscar un mundo mejor, una vida mejor, ¿para quién? Ya no para ellos, sino para sus hijos, para sus familias".

Chef José Andrés
(sobre los trabajadores migrantes campesinos)

¿Qué organizaciones ayudan a los migrantes?

- Amnesty International
- Grassroots Leadership
- Refugees International
- Unidos US
- United We Dream
- ACNUR

---

brecha de habilidades *skills gap* **brecha de pensiones** *pension gap* **disminuyen** *decrease* **poco cualificados** *low-skilled* **desempleo** *unemployment* **contratar** *hire*

---

1 Comprensión Contesta las preguntas según la información de esta presentación.

1. ¿Qué tipo de argumentos se dan a favor y en contra de la inmigración: políticos, económicos, humanitarios o culturales?
2. ¿Cuál es la diferencia entre la migración interna y la internacional?
3. ¿Por qué algunas personas escapan de sus países?
4. ¿Cuáles son los tres mayores flujos migratorios en el mundo?
5. Nombra dos razones por las cuales las personas emigran de un país a otro.
6. ¿Cuántos inmigrantes hay en el mundo hoy día?

2 Analizar En grupos pequeños, conversen sobre las preguntas.

1. Observen el mapa de los flujos migratorios. ¿Cuáles son los países que forman parte de estos flujos? ¿Hay alguna tendencia? ¿Es la fuente de la información una fuente de autoridad?
2. ¿Qué tipos de argumentos a favor y en contra de la inmigración se mencionan más: político, económico, cultural o humanitario? ¿Hay algún tipo de argumento que no se incluyó?
3. Según la cita del chef José Andrés, ¿está él a favor o en contra de la inmigración? ¿Qué tipo de argumento da?

3 Para investigar Elige un tema para investigar.

1. Busca información sobre una organización mencionada en esta presentación. ¿Quiénes son los fundadores? ¿Dónde está la oficina central? ¿Cómo ayudan a los migrantes?
2. Busca información sobre uno de los flujos migratorios de la presentación. ¿Qué dicen las noticias (*news*)? ¿Incluyen información sobre las razones por las que la gente migra de un país al otro?

☐ **I CAN** identify key facts about migration as a global phenomenon.

Exploraciones

Vocabulario 1

| Learning Objective:
Talk about cultural
heritage and identity.

 Audio:
Vocabulary

La identidad cultural

◯ ¡ATENCIÓN!

Antes de empezar, repasa
la sección Vocabulario 1 del
Capítulo 2 de *Experiencias:
Beginning Spanish.*

Estados Unidos es un país **multicultural** con muchos grupos diversos. Muchos estadounidenses tienen también **raíces** de distinto origen. El lugar de origen, la **raza**, el idioma, las tradiciones, las **costumbres** y los **valores**, entre otros, forman parte de la **identidad cultural** de cada individuo. En el caso de la comunidad latina, no existe una única experiencia latina: esta comunidad se caracteriza por su gran **diversidad**. Muchos miembros de la comunidad latina **se identifican** con la nacionalidad de su país de origen en lugar de con términos asignados por el gobierno, como "hispanos" o "latinos". El idioma, otro aspecto de la identidad cultural, tampoco es un factor homogéneo en esta comunidad. La preservación del español no siempre es exitosa, ya que según un estudio del Centro de Investigaciones Pew, solo la mitad de los estadounidenses de segunda **generación** son **bilingües** y para la tercera generación, ese porcentaje se reduce a la mitad.

Más palabras	Cognados
la ascendencia *ancestry*	los conflictos generacionales
el/la antepasado/a *ancestor*	el estereotipo
la herencia *heritage*	la libertad
cómodo/a *comfortable*	bicultural
orgulloso/a *proud*	multilingüe
adaptarse *to adapt*	celebrar
crecer (c:zc) *to grow*	conservar
mantener (e:ie) contacto *to maintain contact*	emigrar
mudarse *to move, to relocate*	inmigrar
promover (o:ue) *to promote*	
provenir (e:ie) *to come from*	
recordar (o:ue) *to remember*	
respetar *to respect*	
tener (e:ie) éxito *to be successful*	

1 ¿Cierto o falso? Escucha cada definición y decide si es **cierta** (**C**) o **falsa** (**F**).

1. _____   3. _____   5. _____

2. _____   4. _____   6. _____

2 **Diagrama** Los diagramas nos ayudan a organizar la información que estudiamos. Analiza las palabras del vocabulario y cómo se relacionan entre ellas. Luego clasifica cada una según el diagrama.

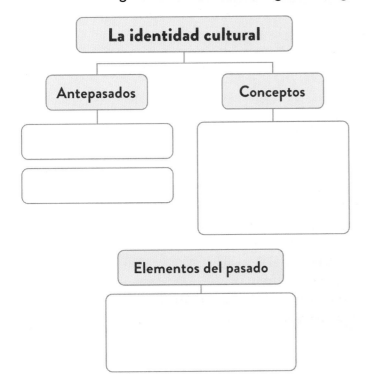

La identidad cultural

Antepasados

Conceptos

Elementos del pasado

In *Experiencias: Intermediate Spanish*, you will find student tips from real students. These students offer what has worked for them as they learn Spanish. Perhaps some of these tips will work for you, too!

STUDENT TIP: Learning Another Language (by Sofia DiFrancesco, University of Cincinnati)

I've learned that it takes a lot of patience and practice to learn a foreign language and it's really important to not be shy in class… *Go online to watch the complete learning tip.*

 **Video: Tip**

3 **La ascendencia y las costumbres** Muchas veces, las familias mantienen las costumbres de sus antepasados. En parejas, usen las preguntas para conversar sobre su ascendencia y sus costumbres.

1. ¿De qué origen étnico es tu familia?

2. ¿Cuándo inmigraron tus antepasados?

3. ¿Sabes por qué vinieron?

4. ¿Mantiene tu familia costumbres de la comunidad (o de las comunidades) de origen de tus antepasados? ¿Cuáles?

5. ¿Te identificas con la comunidad (o las comunidades) de origen de tus antepasados? ¿Cómo?

6. ¿Hay diferencias de perspectivas o de valores culturales entre las distintas generaciones de tu familia? ¿Sobre qué temas? ¿Qué explicación puedes ofrecer?

4 **Gráfico de tu identidad** Vas a reflexionar sobre las identidades que coexisten en tu vida.

Paso 1 Piensa sobre las múltiples identidades que tienes, especialmente en las siguientes categorías: edad, idioma, género, profesión, religión, región (rural o urbana), raza, estado civil, herencia cultural, región geográfica, valores, costumbres, etc. Escribe tu nombre en el rectángulo y completa tus identidades alrededor.

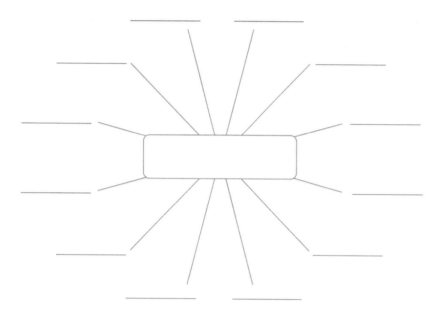

Paso 2 En parejas, usen las preguntas para conversar sobre el gráfico.

1. Elige las tres identidades que son más importantes para ti. ¿Cuáles son? ¿Por qué las seleccionaste?

2. ¿Qué identidad desarrollaste específicamente según los valores de tu cultura? ¿Cómo?

3. ¿Con qué identidad te sientes más cómodo/a? ¿Por qué?

4. ¿De qué identidad estás más orgulloso/a?

5. ¿Con qué identidad te sientes menos cómodo/a? ¿Por qué?

6. ¿Qué debe hacer una persona que quiere conocerte mejor?

Paso 3 Compartan con la clase observaciones y comparaciones que hicieron sobre sus identidades culturales.

5 **La diversidad en nuestro grupo** Vas a investigar las diversas identidades de tu clase.

Paso 1 Completa la tabla con tres costumbres o prácticas culturales (por ejemplo, comer algunos alimentos con las manos o saludar a otros con un abrazo), tres tradiciones o celebraciones (por ejemplo, el Año Nuevo o el Día de Acción de Gracias) y tres valores de tu cultura (por ejemplo, la igualdad o la individualidad).

Costumbres	Tradiciones o celebraciones	Valores

Paso 2 En grupos pequeños, compartan sus listas y observen si hay elementos comunes. ¿Cuáles son? ¿Qué elementos son únicos y no los comparten con nadie de la clase?

Paso 3 Compartan con la clase los elementos en común y los elementos únicos de su grupo. ¿Consideran que su clase es culturalmente muy diversa o poco diversa?

Paso 4 Escribe una breve reflexión sobre lo que aprendiste de las identidades culturales de tu clase.

6 **El español cerca de ti** En muchas comunidades se celebran eventos culturales. Busca información sobre una organización que promueva la herencia cultural de las comunidades hispanohablantes.

Paso 1 Completa la tabla con la información que encuentres.

Nombre	Objetivo o misión	Actividades que realizan	Dirección	Página web

Paso 2 En parejas, intercambien información sobre las organizaciones que encontraron. Luego contesten las preguntas.

1. En su opinión, ¿cómo contribuyen los eventos y actividades de estas organizaciones en la preservación de la cultura latina?

2. ¿Comparten algunas de las perspectivas o valores culturales que promueven estas organizaciones? ¿Cuáles?

☐ **I CAN** talk about cultural heritage and identity.

Resources

Vhlcentral

WebSAM

Asking for specific information: Interrogative words

Interrogative words are used to ask a question which can't be simply answered with *yes* or *no*.

Spanish interrogatives	English interrogatives	Examples
¿Adónde?	*Where (to)?*	¿**Adónde** se mudaron?
¿Cómo?	*How?/What?*	¿**Cómo** te identificas culturalmente? ¿**Cómo** fue tu experiencia en ese país?
¿Cuál(es)?	*Which one(s)?/ What?*	¿**Cuál** es la capital de Costa Rica? ¿**Cuáles** son tus tradiciones familiares?
¿Cuándo?	*When?*	¿**Cuándo** es la clase de español?
¿Cuánto/a?	*How much?*	¿**Cuánto** sabes de tus antepasados?
¿Cuántos/as?	*How many?*	¿**Cuántas** personas llegaron de España?
¿De dónde?	*From where?*	¿**De dónde** eres?
¿Dónde?	*Where?*	¿**Dónde** creciste?
¿Por qué?	*Why?*	¿**Por qué** se establecieron en ese lugar?
¿Qué?	*What?*	¿**Qué** estereotipos existen sobre tu identidad cultural?
¿Quién(es)?	*Who?*	¿**Quién** es bilingüe o multilingüe? ¿**Quiénes** tienen raíces inmigrantes?

> ↻ **¡ATENCIÓN!**
>
> Repasa Vocabulario 5 del Capítulo 2 de *Experiencias: Beginning Spanish.*

(1) Preguntas y respuestas Escucha las preguntas que le hacen a tu amiga Teresa sobre su familia y su herencia cultural y escribe el número de la pregunta junto a la respuesta apropiada.

_____ **a.** Almorzar una bandera dominicana al mediodía.

_____ **b.** Hay muchas, pero me gusta "¿Qué lo que?" que significa *"What's up?"* en inglés.

_____ **c.** Español con mis padres e inglés con mis hermanos.

_____ **d.** Para buscar una vida mejor.

_____ **e.** De la República Dominicana y de Colombia.

_____ **f.** Soy afrolatina.

_____ **g.** Sé bastante de la familia de mi papá, pero no mucho de la de mi mamá.

_____ **h.** En los años ochenta.

_____ **i.** Somos cinco.

_____ **j.** Mi abuela Marta, que me transmitió la cultura dominicana.

(2) **¿Cómo es tu universidad?** Una joven estadounidense está considerando estudiar en una universidad chilena y se ha contactado (*has contacted*) con un estudiante de esa universidad para hacerle algunas preguntas.

Paso 1 Lee sus respuestas y escribe las preguntas que le hizo la estudiante estadounidense.

1. En la universidad hay 250 estudiantes internacionales.

2. Los estudiantes internacionales provienen de 20 países.

3. Como estudiante internacional puedes trabajar en la biblioteca, el gimnasio y los diferentes laboratorios.

4. El horario de la cafetería es de 7 de la mañana a 10 de la noche.

5. El año académico empieza en agosto.

6. Los estudiantes de primer año no seleccionan sus clases. Su facultad lo hace.

7. Se pueden tomar clases de español, francés, chino y árabe.

Paso 2 Contesta las preguntas que escribiste en el paso anterior con información de tu universidad. Puedes contactarte con la Oficina de Estudios Internacionales o una oficina similar de tu universidad.

(3) **Semestre en Costa Rica** Vas a estudiar un semestre en Costa Rica. La universidad te dio el correo de tu próximo/a compañero/a de cuarto para que te comuniques con él/ella si (*if*) lo deseas. Antes de viajar a Costa Rica, te sientes un poco nervioso/a.

Paso 1 Escríbele cinco preguntas a tu compañero/a de cuarto usando palabras interrogativas.

 Paso 2 En parejas, túrnense para hacerse las preguntas que escribieron. La persona que contesta las preguntas debe hacerlo como si fuera (*as if he/she were*) el/la estudiante costarricense.

(4) **Situaciones** En parejas, hagan los papeles de A y de B para representar la situación.

Estudiante A Eres el/la editor(a) del periódico de una universidad y tienes que entrevistar a un(a) estudiante de un país hispanohablante que llegó recientemente con su familia a tu ciudad. En otoño, el/la estudiante empieza sus estudios universitarios en inglés. Prepara una lista de, al menos, diez preguntas para conocerlo/la y para conocer más sobre su identidad cultural.

Estudiante B Eres hispanohablante y el/la editor(a) del periódico de la universidad te va a entrevistar para saber más sobre ti y tu familia. El/La editor(a) quiere conocer tus impresiones sobre este país y la ciudad donde vives. Contesta sus preguntas. ¿Tienes preguntas para él/ella?

STUDENT TIP: Staying on Top of The Workload (by Shaan Dahar, Xavier University)

Here's a tip that will help you with not only Spanish, but really all of your classes: stay on top of the workload… *Go online to watch the complete learning tip.*

 **Video: Tip**

☐ **I CAN** exchange information about cultural heritage and identity.

La migración

Los flujos migratorios han existido (*have existed*) desde el principio de la humanidad, pero durante las últimas décadas, en el contexto mundial de la globalización, estos flujos se han intensificado (*have increased*) en algunos lugares. Por eso, es un tema común en los debates políticos y las noticias, y genera controversia entre los **ciudadanos**. La **inmigración** es el proceso por el cual personas ingresan a un país **extranjero** con el objetivo de **establecerse** en él. Las razones por las que una persona **deja** su país son muy variadas. Hay migrantes que ingresan y **permanecen** en un país siguiendo las regulaciones y **leyes** de ese país. Hay otros migrantes que ingresan a un país o permanecen en él sin los **documentos** requeridos. Cuando las personas se ven forzadas a dejar su país debido a **guerras**, **violencia** o **persecución,** normalmente piden **asilo**.

Más palabras

los beneficios sociales *social benefits*
el bienestar *well-being*
la carga *burden*
la ciudadanía *citizenship*
el desafío *challenge*
el/la expatriado/a *expat*
el extranjero *abroad*
la fortaleza *strength*
el prejuicio *prejudice*
las razones *reasons*
la situación migratoria *immigration status*
el/la trabajador(a) *worker*
la ventaja *benefit*

cualificado/a *skilled, qualified*
poco cualificado/a *low-skilled*
seguro/a *safe*

asimilarse *to assimilate*
integrarse *to integrate*
lograr *to achieve*
permanecer (c:zc) *to stay*
salir adelante *to get ahead*
tramitar *to process (paperwork)*

Cognados

el/la residente
la visa/el visado

discriminado/a
legal

contribuir (y)
escapar
legalizar

1 **Proceso de inmigración** Ana habla con su amiga Silvia sobre su futuro. Escucha el diálogo y selecciona la respuesta correcta.

1. ¿Por qué quiere emigrar Ana?
   a. por razones familiares
   b. por razones de trabajo
   c. por razones de persecución política

2. ¿Adónde quiere emigrar Ana?
   a. a México o a Estados Unidos
   b. a Estados Unidos o a Canadá
   c. a España o a Estados Unidos

3. ¿Cuál es la profesión de Ana?
   a. doctora
   b. maestra
   c. contadora

4. ¿Qué tipo de visa puede tramitar Ana?
   a. visa por relación familiar
   b. visa de refugiado
   c. visa de trabajo

5. ¿Cuál es la mejor opción para Ana de tramitar su visa?
   a. recibir una oferta de trabajo primero
   b. obtener un título académico avanzado primero
   c. obtener la ciudadanía europea primero

6. ¿A cuál de los dos países prefiere emigrar Ana?
   a. A ninguno. Prefiere quedarse en su país.
   b. A cualquiera de los dos. Los dos tienen ventajas y desafíos.
   c. Al que le ofrece mejores condiciones económicas.

7. ¿Por qué piensa Silvia que Ana tiene que tomar una decisión difícil?
   a. Porque Ana tiene que buscar un trabajo nuevo.
   b. Porque Ana tiene que hacer muchos trámites para emigrar de forma legal.
   c. Porque Ana tiene que asimilarse a otra cultura y dejar a su familia.

CULTURA VIVA

La frontera de México y Estados Unidos Antes de 1848, el territorio de México era más extenso que en la actualidad. Como resultado de la guerra entre esos dos países, ese año México perdió la tercera parte de su territorio que incluye lo que ahora son los estados de California, Nevada, Utah, Arizona y Nuevo México. La frontera de México y Estados Unidos se extiende desde el océano Pacífico hasta el golfo de México. Esta frontera tiene una longitud de casi dos mil millas y es la frontera más transitada (*busiest*) del mundo. Muchos escapan de la violencia de sus lugares de origen y deciden pedir asilo en Estados Unidos para obtener mayor seguridad. A pesar de que (*Despite*) el peligro es muy grande y muchos pierden la vida, hay personas que intentan cruzar la frontera con la esperanza de lograr una vida mejor. **¿Cómo crees que la identidad cultural de las personas que viven en las comunidades fronterizas podría verse afectada (*might be affected*) por las interacciones culturales entre Estados Unidos y México?**

Exploraciones

2 **¿Fortaleza o carga?** Analiza el gráfico sobre la opinión en distintos países sobre los migrantes. Luego, en parejas, conversen sobre las preguntas.

Opinión sobre los migrantes

Son una carga para el país. Son una fortaleza del país.

País	Son una carga	Son una fortaleza
Canadá	27%	68%
Australia	31%	64%
Reino Unido	29%	62%
Suecia	32%	62%
Japón	31%	59%
Estados Unidos	34%	59%
Alemania	35%	59%
México	37%	57%
España	37%	56%
Francia	39%	56%
Países Bajos	42%	50%
Sudáfrica	62%	34%
Israel	60%	26%
Polonia	50%	21%
Rusia	61%	18%
Italia	54%	12%
Grecia	74%	10%
Hungría	73%	5%

Fuente de datos: Centro de Investigaciones Pew (2018)

1. Analicen los países seleccionados. ¿Por qué creen que el Centro Pew seleccionó estos países?

2. ¿Qué quiere decir que "los migrantes son una carga para el país"? ¿Cómo son una carga? Den ejemplos.

3. ¿Qué quiere decir que "los migrantes son una fortaleza del país"? ¿Cómo son una fortaleza? Den ejemplos.

4. Según su experiencia y lo que conocen sobre el tema, ¿los porcentajes de su país son representativos de la ciudad o región donde viven?

5. ¿Hay algún dato (*piece of information*) del gráfico que no conocían?

3 **Citas** El tema de la migración es muy complejo y provoca opiniones opuestas. En parejas, analicen las citas (*quotes*) y reflexionen sobre cada una de ellas. Usen las preguntas como guía.

"Todo migrante que llega aquí debe aprender inglés en un lapso de cinco años o debe irse del país".
Theodore Roosevelt, presidente de EE. UU. de 1901 a 1909

"La migración es una expresión de la aspiración humana a la dignidad, la seguridad y un futuro mejor. Es parte del tejido social, parte de nuestra propia constitución como familia humana".
Ban Ki-moon, diplomático surcoreano

"Nuestro estatus de ciudadanía, como inmigrantes negros, no nos protege de lo que significa ser negro en Estados Unidos. Y este entendimiento (*understanding*) debería unirnos a todos como personas negras en una lucha colectiva (*collective fight*) por un sistema de inmigración justo y equitativo".
Guerline Jozef, cofundadora y directora ejecutiva de Haitian Bridge Alliance

"La inmigración debe ser restringida (*limited*), especialmente la inmigración extranjera cultural".
Carl Hagen, miembro del Parlamento noruego desde 1981

"Creemos que es posible tener una política de inmigración humana y viable".
Joanna Williams, directora ejecutiva de Iniciativa Kino para la Frontera

1. ¿Quiénes son estas personas y qué posición de autoridad pueden tener sobre el tema de la inmigración?

2. ¿Qué quiere decir cada cita? ¿Quiénes están a favor o en contra en el debate sobre la inmigración?

☐ **I CAN** talk about basic concepts related to topic of migration.

Stating actions in the past: The preterit

Spanish has two simple ways to indicate actions in the past: the preterit and the imperfect. The preterit allows speakers to focus on the beginning or ending of a past action or on the action as one completed whole with or without a specific time frame. It also can be used to place actions in chronological sequence, such as when a speaker tells a story.

¡ATENCIÓN!

Antes de empezar, repasa la secciones Gramática 1 y Gramática 2 de los Capítulos. 9 y 10 de *Experiencias: Beginning Spanish.*

> Mis abuelos **dejaron** su país a finales de los años noventa. Después de llegar a Barcelona, **aprendieron** catalán y **abrieron** un restaurante.

Regular -ar, -er, -ir verbs

subject pronouns	dejar	aprender	abrir
yo	dej**é**	aprend**í**	abr**í**
tú	dej**aste**	aprend**iste**	abr**iste**
él, ella, usted	dej**ó**	aprend**ió**	abr**ió**
nosotros/as	dej**amos**	aprend**imos**	abr**imos**
vosotros/as	dej**asteis**	aprend**isteis**	abr**isteis**
ellos, ellas, ustedes	dej**aron**	aprend**ieron**	abr**ieron**

¿Qué observas?

1. What similarities do you see in the endings of regular verbs?

2. What differences do you see?

Verbs with spelling changes

▶ There is a spelling change from **-i** to **-y** in the verb forms that correspond to **él/ella/usted** and **ellos/ellas/ustedes** in the following verbs:

caer: caí, caíste, ca**y**ó, caímos, caísteis, ca**y**eron

creer: creí, creíste, cre**y**ó, creímos, creísteis, cre**y**eron

leer: leí, leíste, le**y**ó, leímos, leísteis, le**y**eron

oír: oí, oíste, o**y**ó, oímos, oísteis, o**y**eron

▶ There is a spelling change from **-i** to **-y** in the verb forms that correspond to **él/ella/usted** and **ellos/ellas/ustedes** in verbs that end in **-uir**:

construir: construí, construiste, constru**y**ó, construimos, construisteis, constru**y**eron

▶ There is a spelling change in the **yo** form of verbs that end in **-car**, **-gar**, and **-zar**:

-car: c → qu (bus**c**ar: yo bus**qu**é)

-gar: g → gu (lle**g**ar: yo lle**gu**é)

-zar: z → c (cru**z**ar: yo cru**c**é)

Stem-changing verbs

▶ Stem-changing verbs in the present tense forms of **-ar** and **-er** have regular forms in the preterit.

rec**o**rdar: rec**o**rdé, rec**o**rdaste, rec**o**rdó, rec**o**rdamos, rec**o**rdasteis, rec**o**rdaron

ent**e**nder: ent**e**ndí, ent**e**ndiste, ent**e**ndió, ent**e**ndimos, ent**e**ndisteis, ent**e**ndieron

▶ Stem-changing verbs in the present tense forms of **-ir** also change in the preterit. The stem change occurs in **él/ella/usted** and **ellos/ellas/ustedes**. All preterit stem changes are either from **-o** to **-u** or from **-e** to **-i**.

s**e**ntir: s**e**ntí, s**e**ntiste, s**i**ntió, s**e**ntimos, s**e**ntisteis, s**i**ntieron

m**o**rir: m**o**rí, m**o**riste, m**u**rió, m**o**rimos, m**o**risteis, m**u**rieron

Irregular verbs

▶ The preterit forms of **ser** and **ir** are the same.

ser / ir: fui, fuiste, fue, fuimos, fuisteis, fueron

▶ The preterit forms of **dar** have the same endings as stem-changing verbs in **-er/-ir.**

dar: di, diste, dio, dimos, disteis, dimos

▶ The preterit of **hay** is **hubo**.

▶ The preterit forms of **andar**, **estar**, **hacer, poder, poner, querer, saber, tener**, and **venir** have an irregular preterit stem, but they all use the same endings.

andar (anduv-): anduve, anduv**iste**, anduv**o**, anduv**imos**, anduv**isteis**, anduv**ieron**

estar (estuv-)	**poner (pus-)**	**tener (tuv-)**
hacer (hic-)	**querer (quis-)**	**venir (vin-)**
poder (pud-)	**saber (sup-)**	

▶ The preterit forms of **decir** and **traer** have an irregular preterit stem with a **j**. They use the same endings as the verbs above except that the **i** of the **ellos/ellas/ustedes** ending is dropped: **-eron** instead of **-ieron**.

decir (dij-): dij**e**, dij**iste**, dij**o**, dij**imos**, dij**isteis**, dij**eron**

traer (traj-): traj**e**, traj**iste**, traj**o**, traj**imos**, traj**isteis**, traj**eron**

STUDENT TIP: Focusing on Verb Endings (by Catherine Sholtis, Xavier University)

What works for me is getting a strong foundation for the verb endings for each tense... *Go online to watch the complete learning tip.*

Video: Tip

Exploraciones

1 **Mi ceremonia de naturalización** Lee la historia de Julián sobre su ceremonia de naturalización y de lo que hizo para obtener la ciudadanía estadounidense. Identifica los nueve verbos que aparecen en el pretérito y escribe su forma infinitiva.

> **Los Ángeles, California, 4 de julio de 2022**
>
> ¡Ayer fue un día que nunca voy a olvidar! Después de 25 años y muchos desafíos, por fin recibí la ciudadanía estadounidense. Participé en una ceremonia muy emotiva donde nos proclamaron ciudadanos de ese país. En la ceremonia juramos lealtad a la bandera y a nuestra nueva patria. En ese momento sentí muchas emociones encontradas (*mixed feelings*). Por un lado, estoy muy feliz por la oportunidad de ser ciudadano de este país. Por el otro lado, me pongo triste cuando pienso en que tuve que dejar a mi familia, mis amigos y mi casa. Creo que hay un precio alto que pagar por migrar a otro país. Perdí los cumpleaños de mis hermanos y tampoco fui a la boda de mi mejor amigo. Con el tiempo, espero poder adaptarme a la nueva cultura.

2 **La historia de mis antepasados** Vas a conversar sobre la historia de migración de algún antepasado.

Paso 1 Piensa en la historia de migración de alguno/a de tus antepasados. También puedes hablar de los antepasados de otra persona o inventar una historia.

Paso 2 En parejas, túrnense para hacerse preguntas para conocer la historia de su compañero/a.

> **Modelo** **Estudiante A:** *¿Cuándo llegaron tus antepasados al país?*
> **Estudiante B:** *Mis antepasados llegaron de Polonia hace treinta años.*

Paso 3 Escribe la historia de los antepasados de tu compañero/a para compartirla en clase.

3 **¿Qué hiciste?** Los estudiantes universitarios tienen una vida muy ocupada.

Paso 1 Escribe una lista de al menos siete actividades que hiciste ayer.

Paso 2 En parejas, comparen las actividades y expliquen las que tienen en común. Luego, háganse preguntas para saber más sobre las que son diferentes.

La isla de Ellis en Nueva York recibió alrededor de doce millones de inmigrantes entre 1892 y 1954.

Resources

S
Vhlcentral

WebSAM

☐ **I CAN** describe actions in the past.

Gramática 3 | **Learning Objective:**
Describe ongoing actions in the past.

 Tutorial

Describing ongoing actions in the past: The imperfect

Like the preterit, the imperfect is used to talk about the past. The imperfect, however, narrates past events without focusing on their beginning, end, or as one completed action from start to finish:

▶ describe habitual actions or events in the past ("used to").

Todos los veranos **viajábamos** a Santo Domingo para visitar a mis abuelos.

▶ describe past actions or events that were in progress.

Cuando llegó Mario, su hermana **leía** un libro y su hermano **escribía** un correo electrónico.

▶ describe characteristics of people, things, and places in the past (physical characteristics, personality, feelings, age).

Sofía **tenía** dos años en 2010.

▶ describe the background for the events of a story (time, date, weather, ongoing conditions).

Eran las nueve y solo **había** tres personas en la oficina de inmigración.

¡ATENCIÓN!

Antes de empezar, repasa la sección Gramática 1 del Capítulo 11 de *Experiencias: Beginning Spanish.*

Forms of the imperfect

subject pronouns	viajar	leer	escribir
yo	viaj**aba**	le**ía**	escrib**ía**
tú	viaj**abas**	le**ías**	escrib**ías**
él, ella, usted	viaj**aba**	le**ía**	escrib**ía**
nosotros/as	viaj**ábamos**	le**íamos**	escrib**íamos**
vosotros/as	viaj**abais**	le**íais**	escrib**íais**
ellos, ellas, ustedes	viaj**aban**	le**ían**	escrib**ían**

¿Qué observas?

1. What similarities do you see in the endings of the imperfect?

2. What differences do you see?

▶ Only three verbs in the imperfect are not formed in the same way as all others.

ser: era, eras, era, éramos, erais, eran

ir: iba, ibas, iba, íbamos, ibais, iban

ver: veía, veías, veía, veíamos, veíais, veían

▶ The imperfect form of **hay** is **había** (*there was/were, there used to be*).

Exploraciones

① La vida antes y después Ana compara la vida escolar en su país de origen antes de llegar a Estados Unidos y su vida después de llegar. Escucha la breve entrevista que le hacen y luego contesta las preguntas.

1. ¿Cuál es el país de origen de Ana?

2. ¿La vida escolar en su país era muy similar o muy diferente a la vida escolar en Estados Unidos?

3. ¿Cómo era su rutina diaria en la escuela en Estados Unidos en comparación con su rutina en Argentina?

4. ¿Qué aspectos de la rutina diaria en Estados Unidos no le gustaban a Ana?

5. ¿Cómo era la situación de los deportes y clubes en las escuelas de los dos países?

② La vida de mis antepasados Reflexiona sobre la vida y las costumbres que tenían tus antepasados (o los antepasados de alguien que conozcas) antes de emigrar a este país o a otro.

Paso 1 Escribe cinco actividades que hacían normalmente antes de emigrar y cinco actividades que hacían normalmente después de emigrar.

Paso 2 En parejas, túrnense para describir las actividades de los antepasados. Luego, háganse preguntas para conocer más sobre ellos.

③ Etapas de la vida En tu clase de sociología van a comparar las actividades de distintas comunidades en cada etapa de la vida.

Paso 1 Piensa en las actividades que hacías cuando eras pequeño/a. Luego escribe una lista de tres actividades para cada etapa.

la infancia _____ _____ _____

la niñez _____ _____ _____

la adolescencia _____ _____ _____

Paso 2 En parejas, comparen sus actividades y descubran durante qué etapa tienen más actividades en común.

④ La adolescencia Un aspecto importante de nuestra identidad cultural se basa en nuestra edad y la generación a la que pertenecemos. En parejas, conversen sobre las actividades que ocupaban su tiempo cuando eran adolescentes y lo que hacían sus abuelos (o alguien mayor de una generación diferente) cuando eran adolescentes.

Modelo **Estudiante A:** *¿Cómo pasabas tu tiempo después de salir de la escuela? ¿Qué hacían tus abuelos...?*
Estudiante B: *Yo practicaba básquetbol, pero mi abuelo llamaba a mi abuela a su casa usando un teléfono público.*

☐ **I CAN** describe ongoing actions in the past.

Gramática 4 | **Learning Objective:**
Narrate a story in the past.

 Tutorial

Narrating in the past: The preterit and the imperfect

In Spanish, when telling a story or describing events that occurred in the past, the preterit *and* the imperfect are generally used to provide a full narration of what happened. The choice is based on the point of view of the speaker or writer and what aspect of the events are the focus.

The imperfect is used to describe past events without reference to their having a beginning or an ending point. The imperfect is used to:

▶ describe actions that used to take place regularly, actions not bound by time or duration.

▶ describe past actions that were continuing, ongoing, or repeated; actions without reference to their beginning or ending.

▶ describe characteristics of people, things, and places in the past.

▶ describe the background for the events of a story.

The preterit is used to focus on the beginning or ending point of an action or the action as one completed event in the past even though the exact time and date may not be expressed. The preterit is used to:

▶ view a singular action or a series of actions that may have continued in the past but are now viewed as a completed whole.

▶ view an action from the point of view of its beginning or end.

▶ narrate a sequence of completed events or actions in the past.

▶ focus on the event itself or specify an important event in the storyline.

Cuando **era** niño, **visitaba** a mi abuela todos los veranos. Una vez, mientras **jugaba** en su habitación, **encontré** una vieja caja de madera debajo de su cama. **Abrí** la caja y **descubrí** muchas fotos de su juventud en Panamá.

When I was a kid, I used to visit my grandmother every summer. One time, while I was playing in her room, I found an old wooden box under her bed. I opened the box and I discovered many photos of her youth in Panama.

> **¡ATENCIÓN!**
>
> Antes de empezar, repasa las secciones Gramática 1 y Gramática 2 del Capítulo 12 de *Experiencias: Beginning Spanish.*

Exploraciones

(1) Lo que cuentan los estudiantes Estás en la Oficina de Estudios Internacionales de tu universidad para ayudar en las entrevistas al nuevo grupo de estudiantes hispanohablantes. Escucha lo que comentan los estudiantes e indica qué tiempo verbal usan.

1. presente   pretérito   imperfecto
2. presente   pretérito   imperfecto
3. presente   pretérito   imperfecto
4. presente   pretérito   imperfecto
5. presente   pretérito   imperfecto
6. presente   pretérito   imperfecto
7. presente   pretérito   imperfecto
8. presente   pretérito   imperfecto

(2) La travesía Manuel cuenta la historia de cómo llegó a Estados Unidos. Selecciona el verbo más apropiado según el contexto.

En 1980, cuando (tuve/tenía) cinco años, mis padres (decidieron/decidían) emigrar de nuestro país, Cuba, donde (gobernó/gobernaba) Fidel Castro. (Quisimos/Queríamos) mucho a nuestro país, pero finalmente (llegó/llegaba) el momento de irnos a vivir a otro lugar. (Fue/Era) un día caluroso y húmedo de julio cuando, a las cinco de la tarde, (embarcamos/embarcábamos) en un bote lleno de gente decidida a salir de la isla. El viaje (duró/duraba) aproximadamente cuatro horas y yo (estuve/estaba) muy asustado porque no (supe/sabía) nadar. Por la noche (llegamos/llegábamos) por fin a la Florida y nos (recibieron/recibían) como refugiados políticos.

CULTURA VIVA

Ciudadanía de Estados Unidos por naturalización Las personas mayores de dieciocho años que son residentes legales pueden solicitar la ciudadanía estadounidense si (*if*) cumplen los siguientes requisitos: permanecer en el país al menos durante cinco años, tener capacidad de hablar, leer y escribir en inglés, tener conocimientos fundamentales de la historia de Estados Unidos y de los principios del gobierno del país y de su constitución, tener una buena conducta moral, hacer un juramento de fidelidad a la bandera y renunciar a sus títulos nobiliarios. **¿Conocías estos requisitos? ¿Cómo se alinean (*align*) estos requisitos de ciudadanía con los principios de inclusión y diversidad que se valoran en Estados Unidos?**

3 **Historias** Vas a crear una historia sobre una ilustración.

Paso 1 En parejas, escojan una de las ilustraciones. Luego usen las preguntas como guía e inventen una historia. Incluyan detalles y sean creativos/as.

1. ¿Dónde estaban estas personas?
2. ¿Cómo estaban? ¿Por qué?
3. ¿Qué pasó?
4. ¿Cuál fue el resultado?

Paso 2 En grupos pequeños, comparen sus historias y háganse preguntas sobre ellas. Luego escojan la historia más original.

4 **Colaboración** En grupos pequeños, lean la primera parte de la historia de Felipe. Cada miembro del grupo tiene que agregar una oración para completar la historia sobre él (mínimo seis oraciones más).

> Felipe es un joven canadiense de veinte años. El otoño pasado se mudó a Argentina para estudiar en la Universidad de Buenos Aires...

5 **El español cerca de ti** La migración global es un fenómeno muy impactante en la sociedad. Investiga una organización en tu comunidad que apoye a migrantes, refugiados y asilados hispanohablantes. Escribe el nombre de la organización, su ubicación y los servicios que ofrece.

6 **Situaciones** En parejas, hagan los papeles de A y de B para representar la situación.

Estudiante A Eres el/la director(a) de una escuela privada en Buenos Aires. En una entrevista, hazle preguntas a un(a) candidato/a para averiguar si tiene las cualidades necesarias para enseñar inglés a niños de nueve años de edad en tu escuela.

Estudiante B Eres un(a) maestro/a que busca trabajo. El/La director(a) de una escuela privada en Buenos Aires quiere entrevistarte para un puesto de maestro/a de inglés por un año. Descríbele cómo tus experiencias te hacen el/la candidato/a adecuado/a para este puesto. Contesta las preguntas del/de la director(a).

☐ **I CAN** narrate a story in the past.

Exploraciones — Podcast

Learning Objective:
Reflect on your progress using language related to migration.

 Audio: Reading

Episodio #1: Luis Rosales

Antes de escuchar

(1) **La historia de Luis** En este podcast Luis, un residente de Estados Unidos que no nació en ese país, cuenta sus experiencias. Escribe tres temas de los que podría (*he could*) hablar.

Mientras escuchas

(2) **Preguntas** Escucha lo que cuenta Luis y selecciona la respuesta correcta.

1. ¿Cuándo llegó Luis a Estados Unidos?
   - **a.** a los 3 años
   - **b.** a los 13 años
   - **c.** a los 23 años

2. ¿Por qué se mudó la familia de Luis a Estados Unidos?
   - **a.** por razones de discriminación
   - **b.** por la violencia y por razones económicas
   - **c.** por razones familiares

3. ¿En qué trabajaban los padres de Luis?
   - **a.** en la industria de la construcción
   - **b.** en el aeropuerto
   - **c.** en el campo

4. ¿Cuántos años tenía Luis cuando supo que él y su familia eran migrantes sin documentación?
   - **a.** 7 años
   - **b.** 12 años
   - **c.** 9 años

5. ¿Cuál era uno de los temores (*fears*) de Luis?
   - **a.** la deportación
   - **b.** no entender inglés
   - **c.** no tener dinero

6. ¿Qué consecuencia tuvo para Luis la amnistía que dio el gobierno?
   - **a.** Pudo ir a la universidad.
   - **b.** Pudo cambiar su situación migratoria.
   - **c.** Pudo viajar a su país de origen.

Después de escuchar

(3) **El viaje** Imagina el viaje que hicieron los padres de Luis con sus hijos.

Paso 1 Imagina que tú eres el padre o la madre de Luis. Solo puedes llevar tres cosas de tu casa en el viaje, porque el viaje es inesperado (*sudden*) y difícil. Escribe las tres cosas que piensas llevar contigo y justifica la selección de cada una.

Paso 2 En parejas, túrnense para compartir tus ideas. ¿Eligieron cosas en común? ¿Qué representan estos objetos?

Resources

Vhlcentral

Online activities

☐ **I CAN** express ideas related to migration.

Ser bilingüe y bicultural

Lee las opiniones de Sofía sobre el bilingüismo y la biculturalidad en su blog.

 ●●● www.el_blog_de_sofia.com/Ser_bilingüe_y_bicultural   Q ‹ ›

Ser bilingüe y bicultural

 El otro día leí un artículo que hablaba sobre la importancia de ser bilingüe y bicultural. Según algunos estudios, ser bilingüe mejora nuestras habilidades cognitivas, como la concentración, la resolución de problemas y la flexibilidad mental. Además, ser bilingüe nos abre muchas puertas en el área profesional. Pero las ventajas no terminan ahí. Ser bicultural significa que podemos disfrutar y comprender dos culturas diferentes. Esto nos da una perspectiva única y nos permite adaptarnos más fácilmente a diferentes entornos (*environments*). También, nos hace más empáticos hacia las otras personas y promueve la aceptación de la diversidad.

Pensando en esto, recordé a mi amiga Silvia. Ella creció en un hogar bilingüe y bicultural, donde sus padres tuvieron un papel fundamental en su desarrollo. Desde pequeña, le leían cuentos y veían películas en ambos idiomas. También sus padres le enseñaron a leer y escribir en español. Cuando entró a la secundaria, Silvia decidió tomar clases de español para seguir aprendiendo sobre el idioma. Ahora, Silvia está muy agradecida de que sus padres hayan reconocido (*have recognized*) las ventajas de ser bilingüe y bicultural. Gracias a ellos, puede comunicarse fluidamente en dos idiomas y disfrutar de lo mejor de ambas culturas. ¡Una verdadera fortuna!

(1) **¿Cierto o falso?** Indica si cada oración es **cierta (C)** o **falsa (F)**, según el blog.

1. Algunas personas creen que hablar dos idiomas
tiene efectos positivos en el cerebro (*brain*). .... **C F**

2. Según Sofía, una persona bicultural tiene la habilidad
de "ponerse en los zapatos" de otra persona. .... **C F**

3. Silvia aprendió español exclusivamente en casa. .... **C F**

(2) **Escuela bilingüe** Busca en internet una escuela bilingüe (inglés-español)
en tu comunidad, estado o país, y contesta las preguntas.

1. ¿Dónde está la escuela?

2. ¿Qué clases se enseñan en inglés? ¿Y cuáles en español?

(3) **Mi blog** Busca ejemplos del uso de español en tu comunidad o en internet
(televisión, restaurantes, tiendas...). Luego escribe una reflexión sobre la
presencia del español en tu comunidad. Incluye fotos de ser posible.

☐ **I CAN** investigate bilingualism and biculturalism.

Experiencias

Cultura y sociedad

Al pensar en los flujos migratorios relacionados con México, muchas personas se centran en la salida de mexicanos a otros países en el mundo. Sin embargo, México es hoy en día el destino de muchos migrantes del mundo. Vas a leer una lectura sobre este tema.

Audio: Reading

Antes de leer

1 **Los refugiados** Analiza el gráfico sobre las solicitudes (*applications*) de condición de refugiado/a en México y contesta las preguntas. Luego, en parejas, expliquen posibles razones del cambio en el número de solicitudes.

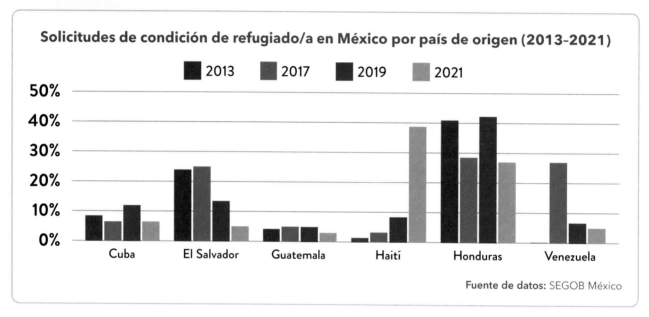

Solicitudes de condición de refugiado/a en México por país de origen (2013-2021)

Leyenda: 2013 | 2017 | 2019 | 2021

Fuente de datos: SEGOB México

1. ¿De dónde provenía la mayoría de las solicitudes en 2013? ¿Y en 2021?

2. ¿De qué país provino el mayor aumento (*increase*) de las solicitudes de un período a otro? ¿En qué período de tiempo fue?

3. ¿De qué país provino un número similar de solicitudes de 2013 a 2021?

2 **Vocabulario** Identifica las palabras en el texto y luego indica qué definición corresponde a cada palabra.

_____ **1.** amable	**a.** superar un límite
_____ **2.** la desigualdad	**b.** producir intranquilidad
_____ **3.** preocupar	**c.** disparidad
_____ **4.** sobrepasar	**d.** afable, amigable

México: destino de inmigración global

En los últimos años, México se ha convertido° en un destino para migrantes internacionales. El número total de habitantes de México bordea los ciento treinta millones. En 2021, según un informe titulado
5 "Inmigración en México", el número de extranjeros en México sobrepasó el millón doscientas mil personas, lo cual representa aproximadamente el 1% de la población del país. Ese porcentaje todavía no se puede comparar con la proporción de extranjeros en
10 Estados Unidos (15,4%), España (14,6%), Chile (5%) o Argentina (4,9%), pero el incremento de inmigrantes en México demuestra que esta tendencia va en aumento° a pesar de que el número decreció durante la pandemia. Sin embargo, algunas fuentes no oficiales
15 afirman que el número total de extranjeros en México asciende a cuatro millones, sin incluir a aquellos que están nacionalizados.

El país no ha buscado° históricamente la inmigración masiva, sino que ha sido foco de atracción de
20 una inmigración selectiva al ofrecer asilo político a muchas personas por razones de persecución religiosa o ideológica, y también al abrir sus puertas a intelectuales, científicos y artistas que contribuyen en diversos campos. Ana es una refugiada de Guatemala
25 que vive en la ciudad de Monterrey. Escapó de la violencia en su comunidad y ahora trabaja en un supermercado: "Aquí puedo vivir una vida normal y también tengo oportunidades de desarrollarme".

De acuerdo con el INEGI (Instituto Nacional de
30 Estadística y Geografía), el número de inmigrantes con documentos se duplicó en apenas diez años. Según sus datos, la mayoría se muda por razones familiares y en segundo lugar, por razones económicas. Muchos de estos extranjeros provienen de Estados Unidos,
35 seguido por Guatemala, Venezuela y Colombia. En años recientes, ha habido° un incremento de inmigrantes haitianos debido a la inestabilidad política de ese país. También hay residentes temporales que llegan a México. Estadounidenses,
40 colombianos, argentinos, venezolanos y chinos son las nacionalidades de la mayoría de los residentes temporales en la actualidad.

Alrededor del lago Chapala —el más grande de México— vive una gran concentración de migrantes internacionales.

¿Por qué emigran las personas de todo el mundo a México? Muchos artículos señalan a México como
45 el lugar perfecto para ir en busca de oportunidades. Por ejemplo, es una de las principales economías de América Latina y ofrece excelentes oportunidades para nuevos emprendedores°. El costo de vida es menor en México para una persona que proviene, por
50 ejemplo, de Estados Unidos o de Europa. Sin embargo, existe una gran desigualdad entre ricos y pobres. Para Nancy, una consultora de negocios de Chicago que se mudó a Guadalajara y trabaja de forma virtual, "vivir aquí es un sueño hecho realidad: México tiene una
55 historia muy rica, hay muchos atractivos turísticos, la gente es muy amable y la comida es deliciosa. Además, el costo de vida es más económico que en Estados Unidos". Pero añade, "a muchos extranjeros les preocupa el tema de la seguridad antes de mudarse
60 aquí. En mi experiencia, la mayoría de los lugares son seguros para los extranjeros. Desde luego, hay que tomar precauciones como en muchos otros lugares y también hay zonas a las que se recomienda no ir".

La migración es un proceso global, continuo y
65 permanente, y México es uno de los tantos países que atrae a inmigrantes de diferentes lugares y puede así enriquecer su cultura e impulsar su crecimiento económico.●

se ha convertido *has turned* **va en aumento** *is rising* **no ha buscado** *has not looked for* **ha habido** *there has been* **emprendedores** *entrepreneurs*

Experiencias

Después de leer

(3) **Comprensión** Indica si cada oración es **cierta (C)** o **falsa (F)**, según el texto. Corrige las falsas.

1. México y España tienen el mismo porcentaje de inmigrantes.............. **C F**

2. El número de inmigrantes en México bajó durante la pandemia. .... **C F**

3. La política migratoria de México en el pasado era de "puertas abiertas para todos". .... **C F**

4. La mayoría de los residentes temporales provienen solo de las Américas. .... **C F**

5. Nancy necesita menos dinero para vivir en Guadalajara que en Chicago. .... **C F**

6. Nancy no se siente segura en México. .... **C F**

(4) **Análisis** En parejas, conversen sobre las preguntas, según el texto.

1. ¿Por qué puede existir una diferencia entre el número oficial y no oficial de extranjeros que hay en México?

2. Según el Instituto Nacional de Estadística y Geografía, ¿cuáles son las tres razones por las que los migrantes internacionales llegan a México?

3. ¿Qué ventajas y desafíos encuentra un inmigrante en México?

(5) **A escribir** Vas a ayudar a crear paquetes de bienvenida (*welcome packages*) para una organización que recibe a inmigrantes en tu comunidad. Lee la estrategia y sigue los pasos.

> **Estrategia de escritura: Write the Spanish You Know How to Say**
>
> Remind yourself to write the Spanish you know how to say. Don't be tempted to write like you do in English, since your Spanish isn't that sophisticated yet. Try to avoid using online translators for your work, and trust that you have learned enough up to this point to be able to express at least most of the ideas you wish to convey.

Paso 1 Consulta en internet la información que normalmente se incluye en los paquetes, como lugares para visitar, acceso a servicios de transporte, salud, escuelas y trabajos.

Paso 2 Haz una lista de ventajas y desafíos para las personas que buscan vivir en tu comunidad.

Paso 3 Escribe una introducción de bienvenida y luego una guía con la información que encontraste en los pasos anteriores.

☐ **I CAN** compare practices and perspectives related to immigration in Mexico and my own country.

Resources

Vhlcentral

Online activities

Audio: Reading

Jesús Abraham "Tato" Laviera (1950–2013)

Jesús Abraham Laviera, conocido como Tato Laviera, nació en Santurce, San Juan, Puerto Rico, el 5 de septiembre de 1950. Su familia se mudó a Nueva York cuando tenía diez años, y fue allí donde creció en un ambiente bilingüe, moviéndose fácilmente entre el inglés y el español. Laviera escribió sobre la identidad puertorriqueña en Estados Unidos y era un apasionado participante de recitales poéticos. *"Niuyorican"* —el título del poema que vas a leer— es un término compuesto de las palabras *"New York"* y *"Puerto Rican"*, y hace referencia a los miembros de la comunidad puertorriqueña y sus descendientes que viven en la ciudad de Nueva York.

Antes de leer

Estrategia de lectura: Reading a Poem

Poetry is meant to be read on its own terms. Don't try to get a poem to relate to your life necessarily. Instead try to see what world the poem creates. Read the poem aloud and silently several times. Notice the choice of words and the images that the word combinations create in your mind. Make notes of your thoughts in the margins. Pay attention to the poem and it may help you to see your own world in a different light.

1 **¿Qué sabes de Puerto Rico?** Utiliza las siguientes características para describir lo que sabes de Puerto Rico. Luego, en parejas, compartan sus ideas y presenten la información a la clase.

animal emblemático   historia   moneda

geografía   idioma(s)   ubicación

2 **Ideas** *"Niuyorican"* trata del deseo del autor de conectarse con una cultura y con un país que lo rechazan (*reject*) por no vivir en él. Selecciona los posibles temas que el autor va a discutir en el poema.

☐ el baile   ☐ el clima agradable   ☐ la escuela   ☐ el idioma

☐ la capital   ☐ la comida   ☐ la familia   ☐ la migración

3 **Vocabulario** Vas a familiarizarte con el vocabulario del poema.

Paso 1 Lee por encima (*skim*) el poema e identifica los cognados.

Paso 2 Lee por encima nuevamente el poema y busca las siguientes palabras. Escribe una definición en español para cada una.

1. barrio   **3.** callejones   **5.** refugio

2. boricua   **4.** pobre   **6.** valores

Calle del Viejo San Juan

Niuyorican

yo peleo° por ti, puerto rico, ¿sabes?
yo me defiendo por tu nombre, ¿sabes?
entro a tu isla, me siento extraño, ¿sabes?
entro a buscar más y más, ¿sabes?
5   pero tú con tus calumnias°,
me niegas° tu sonrisa,
me siento mal, agallao°,
yo soy tu hijo,
de una migración,
10   pecado° forzado,
me mandaste a nacer nativo en otras tierras,
por qué, porque éramos pobres, ¿verdad?
porque tú querías vaciarte° de tu gente pobre,
ahora regreso, con un corazón boricua, y tú,
15   me desprecias, me miras mal, me atacas mi hablar,
mientras comes mcdonalds en discotecas americanas,
y no pude bailar la salsa en san juan, la que yo
bailo en mis barrios llenos de tus costumbres,
así que, si tú no me quieres, pues yo tengo
20   un puerto rico sabrosísimo en que buscar refugio
en nueva york, y en muchos otros callejones
que honran tu presencia, preservando todos
tus valores, así que, por favor, no me
hagas sufrir, ¿sabes?

peleo *fight* **calumnias** *slanders* **me niegas** *you deny me* **agallao** *combative* **pecado** *sin* **vaciarte** *empty*

Después de leer

(3) Imágenes Piensa en el mundo que describe Laviera en su poema. ¿Qué imágenes provocan las palabras del autor en ti? Luego, compartan y comparen sus ideas en clase.

(4) Comprensión Selecciona las ideas del poema que representan el rechazo (*rejection*) que siente el poeta y la idea de que no se siente cómodo cuando vuelve a Puerto Rico.

☐ y tú, me desprecias

☐ yo soy tu hijo

☐ me atacas mi hablar

☐ comes mcdonalds en discotecas americanas

☐ me miras mal

☐ me niegas tu sonrisa

☐ entro a tu isla

☐ ahora regreso, con un corazón boricua

(5) Análisis En parejas, reflexionen sobre las preguntas y contéstenlas.

1. ¿Qué quiere decir "me defiendo por tu nombre"?

2. ¿Por qué se fue de Puerto Rico la familia del poeta?

3. En su opinión, ¿por qué no se siente cómodo el autor en Puerto Rico?

4. ¿Por qué piensan que el poeta ya no es aceptado en su lugar de origen?

5. ¿Qué representa Nueva York para el poeta y qué ejemplos de su cultura hay en Nueva York?

6. ¿Cómo expresa el poeta la tristeza por el rechazo (*rejection*) de su lugar y cultura de origen?

7. El poeta utiliza la pregunta ¿*sabes*? al final de varias líneas. ¿Con quién está hablando?

8. ¿Se sienten cómodos/as ustedes cuando vuelven a su lugar de origen? ¿Qué sentimientos tienen?

(6) Investigación Investiga sobre los puertorriqueños que viven en la ciudad de Nueva York. ¿Cómo esta información te ayuda a comprender mejor el poema de Laviera?

1. Características de los flujos migratorios de Puerto Rico a Estados Unidos

2. Número de puertorriqueños en la ciudad

3. Barrios donde viven algunas comunidades puertorriqueñas

4. Centros culturales, teatros u otros lugares culturales

Resources

Vhlcentral

Online activities

☐ **I CAN** interpret a perspective related to cultural identity.

Intercambiemos perspectivas

Video:
Culture

Home

Vas a ver un video de Proyecto Habesha, una organización humanitaria mexicana que crea oportunidades de educación para jóvenes refugiados del mundo. Lee la estrategia intercultural antes de ver el video.

Estrategia intercultural: Connecting with Others

This chapter challenges us to practice empathy by placing ourselves in someone else's shoes. Empathy calls us to share the thoughts and feelings of others. While this may seem simple enough, it can be challenging when your reality is far removed from the experiences of others. For instance, if you have never migrated, it may be difficult to imagine what it is like along with the emotions connected with the experience. Since empathy enables us to build connections with others, our encounters can be more successful when we realize that we can connect through considering a situation from someone else's perspective.

Antes de ver

(1) Preparación Identifica las ideas o los temas que crees que se van a presentar en el video. Luego, en parejas, compartan sus selecciones y expliquen por qué eligieron esas ideas.

☐ la familia ☐ la escuela ☐ escapar ☐ viajar

☐ la ciudad de origen ☐ las vacaciones ☐ la comida ☐ la vida diaria

☐ la violencia ☐ los juguetes ☐ los amigos ☐ la casa

(2) Vocabulario Indica qué definición corresponde a cada palabra que aparece en el video.

_____ **1.** el barco   **a.** vehículo para llevar objetos pesados

_____ **2.** el camión   **b.** permanecer en un lugar

_____ **3.** el estómago   **c.** órgano del sistema digestivo

_____ **4.** el hogar   **d.** oprimir a alguien

_____ **5.** perseguir   **e.** medio de transporte marítimo

_____ **6.** quedarse   **f.** lugar donde uno/a vive

Mientras ves el video

(3) Salida del país Mira el video e identifica la siguiente información.

1. tres maneras en que las personas del video salen de sus países

2. tres razones por las cuales las personas salen de sus países

Learning Objective:
Interpret the immigration experience
from someone else's perspective.

4 **Escenas** Escribe la letra de la imagen que corresponde a cada cita del video.

1. _____ "Nadie llega de una pieza…"

2. _____ "Nadie pasa días y noches en el estómago de un camión…"

3. _____ "… cuando ves al resto de la ciudad corriendo también".

4. _____ "Nadie sube a sus hijos a un barco…"

Después de ver

5 **Comprensión** Selecciona la opción que represente la idea principal del video del Proyecto Habesha. Luego explica por qué la seleccionaste.

1. La mayoría de los migrantes llegan a su destino por camión o por barco.

2. Muchos migrantes no desean salir de sus países, pero lo hacen porque no tienen otra alternativa.

3. Los inmigrantes vienen en busca de mejores oportunidades de empleo.

4. Los migrantes que llegan a México provienen de distintos países.

6 **Conectar con los demás** Reflexiona sobre lo que dijeron las personas del video y luego contesta las preguntas.

- ¿Qué emociones crees que sintieron durante su jornada (*journey*)? ¿Miedo, tristeza, desesperación, incertidumbre (*uncertainty*)…?

- Imagina que tienes que pasar días y noches en el "estómago" de un camión como en el video, ¿cómo te sentirías? [**Yo me sentiría** (*I would feel*)…]

- Piensa en un(a) antepasado/a o alguien que conozcas que haya emigrado (*who has emigrated*). ¿Qué desafíos crees que tuvo que enfrentar (*face*) y cómo se sintió al dejar su hogar?

☐ **I CAN** identify or interpret the immigration experience from someone else's perspective.

Experiencias

Proyectos

(1) **¿De dónde venimos?** Vas a colaborar en un proyecto de historia oral que busca documentar las historias de inmigrantes en tu estado o comunidad. Para hacerlo, vas a a entrevistar a alguien que conozcas que haya inmigrado a tu comunidad o que tenga antepasados que migraron en generaciones anteriores. También puede ser alguien de tu familia.

Paso 1 Consulta los materiales del capítulo: videos, lectura, presentaciones, etc. También repasa el vocabulario y la gramática del capítulo. Toma nota de las palabras y expresiones útiles.

Paso 2 Busca en internet datos e información histórica sobre la inmigración en tu estado o comunidad para incluir en una breve introducción. Usa fuentes gubernamentales u organizaciones no gubernamentales (*NGOs*).

Paso 3 Prepara una lista de preguntas para la entrevista. Piensa en preguntas relacionadas con sus experiencias personales, los desafíos que enfrentaron y éxitos que pudieron lograr. Recuerda ponerte en la perspectiva de la otra persona y pensar en cómo tus preguntas pueden ser recibidas.

Paso 4 Analiza las respuestas de la persona entrevistada. ¿Cómo se relacionan con los datos y la información histórica que investigaste en el **Paso 2**? ¿Se complementan o la historia rompe estereotipos?

¡ATENCIÓN!

Ask your instructor to share the **Rúbrica** to understand how your work will be assessed.

Paso 5 Cuenta la historia de la persona que entrevistaste. Recuerda agregar una introducción para dar un contexto según tu análisis del **Paso 4** y presentar a la persona. Puedes compartir una foto si la persona acepta.

☐ **I CAN** tell an immigrant story.

Experiencias profesionales Vas a explorar el uso del español en tu área de interés profesional.

Paso 1 Selecciona un campo de trabajo como, por ejemplo, la salud, la educación, los negocios, la política, las leyes o el turismo. Este campo puede estar relacionado con tu especialización en la universidad. Escribe un resumen de entre 150 y 200 palabras que incluya estos puntos:

1. descripción de la profesión o área de interés profesional

2. por qué la seleccionaste

3. cómo puedes utilizar el español en tu área de interés profesional

Paso 2 En parejas, túrnense para leer sus resúmenes. ¿Hay puntos en común en esas profesiones en relación con el uso del español?

☐ **I CAN** Identify ways to use Spanish in my field of study.

Repaso

Repaso de objetivos

Reflect on your progress toward the chapter main goals.

I am able to...

	Well	Somewhat
Identify some practices and perspectives about migration.	☐	☐
Exchange information about my cultural heritage and past life experiences.	☐	☐
Compare products, practices, and perspectives related to migration.	☐	☐
Tell an immigrant story.	☐	☐
Identify ways to use Spanish in my field of study.	☐	☐

Repaso de vocabulario

La identidad cultural   *Cultural identity*
el/la antepasado/a   *ancestor*
la ascendencia   *ancestry*
las costumbres   *traditions*
la herencia   *heritage*
las raíces   *roots*
la raza   *race*
los valores   *values*

cómodo/a   *comfortable*
orgulloso/a   *proud*

adaptarse   *to adapt*
crecer (c:zc)   *to grow*
identificarse   *to identify oneself*
mantener (e:ie) contacto   *to maintain contact*
mudarse   *to move, to relocate*
promover (o:ue)   *to promote*
provenir (e:ie)   *to come from*
recordar (o:ue)   *to remember*
respetar   *to respect*
tener (e:ie) éxito   *to be successful*

Cognados
los conflictos generacionales
la diversidad
el estereotipo
la generación
el/la (in)migrante

la libertad

(bi/multi)cultural
(bi/multi)lingüe

celebrar
conservar
emigrar
inmigrar

La migración   *Migration*
el asilo   *asylum*
los beneficios sociales   *social benefits*
el bienestar   *well-being*
la carga   *burden*
la ciudadanía   *citizenship*
el/la ciudadano/a   *citizen*
el desafío   *challenge*
el/la expatriado/a   *expat*
el extranjero   *abroad*
la fortaleza   *strength*
la guerra   *war*
las leyes   *laws*
el prejuicio   *prejudice*
las razones   *reasons*
la situación migratoria   *immigration status*
el/la trabajador(a)   *worker*
la ventaja   *benefit*

cualificado/a   *skilled, qualified*
extranjero/a   *foreign*
poco cualificado/a   *low-skilled*
seguro/a   *safe*

asimilarse   *to assimilate*
dejar   *to leave*
establecerse (c:zc)   *to establish*
integrarse   *to integrate*
lograr   *to achieve*
permanecer (c:zc)   *to stay*
salir adelante   *to get ahead*
tramitar   *to process (paperwork)*

Cognados
los documentos
la inmigración
la persecución
el/la residente
la violencia
la visa/el visado

discriminado/a
legal

contribuir (y)
escapar
legalizar

Repaso

Repaso de gramática

1 Interrogative words

¿Adónde? *Where (to)?*	¿Cuánto/a? *How much?*	¿Dónde? *Where?*
¿Cómo? *How?; What?*	¿Cuántos/as? *How many?*	¿Por qué? *Why?*
¿Cuál(es)? *Which?; What?*	¿De dónde? *From where?*	¿Qué? *What?*
¿Cuándo? *When?*	¿De qué? *From what?*	¿Quién(es)? *Who?*

2 The preterit

a. Endings of regular verbs

subject pronouns	-ar	-er	-ir
yo	-é	-í	-í
tú	-aste	-iste	-iste
él, ella, usted	-ó	-ió	-ió
nosotros/as	-amos	-imos	-imos
vosotros/as	-asteis	-isteis	-isteis
ellos, ellas, ustedes	-aron	-ieron	-ieron

b. Verbs with spelling changes (See p. 16)

c. Stem-changing verbs (See p. 17)

d. Irregular verbs (See p. 17)

3 The imperfect

a. Endings of regular verbs

subject pronouns	-ar	-er	-ir
yo	-aba	-ía	-ía
tú	-abas	-ías	-ías
él, ella, usted	-aba	-ía	-ía
nosotros/as	-ábamos	-íamos	-íamos
vosotros/as	-abais	-íais	-íais
ellos, ellas, ustedes	-aban	-ían	-ían

b. Irregular verbs (See p. 19)

4 The preterit and the imperfect (See p. 21)

Resources

Vhlcentral

Online activities

¿Cómo nos preparamos para la vida profesional?

OBJETIVOS DE APRENDIZAJE

By the end of this chapter, I will be able to...

- Identify some practices and perspectives about the economy and its impact on families.
- Exchange information about finances and jobs.
- Compare products, practices, and perspectives related to finances and jobs.
- Describe my ideal internship.
- Identify organizations related to my field of study that use Spanish.

ENCUENTROS

Sofía sale a la calle: Perspectivas sobre la economía y las familias

Panorama actual: La economía familiar

EXPLORACIONES

Vocabulario

La economía familiar y personal

El trabajo

Gramática

The subjunctive

The subjunctive with unknown or nonexistent things or people

EXPERIENCIAS

Blog: Después de la graduación

Cultura y sociedad: Mi casa es su casa

Literatura: *Soñar en cubano*, de Cristina García

Intercambiemos perspectivas: *Contrata a mi padre*

Proyectos: ¿Cómo nos preparamos para la vida profesional?, Experiencias profesionales

Encuentros

Sofía sale a la calle

Video: Interview

Perspectivas sobre la economía y las familias

Lee y reflexiona sobre la estrategia intercultural de este capítulo.

> **Estrategia intercultural: Cultural Values**
>
> Your personal values are influenced by nature and nurture. In other words, some of your cultural values are affected by personality and personal needs. Others are developed based on exposure and interaction with family, organizations like school and work, and social relationships with peers. Some values develop based on life events or experiences. Your values can change over time. Identifying your own core values and why they are important to you will support your growth in cultural self-awareness, and help you understand how they affect your interactions with others.

Antes de ver

(1) Entrando en el tema Sofía entrevista a cuatro personas —Patricia, Michelle, Gastón y Steve— sobre las consecuencias de las crisis económicas y políticas en las familias.

Paso 1 Predice posibles respuestas de estas personas a cada pregunta que Sofía hace.

1. ¿Cuáles son algunas de las repercusiones de una economía en crisis?
2. ¿Conoces a alguien que tuvo que separarse de su familia por cuestiones políticas o económicas?
3. En tu opinión, ¿cuándo deben salir los jóvenes de la casa de sus padres?

Paso 2 Indica a qué pregunta del **Paso 1** corresponde cada cita.

_____ **a.** "Sí, mis padres salieron de la República Dominicana en 1976 porque había mucha violencia en la isla, entonces tuvieron que separarse de su familia".

_____ **b.** "Pues, casi siempre negativas, eh, supone en algunos casos la pérdida (*loss*) del hogar debido al desplazamiento de puestos de trabajo (*jobs*)…"

_____ **c.** "Creo que es algo que depende de cada persona, sus aspiraciones, los conflictos que puedan llegar a tener con sus familias, y si van a tener familias o no".

Mientras ves

2 **Perspectivas** Mira el video e identifica de quién es cada una de estas opiniones.

Patricia

Gastón

Michelle

Steve

_____ **1.** "… supone en algunos casos la pérdida del hogar debido al desplazamiento de puestos de trabajo…"

_____ **2.** "Una economía en crisis genera tensiones sociales…"

_____ **3.** "Algunas de las repercusiones de una economía en crisis son la pérdida de vivienda, escasez de comida y también el desempleo".

_____ **4.** "… mi mamá y mi papá, ambos, emigraron de República Dominicana a Puerto Rico para buscar un mejor estilo de vida…"

_____ **5.** "…depende de cada familia, de las oportunidades que brinden, de la educación y las posibilidades de cada uno para salir de casa".

_____ **6.** "… siempre fui muy independiente y me gustó tener mi espacio, así que dejé la casa de mis padres cuando tenía diecinueve".

Después de ver

3 **Analizar** En grupos pequeños, analicen las perspectivas presentadas en el video.

1. ¿Cuáles son tres consecuencias de una economía en crisis?

2. ¿Conocieron alguna perspectiva nueva sobre el impacto de la economía en las familias? ¿Cuál(es)?

3. Comparen las perspectivas que cada persona entrevistada ofrece sobre cuándo deben irse los jóvenes de la casa de sus padres. ¿Cómo se comparan y cómo se diferencian?

ESTRATEGIA DE APRENDIZAJE: Applying Learning Strategies

What's the quickest way to learn a language? Learning a language is not an effortless process, but there are some things you can do to speed up the process… *Go online to watch the complete learning strategy.*

Video: Tip

Resources

VhlCentral

Online activities

□ **I CAN** identify perspectives about the economy and families.

La economía familiar

A veces hablamos de la economía nacional o mundial sin pensar mucho en la **economía familiar** y del hogar, pero la economía familiar está muy relacionada con esas dos economías. Cada individuo o familia tiene que encontrar alguna manera de mantenerse económicamente. En la gran mayoría de los casos, la mejor manera de mantenerse es por medio de un trabajo. Una vez que existe una fuente de **ingresos°**, las personas generalmente deciden cómo **gastar°** el dinero, o sea, cómo crear un **presupuesto°** personal o familiar para cubrir° no solo las **necesidades°** básicas, sino también la diversión. Con los **gastos°** cubiertos, otra decisión importante es cuánto **ahorrar°** del dinero que sobra° si es que sobra dinero. En este **Panorama actual** vas a analizar unos datos sobre el **desempleo°**, los gastos de familia y los **ahorros°**.

ingresos *income* **gastar** *to spend* **presupuesto** *budget* **cubrir** *to cover* **necesidades** *needs* **gastos** *expenses* **ahorrar** *to save* **sobra** *is left* **desempleo** *unemployment* **ahorros** *savings* **servicios** *utilities*

¿Cómo distribuyen su presupuesto las familias?

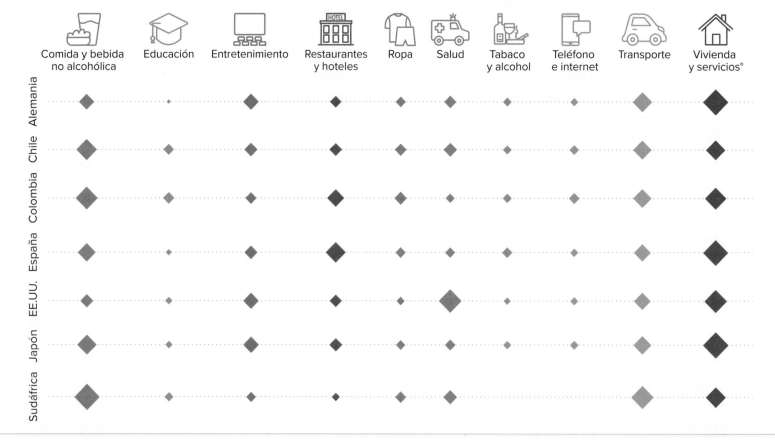

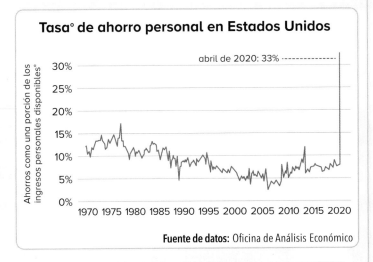

Tasa° de ahorro personal en Estados Unidos

Ahorros como una porción de los ingresos personales disponibles°

abril de 2020: 33%

30%
25%
20%
15%
10%
5%
0%

1970 1975 1980 1985 1990 1995 2000 2005 2010 2015 2020

Fuente de datos: Oficina de Análisis Económico

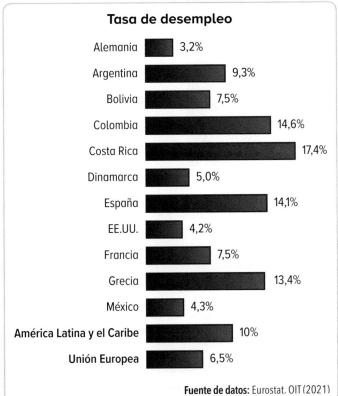

Tasa de desempleo

País	%
Alemania	3,2%
Argentina	9,3%
Bolivia	7,5%
Colombia	14,6%
Costa Rica	17,4%
Dinamarca	5,0%
España	14,1%
EE.UU.	4,2%
Francia	7,5%
Grecia	13,4%
México	4,3%
América Latina y el Caribe	10%
Unión Europea	6,5%

Fuente de datos: Eurostat. OIT (2021)

"No ahorres lo que te quede después de gastar. Gasta lo que te quede después de ahorrar".

Warren Buffett
(inversor y filántropo estadounidense)

Tasa *Rate* **disponibles** *disposable*

① **Comprensión** Contesta las preguntas según la información de esta presentación.

1. ¿Cuáles son las tres áreas donde las familias gastan más dinero?

2. ¿Cómo se compara la tasa de desempleo de Estados Unidos con la de América Latina y el Caribe? ¿Y con la de la Unión Europea? ¿Qué países de esas regiones tienen una tasa similar a Estados Unidos?

3. Observa la tasa de ahorro en Estados Unidos. ¿Cómo es la evolución?

② **Analizar** En grupos pequeños, discutan las preguntas.

1. Observen la infografía sobre el presupuesto familiar. ¿Cuáles son los países representados? ¿Qué tipo de gastos están incluidos? ¿Qué diferencias observan entre los países? ¿Son diferencias significativas?

2. Examinen los datos de desempleo. ¿Cuál es la fuente de la información? ¿Es una fuente de autoridad? ¿Qué países y regiones están representados? ¿Hay alguna tendencia?

3. Examinen la tasa de ahorro personal. ¿Cuáles son las décadas representadas? ¿Hay cambios? ¿Hay información sobre cómo se define la tasa de ahorro y cómo se pueden explicar los cambios?

4. ¿Qué es más importante para Warren Buffett: gastar o ahorrar? ¿Cómo él puede organizar un presupuesto familiar según la infografía?

③ **Para investigar** Elige un tema para investigar.

1. Busca la tasa de endeudamiento (*debt*) personal en distintos países y la frecuencia del uso de las tarjetas de crédito. ¿Cómo se compara tu país con otros?

2. Anota un aproximado de tus gastos personales o los de tu familia durante un mes en cada área del gráfico del presupuesto familiar. ¿Qué país tiene un presupuesto familiar similar al tuyo?

☐ **I CAN** identify key information related to family finances.

Learning Objective:
Talk about personal and family finances.

Audio:
Vocabulary

La economía familiar y personal

↻ **¡ATENCIÓN!**

Antes de empezar, repasa la sección Vocabulario 1 del Capítulo 5 de *Experiencias: Beginning Spanish*.

La **economía familiar** o doméstica es una parte de la economía que se ocupa de la forma en que las familias **gastan**, **ahorran** o **invierten** sus **recursos**. De manera similar, la **economía personal** se ocupa de la forma en que una persona **maneja** sus recursos financieros. Una manera de **planificar** y controlar los **ingresos** y **gastos** es por medio de un **presupuesto**. Según la Oficina de Estadísticas Laborales de Estados Unidos, en promedio (*on average*), una familia gasta el 33% de su presupuesto en **vivienda**, el 17% en **transporte**, el 12% en comida, el 11% en **seguros**, el 8% en salud, el 5% en **entretenimiento** y el resto en otras categorías. ¿Cómo estos promedios pueden representar las costumbres y los valores de una sociedad?

Más palabras

los **ahorros** *savings*

el **alquiler** *rent*

el **deseo** *wish*

la **deuda** *debt*

la **dinámica familiar** *family dynamics*

el **dinero** *money*

las **metas financieras** *financial goals*

la **necesidad** *need*

el **préstamo** *loan*

el **seguro (del auto, médico)** *(car, medical) insurance*

alcanzar *to reach*

desear *to wish*

discutir *to discuss; to argue*

obtener (e:ie) *to get*

reunirse *to meet, to get together*

Cognados

el **interés**

las **responsabilidades**

1 **Definiciones** Escucha cada definición y decide a qué palabra corresponde.

1. **a.** prestar   **b.** gastar   **c.** alcanzar   **d.** ahorrar

2. **a.** los ahorros   **b.** el préstamo   **c.** la deuda   **d.** la necesidad

3. **a.** los ingresos   **b.** la deuda   **c.** el préstamo   **d.** los gastos

4. **a.** la vivienda   **b.** la necesidad   **c.** el entretenimiento   **d.** el seguro

5. **a.** los ingresos   **b.** el préstamo   **c.** la vivienda   **d.** el presupuesto

6. **a.** los ahorros   **b.** los gastos   **c.** el seguro   **d.** el entretenimiento

2 **El presupuesto familiar** Examina el presupuesto familiar, expresado en dólares estadounidenses, que creó la familia García Menjívar para manejar su dinero.

NUESTROS GASTOS	MARZO
Casa (agua, luz, gas, internet, teléfono)	$1800
Seguros	$720
Comida	$670
Vehículos	$815
Ropa	$220
Entretenimiento	$340
Educación	$210
Varios	$180
Gastos totales	$4955

NUESTROS INGRESOS	MARZO
Fijos (salarios)	$4000
Variables (trabajo independiente)	$1600
Ingresos totales	$5600

Ahorro	$645

Paso 1 En parejas, contesten las preguntas sobre el presupuesto de la familia García Menjívar.

1. ¿Cuál es el total de ingresos de la familia?

2. ¿Cuál es el total de gastos que tienen relacionados con su vivienda?

3. ¿Cuánto gastan para divertirse al mes?

4. ¿Cuál es el total que gastan en educación?

5. ¿Cuánto gastan en vestirse?

Paso 2 Utiliza el presupuesto de la familia García Menjívar como guía para estimar tus ingresos, tus gastos y tu posible ahorro por mes. Compara tus gastos con los gastos de la familia García Menjívar en diferentes áreas. ¿Qué prioridades y necesidades refleja cada presupuesto? Puedes inventar tus datos.

Exploraciones

(3) **¡Necesito ahorrar dinero!** Estás buscando maneras de ahorrar dinero, así que vas a analizar tus gastos.

Paso 1 Organiza tus gastos en tres categorías, según la tabla.

los alimentos para comidas principales	la gasolina	el préstamo	el servicio de agua
los conciertos y el cine	internet	los restaurantes	el teléfono
la casa/el apartamento	los libros y materiales para estudiar	la ropa	las suscripciones
		el seguro médico	la luz

Gastos obligatorios: (no puedes eliminar ni reducir)	Gastos necesarios: (no puedes eliminar, pero sí reducir)	Gastos prescindibles: (puedes eliminar si estás corto/a de dinero)

Paso 2 De tus gastos necesarios y prescindibles, ¿cuáles puedes reducir? ¿Hay algún gasto que puedes eliminar? ¿Cómo tu organización refleja tus valores individuales y los de tu cultura?

Paso 3 En parejas, comparen sus ideas. ¿Tienen perspectivas en común? ¿Cuál es la idea de ahorro más original?

(4) **Metas para el futuro** Estás interesado/a en hacer un plan de ahorro a largo plazo (*long term*).

Paso 1 Decide qué cantidad de dinero consideras aceptable ahorrar por mes. ¿Cómo debes ajustar tu presupuesto actual? Considera tus gastos necesarios y prescindibles. Crea tu presupuesto si no lo tienes.

Paso 2 En parejas, túrnense para hablar sobre sus metas para el futuro y cómo desean utilizar sus ahorros algún día.

(5) **El español cerca de ti** En tu comunidad, busca una organización que ayude a la gente en la creación de presupuestos familiares o en la declaración de los impuestos (*taxes*). ¿Tienen servicios en español? Busca información sobre los servicios que ofrecen y los clientes que atienden (*serve*).

☐ **I CAN** talk about personal and family finances.

Gramática 1 | **Learning Objective:**
Express actions and events as hypothetical.

 Tutorial

Expressing actions and events as hypothetical: The subjunctive

↻ **¡ATENCIÓN!**

Antes de empezar, repasa los verbos en el presente de indicativo de los Capítulos 3, 4, 5 y 6 de *Experiencias: Beginning Spanish*.

Up until now, we have used verbs that pertain exclusively to the indicative mode. The indicative mode is used to state facts and to express what is considered to be certain or part of reality. The subjunctive mood, however, is used when events are considered to be hypothetical: the speaker expresses wishes, hopes, recommendations, doubts, and other personal reactions.

Esa **es** una clase interesante.	vs.	Busco una clase que **sea** interesante.
That is an interesting class.		*I'm looking for a class that is interesting.*
(existence: I know the class exists.)		(inexistence: I'm not sure an interesting class exists.)
Sé que mi perro me **ama**.	vs.	Dudo que mi perro me **ame**.
(certainty: "I know that …")		(doubt/uncertainty: "I doubt that …")

Examine the following chart of endings.

Subject pronouns	Present indicative			Present subjunctive		
	-ar **verbs**	*-er* **verbs**	*-ir* **verbs**	*-ar* **verbs**	*-er* **verbs**	*-ir* **verbs**
yo	-o	-o	-o	-e	-a	-a
tú	-as	-es	-es	-es	-as	-as
él/ella, usted	-a	-e	-e	-e	-a	-a
nosotros/as	-amos	-emos	-imos	-emos	-amos	-amos
vosotros/as	-áis	-éis	-ís	-éis	-áis	-áis
ellos/ellas, ustedes	-an	-en	-en	-en	-an	-an

To form the present subjunctive of regular verbs, delete the final **-o** from the **yo** form of the present indicative and add the endings corresponding to the subjunctive in the chart above. Notice the use of vowel **e** with **-ar** verbs, and the vowel **a** with **-er** and **-ir** verbs.

ahorrar → yo ahorrø → yo ahorre

deber → yo debø → yo deba

discutir → yo discutø → yo discuta

¿Qué observas?

1. What similarities and differences do you notice between the two present forms?

2. What do you notice about the **yo** and **él/ella, usted** forms of the present subjunctive?

Exploraciones

Present subjunctive of regular -ar, -er, -ir verbs

Subject pronouns	ahorrar	deber	discutir
yo	ahorre	deba	discuta
tú	ahorres	debas	discutas
él/ella, usted	ahorre	deba	discuta
nosotros/as	ahorremos	debamos	discutamos
vosotros/as	ahorréis	debáis	discutáis
ellos/ellas, ustedes	ahorren	deban	discutan

▶ Verbs ending in **-car, -gar**, and **-zar** have the following spelling changes in all forms to keep the pronunciation the same.

-car: c → qu   planifi**car**: planifi**que**, planifi**ques**, etc.

-gar: g → gu   pa**gar**: pa**gue**, pa**gues**, etc.

-zar: z → c   alcan**zar**: alcan**ce**, alcan**ces**, etc.

Present subjunctive of stem-changing verbs

Stem-changing verbs have the same stem changes in the subjunctive as they do in the present indicative.

▶ **-ar** and **-er** stem-changing verbs

e → ie   p**e**nsar: p**ie**nse, p**ie**nses, p**ie**nse, pensemos, penséis, p**ie**nsen

o → ue   enc**o**ntrar: enc**ue**ntre, enc**ue**ntres, enc**ue**ntre, encontremos, encontréis, enc**ue**ntren

e → ie   p**e**rder: p**ie**rda, p**ie**rdas, p**ie**rda, perdamos, perdáis, p**ie**rdan

o → ue   p**o**der: p**ue**da, p**ue**das, p**ue**das, podamos, podáis, p**ue**dan

▶ **-ir** stem-changing verbs

Note that the stem-changing **-ir** verbs have an additional stem change in the **nosotros/as** and **vosotros/as** forms. The unstressed **e** changes to **i**, while the unstressed **o** changes to **u**.

e → i   p**e**dir: p**i**da, p**i**das, p**i**da, p**i**damos, p**i**dáis, p**i**dan

e → ie   inv**e**rtir: inv**ie**rta, inv**ie**rtas, inv**ie**rta, inv**i**rtamos, inv**i**rtáis, inv**ie**rtan

o → ue   d**o**rmir: d**ue**rma, d**ue**rmas, d**ue**rma, d**u**rmamos, d**u**rmáis, d**ue**rman

Irregular verbs in the present subjunctive

Subject pronouns	dar	estar	ir	saber	ser
yo	dé	esté	vaya	sepa	sea
tú	des	estés	vayas	sepas	seas
él/ella, usted	dé	esté	vaya	sepa	sea
nosotros/as	demos	estemos	vayamos	sepamos	seamos
vosotros/as	deis	estéis	vayáis	sepáis	seáis
ellos/ellas, ustedes	den	estén	vayan	sepan	sean

▶ The present subjunctive of **hay** is also irregular: **haya**.

1 **La familia y las finanzas** La bisabuela de tu amigo David se siente muy orgullosa de saber manejar las relaciones familiares y las finanzas de su familia. Escucha sus opiniones y determina si usa o no una forma del subjuntivo en cada oración.

1. sí   no   **3.** sí   no   **5.** sí   no   **7.** sí   no

2. sí   no   **4.** sí   no   **6.** sí   no   **8.** sí   no

2 **Seleccionar** Lee acerca de las experiencias de Leonardo y selecciona los verbos que aparezcan en subjuntivo.

> Leonardo busca un compañero o una compañera de cuarto para poder compartir los gastos de alquiler del apartamento. En lo posible, quiere que la persona tenga un trabajo estable y cumpla con sus responsabilidades de compartir la vivienda. Leonardo es muy organizado. Todos los meses organiza su presupuesto y planifica los gastos más importantes. Él espera que la persona maneje su dinero de forma similar para no tener problemas. También quiere que la persona sea divertida y que le guste pasar tiempo juntos, en el apartamento o haciendo actividades al aire libre.

Exploraciones

3 **En mi barrio** Completa las oraciones usando el presente de subjuntivo para describir lo que pasa en las imágenes.

1. Roxana no quiere que Iván…

2. Ari espera que su hijo…

3. Naomi busca una casa que…

4. Los amigos de Paco sugieren que Paco…

5. Isiami le pide a Julia que…

6. Adrián quiere que…

4 **Situaciones** En parejas, van a representar una situación entre un(a) cliente que tiene un problema relacionado con sus finanzas y un(a) asesor(a) financiero/a. Usen las frases como guía. Usen una forma del subjuntivo para los verbos entre paréntesis. Pueden usar otros verbos. Finalmente, túrnense para hacer el otro papel.

Estudiante A

1. Nunca tengo dinero suficiente para…

2. Siempre discuto mucho sobre el dinero con…

3. Me gustaría sacar un préstamo para…

4. Mi idea de necesidades y deseos es muy diferente de mi…

Estudiante B

1. Recomiendo que usted (obtener)…

2. Sugiero que usted y su… (hacer/ hablar)…

3. No hay ninguna deuda que… (ser)…

4. Es crucial que él/ella/ellos/ellas… (entender)…

☐ **I CAN** express simple actions and events as hypothetical.

Audio:
Vocabulary

El trabajo

¿Quieres encontrar un trabajo o una **pasantía** mientras asistes a la universidad? La mayoría de los estudiantes universitarios trabajan al menos **a tiempo parcial** para poder pagar la matrícula y otros gastos como la comida, los libros y el alquiler. Hay diversas oportunidades para encontrar **puestos de trabajo** y pasantías. Para **solicitar un trabajo**, es necesario preparar tu **currículum** con una descripción de tu **experiencia laboral**, tus actividades extracurriculares y tu **trabajo voluntario**. Prepara una carta de presentación para cada puesto de trabajo al que te postules, y pide **cartas de recomendación** de tus profesores, supervisores y antiguos **jefes**. Utiliza tu **red de contactos** para establecer conexiones. Finalmente, aprende a prepararte para las **entrevistas** y poder recibir una **oferta de trabajo**.

Más palabras

el ambiente laboral *work environment*

el aumento de sueldo *raise*

el desempleo *unemployment*

el/la empleado/a *employee*

la empresa *company*

la fuerza laboral *labor force*

el/la gerente *manager*

el horario *schedule*

el plan de pensiones *retirement plan*

el sueldo *salary*

el teletrabajo *remote working, telecommuting*

contratar *to hire*

trabajar por cuenta propia *to be self-employed*

a tiempo completo *full-time*

Cognados

los beneficios

el/la candidato/a

el/la cliente

el contrato

colaborativo/a

flexible

negociar

Exploraciones

1 **Entrevista** Tu amigo Andrew quiere participar en un programa especial para maestros de inglés en Chile y va a tener su primera entrevista por videollamada. Escucha su entrevista y luego contesta las preguntas.

1. ¿Qué puesto de trabajo está solicitando Andrew?

2. ¿Cómo describe el director el ambiente laboral?

3. ¿Qué tipo de puesto busca idealmente tu amigo?

4. ¿Por qué piensa tu amigo que es el mejor candidato?

5. ¿Puede Andrew conseguir seguro médico en Chile?

6. ¿Cuál es el próximo paso para conseguir la oferta del trabajo?

2 **En práctica** Estás trabajando en el centro de servicios profesionales de tu universidad. Lee las opiniones de algunos estudiantes sobre las entrevistas de trabajo y decide si son **lógicas (L)** o **ilógicas (I)**, según las prácticas y los valores culturales de la comunidad donde vives.

1. No es bueno llevar copias de tu currículum contigo a las entrevistas de trabajo. .... **L I**

2. Es recomendable hacer contacto con los ojos del/de la entrevistador(a) durante la entrevista. .... **L I**

3. Si tienes dudas sobre las responsabilidades del puesto, es bueno preguntar durante la entrevista. .... **L I**

4. Es una buena idea dejar tu teléfono móvil encendido durante la entrevista para recibir mensajes de texto y llamadas. .... **L I**

5. Es recomendable llegar unos 15 minutos antes de la hora de la entrevista. .... **L I**

6. No es necesario leer e investigar sobre la empresa u organización antes de tu entrevista. .... **L I**

3 **Tu futura profesión** ¿Qué esperas de tu trabajo después de graduarte?

Paso 1 Piensa en cuáles son tus expectativas y deseos para tu primer trabajo después de graduarte. Considera los factores de la lista.

profesión	días de vacaciones pagados
sueldo ideal	días feriados
beneficios	ambiente laboral

 Paso 2 En grupos pequeños, conversen sobre las características de su trabajo ideal. ¿Qué valoran más en un trabajo? ¿Comparten valores similares? ¿A qué factores se deben las diferencias o similitudes? ¿La edad, la cultura, la familia, las preferencias personales?

4 **Los *knowmad*** En grupos pequeños, van a examinar la infografía sobre las características de los *knowmad* o nómadas del conocimiento.

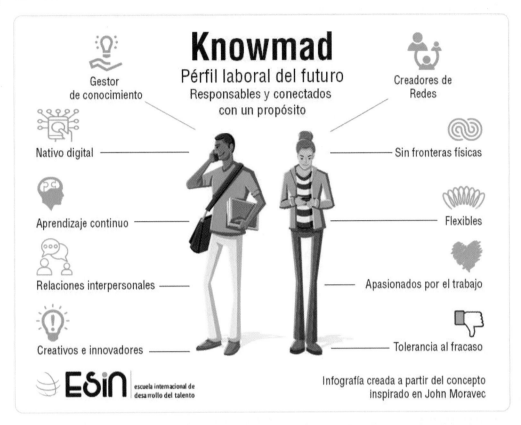

Knowmad
Pérfil laboral del futuro
Responsables y conectados
con un propósito

Gestor
de conocimiento

Creadores de
Redes

Nativo digital

Sin fronteras físicas

Aprendizaje continuo

Flexibles

Relaciones interpersonales

Apasionados por el trabajo

Creativos e innovadores

Tolerancia al fracaso

ESIN | escuela internacional de desarrollo del talento

Infografía creada a partir del concepto
inspirado en John Moravec

Paso 1 Reflexiona sobre la importancia de cada característica en el perfil laboral del futuro y clasifícalas del 1 (mayor importancia) a 5 (menor importancia), según tu opinión.

Paso 2 En grupos, compartan su clasificación y justifiquen su opinión. ¿Qué tienen en común y a qué características les dan distinta importancia? ¿Creen que los miembros de otra generación, como sus padres o abuelos, piensan diferente de ustedes con respecto a la importancia de estas características? ¿Y qué valores son importantes para ustedes que no están representados en la gráfica?

Paso 3 En sus mismos grupos, conversen sobre las preguntas.

1. ¿En qué ambiente laboral puedes trabajar sin fronteras físicas? ¿Prefieres trabajar así? ¿Por qué?

2. ¿Cómo puedes utilizar tu red de contactos para mejorar tus relaciones interpersonales?

3. ¿Cómo puedes demostrar tu pasión por el trabajo?

4. ¿Por qué es importante un ambiente laboral colaborativo y flexible para los nativos digitales?

☐ **I CAN** talk about jobs and internships.

Exploraciones

Gramática 2

Learning Objective:
Talk about unknown or nonexistent things or people.

 Tutorial

Talking about unknown or nonexistent things or people: The subjunctive

Just as an adjective can describe a noun, full phrases or clauses (known as adjective clauses) can also be used to describe a noun. Observe the two sentences in column A and their counterparts in column B.

A	B
Vivo en una casa roja.	Vivo en una casa **que** es roja.
I live in a red house.	*I live in a house **that** is red.*
Busco una casa blanca.	Busco una casa **que** sea blanca.
I'm looking for a white house.	*I'm looking for a house **that** is white.*

Notice the differences in the construction of the sentences in column A compared to those in column B. In column A a single adjective, **roja** or **blanca**, describes **casa**. There is one verb in each sentence. In column B an entire phrase, **que es roja** or **que sea blanca** describes **casa**. There are two verbs in each sentence and two different subjects.

Now notice the difference in the form of the verb **ser** that is used in the second clause of each sentence in column B: one uses the indicative form **es** (**que es roja**) and the other uses the subjunctive form **sea** (**que sea blanca**). The second clause in the first sentence describes a house that is known to exist since the speaker lives there. The second clause in the second sentence uses the subjunctive because it describes a house the speaker is looking for but has not found yet and, thus, its existence is uncertain.

The subjunctive is also used when the speaker describes something in the second clause he/she believes does not exist (from his/her point of view).

No hay ninguna casa **que sea** negra. **No conozco** ninguna casa **que sea** negra.

Contrast the use of the indicative and subjunctive in adjective clauses.

Indicative	Subjunctive	
known	*unknown*	
Tengo un amigo que (sabe)…	Busco Deseo Necesito Prefiero Quiero Me interesa	un amigo que (sepa)…

existent	nonexistent
Hay una persona que (tiene)…	No hay nadie que (tenga)…
Conozco a alguien que (estudia)…	No conozco a nadie que (estudie)…
Sé de alguien que (trabaja de)…	No sé de nadie que (trabaje de)…

(1) Un cambio de trabajo Escucha la conversación entre las hermanas Sandra y Ana sobre la vida laboral y contesta las preguntas.

1. ¿Quién quiere cambiar su empleo?

2. ¿Cuáles son dos aspectos de su trabajo actual que no le gustan?

3. ¿Qué problema tiene la hermana con su jefa?

4. ¿Cuál es una característica del futuro trabajo que necesita la hermana?

5. ¿Cuál es una característica del futuro trabajo que desea la hermana?

6. ¿Cuál es el último consejo que da Ana a su hermana Sandra?

(2) Necesidades y deseos Vas a reflexionar sobre tu futura carrera profesional. Diferencia entre las cosas que necesitas del trabajo, del jefe/de la jefa y de los compañeros de trabajo, y las cosas que deseas.

Paso 1 Usa las frases de la lista y las tuyas propias para completar cada oración. No te olvides de usar las terminaciones verbales del subjuntivo.

apoyar el trabajo colaborativo	darles un plan de pensiones y seguro médico a los empleados	estar cerca de mi casa
ofrecer muchos beneficios a los empleados	ofrecer teletrabajo desde casa	pagar un sueldo alto
permitir a los empleados negociar el sueldo	ser a tiempo completo	ser comprensivo/a(s) y amigable(s)
tener un ambiente laboral cómodo	tener un horario muy flexible	tratar bien a los empleados

1. Necesito un trabajo que…

2. Necesito un(a) jefe/a que…

3. Necesito compañeros de trabajo que…

4. Deseo un trabajo que…

5. Deseo un(a) jefe/a que…

6. Deseo compañeros de trabajo que…

Paso 2 En parejas, compartan sus necesidades y deseos con respecto a su futura carrera profesional y justifiquen sus respuestas. ¿Qué necesidades y deseos tienen en común? ¿Qué perspectivas diferentes tienen sobre sus necesidades y deseos? ¿Quién es más exigente (*demanding*)?

(3) **Entrevista** Imagina que vas a entrevistar a algún/alguna pariente o amigo/a que tenga un trabajo estable y que conozcas bien. Completa sus respuestas de forma lógica con una forma apropiada del indicativo o subjuntivo.

Tú:	¿Me puedes describir tu trabajo?
Entrevistado/a:	Tengo un trabajo que (1)…
Tú:	¿Qué aspectos no tiene tu trabajo ahora, pero quieres que los tenga en el futuro?
Entrevistado/a:	Quiero tener un puesto de trabajo que (2)…
Tú:	¿Existe un trabajo con esas características?
Entrevistado/a:	Sí/No existe un trabajo que (3)…
Tú:	¿Cómo es tu jefe/a o supervisor(a)?
Entrevistado/a:	Es una persona que (4)…
Tú:	¿Qué atributos deseas ver en un futuro jefe o jefa?
Entrevistado/a:	Deseo tener un(a) jefe/a que (5)…
Tú:	En tu opinión, ¿hay un trabajo ideal?
Entrevistado/a:	En mi opinión, sí/no hay un trabajo que (6)…

STUDENT TIP: Thinking in Spanish (by Vincent DiFrancesco, DePaul University)

One thing that really helps me is to try to use Spanish when I'm alone. So I'll try to think of a way to describe how I'm feeling … *Go online to watch the complete learning tip.*

 **Video: Tip**

(4) **Trabajo de verano** Una empresa quiere contratar a estudiantes de tu universidad para el verano y, casualmente, tú quieres trabajar durante el verano. Completa el formulario de la empresa para obtener una entrevista con ellos.

Solicitud de empleo

Fecha   ☐☐ - ☐☐ - ☐☐   ¿Qué trabajo buscas?   ¿Qué sueldo deseas?

Nombre:

Años de estudio: Idiomas:

Especialización: Prácticas laborales previas:

Estudios en el extranjero: ¿Qué actividades te interesan?

5 **Lo que buscamos** Vas a conversar sobre lo que tú y tus compañeros buscan en un trabajo después de graduarse.

Paso 1 En grupos pequeños, háganse estas preguntas y luego completen la tabla.

- ¿Qué tipo de trabajo buscas?

- ¿Qué sueldo deseas?

- ¿Qué entorno laboral prefieres?

Nombre	... quiere un trabajo que...	... desea un sueldo que...	... prefiere un entorno laboral que...

Paso 2 Compara la información de tus compañeros con lo que buscas en un trabajo. ¿Cuáles son las similitudes y las diferencias?

6 **El español cerca de ti** Busca una organización profesional latina, local o nacional, que reúna y apoye a profesionales latinos en algún campo (*field*) o industria. ¿Cómo se llama la organización? ¿Qué oportunidades o programas ofrecen? ¿Conoces otras organizaciones con programas similares para otros miembros de tu comunidad?

🔍 organizaciones de profesionales latinos

7 **Situaciones** En parejas, hagan los papeles de A y de B para representar la situación.

Estudiante A Estás buscando un(a) compañero/a de cuarto para compartir los gastos de tu apartamento. Habla con el/la estudiante B sobre qué tipo de compañero/a prefieres que viva contigo.

Estudiante B Vives con un(a) compañero/a de cuarto, pero no son compatibles. El/La estudiante A te cuenta que está buscando un(a) compañero/a de cuarto. Habla con él/ella sobre las cualidades que buscas en un(a) compañero/a de cuarto. Decidan si son compatibles.

STUDENT TIP: Pronouncing Words and Phrases (by Shaan Dahar, Xavier University)

One of the best ways to learn how to pronounce Spanish words and phrases is to go to class and listen ... *Go online to watch the complete learning tip.*

 **Video: Tip**

☐ **I CAN** talk about unknown or nonexistent things or people.

Resources

Ⓢ
Vhlcentral

WebSAM

Exploraciones Podcast

Learning Objective: Reflect on your progress using language related to finances and jobs.

Audio: Reading

Episodio #2: Ernesto García Acosta

Antes de escuchar

1 **La historia de Ernesto** Ernesto va a hablar de su vida y sus planes para el futuro. En parejas, conversen sobre las preguntas antes de escuchar el podcast.

1. ¿Por qué escogiste la carrera que estudias? ¿Cuáles fueron los factores más importantes para tu elección?

2. ¿Cambiaste de opinión sobre tu carrera en algún momento? ¿Por qué?

3. ¿Cómo quieres que sea tu vida después de graduarte? ¿En qué tipo de lugar quieres vivir? ¿Qué tipo de trabajo quieres tener?

Mientras escuchas

2 **¿Cierto o falso?** Escucha la historia de Ernesto e indica si cada oración es **cierta (C)** o **falsa (F)**. Corrige las falsas.

1. Ernesto vive con su familia. .... **C F**

2. Ernesto no puede ahorrar todavía. .... **C F**

3. Ernesto trabaja después de ir a clases. .... **C F**

4. Ernesto busca un apartamento que tenga un balcón. .... **C F**

5. El trabajo actual de Ernesto es perfecto para él. .... **C F**

6. Después de graduarse, Ernesto desea viajar por el mundo. .... **C F**

Después de escuchar

3 **El futuro** Escribe un párrafo breve sobre tus planes para el futuro. ¿Dónde te ves en diez años (trabajo, lugar, actividades, etc.)? ¿Cuáles son los posibles obstáculos para lograr tus sueños?

Resources

Vhlcentral

Online activities

☐ **I CAN** describe my career plans.

Después de la graduación

Lee el blog de Sofía sobre los planes de los estudiantes venezolanos para después de graduarse de la universidad.

www.el_blog_de_sofia.com/después_de_la_graduación   🔍 ‹ ›

Después de la graduación

¿Cuáles son tus planes para después de graduarte de la universidad? ¿Cómo se comparan tus planes con los de estudiantes en otros países como, por ejemplo, Venezuela? Me puse a investigar un poco al respecto. Leí un estudio que hicieron unos investigadores de la Universidad Católica Andrés Bello (UCAB) en ese país. La UCAB es una universidad con alrededor de 20.000 estudiantes. Tiene su sede principal en la capital, Caracas, y otras sedes en las ciudades de Montalbán y Guayana. Por medio de entrevistas, los investigadores hablaron con más de doscientos estudiantes para conocer sus expectativas laborales. Los estudiantes entrevistados seguían distintas carreras y la mayoría tenía ya algún tipo de experiencia laboral. Cuando les preguntaron sobre sus planes para después de graduarse, el 37% pensaba conseguir un empleo en Venezuela y el 40% tenía planes de seguir estudiando en Venezuela y de trabajar a la vez. De los entrevistados, el 14% indicó que deseaba trabajar en el extranjero. Este fenómeno se llama "fuga de talentos" o "fuga de cerebros" y representa el movimiento de ciudadanos con títulos universitarios que salen del país para encontrar trabajo en el extranjero. La emigración de ingenieros, científicos, educadores, médicos y otros profesionales es un problema para los países de donde salen porque deja el país con menos gente especializada para trabajar en el mercado laboral nacional. Además, reduce el crecimiento económico del país. De la misma manera, para muchos, irse de su país es un gran sacrificio y para muchos estudiantes también puede ser un dilema personal.

(1) Preguntas En parejas, conversen sobre sus planes para el futuro.

1. El 40% de los estudiantes encuestados querían trabajar y estudiar al mismo tiempo. ¿Representa este dato una práctica común en su comunidad?

2. ¿Cómo se comparan sus planes con los de los estudiantes encuestados?

3. ¿Existe una fuga de talentos en su comunidad o en otras comunidades cerca de ustedes? Expliquen con ejemplos.

(2) Fuga de talentos Investiga sobre una fuga de talentos que afecte a otro país y contesta las preguntas. ¿Qué consecuencias tiene para la economía local de ese país? ¿A quiénes beneficia?

(3) Mi blog Reflexiona sobre tus planes para después de graduarte de la universidad y contesta: ¿Qué tipo de trabajo profesional buscas? ¿Cuáles son los factores más importantes? ¿Piensas mudarte a otro lugar para trabajar?

☐ **I CAN** investigate the concept of brain drain.

Learning Objective: Compare practices and perspectives related to independent living among young adults.

En la actualidad hay muchas personas entre veinticinco y treinta y cinco años que viven con sus padres u otros familiares de generaciones mayores. Vas a leer una lectura sobre este tema.

Audio: Reading

Antes de leer

1 **Hogares multigeneracionales** Analiza el gráfico de hogares estadounidenses donde hay más de dos generaciones viviendo juntas. Luego, en parejas, expliquen las posibles razones de los cambios.

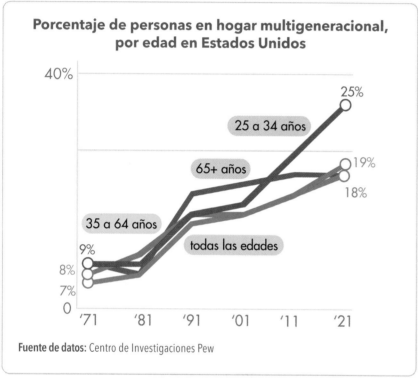

Porcentaje de personas en hogar multigeneracional, por edad en Estados Unidos

25 a 34 años — 25%
65+ años — 19%
todas las edades — 18%
35 a 64 años

9%
8%
7%

'71 '81 '91 '01 '11 '21

Fuente de datos: Centro de Investigaciones Pew

1. ¿Cuál era el porcentaje de personas entre 25 y 34 años que vivían en hogares multigeneracionales en 1971? ¿Y en 2021?

2. ¿Cuál era el porcentaje de personas entre 35 y 64 años que vivían en hogares multigeneracionales en 1971? ¿Y en 2021?

3. ¿Cuál era el porcentaje de personas que vivían en hogares multigeneracionales en 1971? ¿Y en 2021?

4. ¿Cuál es el grupo de personas con el mayor cambio de 1971 a 2021?

2 **Vocabulario** Identifica las palabras en el texto y luego indica qué definición corresponde a cada palabra.

1. _____ independizarse

2. _____ por su cuenta

3. _____ convertirse

a. cuando alguien experimenta un cambio

b. cuando alguien, generalmente joven, gana libertad económica de los padres

c. cuando alguien puede hacer algo solo/a, sin ayuda

Mi casa es su casa

Susana no se llevaba muy bien con su padre cuando era adolescente. Tienen un carácter muy parecido y los dos admiten ser un poco obstinados. Cuando Susana tenía dieciocho años, ella se fue de su casa
5 para ir a la universidad y regresó hace cuatro años después de graduarse. Al volver a su casa, se encontró con su abuela, quien se había quedado viuda° y ahora vivía allí. En un principio, Susana pensaba quedarse solamente unos meses mientras buscaba
10 un trabajo, pero no resultó así. Se dio cuenta° de que no solamente se llevaba muy bien con su padre, sino que era también una buena manera de conocer mejor a su abuela. Ahora Susana tiene treinta años, tiene un buen trabajo en una compañía de seguros y sigue
15 en la casa con su padre y su abuela. Ella piensa vivir por su cuenta algún día, pero por ahora se siente muy cómoda viviendo con su familia.

El caso de Susana no es poco común hoy día. En muchos lugares del mundo, los adolescentes esperan
20 con ansia el momento de convertirse en adultos para poder independizarse de sus padres. En algunos casos, estos jóvenes esperan mudarse de la casa familiar, alquilar o comprar su primer apartamento y empezar una vida independiente. Hoy día, eso parece
25 estar cambiando. Por ejemplo, según varias encuestas

hechas en países de habla hispana, el porcentaje de personas entre 25 y 34 años que viven en la casa de sus padres puede llegar al 70%. En España, siete de cada diez jóvenes entre 18 y 30 años viven con sus
30 padres, en México ese porcentaje es del 55%, y en Argentina, el 41% de los jóvenes adultos entre 18 y 35 años sigue residiendo en casa de los padres. Entre estas personas, hay un mayor número de hombres que de mujeres. Los factores que influyen en esta
35 situación son muchos y diversos. En algunos casos, tiene que ver con la situación económica del país o la situación laboral de la persona.

Aunque esta realidad se ve quizás más en algunos países que otros, es un fenómeno mundial. En
40 Estados Unidos, cerca del 25% de los jóvenes entre 25 y 34 años viven con sus padres. Algunos de estos jóvenes, como Susana, volvieron a la casa de sus padres mientras buscaban trabajo, pero también muchos jóvenes vuelven a casa debido a costumbres
45 culturales o como una forma de ahorro para pagar sus préstamos estudiantiles. Como se puede ver, hay distintas razones por las cuales los jóvenes continúan viviendo con sus padres después de graduarse, y al parecer, la tendencia de esta situación sigue creciendo. ●

viuda *widow* **Se dio cuenta** *She realized*

Experiencias

Después de leer

(3) Comprensión Contesta las preguntas.

1. ¿Quién vivía en la casa de Susana cuando ella regresó? ¿Por qué decidió Susana quedarse?

2. ¿Cuál es el porcentaje de estadounidenses entre 25 y 34 años que vive en la casa de sus padres? ¿Cómo se compara con los datos del Centro Pew en el gráfico?

3. ¿Cuál es el porcentaje de mexicanos entre 18 y 30 años que vive en la casa de sus padres? ¿Y de españoles?

4. ¿Cuál es el porcentaje de argentinos entre 18 y 35 años que vive en la casa de sus padres?

5. ¿Por qué los jóvenes se quedan en la casa de sus padres según el texto?

(4) Análisis En parejas, conversen y den su opinión sobre las preguntas.

1. ¿Qué ventajas y desafíos presenta para un(a) joven de veinticinco años el hecho de vivir con sus padres u otros familiares de generaciones mayores? ¿Y para los padres u otros familiares mayores?

2. ¿Cuál es el momento o la razón más común por la que los jóvenes de su comunidad se independizan? ¿Qué piensan ustedes?

(5) A escribir Vas a dar recomendaciones a tus compañeros/as sobre el ahorro. Lee la estrategia de escritura y sigue los pasos.

> **Estrategia de escritura: Circumlocution**
>
> As you write, you may come to a roadblock, unable to think of a word in Spanish. Instead of relying on a dictionary or translating, use the circumlocution strategy where you think of another way to say something, other words to describe what you mean when you can't think of or don't know the word you need. This workaround forces you to keep thinking in Spanish and serves to focus your attention on what you would like to say in Spanish so you can continue writing.

Paso 1 Escribe un párrafo en el que expliques qué cosas puede hacer un(a) estudiante mientras está en la universidad para empezar a ahorrar o ahorrar un poco más. No busques palabras en el diccionario. Si no sabes una palabra, piensa en cómo decir lo mismo en otras palabras.

Paso 2 En parejas, compartan lo que escribieron y decidan qué recomendaciones son las más prácticas de seguir.

☐ **I CAN** compare practices and perspectives related to independent living among young adults.

Resources

VhIcentral

Online activities

Audio: Reading

Cristina García (1958–)

Cristina García es una escritora cubano-estadounidense nacida el 4 de julio de 1958 en La Habana. En 1961, debido a la llegada de Fidel Castro al poder, su familia abandonó la isla y se estableció en Nueva York. Durante los años ochenta, trabajó como investigadora y periodista en la revista *Time*. En 1992, publicó su primera novela *Dreaming in Cuban,* la cual la convirtió en una de las voces más importantes de la literatura estadounidense latinoamericana. Esta obra explora la identidad cultural de tres generaciones de una familia cubana a través de un lenguaje poético y situaciones extraordinarias. García ha publicado hasta la fecha ocho novelas y ha enseñado en distintas universidades estadounidenses.

Antes de leer

Estrategia de lectura: Writing Questions

Writing questions while you read a passage is an effective strategy for reading comprehension as it helps to keep you engaged in the text and encourages you to reflect on it. There are two types of questions: **thin** (factual) and **thick** (inferential). The answers to thin questions can be found in the text itself ("Who is the main character?" "Where did the main character go?" etc.). On the other hand, the answers to thick questions require the reader to analyze the story more deeply ("Why did the character leave his town?" "What is the impact of the main character's actions on her family?" etc.)

1 **Temas** A los trece años, Pilar, la protagonista del fragmento, decide volver a Cuba para estar con su abuela y conocer su país de origen (del que salió cuando tenía dos años). Selecciona las ideas que piensas encontrar en el texto.

- ☐ la familia en Cuba
- ☐ la ciudad de origen
- ☐ la casa original
- ☐ los abuelos de Pilar
- ☐ el antiguo vecindario
- ☐ una descripción de la isla
- ☐ los amigos de su familia
- ☐ la vida diaria en Cuba

2 **Vocabulario** Vas a familiarizarte con el vocabulario del fragmento.

Paso 1 Lee por encima (*skim*) el fragmento e identifica todos los cognados.

Paso 2 Escribe una definición para cada término usando tus propias palabras.

| el cáncer | la isla | el líder | la revolución | rojo |

Paso 3 Encuentra cada término en el texto y escribe a qué se refiere específicamente según el contexto.

3 **Preguntas** Lee el fragmento y escribe tres preguntas fácticas (*thin*) y tres de inferencia (*thick*). Luego responde las preguntas que escribiste.

Soñar en cubano

(fragmento)

Eso es. Ya lo entiendo. Regresaré a Cuba. Estoy harta de todo. Saco todo mi dinero del banco, 120 dólares, el dinero que he ahorrado esclavizada en la pastelería de mi madre, y compro mi billete de
5 autocar° para irme a Miami. Calculo que, una vez allí, podría gestionar° mi viaje a Cuba alquilando un bote o consiguiendo un pescador que me lleve. Imagino la sorpresa de Abuela Celia cuando me escurriera a hurtadillas° por detrás de ella. Estaría en su columpio
10 de mimbre mirando al mar, y olería a sal y a agua de violetas. Habría gaviotas y cangrejos en la orilla del mar. Acariciaría° mis mejillas con sus manos frías y cantaría silenciosamente en mis oídos.

Cuando salí de Cuba tenía sólo dos años, pero recuerdo
15 todo lo que pasó desde que era una cría, cada una de las conversaciones, palabra por palabra. Estaba sentada en la falda de mi abuela jugando con sus pendientes de perlas, cuando mi madre le dijo que nos iríamos de la isla. Abuela Celia la acusó de haber traicionado° la
20 revolución. Mamá trató de separarme de la abuela, pero yo me agarré a ella y grité a todo pulmón. Mi abuelo vino corriendo y dijo:

«Celia, deja que la niña se vaya. Debe estar con Lourdes». Esa fue la última vez que la vi.

25 Mi madre dice que Abuela Celia ha tenido un montón de oportunidades de salir de Cuba, pero que es terca° y que El Líder le ha sorbido el seso. Mamá dice «comunistas» de la misma manera que alguna gente dice «cáncer», lenta y rabiosamente. Lee los
30 periódicos página por página intentando detectar las conspiraciones de la izquierda, hinca su dedo sobre la posible evidencia, y dice «¿Ves lo que te digo?». El año pasado, cuando El Líder encarceló a un famoso poeta cubano, ella, tratando de salvarle, se burló
35 con desprecio de «esos izquierdosos intelectuales hipócritas»: «Crearon esas prisiones para que ellos se pudrieran° en ellas —gritaba, sin que sus palabras tuvieran demasiado sentido—. ¡¡Son subversivos peligrosos, rojos hasta el tuétano°!!».

40 Blanco o negro, así es la visión de Mamá. Es su forma de sobrevivir. ●

---

autocar *van, jitney* **gestionar** *to manage* **me escurriera a hurtadillas** *sneak stealthily* **Acariciaría** *She would caress* **haber traicionado** *having betrayed* **terca** *stubborn*
se pudrieran *would rot* **hasta el tuétano** *to the core*

Después de leer

4 Comprensión Indica si cada oración es **cierta** (**C**) o **falsa** (**F**), según el texto. Corrige las falsas.

1. Pilar, la protagonista, piensa llegar a Cuba en bote. .... **C F**

2. Tenía cinco años cuando se fue de Cuba. .... **C F**

3. La madre de Pilar es panadera. .... **C F**

4. La madre de Pilar está a favor de la revolución cubana. .... **C F**

5. Pilar tiene muy buenos recuerdos de su abuela y de Cuba. .... **C F**

6. La madre de Pilar no quiere volver a Cuba nunca. .... **C F**

7. Para la madre de Pilar, las decisiones son absolutas. .... **C F**

5 Análisis En parejas, discutan las preguntas y contéstenlas.

1. ¿Por qué se fueron de Cuba Pilar y su madre?

2. ¿Cuál es la opinión de Cuba que tiene la madre de Pilar?

3. ¿Su abuela estaba de acuerdo con que se vayan de Cuba? ¿Cómo lo sabes?

4. ¿Por qué crees que Pilar quiere volver a Cuba?

5. ¿Por qué crees que los abuelos no se fueron de Cuba con Pilar y su madre?

6. ¿Qué quiere decir la autora cuando dice "Blanco o negro, así es la visión de Mamá"?

7. ¿Crees que Pilar comparte las ideas de su madre? Explica tu respuesta.

8. Según tu experiencia, ¿piensas que es común para los hijos compartir la misma perspectiva política que sus padres o familiares? ¿Cómo se comporta la gente que conoces de tu comunidad al respecto? Explica tu respuesta.

6 Investigación Investiga sobre la política en Cuba para comprender mejor el texto de García.

1. ¿Quiénes fueron los últimos tres líderes de Cuba?

2. ¿Por qué afirman algunas personas que existen "dos Cubas"?

3. ¿Qué significa "la revolución" en Cuba?

4. ¿Cómo es la relación entre los gobiernos de Cuba y Estados Unidos en la actualidad? ¿Ha habido cambios recientes?

Resources

Vhlcentral

Online activities

☐ **I CAN** interpret perspectives and opinions in a literary passage.

Video:
Culture

Contrata a mi padre

Vas a ver un cortometraje basado en una historia real sobre un hombre que está buscando trabajo. Lee la estrategia intercultural antes de ver el video.

Estrategia intercultural: Respect

Respect is one of three essential attitudes for developing intercultural competency. Respect involves *not* the idea of treating others the way *you* want to be treated, but rather treating others the way *they* want to be treated. If you think about it, this makes sense. You wouldn't want someone to decide for you what is important to adjust in your life, based on *their* cultural perspective. This attitude is not respectful. When you think of respect, be sure to consider respect from others' perspectives, and not to frame it through your own cultural lens.

Source: Deardorff, D. K. (2020). *Manual for Developing Intercultural Competencies: Story Circles.* UNESCO, Paris.

Antes de ver

(1) Preparación En parejas, compartan sus opiniones sobre la experiencia laboral. Consideren: ¿Qué características personales los empleadores prefieren cuando eligen candidatos para un puesto de trabajo? ¿Tiene la experiencia un valor importante para los empleadores?

(2) Vocabulario Indica qué definición corresponde a cada palabra que aparece en el video.

_____ **1.** la auditoría   **a.** título universitario

_____ **2.** la antelación   **b.** grupo de personas que trabajan juntas por un objetivo común

_____ **3.** la raíz   **c.** cuando haces algo o te preparas con suficiente tiempo antes

_____ **4.** la licenciatura   **d.** empresa de contabilidad que revisa la situación financiera de otra

_____ **5.** el equipo   **e.** origen o principio de algo

Mientras ves el video

(3) Verlo sin sonido Mira el video sin sonido y contesta las preguntas usando las pistas (*clues*) visuales solamente.

1. Según las expresiones de la cara, ¿qué puedes predecir sobre la situación actual del hombre?

2. Escribe 3 o 4 oraciones de lo que ves en el video.

4 **Escenas** Escribe la letra de la imagen que corresponde a cada cita del video.

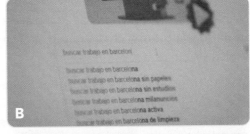

_____ **1.** "¿Una entrevista? Sí, en media hora perfecto".

_____ **2.** "Y este es mi día a día".

_____ **3.** "Muchas gracias por venir con tan poca antelación".

_____ **4.** "Esto lo llevo haciendo siete días a la semana durante mucho, mucho tiempo".

Después de ver

5 **Comprensión** Selecciona la opción que represente la idea principal del cortometraje *Contrata a mi padre*. Luego explica por qué la seleccionaste.

1. El éxito para encontrar trabajo depende del esfuerzo y la dedicación en buscarlo.

2. A pesar de la experiencia y la educación de los candidatos, muchas empresas tienen prejuicios contra los candidatos mayores.

3. Debido a la situación económica actual, obtener un trabajo con un buen sueldo y beneficios es muy difícil.

6 **El respeto** Jordi Pascual hizo el cortometraje para ayudar a su padre a encontrar trabajo y también para denunciar la situación de personas de mayor edad en España. Analicen la situación de la entrevista y cómo el valor del respeto puede variar, según la perspectiva de cada personaje.

Resources

Vhlcentral

Online activities

☐ **I CAN** identify other people's notion of respect.

Experiencias Proyectos

(1) **¿Cómo nos preparamos para la vida profesional?** Vas a buscar una pasantía para hacer durante la primavera o el verano y vas a crear una presentación para contar dónde quieres hacerla y cómo te estás preparando.

Paso 1 Consulta los materiales del capítulo: videos, lectura, presentaciones, etc. También repasa el vocabulario y la gramática del capítulo. Toma nota de las palabras y expresiones útiles.

Paso 2 Consulta recursos en tu universidad para encontrar pasantías y empleo. También, si es necesario, busca en internet oportunidades en empresas u organizaciones para hacer pasantías donde se necesite hablar español. Puede ser en algún país del mundo hispanohablante o en tu propia comunidad.

Paso 3 Describe la pasantía ideal en la empresa u organización que mejor represente tus intereses profesionales. Explica por qué la deseas. Considera: el perfil de la empresa u organización, la localización, el ambiente laboral, tus objetivos profesionales o académicos, la posibilidad de un sueldo y tu presupuesto y estimación de gastos básicos.

Paso 4 Prepara una presentación en la que expliques la pasantía que buscas con la información de los pasos anteriores. Trata de convencer a tu audiencia de por qué tú eres el/la candidato/a ideal.

> **Modelo** *Busco una pasantía que esté cerca de mi apartamento porque no tengo coche. Necesito una pasantía que pague un sueldo de un mínimo de...*

☐ **I CAN** describe my ideal internship.

¡ATENCIÓN!

Ask your instructor to share the **Rúbrica** to understand how your work will be assessed.

Experiencias profesionales Vas a investigar organizaciones locales, nacionales o internacionales relacionadas con tu área de interés profesional.

Paso 1 Busca tres páginas web en español de organizaciones locales, nacionales o internacionales de tu campo de interés profesional. Luego selecciona la organización que más te interese y escribe un resumen de entre 150 y 200 palabras que incluya estos puntos.

1. descripción de la organización

2. cómo puedes utilizar el español en esta organización (imagina que trabajas para ellos)

3. cómo te puede ayudar el conocimiento cultural que tienes de esa comunidad

Paso 2 En parejas, túrnense para leer sus resúmenes. ¿Hay puntos en común en esas organizaciones en relación con el uso del español?

☐ **I CAN** identify organizations related to my field of study that use Spanish.

Repaso

Repaso de objetivos

Reflect on your progress toward the chapter main goals.

I am able to...

	Well	Somewhat
Identify some practices and perspectives about the economy and its impact on families.	☐	☐
Exchange information about finances and jobs.	☐	☐
Compare products, practices, and perspectives related to finances and jobs.	☐	☐
Describe my ideal internship.	☐	☐
Identify organizations related to my field of study that use Spanish.	☐	☐

Repaso de vocabulario

La economía familiar y personal
Family and personal finances
los ahorros   *savings*
el alquiler   *rent*
el deseo   *wish*
la deuda   *debt*
la dinámica familiar   *family dynamics*
el dinero   *money*
los gastos   *expenses*
los ingresos   *income*
las metas financieras   *financial goals*
la necesidad   *need*
el préstamo   *loan*
el presupuesto   *budget*
los recursos   *resources*
el seguro (del auto, médico)   *(car, medical) insurance*
la vivienda   *housing*

ahorrar   *to save*
alcanzar   *to reach*
desear   *to wish*
discutir   *to discuss; to argue*
gastar   *to spend*
invertir (e:ie)   *to invest*
manejar   *to manage*
obtener (e:ie)   *to get*
planificar   *to plan*
reunirse   *to meet, to get together*

Cognados
el entretenimiento
el interés
las responsabilidades
el transporte

El trabajo   *Work*
el ambiente laboral   *work environment*
el aumento de sueldo   *raise*
las cartas de recomendación   *letters of recommendation*
el currículum   *CV, résumé*
el desempleo   *unemployment*
el/la empleado/a   *employee*
la empresa   *company*
la entrevista   *interview*
la experiencia laboral   *work experience*
la fuerza laboral   *labor force*
el/la gerente   *manager*
el horario   *schedule*
el jefe/la jefa   *boss; manager*
la oferta de trabajo   *job offer*
la pasantía   *internship*
el plan de pensiones   *retirement plan*
el puesto de trabajo   *job*
la red de contactos   *network of contacts*
el sueldo   *salary*
el teletrabajo   *remote working, telecommuting*
el trabajo voluntario   *volunteer work*

contratar   *to hire*
solicitar (un trabajo)   *to apply (for a job)*
trabajar por cuenta propia   *to be self-employed*

a tiempo completo   *full-time*
a tiempo parcial   *part-time*

Cognados
los beneficios
el/la candidato/a
el/la cliente
el contrato

colaborativo/a
flexible

negociar

Repaso

Repaso de gramática

1 The subjunctive

a. Endings for regular verbs

Subject pronouns	-ar	-er	-ir
yo	-e	-a	-a
tú	-es	-as	-as
él/ella, usted	-e	-a	-a
nosotros/as	-emos	-amos	-amos
vosotros/as	-éis	-áis	-áis
ellos/ellas, ustedes	-en	-an	-an

b. Verbs with spelling changes (See p. 46)

c. Verbs with stem changes (See p. 46)

d. Irregular verbs

Subject pronouns	dar	estar	ir	saber	ser
yo	dé	esté	vaya	sepa	sea
tú	des	estés	vayas	sepas	seas
él/ella, usted	dé	esté	vaya	sepa	sea
nosotros/as	demos	estemos	vayamos	sepamos	seamos
vosotros/as	deis	estéis	vayáis	sepáis	seáis
ellos/ellas, ustedes	den	estén	vayan	sepan	sean

2 The subjunctive with unknown or nonexistent things or people

Indicative	Subjunctive
known: Tengo un amigo que (sabe)…	*unknown*: Busco/ Deseo/ Necesito/ Prefiero/ Quiero/ Me interesa un amigo que (sepa)…
existent: Hay/ Conozco a/ Sé de alguien que (tiene)…	*nonexistent*: No hay/ No conozco a/ No sé de nadie que (tenga)…

Resources

Vhlcentral

Online activities

Capítulo 3

¿Cómo logramos una vida saludable?

OBJETIVOS DE APRENDIZAJE

By the end of this chapter, I will be able to...

- Identify practices and perspectives about health and wellness.
- Exchange information and recommendations about health issues.
- Compare products, practices, and perspectives related to health.
- Describe ways for maintaining a healthy lifestyle.
- Describe a typical day for a person working in my future career.

ENCUENTROS

Sofía sale a la calle: Perspectivas sobre la salud

Panorama actual: La salud

EXPLORACIONES

Vocabulario

La anatomía

Las enfermedades y los remedios

La nutrición

Gramática

The subjunctive with suggestions and recommendations

Formal commands

EXPERIENCIAS

Blog: El restaurante Cerro San Cristóbal

Cultura y sociedad: La medicina tradicional

Literatura: *Ciudad de payasos*, de Daniel Alarcón

Intercambiemos perspectivas: *Nuestra voz*

Proyectos: ¿Cómo logramos una vida saludable?, Experiencias profesionales

Perspectivas sobre la salud

Lee y reflexiona sobre la estrategia intercultural de este capítulo.

Estrategia intercultural: What is Intercultural Competence?

One of the learning outcomes of *Experiencias* is the ongoing development of intercultural competence. Think about situations in which you have interacted with someone from a different cultural background. What made your interaction successful?

The answer to this question is the basis for defining the concept of intercultural competence. Darla Deardorff (2006) studied five decades of publications and summarized the key elements to support effective and appropriate interaction in a variety of contexts. The table is the set of attitudes, skills, and behaviors that she proposed.

Attitudes	respect, openness, curiosity, withholding judgment, tolerating ambiguity
Knowledge	cultural self-awareness, understanding others' world views, understanding others' perspectives
Skills	observation, listening, interpreting, relating
Internal Outcomes	flexibility, adaptability, empathy, seeing the world through a new lens
External Outcomes	effective and appropriate communication and behavior

The use of the term *competence* can be misleading, because the development of intercultural competence is a life-long learning process that begins with self-awareness of one's own cultural positionality. Critically reflecting on your interactions is also an important tool that can lead to effective perspective exchanges and interactions.

Deardorff, D.K. (2006). The identification and assessment of intercultural competence as a student outcome of internationalization at institutions of higher education in the United States. *Journal of Studies in International Education,* 10(3), 241–266.

Antes de ver

(1) Entrando en el tema Sofía entrevista a Viviana, Guido y Andrés sobre la salud. Lee estas recomendaciones para tener una vida saludable y predice cuáles son las más importantes para los entrevistados.

- Dormir suficientes horas cada noche.
- Tomar vitaminas y complementos alimenticios.
- Beber aproximadamente ocho vasos de agua al día.
- Comer más verduras y frutas.
- Tener buena actitud.
- Hacer ejercicio, por lo menos, tres veces a la semana.
- No consumir mucha grasa ni muchos refrescos.
- Reducir el uso de pantalla, especialmente antes de dormir.

Mientras ves

(2) Perspectivas Lee los temas que mencionan Viviana, Guido y Andrés. Luego mira el video e identifica quién habló de cada tema.

Viviana

Guido

Andrés

_____ **1.** no consumir alcohol, drogas ni tabaco

_____ **2.** la falta de jeringas y otros materiales en los hospitales

_____ **3.** el jengibre (*ginger*) hervido

_____ **4.** hacer ejercicios tres veces por semana y dormir siete horas diarias

_____ **5.** la miel (*honey*) con azúcar y limón

_____ **6.** el acceso limitado a un seguro médico

_____ **7.** el té de coca

_____ **8.** el uso de medicinas no muy avanzadas

Después de ver

(3) Análisis En grupos pequeños, analicen las perspectivas del video usando las preguntas como guía.

1. Piensen en lo que recomienda Guido sobre "ser positivo [y] siempre encarar la vida con una sonrisa". ¿Qué quiere decir con esta frase? ¿Qué efectos tiene esto en la salud?

2. Los entrevistados hablan de diferentes remedios tradicionales para las enfermedades. ¿Les resultan familiares algunos de estos remedios? ¿Hay alguno que no conocían?

3. Piensen en las perspectivas de cada persona entrevistada sobre cómo vivir una vida saludable. ¿Cómo se comparan y cómo se diferencian?

4. ¿Qué perspectiva nueva conocieron sobre cómo vivir una vida más saludable?

5. Piensen en los diferentes problemas de salud pública que mencionan las personas en el video. ¿Existen problemas similares en su comunidad?

Estrategia de aprendizaje: Analyzing Rules of Stress and Written Accent Marks

Why does Spanish have written accents? You may have wondered if there is any rhyme or reason to the written accents marks used in Spanish… *Go online to watch the complete learning strategy.*

 Video: Strategy

Resources

Ⓢ VhIcentral

Online activities

☐ I CAN identify perspectives on healthy daily practices.

Encuentros

Panorama actual

Learning Objective:
Examine health and health care in the world.

La salud

Una pregunta simple, pero al mismo tiempo difícil de contestar es "¿Qué significa tener buena salud?". La respuesta a esta pregunta puede variar mucho entre culturas y aun entre individuos de la misma cultura. Sin embargo, ciertos factores como tener una buena **alimentación°**, descansar lo necesario, mantener una vida activa y tener relaciones interpersonales **saludables°** se consideran esenciales para tener buena salud en muchas culturas. ¿Se compone la salud solo de la salud física y la mental, o hay otros componentes importantes, como la salud social, la salud espiritual o la salud intelectual? Esto también varía de acuerdo a la sociedad y a las personas, así como también varía la importancia que le dan a cada componente. Al margen de° estas diferencias, ¿tenemos todos la misma oportunidad de gozar de° buena salud si lo deseamos?

alimentación *diet* **saludables** *healthy* **Al margen de** *Apart from* **gozar de** *enjoy*

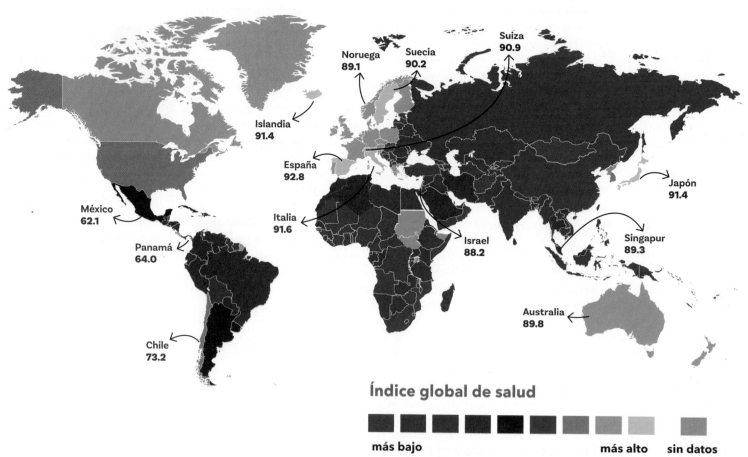

Noruega 89.1
Suecia 90.2
Suiza 90.9
Islandia 91.4
España 92.8
Italia 91.6
Israel 88.2
Japón 91.4
Singapur 89.3
México 62.1
Panamá 64.0
Chile 73.2
Australia 89.8

Índice global de salud

más bajo   más alto   sin datos

Fuente de datos: Bloomberg (2019)

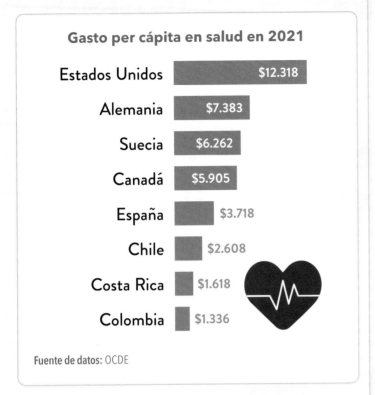

Gasto per cápita en salud en 2021

País	Gasto
Estados Unidos	$12.318
Alemania	$7.383
Suecia	$6.262
Canadá	$5.905
España	$3.718
Chile	$2.608
Costa Rica	$1.618
Colombia	$1.336

Fuente de datos: OCDE

"**El que toma medicinas y descuida° la dieta desperdicia° las habilidades del médico**".
—Proverbio chino

"**Más alimenta° el pan casero° que el que vende el panadero**".
—Proverbio en español

"**Una dolencia° imaginaria es peor que una enfermedad°**".
—Proverbio yidis

"**El trabajo es la mitad de la salud**".
—Proverbio sueco

descuida *neglects* desperdicia *wastes* alimenta *nourishes* casero *homemade*
dolencia *ailment* enfermedad *disease*

(1) Comprensión Contesta las preguntas según la información de esta presentación.

1. ¿Qué país tiene el índice de salud más alto?
2. ¿Qué regiones son las más saludables según el mapa? ¿Y las menos saludables?
3. ¿Qué país tiene el índice de salud más alto de América Latina?
4. ¿Qué país gastó más per cápita en salud en 2021?
5. Aproximadamente, ¿cuánto más se gastó en salud en Estados Unidos que en Suecia?

(2) Analizar En grupos pequeños, conversen sobre las preguntas.

1. ¿Por qué el autor del texto termina la introducción con esta pregunta: "¿tenemos todos la misma oportunidad de gozar de buena salud si lo deseamos?"?
2. ¿Cómo puede la relación entre los gastos de salud por persona y el índice global de salud en diferentes países reflejar las prioridades y valores de esas sociedades en cuanto a la salud y la atención médica?
3. ¿Qué quiere decir cada proverbio? ¿Qué perspectivas ofrecen sobre lo que cada cultura valora con respecto a la salud?

(3) Para investigar Elige un tema para investigar.

1. Busca cómo la organización Bloomberg creó el índice global de salud. ¿Qué factores tomaron en cuenta para establecer los índices de cada país? ¿Hay factores que no debieron incluir y otros que sí para representar un panorama más realista?
2. Busca información sobre el acceso a la salud en tu país. ¿Cómo se compara con el de otros países?

☐ **I CAN** identify some facts and perspectives about health and health care in the world.

Audio: Vocabulary

La anatomía

El cuerpo humano

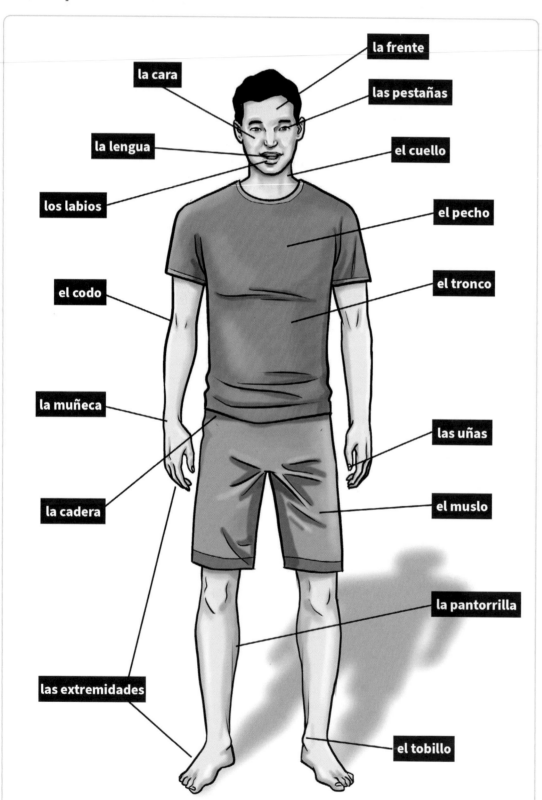

la frente

la cara

las pestañas

la lengua

el cuello

los labios

el pecho

el codo

el tronco

la muñeca

las uñas

la cadera

el muslo

la pantorrilla

las extremidades

el tobillo

🔄 ¡ATENCIÓN!

Antes de empezar, repasa la sección **Vocabulario 2** del Capítulo 7 de *Experiencias: Beginning Spanish.*

STUDENT TIP: Taking Notes in Spanish (by Noah Michalski, University of Cincinnati)

Something I find works for me is taking a lot of notes in Spanish. I copy down all of the cultural information... *Go online to watch the complete learning tip.*

Video: Tip

Órganos y otros componentes esenciales del cuerpo

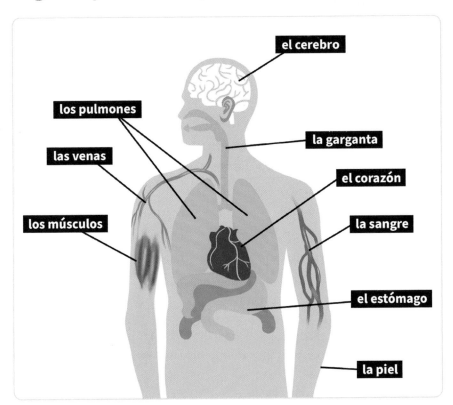

el cerebro

los pulmones

las venas

los músculos

la garganta

el corazón

la sangre

el estómago

la piel

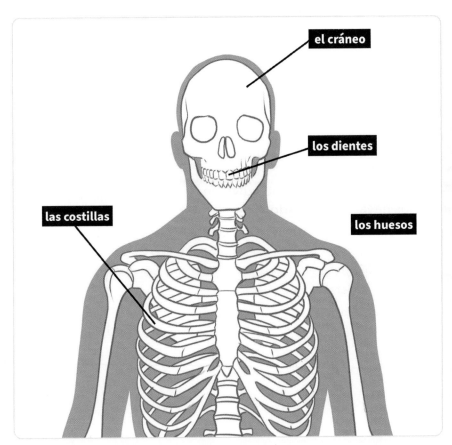

el cráneo

los dientes

las costillas

los huesos

Exploraciones

1 **Examen de anatomía** Estás en el laboratorio de anatomía y tu compañera quiere practicar para el próximo examen. Escucha sus descripciones y señala qué parte del cuerpo u órgano es.

1. a. los labios	**b.** los dientes	**c.** los músculos	**d.** los huesos
2. a. la muñeca	**b.** el cerebro	**c.** la frente	**d.** el cuello
3. a. la frente	**b.** la garganta	**c.** la piel	**d.** el cerebro
4. a. la garganta	**b.** la piel	**c.** el corazón	**d.** el estómago
5. a. los pulmones	**b.** los músculos	**c.** los huesos	**d.** las uñas
6. a. las rodillas	**b.** la piel y el pecho	**c.** la boca y los dientes	**d.** las uñas
7. a. las orejas	**b.** las manos	**c.** el cuello	**d.** la espalda
8. a. los dientes	**b.** las venas	**c.** los labios	**d.** los huesos
9. a. las pestañas	**b.** las costillas	**c.** los pulmones	**d.** los músculos
10. a. el tobillo	**b.** el codo	**c.** el estómago	**d.** la piel

2 **¿Cuántas partes del cuerpo usas para...?** Para la clase de anatomía, el profesor les pregunta sobre las partes del cuerpo que usamos para distintas situaciones. En parejas, túrnense para hacerse preguntas sobre cuántas y qué partes del cuerpo usan para cada situación.

1. escribir un mensaje de texto
2. pensar en una respuesta
3. hacer la cena
4. contestar una pregunta en clase
5. ver la tele
6. andar en bicicleta

3 **Veinte preguntas** En grupos pequeños, jueguen a Veinte preguntas. Una persona piensa en una parte o un órgano del cuerpo. Los demás le hacen preguntas simples con respuestas de **sí** o **no**. Cada vez que adivinen (*guess*) una palabra, túrnense hasta que todos hayan participado. Sigan los modelos de preguntas.

Modelo
- ¿Es parte *del tronco*?
- ¿Es *un órgano interno*?
- ¿Es *una extremidad*?
- ¿Hay *dos de esta parte*?
- ¿Es *rojo/a*?
- ¿Se usa para *correr, comer, leer*?
- ¿Es *un hueso*?

STUDENT TIP: Practicing New Vocabulary (by Sofia DiFrancesco, University of Cincinnati)

I like to practice new phrases and vocabulary with a friend or a classmate, either by phone or in person so that they can help me correct my pronunciation if need be... *Go online to watch the complete learning tip.*

 **Video: Tip**

□ **I CAN** talk about parts of the body and simple human anatomy.

Las enfermedades y los remedios

Las enfermedades y los síntomas

Tiene tos.

Está congestionada. Tiene la nariz tapada.

Tiene dolor de estómago.

Tiene fiebre.

Tiene el brazo fracturado.

Tiene el tobillo hinchado.

Tiene una herida.

Más palabras

el catarro/el resfriado *cold*

la gripe *flu*

el malestar *ailment, discomfort*

cuidarse *to take care of oneself*

desmayarse *to faint*

doler (o:ue) *to hurt*

enfermarse *to get sick*

estornudar *to sneeze*

hacerse un análisis de sangre *to have a blood test*

sentirse mal (e:ie) *to feel unwell*

torcerse (o:ue) *to twist; to sprain*

Cognados

la alergia

la bronquitis

la diarrea

el estrés

la infección de…

las náuseas

fracturarse

🔄 ¡ATENCIÓN!

The verb **doler** has a stem change from **o** to **ue** in the present indicative and subjunctive. To express that something hurts, use a construction similar to that of the verb **gustar** in which the verb agrees with the body part that hurts:

indirect object pronoun + **doler** + **el/la/los/las** + *body part*

Me *duelen* **los ojos.** (*My eyes hurt.*)

A nosotros nos *duele* **la cabeza.** (*We have a headache.*)

Exploraciones

Los remedios y los servicios médicos

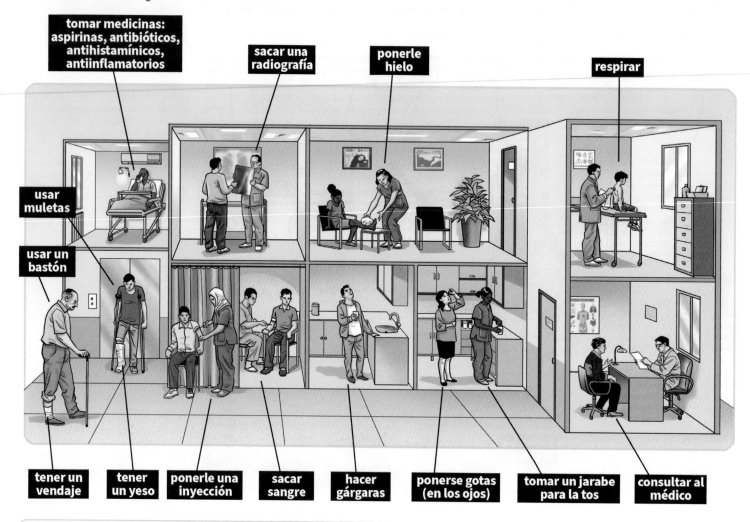

tomar medicinas: aspirinas, antibióticos, antihistamínicos, antiinflamatorios

sacar una radiografía

ponerle hielo

respirar

usar muletas

usar un bastón

tener un vendaje

tener un yeso

ponerle una inyección

sacar sangre

hacer gárgaras

ponerse gotas (en los ojos)

tomar un jarabe para la tos

consultar al médico

Más palabras

el consultorio *doctor's office*

el/la farmacéutico/a *pharmacist*

la farmacia *pharmacy*

el/la paciente *patient*

los primeros auxilios *first aid*

la receta *prescription*

la sala de emergencias *emergency room*

1 **En el consultorio** Estás en el consultorio de la doctora Miriam Vargas. Varios pacientes le explican sus problemas a la recepcionista antes de ver a la doctora.

Paso 1 Escucha lo que dice cada paciente e identifica la parte del cuerpo que le duele.

1. **a.** el brazo   **b.** la cabeza   **c.** la cara   **d.** la mano
2. **a.** la garganta   **b.** la nariz   **c.** la frente   **d.** la oreja
3. **a.** la cabeza   **b.** la mano   **c.** la pierna   **d.** la espalda
4. **a.** el cuello   **b.** el tobillo   **c.** el pecho   **d.** el hombro
5. **a.** la pierna   **b.** la piel   **c.** el estómago   **d.** el corazón
6. **a.** el hombro   **b.** la cadera   **c.** la rodilla   **d.** el estómago

Paso 2 En parejas, expliquen qué actividades no puede hacer cada uno de los pacientes.

2 **¿Cómo lo solucionamos?** Durante tu entrenamiento con la Cruz Roja tienes que recordar qué remedios son apropiados para cada síntoma. Para practicar, une los síntomas con un remedio lógico.

La paciente tiene...

_____ **1.** la muñeca fracturada.
_____ **2.** alergia al polen.
_____ **3.** dolor de cabeza.
_____ **4.** gripe.
_____ **5.** dolor de garganta.
_____ **6.** infección del ojo.
_____ **7.** tos.
_____ **8.** el pie hinchado.

La paciente necesita...

a. ponerse hielo.
b. ponerse gotas.
c. tomar aspirinas.
d. tomar antihistamínicos.
e. tomar un jarabe.
f. tener un yeso.
g. hacer gárgaras.
h. descansar y tomar mucha agua.

3 **El español cerca de ti** Averigua si hay servicios médicos que se ofrecen en español cerca de tu comunidad.

1. ¿Hay médicos/as, clínicas u hospitales con personal que hable español?
2. ¿Qué servicios ofrecen a una persona que no habla inglés?
3. ¿Hay algún/alguna médico/a especialista hispano/a en tu comunidad? ¿De dónde es?
4. ¿Hay organizaciones sin fines de lucro (*nonprofit*) que ofrecen servicios médicos para personas sin seguro médico?

Resources

Vhlcentral

WebSAM

☐ **I CAN** talk about symptoms, diagnoses, and treatments.

Giving suggestions and recommendations: The subjunctive

You encountered the subjunctive mood in the previous chapter to express hypothetical situations, emotions, doubt, and disbelief, and to question the existence of some people, places, and events. Here, you will use the subjunctive to give suggestions and make recommendations. Study the following example.

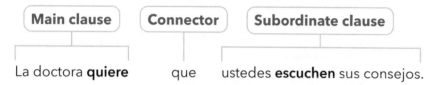

Main clause	Connector	Subordinate clause
La doctora **quiere**	que	ustedes **escuchen** sus consejos.

> **↻ ¡ATENCIÓN!**
>
> Antes de empezar, repasa las secciones de gramática del Capítulo 2 de este volumen, *Experiencias: Intermediate Spanish.*

When the subject and verb of the main clause express a suggestion or recommendation that someone should do something, the subjunctive is needed in the second (subordinate) clause.

> **¡ATENCIÓN!**
>
> **Aconsejar, pedir, prohibir, sugerir,** and **recomendar** are often used with indirect object pronouns (**me, te, le, nos, os, les**) as one advises, asks, etc., something to someone else.

Some verbs that commonly express a suggestion or a recommendation that are used in the main clause include the following.

aconsejar	*to advise*	Mis padres me **aconsejan** que **estudie** medicina.
pedir	*to ask, to request*	Les **pide** a sus pacientes que **sigan** una dieta balanceada.
prohibir	*to prohibit, not allow*	José, te **prohibimos** que **comas** helado antes de cenar.
querer	*to want*	**Quiero** que papá **prepare** algo rico para el desayuno.
recomendar	*to recommend*	La doctora le **recomienda** que **haga** más ejercicio.
sugerir	*to suggest*	El profesor nos **sugiere** que **durmamos** bien antes de los exámenes finales.

Sometimes, we use impersonal expressions. No one specific person is doing the action, which is why they are called impersonal. The subjunctive is used in the second clause.

Some impersonal expressions that are used with the formula above are:

Es aconsejable	*It is advisable*	**Es aconsejable** que Miguel **tome** su medicina.
Es bueno	*It is good*	**Es bueno** que Marta **consulte** al médico.
Es importante	*It is important*	**Es importante** que la farmacia **esté** abierta hasta tarde.
Es mejor	*It is better*	**Es mejor** que **vayamos** a la sala de emergencias.
Es necesario	*It is necessary*	**Es necesario** que el tío Paco **use** un bastón.
Es recomendable	*It is recommended*	**Es recomendable** que **te cuides**.

1 **En la universidad** Durante el semestre, hay momentos en los que parece que todo el mundo se enferma. Escucha los síntomas de tus compañeros y escoge la recomendación más apropiada.

1. **a.** Es recomendable que descanses y que no comas mucho.

   b. Es importante que te pongas hielo en el brazo.

   c. Te recomiendo que tomes antihistamínicos.

2. **a.** Te sugiero que pidas una cita con tu médico/a.

   b. Es importante que no tomes líquidos hoy.

   c. Es mejor que no te pongas gotas.

3. **a.** Te recomiendo que vayas al psicólogo cuanto antes.

   b. Es importante que duermas mucho hoy.

   c. Es aconsejable que te hagan una radiografía y te pongan un yeso.

4. **a.** Quiero que te pongan un yeso.

   b. Es necesario que hables con el/la farmacéutico/a.

   c. Es importante que te hagan un análisis de sangre.

5. **a.** Es importante que uses muletas.

   b. Es necesario que vayas a la farmacia a comprar medicinas.

   c. Te aconsejo que hagas mucho ejercicio.

6. **a.** Te recomiendo que te pongas hielo en el dedo.

   b. Es necesario que pidas una cita con tu médico/a.

   c. Te recomiendo que descanses mucho.

2 **Elenita está enferma** Elenita, una niña de siete años que cuidas por las tardes después de tus clases, está enferma.

Paso 1 Escucha una conversación entre Elenita y su mamá, y luego entre Elenita y la doctora. Después, completa la tabla con información de las conversaciones.

Síntomas:

Recomendaciones de la doctora:

Elenita está más contenta al salir del consultorio de la doctora. ¿Por qué?

Paso 2 Al día siguiente, cuando llegas a casa de Elenita para cuidarla, ¿qué recomendaciones tiene su mamá para darte? En parejas, compartan sus respuestas y elijan tres recomendaciones que ustedes seguirían (*you would follow*) de ser Elenita.

(3) **¿Tienes estrés?** El estrés es natural, pero en grandes cantidades puede
causar muchos problemas de salud.

Paso 1 Completa el cuestionario para averiguar tu nivel de estrés.

Test de estrés y ansiedad

	☹️ Sí	🙂 No
1. Normalmente duermo pocas horas y mal; me despierto antes de que suene mi despertador (*alarm clock*).		
2. Estoy muy tenso/a y me preocupo mucho.		
3. Estoy malhumorado/a y me enfado fácilmente sin motivo.		
4. Siempre tengo prisa y hago las cosas con mucha impaciencia.		
5. Tengo dificultad para relajarme.		
6. Tengo que revisar algunas cosas varias veces para estar tranquilo/a.		
7. Siempre evito (*avoid*) los lugares cerrados porque siento mucha ansiedad.		
8. Tengo miedo de perder el control.		
9. Frecuentemente tengo mareos o siento vértigo.		
10. Soy muy impaciente.		
11. No puedo dejar quietos los pies y las manos, siempre tengo que moverlos.		
12. Es difícil concentrarme.		

Paso 2 Asigna un punto por cada respuesta afirmativa y cero puntos por
cada respuesta negativa. Calcula el resultado total y determina tu nivel de
estrés. ¿Es menor o mayor de lo que pensabas?

1-2 puntos: bajo o muy bajo	3-5 puntos: medio	6-9 puntos: alto	10-12 puntos: muy alto

 Paso 3 En grupos pequeños, hagan recomendaciones generales para
reducir el estrés. ¿Cuáles creen que son las más efectivas?

(4) **Situaciones** Hagan los papeles de A y de B para representar la situación.

 Estudiante A Tu mejor amigo/a te llama por teléfono porque su compañero/a
de cuarto tiene un problema de salud. Hazle preguntas sobre sus síntomas y
cómo se siente. Después ofrece, por lo menos, cuatro consejos.

Estudiante B Estás preocupado/a por la salud de tu compañero/a de cuarto
y decides llamar a tu mejor amigo/a. Cuéntale su situación y pídele consejos.

Resources

Ⓢ
Vhlcentral

📶
WebSAM

 I CAN give health and wellness recommendations.

La nutrición

La olla familiar de Guatemala presenta recomendaciones para una alimentación saludable y es parte de las guías alimentarias de ese país.

↻ ¡ATENCIÓN!

Antes de empezar, repasa la sección **Vocabulario 1** del Capítulo 8 de *Experiencias: Beginning Spanish.*

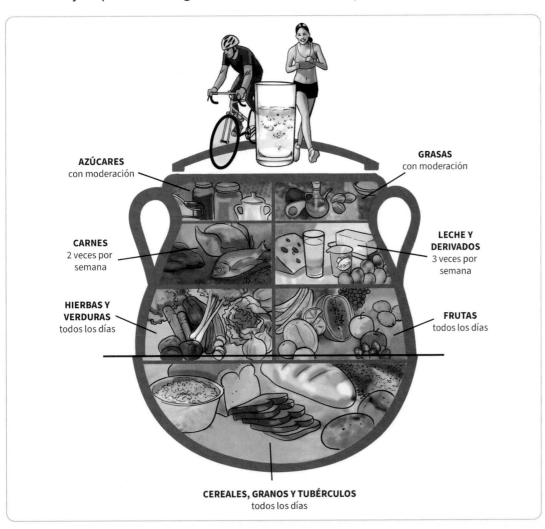

AZÚCARES
con moderación

GRASAS
con moderación

CARNES
2 veces por
semana

**LECHE Y
DERIVADOS**
3 veces por
semana

**HIERBAS Y
VERDURAS**
todos los días

FRUTAS
todos los días

CEREALES, GRANOS Y TUBÉRCULOS
todos los días

Más palabras

la alimentación *food, diet*
el alimento *food*
la comida chatarra *junk food*
los productos lácteos *dairy products*

nutritivo/a *nutritious*
potable *drinkable*
(no) procesado/a *(un)processed*
saludable/ sano/a *healthy*

mantenerse sano/a *to maintain good health*
proteger *to protect*

Cognados

la actividad física
los carbohidratos
la dieta
la nutrición
las proteínas

Exploraciones

(1) La alimentación sana Trabajas como asistente en un consultorio de tu comunidad y tienes que preguntarles a los pacientes sobre su alimentación.

Paso 1 Escucha los hábitos de alimentación de cada persona y decide si es saludable según las guías alimentarias de tu comunidad.

1. _____   4. _____

2. _____   5. _____

3. _____

Paso 2 En parejas, expliquen por qué los hábitos de alimentación de esas personas son saludables o no según el criterio que eligieron. ¿Qué recomendaciones les pueden dar para mejorar su alimentación?

(2) Niveles de nutrición Todos necesitamos comer cierta cantidad de nutrientes para estar sanos. Utiliza la siguiente tabla para evaluar tu nivel de nutrición.

Paso 1 Indica con qué frecuencia comes cada grupo de alimentos.

Grupos de alimentos	Todos los días	3 veces por semana	2 veces por semana	Muy rara vez	Nunca
Granos, cereales, tubérculos					
Verduras					
Frutas					
Leche y huevos					
Carnes					

Paso 2 En parejas, compartan la información de su tabla y den sugerencias para tener una vida más saludable.

(3) La dieta más apropiada Tienes un nuevo trabajo en la cocina de un hospital y hay algunos pacientes con problemas de nutrición. En grupos pequeños, creen un menú apropiado para un día según la situación de cada paciente. Expliquen las razones detrás de cada menú.

1. Un paciente de cincuenta años con diabetes.

2. Una paciente con alergia al gluten.

3. Una persona que es intolerante a la lactosa.

4. Una paciente vegetariana.

5. Un paciente con fiebre y resfriado.

CULTURA VIVA

El cuy El cuy o conejillo de indias (*guinea pig*) es un alimento básico de la cocina andina de Perú, Bolivia, Ecuador y el sur de Colombia, y tiene una tradición milenaria en esa región. La carne de cuy es alta en proteínas y baja en grasas, por lo que se la considera una alternativa de proteína comparable al pollo y más saludable que la carne roja. Se prepara de distintas maneras, como frito, asado o al horno y puede servirse con papas, arroz, e incluso, salsa picante. **¿Qué alimentos ricos en proteínas se acostumbra a comer en tu comunidad?**

Cuy frito

4 **Platos especiales** Hay platos que se reservan para ocasiones especiales en cada cultura. Piensa en un plato especial de tu cultura y luego, en parejas, túrnense para contestar las preguntas.

1. ¿Qué clases de alimentos contiene el plato? ¿Carnes? ¿Verduras? ¿Cereales? ¿Granos? ¿Productos lácteos?

2. ¿Cuáles son los beneficios nutritivos de ese plato?

3. ¿Con qué otros platos se sirve generalmente?

4. ¿De dónde proviene el plato? ¿Tiene influencias de otras culturas?

5. ¿Consideras que el plato es sano? ¿Por qué?

6. ¿Con qué frecuencia lo comes? ¿Está verdaderamente reservado para ocasiones especiales?

5 **Recursos para una buena alimentación** Muchas personas no pueden acceder de forma regular a alimentos sanos y nutritivos por distintas causas. En parejas, busquen los recursos que existen en las comunidades cercanas a la universidad para comer de forma saludable y conversen sobre las preguntas.

1. En relación con la distancia, ¿cuántas millas tiene que recorrer (*travel*) una persona para comprar alimentos sanos y nutritivos? ¿Hay transporte público que pueda utilizar si lo necesitara (*if he/she needed it*)?

2. En relación con los precios, ¿consideran que los alimentos no procesados son accesibles económicamente para la mayoría de los miembros de la comunidad? ¿Cómo se comparan estos precios con el precio de la comida chatarra? Den ejemplos.

3. ¿Creen que se puede mejorar la accesibilidad a alimentos sanos y nutritivos en estas comunidades? ¿Qué soluciones pueden recomendar?

Resources

Vhlcentral

WebSAM

☐ **I CAN** describe eating habits.

Giving instructions and orders: Formal commands

In Spanish, commands are used to give instructions or to tell others what to do. Formal commands are used with people you address as **usted** or **ustedes**. The present subjunctive forms of the verb are used for formal commands.

Coma muchas frutas y verduras.   *Eat a lot of fruits and vegetables.*

Hagan ejercicio todos los días.   *Exercise every day.*

Formal commands with pronouns

You have already seen different types of pronouns. A pronoun is a short word that replaces a noun, such as *it* or *them* in English.

Direct object pronouns (*pronombres de complemento directo*) tell us *who?* or *what?* directly receives the action of the verb.

who/whom: Vi **a Miguel y a Kim** ayer.   →   **Los** vi ayer.

what: Tomé **el antibiótico** ayer.   →   **Lo** tomé ayer.

Indirect object pronouns (*pronombres de complemento indirecto*) are used to show *to whom* or *for whom* an action is done.

Le envié la radiografía por correo.

The indirect pronouns **le** and **les** can refer to many different people. If clarification is needed, add **a** + *the person/receiver*.

Le envié la radiografía por correo. (*to whom? To Miguel or to Kim?*)

Le envié la radiografía por correo **a Kim.**

Reflexive pronouns (*pronombres reflexivos*) are used with reflexive verbs to indicate that the subject is performing an action for himself/herself.

El paciente **se** está bañando.

When an affirmative command is given with an indirect object pronoun, a direct object pronoun, or a reflexive pronoun, the pronoun is attached to the command form. Note that a written accent might be needed to preserve the original stress.

Pronoun type	Subjunctive form	Affirmative formal command + pronoun
direct object	tomar: **tome / tomen**	**Tómelos** cada día. (los = los antibióticos)
indirect object	traer: **traiga / traigan**	**Tráigame** la radiografía, por favor. (me = a mí)
reflexive	cuidarse: **se cuide / se cuiden**	**Cuídense** para no enfermarse. (se = a ustedes)

> **¡ATENCIÓN!**
>
> Remember that some common verbs have irregular subjunctive forms:
>
> **dar: dé / den**
> **estar: esté / estén**
> **ir: vaya / vayan**
> **ser: sea / sean**

When expressing a negative command, pronouns immediately follow the word **no** and are placed before the command.

Pronoun type	Subjunctive form	Negative formal command + pronoun
direct object	tomar: **tome / tomen**	**No** *las* **tomen** hoy. (las = las aspirinas)
indirect object	enviar: **compre / compren**	**No** *le* **compre** ese bastón. (le = a él/ella)
reflexive	ponerse: **se ponga / se pongan**	**No** *se* **ponga** las gotas. (se = a usted)

1 **La actividad física** Estás investigando el papel de la actividad física para mantenerte sano/a. Lee el artículo y completa los pasos.

La actividad *física*

Alejandro Hernández
27 de enero de 2024, La Paz, Bolivia

· ·

La actividad física es de gran importancia en un mundo donde la mayoría de la población pasa horas sentada enfrente de una computadora o un televisor.

Haga actividad física, y sus músculos y huesos serán más fuertes y resistentes. Haga treinta minutos de ejercicio cada día y mejorará su autoestima. Se sentirá más seguro de sus capacidades. Gozará de buena salud y tendrá mayor éxito en sus estudios y en su trabajo. Su capacidad de aprender cosas nuevas mejorará. Estará menos expuesto al uso de sustancias dañinas para su organismo, como el alcohol y las drogas. Realice actividades físicas para poder aumentar su resistencia, fuerza, flexibilidad y velocidad. Elabore un plan de actividades físicas habituales para desarrollar sus capacidades de coordinación, agilidad y equilibrio.

Para lograr estas metas, practique deportes y juegue con sus amigos o hijos. Camine a paso rápido o monte en bicicleta. Realice actividades al aire libre en familia o con sus amigos o participe en grupos de danza. Utilice las escaleras en vez del ascensor y estacione el coche más lejos para caminar más. Estas son solo algunas ideas. Piense en cuáles son los mejores momentos del día para poder lograr sus objetivos. Cumpla con sus metas y ¡su calidad de vida mejorará!

Paso 1 Selecciona todos los mandatos formales del artículo.

Paso 2 Escribe un plan de ejercicios para una persona con una vida no muy saludable usando mandatos formales.

Paso 3 En parejas, compartan sus planes y den sugerencias para mejorarlos.

Exploraciones

2 **Para mantenerse sano/a** Hay muchas maneras de mantenerse sano/a. Vas a seleccionar las actividades que haces para mantenerte sano/a y luego vas a compartir tus respuestas con un(a) compañero/a.

Paso 1 Selecciona las actividades que haces para mantenerte sano/a.

1. ☐ Beber mucha agua.
2. ☐ Comer frutas y verduras todos los días.
3. ☐ Comer comida nutritiva.
4. ☐ Hacer ejercicio diariamente.
5. ☐ No beber o tomar mucho café o cafeína.
6. ☐ Dormir ocho horas todas las noches.
7. ☐ Tomar un buen desayuno.
8. ☐ No comer muchos postres o dulces, ni azúcar.
9. ☐ Tomar 20 minutos de sol cada día.
10. ☐ Socializar y pasar el tiempo con la familia y los amigos.
11. ☐ Evitar el estrés.
12. ☐ Mantener una actitud positiva.
13. ☐ Otras actividades: _____

Paso 2 En parejas, compartan las actividades que hacen y las que no hacen. Luego, usando mandatos formales, ofrezcan a su compañero/a al menos dos consejos para mantenerse sano/a y expliquen por qué los recomiendan.

3 **Primeros auxilios** Tus compañeros y tú quieren trabajar este verano como socorristas (*lifeguards*) en una piscina de su comunidad y, por eso, quieren averiguar cuánto saben ya de primeros auxilios.

Paso 1 En grupos pequeños, decidan el orden de las acciones para cada situación de emergencia según sus conocimientos.

A Un niño que se fracturó la pierna: (a) No mover al paciente. (b) Ponerle hielo. (c) Pedirle a alguien que llame al 9-1-1.

B Una mujer que se cayó y se golpeó la cabeza contra el pavimento: (a) Limpiar sus heridas con agua y jabón. (b) Ponerle hielo en la cabeza. (c) Llamar al 9-1-1. (d) Revisar si hay sangre.

C Un hombre que se desmayó: (a) Darle respiración artificial. (b) Ponerle hielo en el cuello. (c) Examinarlo para ver si se rompió algún hueso. (d) Pedirle a alguien que llame al 9-1-1, (e) Revisar si hay sangre.

D Una persona mayor que se siente mal y parece desorientada: (a) Tomarle la presión. (b) Llevarla al hospital. (c) Preguntarle su nombre.

Paso 2 Cada miembro del grupo va a escoger una situación y les va a decir a sus compañeros/as lo que tienen que hacer usando mandatos. Luego cada uno/a va a inventar una situación de emergencia y les va a decir a sus compañeros/as cómo actuar.

Paso 3 Investiguen las recomendaciones de primeros auxilios de organizaciones como la Cruz Roja y decidan si sus acciones fueron las adecuadas para cada una de las situaciones.

(4) La felicidad Entrevista brevemente a varios/as compañeros/as para saber su opinión sobre los aspectos de la salud que más afectan el bienestar (*well-being*).

Paso 1 Pide a tus compañeros/as que pongan los componentes de la salud en orden del que más afecta el bienestar (1) al que menos lo afecta (3) y que justifiquen ese orden.

_____ lo físico (dieta y ejercicio)

_____ lo personal (autoestima)

_____ lo social (buenas relaciones con otros)

Paso 2 Conversen sobre las preguntas.

1. ¿Están de acuerdo en el orden?

2. ¿Cuáles son las diferencias?

3. ¿Cuál parece ser el aspecto de la salud que más afecta el bienestar, según el grupo?

Paso 3 Preparen una lista de sugerencias para estudiantes relacionadas con el aspecto de la salud que más afecta el bienestar según el grupo. Usen mandatos formales.

(5) Situaciones Imagina que tú y un(a) compañero/a de clase son un(a) médico/a y un(a) enfermero/a en una clínica de salud. Hagan los papeles de A y de B para representar la situación.

Estudiante A Tú eres el/la médico/a. Le pides al/a la enfermero/a que haga o no haga cinco cosas hoy. Usa mandatos formales de **usted** (afirmativos y negativos) y no te olvides de decir **por favor**.

Estudiante B Tú eres el/la enfermero/a. Le pides al/a la médico/a que haga o no haga cinco cosas hoy. Usa mandatos formales de **usted** (afirmativos y negativos) y no te olvides de decir **por favor**.

STUDENT TIP: Reviewing after Class (by Catherine Sholtis, Xavier University)

As soon as possible after each class session, I go online and do the audio exercises that correspond with what we *just* learned... *Go online to watch the complete learning tip.*

 **Video: Tip**

Resources

Vhlcentral

WebSAM

☐ **I CAN** give instructions and orders.

Exploraciones Podcast

Learning Objective:
Reflect on your progress using language related to health.

Audio: Reading

Episodio #3: Rolando Monterroso Vargas

Antes de escuchar

1 **La historia de Rolando** Rolando va a hablar de sus experiencias trabajando en el campo de la salud. Imagina que tienes la oportunidad de hacerle una entrevista virtual para tu clase. ¿Qué quieres saber de él? Escribe tres preguntas.

Mientras escuchas

2 **¿Cierto o falso?** Escucha lo que cuenta Rolando e indica si cada oración es **cierta** (**C**) o **falsa** (**F**).

1. Rolando trabaja como médico para la organización Children's Hope Chest. .... **C F**

2. Trabajar con niños es un poco difícil para Rolando porque está casado, pero no tiene hijos propios (*his own*). ...... **C F**

3. Una de las tareas de Rolando en su trabajo es darles medicinas a los niños que las necesitan. .... **C F**

4. Rolando solo está con los niños por las mañanas porque por las tardes trabaja como intérprete. .... **C F**

5. Rolando es bilingüe y usa el inglés a veces en su trabajo. .... **C F**

6. La esposa de Rolando no trabaja en el área de salud. .... **C F**

7. Rolando cree que es importante ayudar en la comunidad. .... **C F**

Después de escuchar

3 **Voluntario/a** Imagina que, al igual que, Rolando y Lisa, estás trabajando como voluntario/a con niños de tu comunidad de entre seis y ocho años. Ofréceles, por lo menos, cinco sugerencias o instrucciones útiles relacionadas con la alimentación y la salud.

☐ **I CAN** offer health suggestions and instructions.

El restaurante Cerro San Cristóbal

Lee este blog de Sofía sobre un restaurante "de la granja (*farm*) a la mesa".

www.el_blog_de_sofia.com/el_restaurante_cerro_san_cristobal

El restaurante Cerro San Cristóbal

La última vez que fui a Antigua, Guatemala, visité a mis amigos Antonio y Suzy Velázquez. Ellos me llevaron a un restaurante en el Cerro San Cristóbal.

La vista desde allí es increíble porque se puede ver la ciudad de Antigua y las montañas y los volcanes alrededor de la ciudad. El restaurante sigue el concepto "de la granja a la mesa", es decir, la mayoría de las verduras y hierbas que usan en sus platos provienen de su propia (*own*) granja orgánica. ¡Qué saludable es la comida en este lugar! Tienen mesas en dos terrazas exteriores con una vista espectacular.

A quince minutos de Antigua está el restaurante y granja orgánica Cerro San Cristóbal.

Pedí una tilapia frita y una ensalada. Antonio pidió una pizza con camarones y Suzy pidió pasta con vegetales. Disfrutamos mucho de la comida tan sabrosa y de la conversación. Después de comer, caminamos por la granja y vimos flores, especialmente muchas variedades de orquídeas de todo el país, y plantas medicinales, como salvia (*sage*), orégano, romero (*rosemary*) y hierbabuena (*mint*). También había zanahorias, fresas, aguacate, limón, tomate y distintas variedades de cactus. Tomamos fotos del jardín y de la preciosa vista. Me encantó la tarde que pasé con Antonio y Suzy en ese lugar tan saludable.

(1) Comprensión Escribe tres características distintivas del restaurante Cerro San Cristóbal en Guatemala.

(2) Antigua Busca en internet más información sobre Antigua y otros restaurantes de la ciudad. Luego contesta las preguntas.

1. En tu opinión, ¿cuál es la diferencia principal entre los restaurantes que encontraste y el restaurante Cerro San Cristóbal?

2. ¿Qué tipo de platos sirven en esos restaurantes? ¿Consideras que son saludables?

3. ¿Cómo son los precios?

4. ¿En qué restaurante te gustaría (*would you like*) comer? ¿Por qué?

(3) Mi blog Describe un restaurante de tu comunidad que sirva comida orgánica o platos especialmente saludables. ¿Te gusta comer allí? ¿Qué pides normalmente cuando vas? ¿Cómo es el ambiente? ¿Es cara o barata la comida? Puedes incluir fotos del restaurante y de tus platos preferidos.

☐ **I CAN** investigate types of food offered in restaurants.

Experiencias

Cultura y sociedad

Muchas personas en el mundo usan remedios naturales o caseros (*homemade*) para cuidar o sanar su cuerpo. Vas a leer sobre prácticas medicinales de algunos pueblos originarios de América.

 **Audio: Reading**

Antes de leer

1 **Remedios caseros** En parejas, lean sobre estos tres remedios caseros e intercambien ideas sobre ellos. ¿Creen que funcionan? ¿Los han probado? (*Have you tried them?*)

1. Para los mareos (*dizziness*), es bueno chupar un limón. Los limones contienen tanino, una sustancia que detiene las náuseas y los síntomas del mareo.

2. Para el hipo (*hiccup*), es recomendable comer una cucharadita de azúcar. El sabor dulce llega a los receptores y nervios de la lengua y la boca, y eso ayuda a parar el hipo.

3. Para la tos, es aconsejable comer una cucharada de miel, especialmente antes de acostarse. También es recomendable hacer gárgaras con agua y un poco de sal varias veces al día.

2 **Vocabulario** Vas a familiarizarte con el vocabulario del texto.

Paso 1 Lee por encima (*skim*) la lectura y escribe una lista de ocho cognados que pienses que van a ser importantes para entenderla.

Paso 2 En parejas, compartan sus listas de cognados buscando las palabras similares y diferentes. Comprueben el significado de esas palabras.

Paso 3 Identifica las palabras en el texto y luego indica qué definición corresponde a cada palabra.

_____ **1.** el conocimiento

_____ **2.** la creencia

_____ **3.** el cuidado

_____ **4.** la naturaleza

_____ **5.** el pueblo originario

_____ **6.** pulverizado/a

_____ **7.** reconocer

_____ **8.** señalar

a. admitir, aceptar

b. antiguos habitantes de un lugar

c. atención para hacer bien algo

d. idea que se asume como cierta

e. conjunto de animales, plantas, personas, entre otros, que existen en el planeta

f. mostrar o indicar algo

g. información que se sabe o se tiene sobre algo

h. reducido/a a polvo; destruido/a

La medicina tradicional

La medicina tradicional es el conjunto de conocimientos, técnicas y prácticas basados en las creencias y las experiencias de los pueblos originarios o indígenas de diferentes culturas para el cuidado de la salud. Se usa
5 para la prevención, el diagnóstico, el alivio y el tratamiento de enfermedades físicas y mentales.

Para la medicina tradicional andina, la salud y la enfermedad nacen de la tierra, y por ello la curación se deriva de las plantas de la misma tierra. Muchos
10 pueblos originarios utilizan hierbas naturales para sanarse, como hojas, flores, frutos, semillas°, tallos°, cortezas°, raíces° y otras partes de plantas enteras, fragmentadas o pulverizadas. Esto no es muy diferente de lo que los antepasados de muchas de las
15 culturas del mundo hicieron por miles de años: utilizar las propiedades de la tierra y las plantas para aliviar sus dolores y enfermedades. Así, uno de los elementos que diferencia a la medicina tradicional de la medicina moderna es la conexión espiritual con la tierra que
20 defienden los pueblos que la practican.

La importancia del bienestar físico y mental se deriva de° esta conexión con las cualidades espirituales de la medicina tradicional y de la cosmovisión y perspectiva de los diversos pueblos originarios. En países como
25 Bolivia, que tiene cerca de 36 pueblos o grupos originarios oficiales, las creencias y prácticas de la salud cambian dependiendo de la cultura de cada grupo. La enfermedad, para muchos de estos pueblos, es percibida como una ruptura en el orden natural o
30 social. Esto quiere decir que una enfermedad puede verse como una transgresión a las normas de la sociedad o a los espíritus o dioses° de la naturaleza, como la Pachamama (Madre Tierra). Para esto, las comunidades originarias cuentan con recetas,
35 técnicas, conocimientos pasados de generación en generación y personas especializadas (como los chamanes°) que ayudan a los que sufren de alguna enfermedad a diagnosticarse y curarse cuando se sienten mal, o cuando necesitan restablecer su
40 equilibrio mental o físico.

Las hojas de guayusa se consumen en una infusión que se conoce por sus propiedades antioxidantes, antiinflamatorias y antibacterianas.

Hoy en día la medicina tradicional o alternativa está creciendo no solamente entre las poblaciones indígenas, sino en el mundo entero, porque lentamente° se está reconociendo la efectividad científicamente
45 probada de algunas plantas y el valor de la relación de los pueblos originarios con la naturaleza. De hecho, científicos están investigando muchas de las plantas que muchos pueblos originarios de la zona andina han usado durante siglos°. Un ejemplo de esto es la
50 guayusa, una planta de hojas de un verde intenso que solo crece en la región amazónica cercana a los Andes. Científicos de Ecuador y de Colombia descubrieron que esta planta no solamente provee energía, sino que también tiene propiedades antiinflamatorias y
55 antioxidantes inigualables —con más antioxidantes que el té verde. Otros estudios señalan que tiene efectos positivos en las enfermedades del estómago e incluso ayuda con la salud de los dientes. Al igual que la guayusa, muchas plantas están siendo
60 estudiadas hoy en día por áreas de la ciencia, como la etnofarmacología, que buscan entender la medicina tradicional y así favorecer el desarrollo de nuevos remedios y medicinas para el beneficio de la población mundial.●

---

semillas *seeds* **tallos** *stems* **cortezas** *barks* **raíces** *roots* **se deriva de** *stems from* **dioses** *gods* **chamanes** *shamans* **lentamente** *slowly* **siglos** *centuries*

Experiencias

Después de leer

(3) Comprensión Contesta las preguntas según la información de la lectura.

1. ¿Qué usos tiene la medicina tradicional?

2. ¿Cuántos grupos de pueblos originarios hay en Bolivia aproximadamente?

3. ¿Qué o quién es la Pachamama?

4. ¿Qué herramientas (*tools*) pueden usar los miembros de los pueblos originarios en Bolivia si se enferman?

5. ¿Cómo se usan las hierbas naturales en la medicina tradicional andina?

6. ¿Cuáles son dos de los beneficios de la guayusa según el artículo?

(4) Opiniones En grupos, túrnense para contestar las preguntas.

1. ¿Qué es lo primero que hacen al enfermarse? ¿Por qué?

2. ¿Creen que las hierbas pueden beneficiar la salud? ¿Por qué?

3. ¿Por qué creen que la comunidad científica ha sido (*has been*) lenta en investigar los remedios tradicionales de muchas comunidades?

(5) A escribir Vas a escribir sobre tu experiencia con el uso de medicina casera, natural o tradicional. Lee la estrategia y luego sigue los pasos.

Estrategia de escritura: Using Self-Management in Writing

Self-management is when you arrange conditions to help yourself learn and/or complete a task, such as writing. Here are strategies that you can use when writing:

• Watch the time. Know that you need to get the job done and don't let yourself get distracted checking your phone or social media sites.

• Get right to the task at hand. Use the Spanish you know. Avoid writing the task all in English and then translating it to Spanish.

• Support yourself. Tell yourself you have great ideas and start writing. You can revise and correct later.

Paso 1 Piensa en tu experiencia con la medicina casera, natural o tradicional. ¿Tomas algún té o infusión de hierbas cuando tienes un malestar? ¿Qué remedios caseros usan tus familiares o tus conocidos cuando no se sienten bien? Puedes también consultar en internet sobre los remedios caseros en tu comunidad.

Paso 2 Escribe un párrafo con la información del paso anterior. Usa el español que sabes y recuerda las recomendaciones para evitar distracciones.

Resources

S

Vhlcentral

Online activities

☐ **I CAN** compare practices and perspectives related to traditional or home remedies.

Audio:
Reading

Daniel Alarcón (1977–)

Daniel Gonzalo Alarcón Solís nació en 1977 en Lima, Perú. A los tres años, sus padres decidieron mudarse a Estados Unidos. Se crio en Birmingham, Alabama, en un hogar peruano donde se hablaba español. Estudió antropología en la universidad y obtuvo una maestría en escritura creativa. Ha mostrado su talento como escritor en sus cuentos y novelas y se le reconoce como uno de los mejores escritores jóvenes del Perú. En 2012, junto con la artista peruana Sheila Alvarado, publica su primera novela gráfica titulada *Ciudad de payasos*. Actualmente, es profesor en la Universidad de Columbia en Nueva York.

Antes de leer

Estrategia de lectura: Recognizing the Purpose of a Literary Work

Most authors have a purpose for writing and it's always helpful to understand this purpose before reading what they have written. For instance, a front-page newspaper article is typically written to inform you of the latest important news. Knowing something about the author's background or life may also help you to understand the purpose. Before reading, try to identify the author's purpose based on any background information that's included. This will help you better comprehend what you read.

(1) Novela gráfica Contesta estas preguntas.

1. ¿Qué es una novela gráfica?

2. ¿Qué tipo de información esperas leer en una novela gráfica?

3. ¿Qué ventajas tiene el formato de una novela gráfica?

(2) Temas posibles El título de la novela gráfica de Daniel Alarcón es *Ciudad de payasos*. Considera el título y marca las ideas o temas que piensas encontrar en la novela.

☐ su familia ☐ los payasos (*clowns*) ☐ sus amigos ☐ su niñez
☐ su ciudad de origen ☐ el circo ☐ la vida diaria ☐ su edad

(3) Propósito Considerando lo que sabes de Daniel Alarcón, ¿cuál piensas que puede ser el propósito de su novela gráfica, *Ciudad de payasos*? Escribe tres ideas. Luego, en parejas, compartan sus ideas.

(4) Cognados Identifica los cognados en el fragmento de la novela de Alarcón.

Ciudad de payasos

(fragmento)

Mi padre era demasiado inquieto° para sobrevivir en su tierra natal. Pasco, donde nacieron él y mi madre, no es ciudad ni campo. Es un lugar aislado° y pobre en una fría puna andina.

El trabajo en las minas es brutal y peligroso. Los hombres descienden bajo tierra en turnos de diez horas. Su horario es monótono, uniforme. Al salir, sea en la mañana, tarde, o noche, empiezan a beber.

Con el tiempo su vida sobre la tierra empieza a parecerse a la de abajo: los mineros viven los riesgos, beben, tosen y escupen una saliva espesa y negra como la brea°. El color del dinero, le dicen, y luego compran otra ronda de tragos.

Mi viejo no estaba hecho para esos rituales.
No había futuro en Pasco, por lo que se vino a Lima a buscarlo.

Empezó
a manejar
camiones hacia la
costa y a la ciudad. Tenía
veintinueve años cuando se casó
con mi madre, casi una década mayor que
ella. Desde los veinte él había pasado° la mayor parte
de tiempo trabajando en Lima y visitando Pasco solo cada tres
o cuatro meses. De alguna manera, en esos viajes de visita floreció
un romance. Cuando se casaron, ya habían sido° pareja durante
cinco años. Yo nací seis meses después de la boda. Durante
varios años él siguió yendo y viniendo, construyendo
una casa en la ciudad, en el distrito de San Juan
de Lurigancho. Cuando mi madre se hartó
de° que la dejara sola, nos trajo aquí con
él. Yo tenía ocho años. Creo
que fue lo único bueno
que hizo por
nosotros.

inquieto restless, aislado isolated, brea tar, había pasado had spent, habían sido had been, se hartó de was sick of the fact that

Experiencias

Después de leer

5 **Temas** Revisa los temas de la Actividad 2. Luego, escribe los temas que efectivamente aparecen en el fragmento e incluye la evidencia que encuentras en el texto. Puedes añadir otros.

Tema	Evidencia en el texto

6 **Comprensión** Indica si cada oración es **cierta (C)** o **falsa (F)** según el texto.

1. El protagonista habla sobre la vida en el lugar en donde nació. .... **C F**

2. En Pasco, los mineros siguen el mismo horario de trabajo. .... **C F**

3. El padre del protagonista se fue a vivir a Lima porque no le gustaba la vida de los mineros. .... **C F**

4. El protagonista habla de su pueblo natal de forma negativa. .... **C F**

5. El padre del protagonista tiene la misma edad que su mamá. .... **C F**

6. En el texto, la palabra "viejo" se refiere al abuelo del protagonista. ...... **C F**

7. El padre del protagonista visitaba a su familia solo dos veces al año. .... **C F**

8. La madre del protagonista se mudó a Lima cuando el protagonista tenía ocho años. .... **C F**

7 **Análisis** En parejas, analicen las preguntas y contéstenlas.

1. ¿Qué palabras utiliza el protagonista para describir su pueblo natal, Pasco?

2. ¿El protagonista tiene una opinión positiva o negativa de Pasco? ¿Por qué?

3. ¿A qué se refiere el protagonista cuando dice que la saliva espesa y negra de los mineros es del "color del dinero"?

4. ¿Por qué no vivía el padre del protagonista con el protagonista cuando él era pequeño?

5 ¿Creen que el protagonista tuvo una buena relación con su padre? ¿Por qué?

8 **Geografía** Investiga la geografía del Perú. ¿Dónde está la región de Pasco? Utiliza una aplicación para ver la geografía de la puna andina en vivo, o busca fotos para describirla a la clase. ¿Es un lugar con recursos naturales, además de las minas? Después, haz lo mismo sobre la capital de Perú, Lima. Escribe dos oraciones comparando los dos lugares. Comparte tus observaciones con la clase.

9 **Investigación** La minería es un tema controversial debido a su impacto en el medioambiente, en las comunidades y en la salud de los propios mineros. Para comprender mejor el mensaje de Alarcón, investiga un poco más sobre el tema.

   1. Identifica dos minas en la región donde vives o en una región cercana. ¿Dónde están? ¿Qué minerales se extraen?

   2. Haz una lista de ventajas y desafíos para tu comunidad o región.

   3. Escribe una breve descripción con la información anterior y explica cómo este contexto se compara con la perspectiva que ofrece Alarcón.

Mina cerca de Cripple Creek, Colorado

10 **Continuación de la novela gráfica** Vas a diseñar y escribir las próximas dos páginas de la novela *Ciudad de payasos*. Reflexiona sobre el protagonista, su relación con su padre, el matrimonio de sus padres, y la comparación entre la geografía de Pasco y Lima. No hay respuestas correctas, así que intenta ser creativo/a.

Resources

VhlCentral

Online activities

☐ **I CAN** interpret a passage from a graphic novel.

Nuestra voz

Vas a ver un video sobre unos estudiantes universitarios de Chile hablando de su dieta y sus hábitos alimenticios en la universidad. Lee la estrategia intercultural antes de ver el video.

Estrategia intercultural: Open-mindedness

Open-mindedness is the first key essential attitude for developing intercultural competence. When we practice open-mindedness, we are open to exploring the practices, products and perspectives of those from other cultural backgrounds. In doing so, we are curious to learn more about other humans, valuing their ways of life. Being open-minded requires us to realize that not everyone sees the world as we do and that there are multiple ways of thinking. Our way is not *the* way but simply a way. Be open to exploring other ways.

Fuente: Deardorff, D. K. (2020). *Manual for Developing Intercultural Competencies: Story Circles.* UNESCO, París.

Antes de ver

1 **Preparación** En parejas, compartan sus opiniones sobre la experiencia con las comidas en la universidad. Consideren: ¿cómo es la dieta típica de un estudiante universitario de su universidad o de su comunidad? ¿Hay lugares en su universidad o cerca de ella donde las personas vegetarianas o veganas, o con otras restricciones, puedan comer?

2 **Vocabulario** Indica qué definición corresponde a cada palabra o expresión que aparece en el video.

_____ **1.** al revés
_____ **2.** la desconfianza
_____ **3.** entre comillas
_____ **4.** envasado/a
_____ **5.** el rendimiento

a. capacidad para hacer tareas eficientemente
b. cuando algo está en sentido u orden opuesto
c. cuando quieres expresar algo con un sentido irónico o especial
d. falta de credibilidad hacia alguien o algo
e. que está puesto/a en un recipiente para conservarse

Mientras ves el video

3 **La dieta universitaria** Mientras ves el video identifica lo siguiente.

1. cuatro alimentos o comidas mencionadas en el video

2. dos razones por las que los estudiantes no comen comida de la universidad

Learning Objective:
Explore other ways of thinking.

4 **Escenas** Escribe la letra de la imagen que corresponde a cada cita del video.

_____ **1.** "Bueno, yo llevo un estilo de vida vegano".

_____ **2.** "Mi alimentación es… como variada, se podría decir".

_____ **3.** "Trato de alimentarme lo mejor posible…"

_____ **4.** "Me da mucha desconfianza, muchas veces, el tema de la comida…"

Después de ver

5 **Comprensión** Contesta las preguntas según la opinión de los entrevistados.

1. ¿Cuáles son los desafíos de llevar una dieta vegana en la universidad?

2. ¿Cuál es la relación entre la vida de un deportista y su dieta?

3. ¿Por qué prefieren algunos estudiantes llevar comida de su casa?

4. ¿Qué hacen algunos estudiantes para llevar una vida más saludable a la hora de comer?

6 **Actitud abierta** En parejas, conversen sobre las preguntas.

- ¿Cómo se comparan y cómo se diferencian las opciones alimenticias que hay en su universidad con las del video?

- Imaginen que pueden conversar con uno/a de los estudiantes del video. ¿A cuál les gustaría entrevistar (*would you like to interview*) para saber más sobre su alimentación o sobre las comidas en su universidad? ¿Qué preguntas quieren hacerle?

- ¿Hay alguna práctica o perspectiva que no conocían antes de ver el video?

Resources

Vhlcentral

Online activities

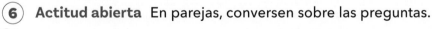

☐ **I CAN** explore other ways of thinking.

Experiencias

Proyectos

Learning Objectives:
Describe ways for maintaining a healthy lifestyle.
Describe a typical day for a person working in your future career.

(1) **¿Cómo logramos una vida saludable?** El centro de salud de tu universidad les pide a los estudiantes que compartan sus recomendaciones de cómo mantener una vida sana para distribuirlas a la comunidad universitaria. Vas a crear un plan con tus propias recomendaciones.

Paso 1 Consulta los materiales del capítulo: videos, lectura, presentaciones, etc. También repasa el vocabulario y la gramática del capítulo. Toma nota de las palabras y expresiones útiles.

Paso 2 Considera los recursos disponibles en tu universidad o en tu comunidad.

- ¿Dónde pueden comprar alimentos sanos, nutritivos y a un buen precio? ¿Cuáles recomiendas?

- ¿Dónde pueden hacer ejercicio o relajarse? ¿Cuáles recomiendas? ¿Por qué? Da detalles.

- ¿Qué es importante para reducir el estrés y la ansiedad? ¿Por qué? Considera la vida académica: las clases, los proyectos, el trabajo y otras responsabilidades.

- ¿Qué otras recomendaciones quieres incluir para convencer a los estudiantes?

Paso 3 Prepara una presentación efectiva con recomendaciones para persuadir a los estudiantes de mantener una vida sana. Usa fotos y gráficos. Prepárate para compartir tu presentación con el resto de la clase.

> **¡ATENCIÓN!**
>
> Ask your instructor to share the **Rúbrica** to understand how your work will be assessed.

☐ **I CAN** describe a plan for maintaining a healthy lifestyle.

Experiencias profesionales Vas a describir un día típico de una persona que trabaja en tu área de interés. Utiliza las páginas web que encontraste en el Capítulo 2 como referencia.

Paso 1 Crea una lista de veinte a veinticinco palabras y frases que tú pienses que son necesarias para describir tareas y poder comunicarse en español en tu área de interés profesional. Específicamente incluye palabras y frases que te pueden servir para hablar con hispanohablantes en situaciones profesionales. Por ejemplo, un médico necesita saber el vocabulario y las frases para hablar con los pacientes y sus familias, tales como, comprender los síntomas, explicar los tratamientos, dar órdenes en una emergencia, etc.

Paso 2 Escribe un párrafo describiendo un día típico de una persona que trabaja en tu área de interés. Utiliza entre cinco y ocho palabras o frases nuevas de la lista del **Paso 1**.

☐ **I CAN** describe a typical day for a person working in my future career.

Repaso

Audio:
Vocabulary Tools

Repaso de objetivos

Reflect on your progress toward the chapter main goals.

I am able to...

	Well	Somewhat
• Identify practices and perspectives about health and wellness.	☐	☐
• Exchange information and recommendations about health issues.	☐	☐
• Compare products, practices, and perspectives related to health.	☐	☐
• Describe ways for maintaining a healthy lifestyle.	☐	☐
• Describe a typical day for a person working in my future career.	☐	☐

Repaso de vocabulario

El cuerpo humano   *Human body*
la cadera   *hip*
la cara   *face*
el codo   *elbow*
el cuello   *neck*
el cuerpo   *body*
las extremidades   *extremities*
la frente   *forehead*
los labios   *lips*
la lengua   *tongue*
la muñeca   *wrist*
el muslo   *thigh*
la pantorrilla   *calf*
el pecho   *chest*
las pestañas   *eyelashes*
el tobillo   *ankle*
el tronco   *trunk*
las uñas   *nails*

Órganos y otros componentes del cuerpo   *Organs and other body components*
el cerebro   *brain*
el corazón   *heart*
las costillas   *ribs*
el cráneo   *skull*
los dientes   *teeth*
el estómago   *stomach*
la garganta   *throat*
los huesos   *bones*
los músculos   *muscles*
la piel   *skin*
los pulmones   *lungs*
la sangre   *blood*
las venas   *veins*

Las enfermedades y los síntomas   *Illnesses and symptoms*
la alergia   *allergy*
la bronquitis   *bronchitis*
el catarro/el resfriado   *cold*
la diarrea   *diarrhea*
el estrés   *stress*
la gripe   *flu*
la infección de...   *infection*
el malestar   *ailment, discomfort*
las náuseas   *nausea*

cuidarse   *to take care of oneself*
desmayarse   *to faint*
doler (o:ue)   *to hurt*
enfermarse   *to get sick*
estar congestionado/a   *to be congested*
estornudar   *to sneeze*
fracturarse   *to fracture*
hacerse un análisis de sangre   *to have a blood test*
sentirse mal (e:ie)   *to feel unwell*
tener el brazo fracturado   *to have a broken arm*
tener dolor de estómago   *to have a stomachache*
tener fiebre   *to have a fever*
tener una herida   *to have a wound*
tener la nariz tapada/congestionada   *to have a stuffy, congested nose*
tener el tobillo hinchado   *to have a swollen ankle*
tener tos   *to have a cough*
torcerse (o:ue)   *to twist; to sprain*

Los remedios   *Remedies*
consultar al médico   *to consult with the doctor*
hacer gárgaras   *to gargle*
ponerle una inyección   *to give an injection to someone*
ponerle hielo   *to put ice on someone*
ponerle un vendaje/yeso   *to put a bandage/cast on someone*
ponerse gotas (en los ojos)   *to put in (eye) drops*
respirar   *to breathe*
sacar una radiografía   *to take an X-ray*
sacar sangre   *to draw blood*
tener un vendaje/yeso   *to have a bandage/cast*
tomar un jarabe para la tos   *to take cough syrup*
tomar medicinas   *to take medicine*
usar un bastón   *to use a cane*
usar muletas   *to use crutches*

Cognados
el antibiótico
el antihistamínico
el antiinflamatorio
la aspirina

Los servicios médicos   *Medical services*
el consultorio   *doctor's office*
el/la farmacéutico/a   *pharmacist*
la farmacia   *pharmacy*
el/la paciente   *patient*
los primeros auxilios   *first aid*
la receta   *prescription*

Repaso

la sala de emergencias *emergency room*

La nutrición *Nutrition*
la alimentación *food, diet*
el alimento *food*
los azúcares *sugars*
las carnes *types of meat*
la comida chatarra *junk food*
las frutas *fruits*
los granos *grains*

las grasas *fats*
las hierbas *herbs*
los productos lácteos *dairy products*
los tubérculos *tubers*

nutritivo/a *nutritious*
potable *drinkable*
(no) procesado/a *(un)processed*
saludable/ sano/a *healthy*

mantenerse sano/a *to maintain good health*

proteger *to protect*

Cognados
la actividad física
los carbohidratos
los cereales
la dieta
la nutrición
las proteínas

Repaso de gramática

1 The subjunctive with suggestions and recommendations

In addition to the uses of the subjunctive you reviewed in the previous chapter, the subjunctive also expresses suggestions or recommendations in sentences with two clauses (joined by **que**), two different subjects, and two verbs.

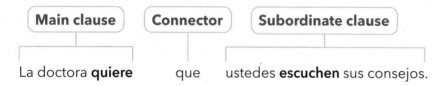

Main clause	Connector	Subordinate clause
La doctora **quiere**	que	ustedes **escuchen** sus consejos.

Some verbs and impersonal expressions used in the main clause that trigger the subjunctive in the subordinate (second) clause are: **aconsejar, pedir, prohibir, querer, recomendar, sugerir, es aconsejable, es bueno, es importante, es mejor, es necesario,** and **es recomendable**.

2 Formal commands

The present subjunctive forms of the verb are used for formal (**usted/ustedes**) commands.

Coma muchas frutas y verduras.

Hagan ejercicio todos los días.

Tóme*los* cada día.

Tráiga*me* la radiografía, por favor.

Cuídense para no enfermarse.

No *las* **tomen** hoy.

No *le* **compre** ese bastón.

No *se* **ponga** las gotas.

Resources

Vhlcentral

Online activities

¿Cómo creamos un mundo sostenible?

OBJETIVOS DE APRENDIZAJE

By the end of this chapter, I will be able to...

- Identify practices and perspectives about environmental issues and solutions.
- Exchange ideas about the protection of the planet.
- Compare products, practices, and perspectives related to the environment and sustainability.
- Describe an idea of sustainable housing.
- Create a dialogue related to my professional interest.

ENCUENTROS

Sofía sale a la calle: Perspectivas sobre el medioambiente

Panorama actual: El medioambiente

EXPLORACIONES

Vocabulario

La ecología y los recursos naturales

Los problemas medioambientales

Gramática

Double object pronouns

The subjunctive to express doubt and uncertainty

EXPERIENCIAS

Blog: La Casa Uruguaya

Cultura y sociedad: Uruguay: Líder en energías renovables

Literatura: "Desde mi trinchera", de Cristina Rodríguez Cabral

Intercambiemos perspectivas: *Nicolás Marín*

Proyectos: ¿Cómo creamos un mundo sostenible?, Experiencias profesionales

Perspectivas sobre el medioambiente

Lee y reflexiona sobre la estrategia intercultural de este capítulo.

Estrategia intercultural: Openness to New Practices and Perspectives

Learning to communicate across cultures requires you to be open to new practices and perspectives. Really being open-minded and flexible will help you to realize that not everyone does things or thinks the way you do. You may learn a different approach to thinking about a topic or a new way to do something that you have never thought of before. Being flexible will broaden your perspective, opening your mind to new possibilities. As you learn about practices, products, and perspectives in *Experiencias*, be open to new ideas and trying new things.

Antes de ver

1 **Entrando en el tema** Sofía entrevista a Andrés, Gastón y Steve sobre el medioambiente (**environment**) y su protección.

Paso 1 Indica el nivel de importancia que tienen en tu comunidad estos problemas medioambientales. Asígnales un número del 1 al 7, donde el 1 es el problema más importante y el 7 es el menos importante.

_____ la superpoblación en el mundo

_____ la destrucción de las selvas tropicales

_____ los efectos del deshielo (*melting*) de los polos y los glaciares

_____ la extinción de especies de animales

_____ la contaminación de los ríos y los océanos

_____ la contaminación del agua potable

_____ el aumento en el número de desastres naturales

Paso 2 Escribe dos problemas medioambientales que no estén incluidos en la lista.

Paso 3 En parejas, intercambien sus respuestas de los pasos anteriores y luego contesten las preguntas.

1. ¿Hay organizaciones en su comunidad que se dedican a solucionar o reducir los problemas medioambientales? ¿Qué problemas tratan de solucionar?

2. ¿Hay clubes en su universidad que trabajan para proteger el medioambiente? ¿Qué actividades hacen?

Mientras ves

2 Perspectivas Completa el gráfico de conceptos con los mayores problemas que tiene el medioambiente según Andrés, Gastón y Steve.

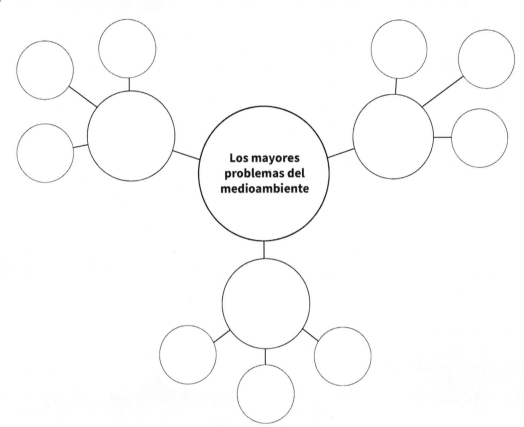

Los mayores problemas del medioambiente

Después de ver

3 Analizar En grupos pequeños, analicen las perspectivas en el video usando las preguntas como guía.

1. Andrés dice que "el consumismo está acabando el planeta y los humanos no tenemos un balance al momento de consumir". ¿Por qué creen que dice eso?

2. Para Gastón, "es importante cuidar el medioambiente porque es cuidarnos a nosotros mismos". ¿Qué quiere decir?

3. Steve afirma que "el mayor problema que tiene el medioambiente es la falta de compasión de las personas". ¿Cómo ayuda tener compasión por el medioambiente?

4. ¿Conocieron alguna perspectiva nueva sobre los problemas ambientales o sobre recomendaciones para vivir una vida más sostenible? ¿Cuál?

Estrategia de aprendizaje: Focusing on Pronunciation

How can I improve my pronunciation? If you wonder how to improve your pronunciation to sound more like a native speaker, here are a few suggestions for practicing your pronunciation... *Go online to watch the complete learning strategy.*

Video: Tip

Resources

Ⓢ
Vhlcentral

📶
Online activities

☐ **I CAN** identify perspectives about the environment.

El medioambiente

El **medioambiente°** se compone de varios elementos como la **naturaleza°**, los animales, el aire y el agua, e incluso nosotros mismos, los seres humanos. Todos estos componentes forman parte de **ecosistemas** sumamente complejos y bastante frágiles que han sostenido la vida durante millones de años. Lamentablemente, hay muchos **comportamientos°** humanos que **están dañando°** el medioambiente, como la **contaminación** de los ríos y los océanos con residuos de plástico, la **deforestación** y el uso excesivo de **combustibles fósiles**, los cuales dejan una **huella de carbono°** muy grande y contribuyen al **calentamiento global°**. Sin embargo, existe una diversidad de estrategias que se pueden adoptar para contrarrestar el deterioro del medioambiente, como el **reciclaje**, el **compostaje**, el uso de **energía renovable** y **sostenible°** y la **reforestación**.
En este **Panorama actual**, vas a analizar no solo los problemas ambientales, sino también algunas posibles soluciones.

medioambiente *environment* **naturaleza** *nature* **comportamientos** *behaviors* **están dañando** *are harming*
huella de carbono *carbon footprint* **calentamiento global** *global warming* **sostenible** *sustainable*

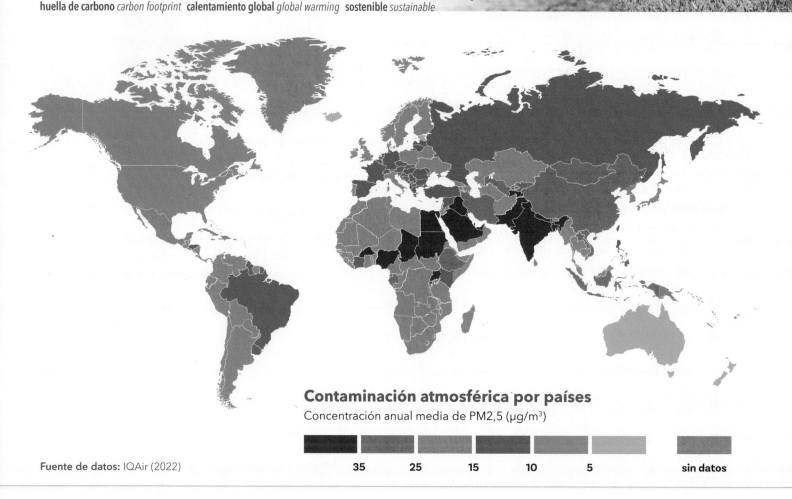

Contaminación atmosférica por países
Concentración anual media de PM2,5 ($\mu g/m^3$)

Fuente de datos: IQAir (2022)

| 35 | 25 | 15 | 10 | 5 | sin datos |

Países que producen más CO_2

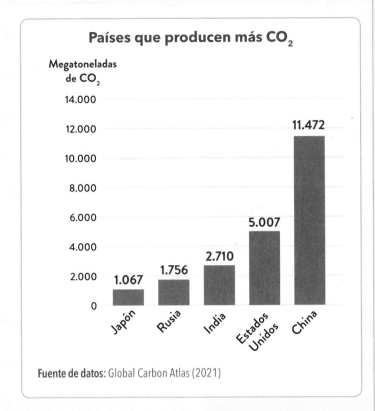

Megatoneladas de CO_2

14.000

12.000 — 11.472 (China)

10.000

8.000

6.000 — 5.007 (Estados Unidos)

4.000

2.000 — 1.067 (Japón), 1.756 (Rusia), 2.710 (India)

0

Japón · Rusia · India · Estados Unidos · China

Fuente de datos: Global Carbon Atlas (2021)

Agentes de cambio en la guerra contra el plástico

Scott Munguía: Joven ingeniero químico mexicano que usa la semilla° de aguacate para producir bioplásticos (platos, utensilios, recipientes°) que se descomponen en ocho meses y no se tienen que incinerar.

Inty Grønneberg: Joven ingeniero ecuatoriano que inventó unas turbinas especiales que se pueden instalar en las embarcaciones° para recoger plásticos mientras navegan en los ríos.

Roberto Astete y Cristian Olivares: Científicos chilenos que crearon una bolsa° de plástico que se disuelve en el agua rápidamente y que no deja ningún residuo tóxico.

semilla *seed*   **recipientes** *containers*   **embarcaciones** *vessels*   **bolsa** *bag*

1 Comprensión Contesta las preguntas según la información de esta presentación.

1. Según el gráfico sobre la contaminación atmosférica, ¿qué continentes tienen el aire más contaminado?

2. ¿Qué problemas mencionados en la introducción contribuyen directamente al calentamiento global?

3. ¿Cuáles son los tres países que produjeron más dióxido de carbono en 2021?

2 Analizar En grupos pequeños, intercambien ideas y contesten las preguntas.

1. ¿Existe alguna relación entre los países más contaminados y los que emiten más dióxido de carbono? ¿Hay países que producen mucho dióxido de carbono y no tienen mucha contaminación? ¿Y viceversa?

2. ¿Qué dato o estadística les sorprendió de las dos infografías?

3. ¿Por qué el uso excesivo de plástico presenta un problema tan grande? ¿Cuál de las soluciones propuestas por los jóvenes inventores puede tener más impacto a nivel global?

4. De los inventos para reducir el uso de plástico, ¿cuál sería el más útil en sus comunidades?

3 Para investigar Elige un tema para investigar.

1. Investiga sobre la calidad del aire en tu estado o región. ¿Cómo se compara con otros estados o regiones de tu país? ¿Qué factores contribuyen negativamente a la calidad del aire?

2. Investiga sobre el impacto en el medioambiente de los residuos plásticos en los vertederos (*landfills*) y en los ríos y océanos. ¿Cuál parece ser el mayor problema? ¿Por qué? ¿Qué datos pudiste encontrar sobre cada problema?

☐ **I CAN** identify key facts about environmental challenges and solutions.

La ecología y los recursos naturales

↻ **¡ATENCIÓN!**

Antes de empezar, repasa
la sección **Vocabulario 2** del
Capítulo 9 de *Experiencias:
Beginning Spanish*.

Los **recursos naturales** son los recursos que provee la **naturaleza** —el agua, los
bosques, los **terrenos** fértiles, los **minerales**, etc.— y que son utilizados para
satisfacer las necesidades de las personas. Estos recursos pueden ser **renovables**
o **no renovables**, es decir, pueden ser ilimitados o pueden **agotarse** con el tiempo.
El **desarrollo** presenta desafíos de **sustentabilidad** para la **supervivencia**
de nuestro **planeta**. Para construir un mundo más **sostenible**, podemos, por
ejemplo, reducir nuestra **huella de carbono** con el uso de las **energías**
renovables, como la energía **solar**. También es posible crear otras formas
innovadoras de **preservar** nuestro planeta, además del **reciclaje** y el **compostaje**.

Más palabras	Cognados
el combustible fósil *fossil fuel*	el biocombustible
el comercio justo *fair trade*	la biodiversidad
el invernadero *greenhouse*	la deforestación
la madera *wood*	el ecosistema
el medioambiente *environment*	el gas natural
el petróleo *oil*	el hábitat
	la preservación
protegido/a *protected*	la reforestación
desarrollar *to develop*	híbrido/a
proteger (g:j) *to protect*	
proveer *to provide*	cultivar
sembrar (e:ie) *to plant*	reciclar

1 **Descripciones** Escucha cada oración y selecciona la opción que la complete correctamente.

1. a. medioambiente.　　**b.** energía renovable.　　**c.** huella de carbono.　　**d.** combustible.

2. a. la energía global.　　**b.** el invernadero.　　**c.** la supervivencia.　　**d.** la madera.

3. a. preservación de plantas híbridas.　　**b.** transformación de la materia orgánica.　　**c.** supervivencia.　　**d.** extracción de metales.

4. a. reciclar.　　**b.** la energía solar.　　**c.** una persona sobre el planeta en su vida cotidiana.　　**d.** ayudar con la desigualdad mundial.

5. a. reciclar la energía renovable.　　**b.** contribuir a la preservación de la biodiversidad.　　**c.** eliminar los biocombustibles.　　**d.** crear oportunidades para productores con desventajas económicas.

2 **Universidad sostenible** Lee el ensayo de Scarlin –una estudiante estadounidense– sobre su visita a la Universidad Iberoamericana Torreón, en México.

En marzo hice un viaje a Torreón, México, para asistir a un programa de inmersión con mi universidad. Cuando llegamos el primer día de clases, nos hablaron de los proyectos de sustentabilidad que apoya la universidad. De hecho, la universidad produce el 100% de la energía que usa a partir de fuentes renovables. Por ejemplo, tiene 1.495 paneles solares en sus edificios que producen 964.155 kWh (kilovatio hora) de energía anualmente. En 1999 se instaló una planta de tratamiento de aguas residuales que produce el agua para el riego de las áreas verdes. Tienen un enfoque especial en la enseñanza de la biodiversidad del medioambiente: cada árbol en la universidad tiene una placa que lo describe y otras placas incluyen información sobre las especies de animales que viven en el entorno, como las lechuzas o los perritos de pradera. También me impresionó mucho la organización de los desechos: plástico, vidrio, papel, cartón y residuos orgánicos. Además, la universidad apoya un proyecto de comercio justo de café en el estado de Chiapas, México, y está construyendo un lugar para preparar, vender y disfrutar del café orgánico de ese estado.

Paso 1 Identifica las ideas relacionadas con la ecología y los recursos naturales.

Paso 2 ¿Qué proyecto de la Universidad Iberoamericana Torreón te llamó la atención? Explica tu respuesta.

Exploraciones

Paso 3 Identifica los elementos sostenibles que hay en la Universidad Iberoamericana según el ensayo de Scarlin. Luego investiga los elementos sostenibles que hay en tu universidad o en tu comunidad.

Elementos sostenibles	Universidad Iberoamericana	Tu universidad o comunidad
Energía solar	☐	☐
Programa de reciclaje	☐	☐
Programa de compostaje	☐	☐
Invernadero	☐	☐
Programa de comercio justo	☐	☐
Planta de tratamiento de aguas residuales	☐	☐
Placas para identificar árboles y animales	☐	☐
Estacionamiento (*Parking*) para carros híbridos	☐	☐
Jardines para la comunidad	☐	☐
Otra iniciativa	☐	☐

Paso 4 En parejas, compartan su información del paso anterior y comenten qué proyectos de sustentabilidad de la Universidad Iberoamericana son similares a los que hay en su universidad o comunidad.

3 **Iniciativas** ¿Qué ideas o iniciativas sugieres para reducir la huella de carbono? En parejas, construyan una gráfica de conceptos para identificar y organizar sus ideas. Incluyan un mínimo de ocho palabras del vocabulario de esta sección.

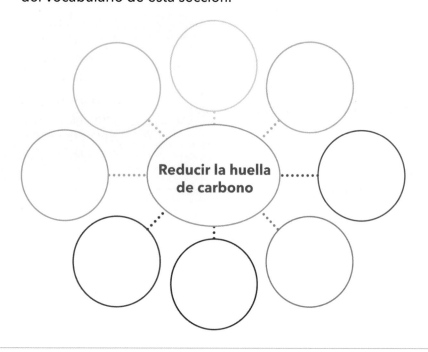

Reducir la huella de carbono

☐ **I CAN** talk about concepts of ecology and natural resources in local and global contexts.

Resources

Vhlcentral

WebSAM

Gramática 1 | **Learning Objective:** Use language efficiently and avoid repetition.

 Tutorial

Using language efficiently and avoiding repetition: Double object pronouns

In **Capítulo 3**, you reviewed the uses of the direct and indirect object pronouns.

Direct object pronouns	Indirect object pronouns
me *me*	**me** *to/for me*
te *you*	**te** *to/for you*
lo, la *him, her, you, it*	**le** *to/for him, her, you, it*
nos *us*	**nos** *to/for us*
os *you* (pl.)	**os** *to/for you* (pl.)
los, las *them, you*	**les** *to/for them, you*

¡ATENCIÓN!

Antes de empezar, repasa la sección **Gramática 3** de los Capítulos 8 y 10 de *Experiencias: Beginning Spanish* y la sección **Gramática 2** del Capítulo 3 de este volumen.

Often, for efficiency, both the direct and indirect object pronouns are used together in the same sentence especially if the nouns they refer to have been mentioned previously or are understood from the context of the conversation.

—¿Quién les escribe cartas a ustedes todas las semanas?

—Nuestro padre **nos las** escribe.

—Who writes you letters every week?

—Our father writes them to us.

—¿Quién te regaló la bicicleta?

—Marcos **me la** regaló.

—Who gave you the bicycle?

—Marcos gave it to me.

¿Qué observas?

1. What do you notice about the placement of the direct and indirect pronouns (emphasized) when they appear together in these sentences?

2. Can you identify the direct and indirect pronoun in each of those sentences?

3. What is the noun that each object pronoun represents in those sentences?

Object pronoun order

As seen in the previous examples, when using both direct and indirect pronouns in a sentence, the sequence is as follows:

[INDIRECT OBJECT] + [DIRECT OBJECT] + [VERB]

Note that when using the indirect object pronouns **le** and **les** with a direct object pronoun, **se** is used instead for the indirect object pronoun.

le + lo/los ⟶	**se** lo/los
le + la/las ⟶	**se** la/las
les + lo/los ⟶	**se** lo/los
les + la/las ⟶	**se** la/las

Exploraciones

—¿Quién **le** escribe **cartas** a Rosa cada semana?

—Yo **se las** escribo.

—*Who writes letters to Rosa every week?*

—*I write them to her.*

—¿Quién **le** regaló **la bicicleta** a Pablo?

—Marcos **se la** regaló.

—*Who gave Pablo the bicycle?*

—*Marcos gave it to him.*

Object pronoun placement

Both direct and indirect object pronouns are usually placed before the verb.

No entendí la película. ¿Quién **me la** explica? (**me** = a mí; **la** = la película)

However, with the infinitive or present participle (**-ando** or **-iendo**), both pronouns can also be connected to the end of the verb.

Marisol **me la** va a explicar.	=	Marisol va a explicár**mela**.
Marisol **me la** está explicando.	=	Marisol está explicándo**mela**.

With affirmative commands, both direct and indirect object pronouns are connected to the end of the command. When you use a negative command, place the pronouns before the command.

—¿Le mando cartas a la senadora?

—Sí, mánde**selas**.

—No, no **se las** mande.

—*Should I send letters to the senator?*

—*Yes, send them to her.*

—*No, don't send them to her.*

Note that a written accent will be necessary when two pronouns are attached to an infinitive, a present participle, or an affirmative command to preserve the original stress pattern.

—Usted va a **mandárselas**.

—*You are going to send them to him/her/them.*

—Ella está **explicándosela**.

—**Dáselo**.

—*She is explaining it to him/her/them.*

—*Give it to him/her/them.*

STUDENT TIP: Repetition (by Maria Fraulini, Xavier University)

What works for me is repetition. The more I am involved with the language the better off I am. With languages, I can easily forget if I don't practice. . .
Go online to watch the complete learning tip.

 **Video: Tip**

1 **La conversación** Escucha la conversación entre Carmen y Mariel y selecciona los pronombres correctos.

Carmen: ¿Llamaste a Margarita?

Mariel: Sí, yo (1. te / lo / la) llamé.

Carmen: ¿(2. Le / Me / Se) diste mi mensaje?

Mariel: Sí, yo (3. le / se / les) (4. la / le / lo) di.

Carmen: ¿Qué (5. me / te / le) dijo Margarita después?

Mariel: Margarita (6. me / los / les) dijo que era importante guardar el secreto.

Carmen: Estoy de acuerdo, aunque a mí no (7. me / te / se) gustan los secretos.

2 **Dos ideas prácticas** Miguel y Rosa conversan sobre el medioambiente.

Paso 1 En parejas, dramaticen el diálogo.

Miguel: Tengo muchas preocupaciones sobre la situación del medioambiente y quisiera contárselas a alguien para tratar de hacer algo al respecto.

Rosa: Cuéntaselas a la profesora Navarro del Departamento de Biología o puedes explicármelas a mí, que he aprendido varios métodos para cuidar el medioambiente.

Miguel: ¿Quién te los enseñó? ¿Te parecen prácticos?

Rosa: Nos los explicó la profesora Navarro en el curso sobre ciencia ambiental, pero ella se los sugiere a todos y me parecen muy prácticos.

Miguel: ¿Me los puedes explicar ahora?

Rosa: Claro que sí. Te los explico. Pero, en realidad, solo hay dos recomendaciones y son muy simples: haz todo lo posible por reducir tu uso de energía y no compres cosas nuevas, sino usadas.

Miguel: Muy bien, voy a seguir esas sugerencias y también se las voy a dar a todos mis amigos y familiares.

Paso 2 En parejas, túrnense para hacer y contestar las preguntas. En cada respuesta, asegúrense de usar los pronombres de objeto directo e indirecto.

1. ¿Qué quiere hacer Miguel con sus preocupaciones?

2. ¿A quién sugiere Rosa que Miguel cuente sus preocupaciones?

3. ¿Quién le explicó a Rosa los mejores métodos para cuidar del ambiente?

4. ¿Quién le explica a Miguel las dos recomendaciones?

5. ¿A quién va a comunicar Miguel las dos recomendaciones?

STUDENT TIP: Using Internet Resources (by Anton Mays, Xavier University)

Another huge aid for learning Spanish has been using internet resources for online quizzes and just vocabulary and grammar... *Go online to watch the complete learning tip.*

Video: Tip

3 **Preguntas** En parejas, túrnense para hacerse estas preguntas. Las respuestas deben incluir pronombres de complemento directo e indirecto.

1. ¿Les diste el libro a ellos? (sí)

2. ¿Enrique vendió su carro híbrido a su mejor amigo? (sí)

3. ¿Quién me escribió la carta? (nosotros)

4. ¿Le compraste las flores a Ana? (sí)

5. ¿Le entregamos ayer la tarea y la composición al profesor? (no)

6. ¿Le trajeron los contratos a Susana? (sí)

7. ¿Vas a devolvernos las fotos? (no)

8. ¿Van a prestarte ellos las herramientas? (no)

4 **La responsabilidad del cuidado del medioambiente** En parejas, túrnense para contestar las preguntas usando pronombres de objeto directo e indirecto juntos. Luego comenten sus respuestas y piensen si (*if*) las situaciones deberían (*should*) ser de otra manera.

1. ¿Quién les enseña a los niños las diferentes formas de reciclar en su comunidad?

2. ¿Quién debe dar propuestas sobre tecnologías de energía renovable a su gobierno local?

3. ¿Quién envía a los políticos correos electrónicos para que protejan a los animales en peligro de extinción?

4. ¿Quién les leía libros sobre la naturaleza cuando eran pequeños/as?

5. ¿Quién va a donar (*donate*) su dinero o su tiempo a las organizaciones que protegen el medioambiente?

CULTURA VIVA

La Pachamama Las comunidades andinas de Ecuador, Perú, Bolivia, Colombia y Argentina celebran el primero de agosto el Día de la Pachamama o madre Tierra. La Pachamama tiene mucha importancia en estas sociedades porque es la que da el alimento y el trabajo, y asegura (*guarantees*) la salud. En esta celebración milenaria se le hacen ofrendas a la Pachamama para agradecerle por la cosecha (*harvest*) pasada y pedirle prosperidad y abundantes cosechas para el nuevo ciclo agrícola. **¿Conoces celebraciones relacionadas con la naturaleza en tu comunidad o en tu país? ¿Qué importancia tiene la naturaleza en tu comunidad?**

Resources

VhIcentral

WebSAM

☐ **I CAN** use language efficiently and avoid repetition.

Learning Objective:
Talk about environmental
issues and challenges.

Los problemas medioambientales

 ¡ATENCIÓN!

Antes de empezar, repasa
la sección **Vocabulario 2**
del Capítulo 9 de *Experiencias:
Beginning Spanish*.

Los **problemas medioambientales** en el mundo generan un gran impacto
en la biodiversidad, el **cambio climático**, el deterioro de los recursos naturales
y las condiciones óptimas de vida de los seres humanos. Los científicos nos
alertan sobre el **calentamiento global**, el **efecto invernadero** y la **sequía**
como resultado de la **superpoblación**, la **contaminación** y el **daño** a nuestro
planeta. El alto **consumo** de energía, el mayor uso de productos **desechables**
y de **pesticidas** y la **lluvia ácida** contribuyen a la **destrucción** de nuestro
medioambiente. ¿Qué podemos hacer para **evitar** estas **amenazas**?
Para empezar, podemos **reducir** el consumo de plásticos y otros productos
desechables, evitar el **desperdicio** de recursos naturales y utilizar **fuentes**
renovables de energía.

Más palabras

**la especie amenazada/ en peligro
de extinción** *endangered species*

el peligro *danger*

la pérdida *loss*

los residuos *waste*

dañino/a *harmful*

amenazar *to threaten*

desperdiciar *to waste*

destruir (y) *to destroy*

extinguirse (g:gu) *to become extinct*

tirar *to throw away*

Cognados

el desastre

el dióxido de carbono

la reducción

consumir

(re)utilizar

---

1 **El Día Mundial del Medioambiente** Escucha la descripción del Día Mundial del Medioambiente y decide si cada oración es **cierta** (**C**) o **falsa** (**F**). Corrige las oraciones falsas.

1. El 25 de junio es el Día Mundial del Medioambiente. .... **C F**

2. Es un día establecido por el gobierno de Uruguay. .... **C F**

3. La intención de esa celebración es recolectar dinero para proyectos ambientales. .... **C F**

4. Las actividades realizadas en el Día Mundial del Medioambiente en distintas partes del mundo son exclusivamente conferencias. .... **C F**

5. Durante ese día, en distintos países se ofrecen presentaciones sobre el calentamiento global. .... **C F**

6. En las conferencias se habla de posibles soluciones para proteger el medioambiente. .... **C F**

2 **Recomendaciones prácticas** Las pequeñas acciones que hacemos todos los días pueden marcar grandes diferencias para el medioambiente. Lee la lista de recomendaciones prácticas y reflexiona sobre ellas.

Ambiente sano, vida saludable

1. No deje encendidos los aparatos eléctricos.

2. En el supermercado, opte por bolsas de papel y bolsas de tela.

3. Aproveche al máximo la luz del sol.

4. Si usa aire acondicionado, manténgalo programado en 24 °C.

5. No malgaste agua al bañarse, cepillarse los dientes y regar las plantas.

6. No imprima más de lo necesario.

7. No use manguera (*hose*) para lavar el carro o el patio.

8. Utilice pilas (*batteries*) y artículos que se recarguen con energía solar.

9. Use el transporte público cuando sea posible y evite los viajes innecesarios en carro.

10. No use productos desechables.

Paso 1 Completa cada recomendación con una explicación de por qué es un buen hábito.

Paso 2 Escribe un plan de conservación del medioambiente, como el que acabas de leer, para los estudiantes universitarios de tu ciudad o pueblo.

Paso 3 En parejas, compartan sus planes y elijan las cinco recomendaciones que más probablemente sigan sus compañeros.

3 **En mi ciudad** En parejas, túrnense para entrevistarse sobre la situación del medioambiente en sus ciudades o pueblos de origen.

1. ¿Cómo es la calidad del aire del lugar? ¿Cómo es la situación de los espacios verdes y parques?

2. ¿Qué proyectos de tu ciudad o pueblo conoces que protejan el medioambiente?

3. ¿Cuál es, en tu opinión, uno de los principales problemas relacionados con la conservación de los recursos naturales?

4. Describe otros problemas ecológicos que existen en tu ciudad o pueblo de origen.

5. ¿Existe conciencia entre los ciudadanos sobre la importancia de cuidar el medioambiente? Justifica tu respuesta.

6. ¿Cuál es la actitud de los habitantes hacia el uso de energías renovables? Explica tu respuesta.

CULTURA VIVA 🔗

Gas renovable en casas de los Andes En Cuyuni, una comunidad rural en los Andes de Perú, las familias han logrado (*have managed*) solucionar sus necesidades de calentar sus hogares y preparar sus alimentos de manera autosostenible por medio del biogás. El biogás es un gas renovable que las familias producen en sus propias casas a partir de los residuos orgánicos de sus animales de campo. Esta alternativa natural ha producido un cambio significativo en la vida diaria de la comunidad, puesto que antes no existían sistemas de calefacción (*heating*) y la temperatura en invierno puede bajar hasta 0 °C (alrededor de 32 °F). **¿Con qué tipo de energía se calientan los hogares en el lugar donde vives? ¿Crees que el biogás puede ser producido y utilizado en algunos lugares de tu ciudad o pueblo?**

4 🔗 **El español cerca de ti** Busca en tu comunidad o en internet un anuncio publicitario en español para proteger el medioambiente. Describe el anuncio. ¿Qué problemas medioambientales trata de reducir? De ser posible, toma una foto del anuncio para compartirla en clase.

☐ **I CAN** talk about environmental issues and challenges.

Exploraciones

Gramática 2

Learning Objective:
Express doubt, denial,
or uncertainty.

 Tutorial

Expressing doubt, denial, or uncertainty: The subjunctive

In **Capítulo 3**, you used the subjunctive to give suggestions and recommendations. In this chapter you will use the subjunctive to express doubt, denial, or uncertainty about something. To do so, use the following verbs and expressions in the main clause and the *subjunctive* in the subordinate clause.

Verbs and expressions of doubt			
dudar	*to doubt*	**no pensar (e:ie)**	*not to think*
no creer	*not to believe*	**es dudoso**	*it is doubtful*
no estar seguro/a de	*not to be certain*	**(no) puede ser**	*it could (can't) be*

El rector **duda** que los estudiantes *ahorren* electricidad en las residencias.

The dean doubts that the students save electricity in the dorms.

Los científicos **no están seguros de** que *podamos* mantener toda la biodiversidad en el futuro.

Scientists are not sure that we can preserve all biodiversity in the future.

No puede ser que la gente *ignore* estos problemas.

It can't be that people ignore these problems.

To express certainty or a reality that is known to the speaker, use the following verbs and expressions in the main clause and the *indicative* in the subordinate clause.

Verbs and expressions of certainty			
creer	*to believe*	**es cierto**	*it is certain*
estar seguro/a de	*to be certain*	**es verdad**	*it is true*
pensar (e:ie)	*to think*		

Creo que la deforestación **es** un problema grave.

I believe that deforestation is a serious problem.

Es verdad que *estamos* preocupados por la contaminación.

It is true that we are concerned about pollution.

STUDENT TIP: Always Participate (by Katie Kennedy, Xavier University)

What works for me is always participating. Finding new ways to participate by meeting new people that you know speak Spanish or getting a study group . . . *Go online to watch the complete learning tip.*

 **Video: Tip**

1 **El Gran Chaco paraguayo** Escucha la presentación que hizo una compañera tuya para la clase de Ecología sobre la región del Gran Chaco en Paraguay.

Paso 1 Completa los espacios en blanco con las palabras apropiadas de la presentación de tu compañera.

Recientemente, hice una investigación para la clase de Ecología sobre la región de Paraguay conocida como el Chaco. Aunque este territorio tiene baja población y se encuentra lejos de las ciudades principales, se cree que _____ una de las últimas fronteras agrícolas de Sudamérica. En mi investigación, descubrí algunas controversias sobre el uso que se está dando a estas tierras. Pese a que algunas personas no piensan que el Chaco _____ una tierra fértil para el cultivo, en los últimos años varios proyectos de empresas extranjeras han fomentado el cultivo de soja (*soybeans*) orientado a la producción de biocombustible. Para algunas personas, es dudoso que estas industrias _____ una verdadera agricultura sostenible en el Chaco, ya que es cierto que _____ mucha deforestación. Estoy segura de que los intereses económicos _____ lo más importante para estas compañías, pero no creo que eso _____ estar por encima de la preservación de los ecosistemas locales. Para el año 2020, el Chaco ya había perdido (*had already lost*) el 40% de su masa forestal y un grupo de organizaciones ambientalistas piensa que para 2030, el Chaco _____ a perder otro 30% más. No puede ser que la comunidad mundial no _____ nada para evitar este gran problema.

Paso 2 En parejas, intercambien ideas y contesten las preguntas.

1. ¿Creen que existe un conflicto ecológico en el Chaco con la producción de energía renovable, como el biocombustible, a cambio de (*in exchange for*) deforestación? ¿Cómo se puede resolver?

2. ¿Puede ser que existan tierras en su comunidad o región dedicadas al cultivo para la producción de biocombustibles? ¿Estarían de acuerdo (*Would you agree*) con que se usen (más) tierras de su comunidad o región para este objetivo? ¿Bajo qué condiciones?

Exploraciones

(2) **¿Estás de acuerdo?** Las opiniones sobre el medioambiente reflejan una diversidad de creencias, valores y perspectivas.

Paso 1 Lee estas opiniones y determina si estás de acuerdo con ellas o no.

1. No creo que las personas desperdicien los recursos. .... **Sí No**

2. No estoy seguro/a de que los agricultores pongan pesticidas en los cultivos. .... **Sí No**

3. No estoy seguro/a de que haya un programa de reciclaje en mi ciudad. .... **Sí No**

4. Es verdad que hay mucha deforestación en mi país. .... **Sí No**

5. Niego que consumamos demasiados combustibles fósiles. .... **Sí No**

6. Pienso que todas las especies en peligro de extinción tienen que ser protegidas. .... **Sí No**

7. Dudo que exista el calentamiento global. .... **Sí No**

8. Estoy seguro/a de que la deforestación es un desastre mundial. .... **Sí No**

9. No creo que el efecto invernadero sea dañino. .... **Sí No**

10. Es cierto que la superpoblación afecta la calidad de vida de las personas. .... **Sí No**

Paso 2 En parejas, compartan sus respuestas y justifiquen sus opiniones.

CULTURA VIVA

¿Qué va en cada contenedor? La gente que vive en la Ciudad de Buenos Aires, Argentina, tiene dos contenedores específicos: uno negro para la basura y uno verde para el reciclaje. Se deben lavar bien los materiales reciclables como botellas, envases y tapitas de plástico, como también las botellas, frascos y envases de vidrio transparente o de color. También se puede reciclar el papel blanco y de color, diarios y revistas, cajas de cartón, cajas de huevos, rollos de papel, ropa, manteles y trapos. **¿Cómo se manejan los residuos en la ciudad o pueblo donde vives?**

¿Qué va en cada contenedor?

RECICLABLES
Lunes a viernes de 20 a 21 hs.

BASURA
Domingo a viernes de 19 a 21 hs.

3 **Reacciones** Lee las afirmaciones sobre el medioambiente y reacciona usando las frases de la lista. Luego investiga sobre los temas que mencionan esas afirmaciones y comparte tu información en clase.

Puede ser que...	Es cierto que...	Dudo que...
(No) Creo que...	(No) Estoy seguro/a de...	Es dudoso que...

Modelo El problema de la lluvia ácida es menor en países con fuertes regulaciones de emisiones de gases.
Estoy segura de que la lluvia ácida es menor en países con fuertes regulaciones de emisiones de gases.

1. En Chile están prohibidos los plásticos de un solo uso.

2. En la ciudad de Puebla, México, hay un conjunto de tiendas, restaurantes y espacios culturales construidos con contenedores marítimos.

3. El gobierno de Costa Rica incentiva económicamente a los propietarios (*landowners*) de terrenos forestales para que preserven los ecosistemas.

4. En Bogotá, Colombia, los domingos se cierran muchas calles para el uso exclusivo de los ciclistas.

5. Chile es uno de los países con más autobuses eléctricos del mundo.

6. Guatemala sigue una política energética para obtener el 80% de su electricidad de fuentes renovables.

7. En Colombia están usando la cáscara (*husk*) del café como material de construcción.

4 **La destrucción de los bosques** Muchos bosques tropicales se están destruyendo. Una de las razones es que algunos agricultores queman los bosques para tener más terreno para sus cosechas.

Paso 1 Escoge una de las alternativas para que no se quemen los bosques o sugiere una alternativa diferente. Luego escribe un párrafo breve donde expliques tu propuesta. Usa expresiones de certeza y de duda.

- buscar otra tierra

- plantar una mezcla de árboles y cultivos anuales

- quemar solo una parte de la tierra cada año

Paso 2 En parejas, compartan lo que escribieron. ¿Escogieron la misma solución? ¿Quién tiene argumentos más convincentes?

Resources

Vhlcentral

WebSAM

□ **I CAN** express doubt, denial, or uncertainty.

Exploraciones

Podcast

Audio: Reading

Episodio #4: Camila Romero

Antes de escuchar

1 **La historia de Camila** Camila habla sobre el lugar donde vive, sobre su trabajo y sobre las famosas cataratas (*waterfalls*) del Iguazú. En parejas, túrnense para contestar las preguntas.

  1. ¿Cómo es la geografía de la zona donde creciste?

  2. ¿Qué lugares naturales de tu ciudad o pueblo puedes recomendar a los turistas?

  3. ¿Qué haces para proteger el medioambiente?

Mientras escuchas

2 **Preguntas** Selecciona la respuesta correcta.

  1. Camila es originaria de…
     a. Eldorado.   **b.** Iguazú.   **c.** Córdoba.

  2. La primera vez que ella fue a la provincia de Misiones fue porque estaba…
     a. de vacaciones.   **b.** trabajando.   **c.** estudiando.

  3. Ella estudió en la Universidad Nacional de Misiones para ser ingeniera…
     a. eléctrica.   **b.** ambiental.   **c.** agrícola.

  4. Después de graduarse, ella creó una…
     a. compañía que ofrece visitas guiadas.
     b. organización dedicada a la conservación del medioambiente.
     c. escuela que investiga los cambios climáticos en Argentina.

  5. Una de las actividades que Camila hace con los visitantes es…
     a. enseñarles la importancia de conservar esa región.
     b. dar clases sobre cómo ser guía profesional.
     c. explorar los diferentes ríos que forman las cataratas del Iguazú.

Después de escuchar

3 **Un plan de visita** Crea un plan para una visita guiada de unos amigos a un parque local o nacional de tu país. Incluye lo que crees que deben visitar y hacer y también lo que no piensas que deban hacer.

Resources

Vhlcentral

Online activities

☐ **I CAN** describe a visit to a local or national park.

Experiencias

Blog

Learning Objective: Investigate an example of an ecological or sustainable home.

La Casa Uruguaya

Lee el blog de Sofía sobre una casa sostenible en Uruguay.

www.el_blog_de_sofia.com/la_casa_uruguaya

La Casa Uruguaya

Mi amiga María Inés ganó el primer premio en la competencia internacional de arquitectura sostenible más importante del mundo. La competencia tuvo lugar en Cali, Colombia, en diciembre de 2015 y duró diez días. Los expertos internacionales evaluaron las construcciones según varias categorías. La Casa Uruguaya fue construida por un grupo de treinta y tres estudiantes y ocho profesores uruguayos con el objetivo de incorporar

el uso de energías renovables para conservar el medioambiente. Este prototipo incorpora valores de innovación con la idea de ser asequible, autosuficiente y con una huella de carbono mínima.

El propósito del proyecto era construir una casa con un bajo consumo de energía sostenible y un bajo costo. La casa que construyó el equipo de María Inés se adapta al clima y a la situación social de Uruguay. El techo y las paredes están diseñados para generar un microclima que protege la casa del sol directo y de la pérdida de temperatura. Esto le permite adaptarse fácilmente a diferentes climas y entornos. Otras características sostenibles de la casa incluyen un sistema de acumulación y filtrado del agua de lluvia (por ejemplo, para usar la lavadora) y un sistema de microgeneración de energía que garantiza que la casa tenga electricidad incluso por las noches. La casa tiene una cocina, un baño, una sala de estar, tres cuartos y una habitación multifuncional que puede usarse como estudio, cuarto de visitas o habitación independiente con salida a la calle. Cuando habla de su proyecto, María Inés dice que sus colegas y ella quieren contribuir a un cambio importante para que Uruguay sea conocido internacionalmente.

(1) **Descripción** Busca fotos o videos de la Casa Uruguaya en internet y escribe una descripción detallada.

(2) **Comparación** Compara la Casa Uruguaya con una casa típica de tu ciudad o pueblo y contesta las preguntas.

1. ¿Cuáles son las grandes diferencias entre las dos casas?

2. ¿En qué aspectos es autosuficiente la Casa Uruguaya?

3. ¿En qué casa te gustaría (*would you like*) vivir? ¿Por qué?

(3) **Mi blog** Describe una vivienda o un edificio sostenible con las características que tú consideres necesarias para tu comunidad. Incluye fotos o dibujos de ser posible.

☐ **I CAN** investigate an example of an ecological or sustainable home.

Experiencias

Cultura y sociedad

Learning Objective: Compare practices and perspectives related to the use of renewable sources.

El tema de la energía renovable es de suma importancia para el planeta. Uruguay ha desarrollado un sistema de uso de fuentes renovables que es un ejemplo para otros países. Vas a leer un artículo sobre este sistema de energías renovables.

 **Audio: Reading**

Antes de leer

1 **La energía limpia** Piensa en las energías limpias y renovables y escribe tu opinión sobre la importancia o no de usarlas. Escribe por lo menos cinco oraciones.

2 **¿Estás de acuerdo?** En parejas, comenten si están de acuerdo o no con estas oraciones. Expliquen por qué.

1. Estoy dispuesto/a a *(willing)* usar menos electricidad para proteger el medioambiente.

2. Cuesta demasiado construir fuentes de energía renovable.

3. Solo debemos preocuparnos por crear más fuentes de energía renovable cuando ya no haya más petróleo.

4. Es más importante que los países desarrollados usen energías renovables que los países en vías de desarrollo.

5. Los gobiernos deben invertir en energías renovables porque esa inversión creará nuevas oportunidades laborales e impulsará la economía.

6. Estoy dispuesto/a a pagar más dinero cada mes por la electricidad que consumo para que haya más sistemas de energía renovable.

3 **Vocabulario** Identifica las palabras en el artículo y luego indica qué definición corresponde a cada palabra.

_____ **1.** eólico/a

_____ **2.** el corte

_____ **3.** llevado/a a cabo

_____ **4.** reconocido/a

_____ **5.** inagotable

_____ **6.** grave

_____ **7.** el aerogenerador

_____ **8.** la muestra

a. interrupción en el servicio eléctrico

b. muy conocido/a y prestigioso/a

c. realizado/a, ejecutado/a

d. que está relacionado/a con el viento

e. máquina que transforma la energía del viento en electricidad

f. que no se termina o no se acaba

g. difícil o serio/a

h. parte representativa de un grupo

Uruguay: Líder en energías renovables

Los aerogeneradores son una fuente importante de la energía renovable de Uruguay y contribuyen al 32% de la energía renovable usada en el país.

En 2008 Uruguay se encontraba en una situación difícil. El pequeño país de menos de cuatro millones de habitantes tenía graves problemas energéticos provocados por los altos precios del combustible,
5 el aumento de la demanda eléctrica y su limitada infraestructura para proveer la energía.
El gobierno sabía que tenía que hacer algo y lo hizo. En la Conferencia Internacional de Energías Renovables de 2023, llevada a cabo en Madrid, Uruguay fue
10 reconocido por usar energía renovable para proveer el 97% de la energía utilizada en el país. Este porcentaje es significativamente mayor que el 37% que tenía en 2008. Solo Dinamarca supera° a Uruguay en el uso de energía solar y energía eólica. Entre las
15 mayores ventajas del uso de energías limpias en Uruguay están el menor número de cortes de electricidad y la menor dependencia de los combustibles fósiles.

A principios del siglo XXI, el 27% de las importaciones
20 de Uruguay eran petróleo. Hoy, sin embargo, el principal producto importado son los aerogeneradores. Estos aparatos —que transforman la energía eólica en energía eléctrica— producen el 32% de la energía de Uruguay. El resto de la energía renovable proviene

25 de la energía hidroeléctrica, que produce el 45% de energía; la biomasa, que produce el 17%, y la energía solar, que produce el 3%. En comparación, un poco menos del 30% de la energía del mundo proviene de fuentes renovables. Por esta razón se reconoce a
30 Uruguay como "líder en energías renovables", junto con países como Dinamarca, Irlanda y Portugal.

El gobierno uruguayo atribuye el éxito de su sistema energético a tres factores principales: su estabilidad como democracia, pues gracias a ello ha sido°
35 posible invertir en numerosos proyectos a largo plazo; sus fuentes naturales inagotables, como el viento, la radiación solar y la producción de biomasa en el sector agroecológico, y la buena relación entre las empresas públicas y privadas, que permite una
40 adecuada operación conjunta° en beneficio del país, y, en consecuencia, del planeta.

Uruguay es un ejemplo de la viabilidad de las energías renovables a gran escala debido a su casi nula dependencia del petróleo, gas y carbón. Además, es
45 una muestra de que el trabajo en conjunto del sector público y del privado en el campo energético permite cambiar paradigmas. ●

supera *surpasses* **ha sido** *it has been* **conjunta** *joint*

Experiencias

Después de leer

4 **Comprensión** Contesta las preguntas según el texto.

1. ¿Cuál es el porcentaje de la energía utilizada en Uruguay que proviene de fuentes renovables?

2. ¿Qué países lideran (*lead*) el uso de energías renovables en el mundo?

3. ¿En qué porcentaje ha incrementado (*has increased*) Uruguay su uso de energías renovables desde 2008?

4. ¿Cuáles son las razones del éxito de Uruguay en el sector energético?

5 **Conversación** En parejas, conversen sobre las preguntas.

1. ¿Hay fuentes de energía limpia cerca de donde viven? ¿De qué tipo?

2. ¿Qué similitudes y diferencias hay entre Uruguay y su país en relación con las características y los factores que se nombraron en la lectura?

3. Además de los beneficios para el medioambiente, ¿cuáles creen que son las otras ventajas del desarrollo de energías limpias?

6 **A escribir** Crees que es importante aumentar el uso de energía renovable en tu ciudad o región, así que vas a distribuir información al respecto en tu comunidad. Lee la estrategia y sigue los pasos.

Estrategia de escritura: The Value of an Outline

An outline is an effective writing strategy that will get you organized without leading your reader through lots of tangents and secondary thoughts. Know what you want to write before you write it, by following a structure like this:

Title of topic/composition

• *Subheading 1*
Summary sentence

• *Subheading 2*
Summary sentence

• *Subheading 3*
Summary sentence

Paso 1 Piensa en el sistema de energía renovable de Uruguay. También consulta en internet otros sistemas usados en distintos lugares.

Paso 2 Escribe un bosquejo (*outline*) de un plan para aumentar la energía renovable en la ciudad o región donde vives.

Paso 3 Escribe tu plan con, por lo menos, tres párrafos (diez oraciones).

☐ **I CAN** compare practices and perspectives related to the use of renewable sources.

Resources

Vhlcentral

Online activities

Learning Objective:
Interpret perspectives in a poem.

Audio:
Reading

Cristina Rodríguez Cabral (1959–)

La escritora afrouruguaya Cristina Rodríguez Cabral es una voz importante de la poesía de su país. Entre sus publicaciones destacan *Desde mi trinchera* (1993) y la antología *Memoria y resistencia* (2004). Uno de los temas que explora Rodríguez Cabral en su poesía es la opresión sufrida por los afrodescendientes, especialmente las mujeres. La autora ve la literatura como un instrumento para hacer activismo y mostrar su compromiso social. De niña era una ávida lectora y empezó a escribir historias cuando tenía once años. Obtuvo un doctorado en Letras Latinoamericanas por la Universidad de Missouri y actualmente trabaja como profesora e investigadora en una universidad estadounidense.

Antes de leer

> 🔁 **Estrategia de lectura: Reading a Poem**
>
> Poetry is meant to be read on its own terms. Don't try to get a poem to relate to your life necessarily. Instead try to see what world the poem creates. Read the poem aloud and silently several times. Notice the choice of words and the images that the word combinations create in your mind. Make notes of your thoughts in the margins. Pay attention to the main message of the poem, as it may help you see your own world in a different light.

1 **Temas** Rodríguez Cabral escribe sobre la opresión de las personas más vulnerables. Selecciona las ideas que piensas encontrar en su poema "Desde mi trinchera" (*"From My Trench"*). Luego, en parejas, compartan sus ideas.

☐ la raza   ☐ la injusticia   ☐ el amor   ☐ la guerra
☐ el género   ☐ las protestas   ☐ las mujeres   ☐ la esperanza

2 **Vocabulario** Vas a familiarizarte con el vocabulario del fragmento.

Paso 1 Lee por encima (*skim*) el fragmento e identifica todos los cognados.

Paso 2 Escribe una definición para cada término usando tus propias palabras.

los cuentos	la guerra	guerrera
el adiós	la voz	el dolor

Paso 3 Encuentra cada término del **Paso 2** en el texto y escribe a qué se refiere específicamente según el contexto.

Desde mi trinchera

(fragmento)

Desde mi trinchera combato cuentos y mentiras°
desde mi trinchera canto para matar° la agonía
siembro flores
y lanzo relámpagos° de estrellas
5   pierdo batallas° y gano la guerra.
Desde mi trinchera despego° día a día
y me hago águila°, mujer guerrera
vibro fuego y corazón con mi bandera.
Aquí extiendo mi mano
10   y toco las olas°
creo en la vida
y en un después.
Desde mi trinchera destello° luces y rayos°
batallo° la vida
15   y silencio el adiós.
Desde mi trinchera oigo tu voz,
y tu canto
ecoando° en el viento
espanta° lamentos
20   libera el dolor.

mentiras *lies* **matar** *to kill* **relámpagos** *flashes of lightning* **batallas** *battles* **despego** *I take off* **águila** *eagle*
olas *waves* **destello** *I flash* **rayos** *rays (of light)* **batallo** *I fight* **ecoando** *echoing* **espanta** *it scares away*

Después de leer

(3) Comprensión Selecciona la opción correcta según el poema.

1. ¿Qué imágenes de la naturaleza no utiliza la poeta en el poema?

a. las flores   **b.** el viento   **c.** las olas   **d.** la lluvia

2. ¿Qué imágenes negativas del mundo no se presentan en el poema?

a. las mentiras   **b.** la guerra   **c.** la sequía   **d.** el dolor

3. ¿Con qué se compara la poeta en el poema?

a. con los relámpagos   **b.** con las luces   **c.** con el águila   **d.** con la vida

(4) Análisis En parejas, intercambien ideas y contesten las preguntas.

1. ¿Qué es lo que combate la poeta en la vida?

2. ¿A quién le habla la poeta en la última parte del poema?

3. ¿Por qué creen que la poeta eligió el título "Desde mi trinchera"?

(5) Reflexiones Vuelve a leer estos versos del poema y piensa por qué la poeta eligió esas palabras. Luego escribe tus reflexiones para cada verso.

Versos del poema	Mis reflexiones
"Desde mi trinchera combato cuentos y mentiras…"	
"… creo en la vida y en un después".	
"… pierdo batallas y gano la guerra".	
"… vibro fuego y corazón con mi bandera".	

(6) Literatura como activismo La poeta Cristina Rodríguez Cabral usa la literatura como una herramienta para combatir la opresión y el racismo desde su "trinchera". Piensa en un desafío en tu vida o un aspecto de la sociedad que te gustaría (*you would like*) cambiar, y cómo puedes usar una forma de arte de tu elección para combatir ese desafío o esa injusticia. Luego, en parejas, intercambien ideas.

Resources

Vhlcentral

Online activities

☐ **I CAN** interpret perspectives in a poem.

Nicolás Marín: Fotógrafo y activista por los ecosistemas marinos

Vas a ver un video sobre un joven argentino, Nicolás Marín, que viaja por el mundo fotografiando el fondo del mar y luchando por la protección de los ecosistemas marinos. Lee la estrategia intercultural antes de ver el video.

Estrategia intercultural: Critical Reflection

Critical reflection is a very important strategy. It is critical thinking during which you are able to step outside of yourself to consider the success and challenges of specific intercultural interactions. You may reflect on what you have learned from these experiences and the strategies you hope to incorporate in the future to create more successful interactions. Ask yourself questions such as: What did I learn from this experience? How could I improve my interactions? How can these insights apply to other similar situations?

Antes de ver

1 **Preparación** En parejas, escriban una descripción del trabajo de fotógrafo submarino usando estas preguntas como guía.

1. ¿Cómo creen que es la vida diaria de un fotógrafo submarino?

2. ¿Cómo ayuda un fotógrafo submarino a la protección de las especies en peligro de extinción?

2 **Vocabulario** Indica qué definición corresponde a cada palabra que aparece en el video.

_____ **1.** bucear

_____ **2.** el regulador

_____ **3.** lejano/a

_____ **4.** difundir

_____ **5.** acercarse

a. ponerse cerca de algo o de alguien

b. aparato que se coloca en la boca para respirar en el agua

c. practicar un deporte en el agua utilizando un equipo de respiración autónomo

d. que está a gran distancia de la vista o del oído

e. propagar conocimientos o noticias

Mientras ves el video

3 **La vida de Nicolás** Mientras ves el video contesta las preguntas.

1. ¿Por qué le interesó la carrera de fotógrafo marino a Nicolás?

2. ¿Por qué es importante su trabajo para proteger las especies en peligro de extinción?

(4) **Escenas** Escribe la letra de la imagen que corresponde a cada cita del video.

_____ **1.** "Soy un pez, claramente soy un pez".

_____ **2.** "Soy fotógrafo submarino…"

_____ **3.** "Un edificio de seis pisos, algo así más o menos, pero debajo del agua".

_____ **4.** "Guau, estuve vivo y no solo existí".

Después de ver

(5) **Comprensión** Selecciona la opción que represente la idea principal del video. Luego explica por qué la seleccionaste.

1. Es importante reciclar para proteger el océano de la contaminación.

2. Necesitamos buscar carreras relacionadas con la naturaleza para viajar a distintos lugares.

3. El mundo submarino todavía necesita ser descubierto en su totalidad.

4. Tenemos que proteger el mundo y explorarlo para tener una vida plena (*full*).

(6) **Reflexión crítica** Reflexiona sobre las experiencias de Nicolás y sus opiniones. Luego, en parejas, intercambien ideas y contesten las preguntas.

- ¿Qué aprendieron del video que no sabían antes de verlo?

- ¿Cómo pueden aplicar nuevas perspectivas y prácticas que aparecen en el video a su propia vida?

- ¿Cómo se puede "vivir y no solamente existir"?

Resources

VhlCentral

Online activities

_____

☐ **I CAN** reflect on how to apply new perspectives and practices in my own life.

Learning Objectives:
Describe an idea of sustainable housing.
Create a dialogue related to your professional interest.

1 **¿Cómo creamos un mundo sostenible?** Tu universidad quiere conocer la opinión de los estudiantes sobre una nueva residencia estudiantil que planean construir. Vas a preparar una presentación para el comité de tu universidad con las características que tú crees que la residencia debe tener.

Paso 1 Consulta los materiales del capítulo: videos, lectura, presentaciones, etc. También repasa el vocabulario y la gramática del capítulo. Toma nota de las palabras y expresiones útiles.

Paso 2 Describe la nueva residencia estudiantil. Considera estas preguntas.

- ¿Qué características debe tener para que sea cómoda y sostenible?

- ¿Hay áreas verdes? ¿Cómo son?

- ¿Qué tipo(s) de energía renovable utiliza?

- ¿Cómo se manejan los residuos?

- ¿Dónde debe estar la residencia? ¿Cerca o lejos de qué lugares?

- ¿Cómo se puede evitar que los estudiantes desperdicien agua y electricidad?

- ¿Hay edificios similares en tu estado o región?

Paso 3 Prepara tu presentación con la información de los pasos anteriores. Trata de convencer al comité de por qué la residencia estudiantil debe tener estas características. Puedes incluir una ilustración o fotos si lo deseas.

☐ **I CAN** describe an idea of sustainable housing.

¡ATENCIÓN!

Ask your instructor to share the **Rúbrica** to understand how your work will be assessed.

Experiencias profesionales Vas a crear un diálogo relacionado con tu área de interés profesional.

Paso 1 Revisa la lista de vocabulario que hiciste en el Capítulo 3 e imagina un posible diálogo en tu campo de interés que utilice varias de esas palabras o frases. Selecciona entre diez y quince.

Paso 2 Crea el diálogo tomando en cuenta lo siguiente:

- Debe ser entre dos personas y cada una debe participar en seis turnos como mínimo.

- Debe incluir tres estructuras gramaticales diferentes que hayas estudiado recientemente (el subjuntivo, los mandatos formales, el pretérito...).

Paso 3 En parejas, practiquen ambos diálogos y expliquen por qué decidieron escribir sobre esos temas.

☐ **I CAN** create a dialogue related to my professional interest.

Repaso

Repaso de objetivos

Reflect on your progress toward the chapter main goals.

I am able to...

	Well	Somewhat
• Identify practices and perspectives about environmental issues and solutions.	☐	☐
• Exchange ideas about the protection of the planet.	☐	☐
• Compare products, practices, and perspectives related to the environment and sustainability.	☐	☐
• Describe an idea of sustainable housing.	☐	☐
• Create a dialogue related to my professional interest.	☐	☐

Repaso de vocabulario

La ecología y los recursos naturales
The ecology and natural resources
el combustible fósil   *fossil fuel*
el comercio justo   *fair trade*
el desarrollo   *development*
la fuente   *source*
la huella de carbono   *carbon footprint*
el invernadero   *greenhouse*
la madera   *wood*
el medioambiente   *environment*
la naturaleza   *nature*
el petróleo   *oil*
la supervivencia   *survival*
la sustentabilidad   *sustainability*
el terreno   *land*

protegido/a   *protected*
(no) renovable   *(non)renewable*
sostenible   *sustainable*

agotarse   *to run out*
desarrollar   *to develop*
proteger (g:j)   *to protect*
proveer   *to provide*
sembrar (e:ie)   *to plant*

Cognados
el biocombustible
la biodiversidad

el compostaje
la deforestación
el ecosistema
la energía
el gas natural
el hábitat
el mineral
el planeta
la preservación
el reciclaje
la reforestación

híbrido/a
innovador(a)
solar

cultivar
preservar
reciclar

Los problemas medioambientales
Environmental problems
la amenaza   *threat*
el calentamiento global   *global warming*
el cambio climático   *climate change*
el consumo   *consumption, use*
la contaminación   *pollution*
el daño   *damage*
el desperdicio   *waste*

el efecto invernadero   *greenhouse effect*
la especie amenazada/ en peligro de extinción   *endangered species*
la lluvia ácida   *acid rain*
el peligro   *danger*
la pérdida   *loss*
los residuos   *waste*
la sequía   *drought*
la superpoblación   *overpopulation*

dañino/a   *harmful*
desechable   *disposable*

amenazar   *to threaten*
desperdiciar   *to waste*
destruir (y)   *to destroy*
evitar   *to avoid*
extinguirse (g:gu)   *to become extinct*
tirar   *to throw away*

Cognados
el desastre
la destrucción
el dióxido de carbono
el pesticida
la reducción

consumir
reducir
(re)utilizar

Repaso de gramática

1 Double object pronouns

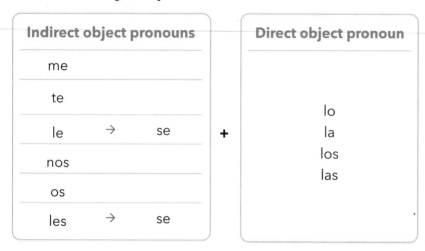

Indirect object pronouns		Direct object pronoun
me		
te		
le → se	**+**	lo
nos		la
os		los
les → se		las

2 The subjunctive to express doubt, denial, or uncertainty

Verbs and expressions of doubt			
dudar	*to doubt*	**no pensar (e:ie)**	*not to think*
no creer	*not to believe*	**es dudoso**	*it is doubtful*
no estar seguro/a de	*not to be certain*	**(no) puede ser**	*it could (can't) be*

To express certainty or a reality that is known to the speaker, use the following verbs and expressions in the main clause and the *indicative* in the subordinate clause.

Verbs and expressions of certainty			
creer	*to believe*	**es cierto**	*it is certain*
estar seguro/a de	*to be certain*	**es verdad**	*it is true*
pensar (e:ie)	*to think*		

Capítulo 5 | ¿Cómo refleja el arte nuestra cultura?

OBJETIVOS DE APRENDIZAJE

By the end of this chapter, I will be able to...

- Identify practices and perspectives about creative expressions.
- Express ideas and perspectives about art and crafts.
- Compare products, practices, and perspectives related to art and social change.
- Describe an artistic product.
- Interview someone related to my field of interest.

ENCUENTROS

Sofía sale a la calle: Perspectivas sobre el arte

Panorama actual: El arte para la transformación social

EXPLORACIONES

Vocabulario

Expresiones creativas

El mercado de artesanías

Gramática

Verbs like gustar

The subjunctive for expressing emotions

EXPERIENCIAS

Blog: Isabella Springmühl, una diseñadora sin límites

Cultura y sociedad: Arte e inteligencia artificial

Literatura: *El tiempo entre costuras*, de María Dueñas

Intercambiemos perspectivas: *Manifiesto contra la barbarie: El arte como protesta*

Proyectos: ¿Cómo refleja el arte nuestra cultura?, Experiencias profesionales

Perspectivas sobre el arte

Lee y reflexiona sobre la estrategia intercultural de este capítulo.

> **Estrategia intercultural: Challenging Judgments, Generalizations, and Stereotypes**
>
> Making judgments based on appearances, or relying on stereotypes and generalizations, can consciously or unconsciously affect the way we view people from our own or other cultures. Whether you like it or not, you have fixed ideas about others, and your brain will unconsciously try to classify just about everything it encounters. When learning a language, it's a good idea to try to withhold judgment until you get to know someone better, interact with them, and learn about their practices, products, and perspectives. Being curious, asking questions, and keeping an open mind will help you to learn more than you ever imagined!

Antes de ver

(1) **Entrando en el tema** Sofía entrevista a Dan, Patricia y Andrés sobre el arte.

Paso 1 En grupos pequeños, hagan predicciones sobre posibles respuestas a las preguntas que Sofía hace.

1. ¿Qué tipo de arte te gusta más y dónde lo ves?
2. ¿Cuál es tu obra de arte preferida hecha por un(a) artista hispano/a?
3. ¿Has ido a algún mercado de artesanía (*handicraft market*) alguna vez?

Paso 2 Indiquen a qué pregunta del **Paso 1** corresponde cada cita.

_____ **a.** "Sí, estuve en el mercado de Coyoacán, en México…"

_____ **b.** "Me gusta mucho el arte de la fotografía, y seguido voy a exposiciones de fotografía en museos o eventos privados".

_____ **c.** "Mi obra de arte favorita hecha por un artista hispano viene… de mi país natal, Colombia. Se llama *Cien años de soledad*, escrita por Gabriel García Márquez".

Paso 3 Conversen sobre estas preguntas.

1. ¿Qué expresiones artísticas son las más populares en sus comunidades?
2. ¿Dónde se pueden ver?
3. ¿Qué cualidades tienen los artistas que conocen?

Mientras ves

(2) **Perspectivas** Mira el video e indica qué tipo de arte le gusta más a cada persona entrevistada.

Dan

Andrés

Patricia

_____ **1.** la literatura y la cinematografía

_____ **2.** la fotografía

_____ **3.** el arte contemporáneo

(3) **Obras de arte** Mira nuevamente el video e indica qué obras de arte (*works of art*) y literarias corresponden a su creador.

_____ **1.** *El baño del caballo*   **a.** Diego Rivera

_____ **2.** *El cargador de flores*   **b.** Gabriel García Márquez

_____ **3.** *Cien años de soledad*   **c.** Joaquín Sorolla

Después de ver

(4) **Análisis** En grupos pequeños, van a analizar las perspectivas del video usando las preguntas como guía.

1. Andrés dice que la cinematografía le gusta mucho porque "ver una foto tomar vida y moverse me parece algo espectacular". ¿Qué quiere decir?

2. Para Patricia, "puedes entender la cultura a partir de su artesanía". ¿Por qué creen que dice eso?

3. ¿Qué personajes (*characters*) esperan encontrar en la obra *El cargador de flores*?

4. ¿Conocieron alguna perspectiva nueva sobre los diferentes tipos de arte que no habían considerado (*you hadn't considered*)? ¿Cuál(es)?

Estrategia de aprendizaje: Speaking as an Active Process

Have you wondered about the best way to improve your communication? The more you use the language orally, the more fluent and creative you will eventually be... *Go online to watch the complete learning strategy.*

 **Video: Strategy**

Resources

(S) Vhlcentral

Online activities

☐ **I CAN** identify some perspectives related to art.

Encuentros

Panorama actual

| **Learning Objective:** Examine work samples related to the use of art for social transformation.

El arte para la transformación social

Desde hace miles de años, los seres humanos se han expresado° por medio del arte de distintas maneras: la **danza**, la **pintura**, la **arquitectura**, la música, la **literatura**, la **escultura**°, el cine y el teatro, entre muchas más. Igual de diversas son las funciones de las **obras**° que producen los **artistas** y las reacciones que **provocan** en la gente. Mientras que algunas obras sirven para entretener a los espectadores o reproducir algún aspecto de la experiencia humana, el arte de protesta tiene una función muy particular: intenta comunicar la necesidad que siente el o la artista de cambiar algún aspecto de la sociedad. Este tipo de **expresión artística** se puede apreciar en **pinturas** de artistas famosos como Pablo Picasso, en la música popular de artistas como Bad Bunny e inclusive en los muros° de las calles transformados por artistas anónimos en grandes obras. En este **Panorama actual** vas a analizar distintas formas de arte como expresiones para la transformación de las sociedades.

se han expresado *they have expressed themselves* **escultura** *sculpture* **obras** *works (of art)*
muros *walls* **suministro** *supply*

Mural en El Alto, Bolivia, realizado como protesta contra una ley de privatización del suministro° de agua en esa región.

Guernica, realizado por Pablo Picasso durante la guerra civil española (1936-1939)

Esténcil en un muro de las calles de Chile

Miembros del Ballet Nacional de Danza de Argentina bailan en las calles de Buenos Aires como protesta por el cierre de esa institución (2018).

Los cantantes puertorriqueños Residente y Bad Bunny durante las manifestaciones en contra del gobernador de la isla (2019). Ambos cantantes usan su música para denunciar situaciones en la sociedad que, en su opinión, deben cambiar.

(1) Comprensión Contesta las preguntas según la información de esta presentación.

1. ¿Qué elementos puedes identificar en la obra de Picasso? ¿Qué información adicional obtienes de la leyenda de la foto?

2. ¿Qué intenta expresar la obra que se encuentra en El Alto, Bolivia?

3. ¿Qué aspecto(s) lingüístico(s) del mensaje del esténcil lo hacen memorable y efectivo?

4. ¿Por qué bailan en las calles los bailarines argentinos?

(2) Analizar En grupos pequeños, analicen la información y conversen sobre las preguntas.

1. Según lo que observan, ¿cuál es el mensaje que intenta transmitir Picasso en el *Guernica*? ¿Qué reacciones provoca esta obra en ustedes?

2. ¿Cómo utiliza el mural en Bolivia técnicas artísticas, como el color y el simbolismo, para transmitir la urgencia e importancia de la protesta contra la ley?

3. ¿De qué manera puede el conocimiento del contexto histórico ayudar a comprender una obra y la intención del artista? Den un ejemplo.

4. ¿Qué quiere decir "Nos tienen miedo porque no tenemos miedo"? ¿En qué situaciones imaginan ustedes que se utilizó o se puede utilizar este esténcil? En esos casos, ¿quiénes son "nosotros" y quiénes son "ellos"?

(3) Para investigar Elige un tema para investigar.

1. Busca información sobre el contexto histórico del *Guernica*. ¿Cambia tu interpretación u opinión de esta obra al conocer el evento histórico en que se basó?

2. Encuentra tres frases concisas de arte callejero (*street art*) que te parecen efectivas para promover la transformación social. Explica el contexto y su significado.

☐ **I CAN** identify some practices about the use of art for social transformation.

Exploraciones

Vocabulario 1

Learning Objective:
Talk about various forms
of creative expression.

Audio:
Vocabulary

Expresiones creativas

La **expresión creativa** es la manera en que los seres humanos utilizamos nuestra imaginación y nuestros propios talentos y habilidades para **expresarnos** a través de distintos medios. Por ejemplo, podemos **dibujar**, pintar un **retrato** o un **mural, esculpir** una **escultura** o crear nuestro propio arte interactivo. También podemos **interpretar** una **danza** o un **personaje** en una **obra de teatro** o escribir una **narración** personal. Podemos **apreciar** las expresiones creativas de otras personas en una **galería de arte**, un **museo**, una **exposición** de arte, un **teatro** o una sala de conciertos. ¿Cuál es la forma de expresión creativa que más te gusta?

Más palabras

la alegría *joy*

la arquitectura *architecture*

el autorretrato *self-portrait*

el bailarín/la bailarina *dancer*

el dibujo *drawing*

el/la escritor(a) *writer*

el/la escultor(a) *sculptor*

la esperanza *hope*

el/la fotógrafo/a *photographer*

el mensaje *message*

la obra *work (of art)*

la paz *peace*

el/la pintor(a) *painter*

la pintura *painting*

el taller *workshop*

la tristeza *sadness*

callejero/a *street (adj.)*

deprimente *depressing*

impresionante *impressive*

llamativo/a *striking*

Cognados

el/la artista

la curiosidad

la figura

la indignación

la interpretación

la literatura

la protesta

abstracto/a

artístico/a

moderno/a

original

exhibir

provocar

1 **Taller de expresión creativa** Escucha el anuncio de tu universidad sobre un taller de expresión creativa. Luego selecciona la respuesta correcta a cada pregunta.

1. ¿Cómo se llama la artista que va a dirigir el taller?

   a. Vero　　　　　　　**b.** Beatriz　　　　　　　**c.** Verónica　　　　　　**d.** Victoria

2. ¿Cómo se puede describir a la artista?

   a. Es escultora, actriz y fotógrafa. 　**b.** Es actriz, bailarina y pintora. 　**c.** Es actriz, fotógrafa y pintora. 　**d.** Es artista, actriz y escritora.

3. ¿Cuál es el producto que van a crear los participantes del taller?

   a. un texto escrito　　**b.** una escultura　　　**c.** un dibujo　　　　　**d.** una pintura

4. ¿Qué experiencias previas con el arte son necesarias para tomar el taller?

   a. clases de escultura　**b.** clases de pintura　　**c.** ninguna　　　　　　**d.** clases de arquitectura

5. ¿Dónde se van a exhibir los productos finales del taller?

   a. en una galería de arte　**b.** en un museo　　　　**c.** en la Facultad de Arte　**d.** en el taller de la artista

2 **Obras de arte** En parejas, elijan una de las dos obras de arte.

Obra titulada *Incubé*, en el Centro Pompidou, Málaga, España

Obra titulada *Caballero*, en la plaza Botero, Medellín, Colombia

Paso 1 Contesten las preguntas sobre la obra que eligieron.

1. ¿A qué campo del arte pertenece (*belongs*) esta obra de arte?

2. ¿Qué emociones provoca en ustedes esta obra de arte?

3. ¿Qué adjetivos pueden usar para describir esta obra?

4. ¿Por qué piensan que el artista utilizó esos colores o esos materiales?

5. En su opinión, ¿qué quiere transmitir el artista con su obra?

Paso 2 Hagan una lista de tres preguntas sobre la obra que eligieron y luego busquen información en internet para contestarlas.

Exploraciones

3 **El arte callejero** Observa los dos murales.

Mural en Cali, Colombia

Mural en Torreón, México

Paso 1 Completa el diagrama de Venn con tus ideas sobre los dos murales. ¿Qué tienen en común? ¿En qué se diferencian? Luego, en parejas comparen sus observaciones.

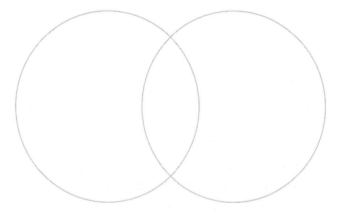

Paso 2 En parejas, conversen sobre las preguntas.

1. ¿Qué emociones provocan las imágenes y los colores?

2. ¿Cuál es el mensaje de cada mural? ¿Qué perspectivas ofrecen? Expliquen su respuesta.

3. ¿Creen que el arte callejero puede ser una forma de protesta para cambiar las realidades de las comunidades? Den un ejemplo.

4. ¿Hay espacios en su comunidad donde está permitido el arte callejero? ¿Qué beneficios pueden traer estos espacios creativos a una comunidad?

5. ¿Qué temas les gustaría (*would you like*) ver en un mural de su comunidad?

4 **El español cerca de ti** Busca dos obras de artistas hispanos/as o latinos/as en una galería o un museo de arte de tu pueblo o ciudad o en internet. Luego, en parejas, túrnense para describir una de las obras que buscaron y dar su opinión sobre ella.

STUDENT TIP: Watching Videos (by Anton Mays, Xavier University)

What has also been very helpful to me in learning Spanish is YouTube. By watching videos and different Spanish interviews and vlogs... *Go online to watch the complete learning tip.*

 **Video: Tip**

☐ **I CAN** talk about various forms of creative expression.

 Tutorial

Expressing perspectives and opinions: Verbs like *gustar*

You have learned to express your likes and dislikes and those of others using the verb **gustar**. Let's review the sentence structure used with **gustar**:

🔄 **¡ATENCIÓN!**

Antes de empezar esta sección, repasa la sección **Gramática 1** del Capítulo 3 de *Experiencias: Beginning Spanish*.

▶ The subject of the verb is the person or thing *that is liked*. The person doing the liking is expressed by an indirect object pronoun: **me, te, le, nos, os, les**.

Nos gusta la fotografía.   *We like photography.*

▶ To express activities that you and others like or dislike to do, the following structure is used:

(no) + **me/te/le/nos/os/les** + **gusta** + [INFINITIVE]

A Leonardo no **le gusta** dibujar.   *Leonardo doesn't like to draw.*

▶ To tell what things, items, or people you and others like or dislike, the following structures are used:

(no) + **me/te/le/nos/os/les** + **gusta** + [SINGULAR NOUN]

(no) + **me/te/le/nos/os/les** + **gustan** + [PLURAL NOUN or SERIES OF NOUNS]

—¿**Te gusta** el arte de Botero?   *—Do you like Botero's art?*

—Sí. **Me gustan** sus esculturas.   *—Yes. I like his sculptures.*

▶ **Gustar** is most often used in only two forms: **gusta** and **gustan** in the present tense and **gustó** and **gustaron** in the preterit tense.

Normalmente **me gustan** las exposiciones de arte, pero esta no **me gustó**.   *Normally I like art exhibitions, but I didn't like this one.*

▶ Since the indirect object pronouns **le** and **les** can refer to several people, **a** + [PERSON] can be added for clarification (**a él, a ella, a ellos/as, a Beto**…).

Ana y Beto vieron una obra de teatro ayer, pero **a Beto** no **le gustó**.   *Ana and Beto saw a play yesterday, but Beto didn't like it.*

▶ For emphasis, **a mí, a ti, a usted(es), a nosotros/as, a vosotros/as**, etc. can be added.

A Elvira y a Ramona les gusta ir al ballet, pero **a mí** no me gusta.   *Elvira and Ramona like to go to the ballet, but I don't like it.*

Exploraciones

The following verbs can be used in the same structure and patterns as **gustar** to express one's perspectives and opinions:

¿Qué observas?

1. What is the indirect object pronoun in each sentence?

2. Whom does each indirect object pronoun represent?

Verbs that convey perspectives and opinions that function like *gustar*		
aburrir	*to bore*	**Les aburre** ir a las galerías de arte.
disgustar	*to upset; to find distasteful*	**Nos disgusta** ese tipo de arte.
encantar	*to love (literally to enchant, to charm)*	A mí **me encantaron** esos murales.
fascinar	*to fascinate*	A Patricio **le fascina** la arquitectura gótica.
importar	*to be important; to matter*	No **me importan** las opiniones de los críticos.
interesar	*to interest*	¿**Te interesa** el arte de protesta?
irritar	*to irritate*	A ellos **les irritó** tener que ir al teatro.
molestar	*to bother, to annoy*	**Nos molestó** la cantidad de personas que había en el museo.
preocupar	*to worry*	A Cecilia **le preocupa** la situación del arte en su país.
sorprender	*to surprise*	¿**Les sorprendió** la exposición?

1 **En el museo de arte** Escucha la conversación entre una directora de un museo de arte y Sebastián, su nuevo asistente, sobre una nueva exposición del museo. Luego selecciona la frase que mejor complete cada afirmación.

1. A la directora le interesa…

   a. ayudar a Sebastián.

   b. conocer la experiencia laboral de Sebastián.

   c. escuchar las ideas de Sebastián.

2. La directora cree que las obras que va a seleccionar Sebastián…

   a. les van a molestar a los visitantes.

   b. les van a gustar a los visitantes.

   c. les van a disgustar a los visitantes.

3. La directora piensa que a muchas personas les molesta…

   a. pagar mucho dinero para entrar a un museo.

   b. asistir a exposiciones de artistas que no son famosos.

   c. visitar los museos los fines de semana.

4. A Sebastián le disgusta…

   a. la cantidad de personas que no quieren pagar para entrar a un museo.

   b. la actitud de los estudiantes que no tienen interés en el arte.

   c. la forma en que enseñan arte en las escuelas.

2 **Gustos variados** Lee las opiniones que expresan algunas personas sobre el arte e indica si cada una es **lógica (L)** o **ilógica (I)**.

1. A los estudiantes de arte les encantan los profesores con poca creatividad. .... L I

2. A mí me gusta ver fotos de mi hermana. Ella es fotógrafa y su arte es único. .... L I

3. A nosotros nos molesta esculpir en arcilla (*clay*), ya que es fácil crear una escultura. .... L I

4. A los niños pequeños les fascina la galería de arte moderno porque es muy semejante a sus propias pinturas. .... L I

5. A mi tío le disgusta el arte callejero porque le produce alegría. .... L I

6. Mi amigo colombiano Rafael tiene una colección de pósteres de los óleos del famoso pintor colombiano Fernando Botero. Le irritan las obras del pintor. .... L I

3 **¿Estás de acuerdo?** Lee las opiniones de los visitantes de un museo de arte y selecciona las ideas con las que estés de acuerdo. Luego, en grupos pequeños, compartan sus respuestas y expliquen por qué.

☐ No me interesa el arte moderno.

☐ A mis compañeros/as les encanta el arte de protesta.

☐ A mis amigos/as y a mí nos molestan las personas que hablan en voz muy alta en las exposiciones de arte.

☐ No entiendo por qué a muchas personas les fascinan las obras abstractas.

☐ Nos disgusta el arte que solo busca causar una impresión fuerte.

☐ Me preocupa el poco interés de la gente por el arte en general.

4 **El Rastro** ¿Te gusta ir de compras? Lee un artículo sobre un popular mercado al aire libre en Madrid. Luego sigue los pasos.

El Rastro de Madrid es el mercado de pulgas (*flea market*) más importante y popular de España. Es un mercado al aire libre. Abre todo el año, solo los domingos y los días feriados. Se ubica principalmente en la calle llamada Ribera de Curtidores, muy cerca de las principales atracciones turísticas del centro de Madrid, y es de fácil acceso para los turistas.

El mercado es grande y se divide en varias zonas donde pueden encontrarse productos específicos. Allí hay una gran variedad de productos de primera mano (nuevos) y de segunda mano (usados), objetos decorativos, artesanías (*handicrafts*), ropa, joyas y muchas antigüedades (*antiques*) denominadas "tesoros", las cuales son la atracción principal para coleccionistas y turistas de todo el mundo.

Exploraciones

Paso 1 Indica si cada oración es **cierta** (**C**) o **falsa** (**F**) según el texto.

1. A los españoles y a los turistas les encanta El Rastro de Madrid y les interesan los productos que ahí se ofrecen. .... C F

2. Los visitantes tienen muchas oportunidades para comprar en El Rastro porque está abierto todos los días de la semana. .... C F

3. No es buena idea ir de compras a El Rastro si te interesan los productos de segunda mano. .... C F

4. A la mayoría de los turistas probablemente les aburra El Rastro porque no hay una gran variedad de productos. .... C F

5. Si te interesa la cultura española, debes visitar este mercado de pulgas al aire libre. .... C F

6. Es probable que a muchos turistas no les moleste visitar El Rastro porque es un lugar de fácil acceso. .... C F

STUDENT TIP: Working in a Study Group (by Gina Deaton, Xavier University)

What works for me is having a study group. I formed a study group with my classmates. There are four of us and we meet weekly… *Go online to watch the complete learning tip.*

Video: Tip

Paso 2 Completa estas ideas con tu opinión sobre El Rastro. Luego, en parejas, compartan sus opiniones.

Me interesa(n)…	Me encanta(n)…
Me preocupa(n)…	Me sorprende(n)…
Me molesta(n)…	

Paso 3 Busca información sobre un mercado similar a El Rastro en tu región o país. Toma nota de las características principales, similitudes y diferencias del lugar. Luego escribe un párrafo sobre las diferencias y las similitudes para compartirlo con el resto de la clase.

(5) **Situaciones** En parejas, hagan los papeles de A y de B para representar la situación.

Estudiante A Eres un(a) vendedor(a) de antigüedades (*antiques*) en el mercado al aire libre El Rastro de Madrid. Tienes cosas muy interesantes para vender, pero la más valiosa de ellas es una mesita antigua hecha hace más de 200 años. Tu problema es que no sabes exactamente por cuánto venderla. Intenta ganar lo más que puedas, pero no menos de 500 euros. Prepárate para hablar de las características y ventajas de la mesita.

Estudiante B Eres un(a) turista que visita el mercado al aire libre El Rastro de Madrid por primera vez. Hay muchísimos objetos allí que te interesan, pero cuestan mucho dinero y no vas a poder transportarlo todo a tu casa. Encontraste una mesita preciosa en un puesto. Describe las cosas que te encantan, te preocupan o te disgustan de la mesita al/a la vendedor(a). Tienes 500 euros, pero intenta comprar la mesita por menos dinero.

☐ **I CAN** express perspectives and opinions.

Resources

VhIcentral

WebSAM

Learning Objective:
Talk about handmade crafts.

Audio:
Vocabulary

El mercado de artesanías

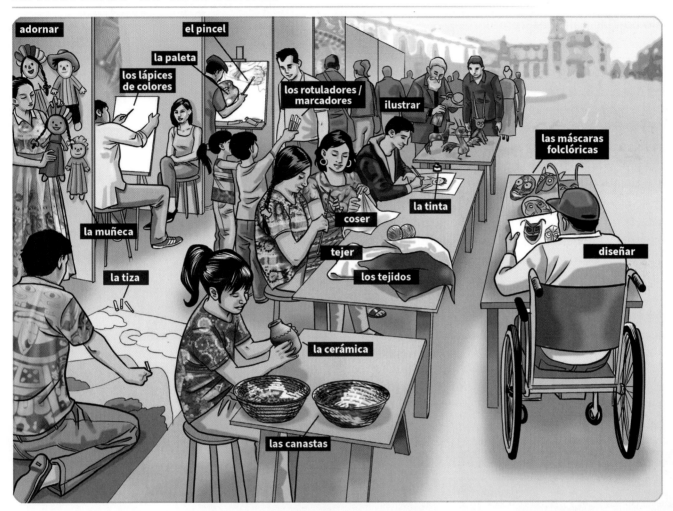

adornar

el pincel

la paleta

los lápices
de colores

los rotuladores /
marcadores

ilustrar

las máscaras
folclóricas

la muñeca

la tinta

coser

la tiza

tejer

los tejidos

diseñar

la cerámica

las canastas

Más palabras

el/la artesano/a *crafter, artisan*

el cuero *leather*

las joyas *jewelry*

las manualidades *handmade crafts*

el recuerdo *souvenir*

artesanal *handcrafted*

colorido/a *colorful*

hecho/a a mano *handmade*

único/a *unique*

Exploraciones

1 **Entrevista** Para tu clase de español estás transcribiendo una entrevista a un estudiante de arte colombiano. Escucha lo que dice y completa su mensaje con las palabras apropiadas.

Me llamo Diego Hernández y vivo en Cali, Colombia. Soy estudiante de arte y diseño de la Universidad Javeriana. Desde que era muy pequeño, siempre me gustó el arte. Mi tía era artista y cuando cumplí cinco años, ella me regaló una caja con cincuenta _____. ¡Yo no podía creer la cantidad de colores que había! Recuerdo que me pasaba horas y horas dibujando todo lo que me llamaba la atención: desde las cosas que había en mi habitación hasta los insectos que volaban por el jardín. Cuando cumplí diez años, ella me regaló unos tubos de óleo (*oil paint*), una _____ y un juego de _____. Aprendí a mezclar los colores y creé _____ pinturas que regalaba a toda mi familia y a mis amigos. Ahora que soy estudiante de arte en la universidad, me interesa más el arte _____ y estudio diseño. Me gusta _____ y _____ máscaras _____ que representan la cultura de mi país.

2 **Arte mexicano** En la plaza San Jacinto, en la Ciudad de México, muchos artistas y artesanos mexicanos venden sus productos hechos a mano. Observa las fotos e imagina que estás ahí. Luego, en parejas, túrnense para contestar las preguntas.

1. ¿Qué te interesa comprar? ¿Cómo crees que lo hicieron: lo dibujaron, lo pintaron, lo tejieron…?

2. ¿Qué no te interesa comprar? ¿Por qué?

3. ¿Algún producto te sorprende o lo consideras único? ¿Por qué?

4. ¿Qué recuerdo le puedes comprar a algún amigo o alguna amiga?

3 **Artesanía local** Busca información sobre un(a) artesano/a que venda productos en algún mercado cercano a tu comunidad. ¿Qué te gusta de su artesanía? En grupos pequeños, compartan la información que encontraron, así como fotos de los productos hechos a mano.

☐ **I CAN** talk about handmade crafts.

Expressing emotions and personal reactions: The subjunctive

In previous chapters, you have explored the subjunctive to express doubt and to give suggestions. The subjunctive can also be used to express an emotional reaction about an occurrence or situation. Take a look at the following examples:

Me alegro de que **vayas** el domingo al mercado de artesanías.
I am glad that you are going to the handicraft market on Sunday.

Es una lástima que Diego no **tenga** más tiempo libre para dibujar.
It's a shame that Diego does not have more free time to draw.

¿Qué observas?

1. Can you identify the two parts (clauses) to these sentences?

2. Do you notice the verbs in the subjunctive? Identify them.

Here are some verbs and expressions to indicate emotions and personal reactions:

Verbs and expressions that indicate emotions and personal reactions		
alegrarse de	to be happy/glad (about)	**Nos alegramos de** que **estés** aquí.
estar contento/a de	to be happy (about)	**¿Estás contenta de** que **hagan** la exposición en la universidad?
sentir (e:ie)	to regret, to be sorry	**Siento** que no **puedas** venir.
temer	to be concerned (about); to be afraid	El artesano **teme** que no le **paguen** un precio justo.
tener miedo de/a	to be afraid of	**Tiene miedo de** que **nos expresemos** por medio de nuestro arte.
es emocionante	it's exciting	**Es emocionante** que **podamos** ver las obras de este gran pintor.
es extraño	it's strange	**Es extraño** que no **te guste** esta danza.
es una lástima/pena	it's a pity/shame	**Es una pena** que el mercado de artesanías **esté** cerrado.
es ridículo	it's ridiculous	**Es ridículo** que el gobierno local no **quiera** hacer un mural aquí.
es sorprendente	it's surprising	**Es sorprendente** que estas máscaras **sean** hechas a mano.
es terrible	it's terrible	**Es terrible** que esa obra provoque indignación.
es triste	it's sad	**Es triste** que no **entiendan** el mensaje del artista.
ojalá	I hope/wish (that)	**Ojalá** que las joyas no **cuesten** mucho.

¡ATENCIÓN!

If there is no change of subject in the second part (subordinate clause) of the sentence, the infinitive is used.

Nos alegramos de *estar* **aquí.** (*We are glad to be here.*)

¿Estás contenta de *hacer* **la exposición en la universidad?** (*Are you happy to do the exhibition at the university?*)

¡ATENCIÓN!

Ojalá comes from Arabic and it means "God willing" (**si Dios quiere**). However, in modern Spanish, it means "I hope" or "I wish" and it is always followed by a verb in the subjunctive.

Exploraciones

The verbs seen in **Gramática 1** to express perspectives and opinions such as **gustar, encantar, preocupar**, etc. can be also used with the subjunctive.

Me gusta que sus obras **den** esperanza.	I like that her works give hope.
Nos encanta que estos recuerdos **sean** únicos.	We love that these souvenirs are unique.
¿Te preocupa que no **podamos** llegar a tiempo?	Are you worried that we can't make it on time?

(1) **¿Es lógico?** Tu amigo te llama para contarte algunas novedades de su vida. La conexión no es buena, así que debes decidir si lo que escuchas es **lógico (L)** o **ilógico (I)**.

1. _____   2. _____   3. _____   4. _____

5. _____   6. _____   7. _____   8. _____

(2) **Opiniones y reacciones** Piensa en el arte y en sus distintas expresiones presentadas en este capítulo.

Paso 1 Completa las oraciones con tus opiniones. Puedes opinar en términos generales o específicos al arte de tu comunidad.

> **Modelo** Me gusta que… *el arte de mi comunidad sea muy diverso.*

1. Me molesta que…   4. Es triste que…

2. Ojalá que…   5. Es extraño que…

3. Me alegro de que…   6. Me sorprende que…

Paso 2 En parejas, compartan sus opiniones y den ejemplos. ¿Están de acuerdo?

CULTURA VIVA 🔊

El tejido andino En las comunidades de los Andes de Perú, las mujeres tejen ponchos, gorros, chales y mantas (*blankets*) utilizando telares tradicionales y técnicas ancestrales que son propias de cada familia o de cada comunidad. Utilizan lana (*wool*) de algunos animales de la región andina como la llama, la alpaca y la oveja (*sheep*), y tintes naturales hechos con plantas y minerales de la zona. ¿Qué tipos de artesanías o manualidades se hacen en tu comunidad? ¿Qué materiales naturales y locales se usan?

(3) Comentarios en la web Lee los comentarios de los visitantes de una página web de arte y escribe tu reacción a cada uno utilizando expresiones en subjuntivo. Luego, en parejas, compartan sus reacciones.

1. En Colombia hay una gran tradición de hacer cosas a mano.

2. Algunos artistas hacen obras de arte para ser experimentadas o apreciadas por un corto período de tiempo.

3. La obra *Guernica* de Pablo Picasso representa el pueblo con el mismo nombre después de un bombardeo durante la guerra civil española.

4. En Colombia, los artesanos son muy valorados.

5. En España, los jóvenes organizan sus propias organizaciones culturales.

6. El mercado de Otavalo, en Ecuador, se extiende hasta un radio de diez cuadras del centro de la ciudad.

7. Otavalo es uno de los mercados de artesanías más famosos y grandes de Sudamérica.

Mercado de Otavalo, en Ecuador

(4) Situaciones En parejas, hagan los papeles de A y de B para representar la situación.

Estudiante A Eres coleccionista de obras de arte sobre gatos. Encontraste una obra maestra, *La Mona Lisa con cara de gato*, que quieres comprar para tu colección. Le muestras la obra de arte a un(a) amigo/a, pero él/ella no quiere que la compres. Háblale de lo que te gusta de la obra, por qué es importante que la compres, etc. Si tu amigo/a dice cosas negativas sobre la obra, explícale por qué es triste que él/ella no entienda el valor de las obras de arte.

Estudiante B Piensas que tu amigo/a malgasta su dinero comprando obras de arte que tienen poco valor artístico. Esta vez, quiere comprar una obra que te parece especialmente de mal gusto. Tienes que convencerlo/a para que no malgaste su dinero en esa obra. Explícale por qué no te gusta y por qué es absurdo que él/ella malgaste su dinero en arte de este tipo.

La Mona Lisa con cara de gato

☐ **I CAN** express emotions and personal reactions about art and handicrafts.

Exploraciones — Podcast

Learning Objective: Reflect on your progress using language related to artisanship.

Audio: Reading

Episodio #5: Rafael Gutiérrez Godoy

Antes de escuchar

(1) La artesanía En este podcast Rafael, un artesano latinoamericano, cuenta sus experiencias. En parejas, conversen sobre las preguntas.

1. ¿En qué piensan al escuchar la palabra "artesanía"?

2. ¿Se hace artesanía típica cerca de la región en la que crecieron?

3. ¿Han creado (*Have you created*) algún tipo de artesanía alguna vez? ¿Qué hicieron?

4. ¿Cómo creen que es la vida de un(a) artesano/a?

5. ¿Hay alguna feria (*fair*) o mercado que venda artesanía cerca de su universidad? ¿Qué tipos de artesanía vende?

6. ¿Qué importancia tiene la artesanía para un país o una cultura?

Mientras escuchas

(2) El talento de Rafa Completa las oraciones con la información que escuches.

1. Rafa es de…

2. Rafa hace…

3. El tiempo que tarda en hacer un sombrero depende del…

4. Él vende su artesanía en su tienda y en…

5. Rafa se alegra de que…

Después de escuchar

(3) Describe el arte y el trabajo de un(a) artesano/a o un(a) artista que te guste, según el modelo de Rafael.

- ¿Qué tipo de arte crea?

- ¿Cuándo comenzó su trabajo como artista? ¿Por qué?

- ¿Qué propósito tiene su arte: artístico, social, político?

- ¿Cómo da a conocer su arte?

☐ **I CAN** describe the work of an artisan.

Experiencias   Blog

| **Learning Objective:** Describe the advocacy work of a unique artisan.

Isabella Springmühl, una diseñadora sin límites

Lee el blog de Sofía sobre la diseñadora guatemalteca Isabella Springmühl.

● ● ●   www.el_blog_de_sofia.com/IsabellaSpringmuhl   🔍 ‹ ›

Isabella Springmühl, una diseñadora sin límites

El otro día descubrí a una joven diseñadora guatemalteca, Isabella Springmühl. Isabella siente una gran pasión por compartir la riqueza de los textiles de su país a través de sus diseños y su marca (*brand*), *Down to Xjabelle*. Además, ella utiliza su marca para celebrar las habilidades de las personas con distintas capacidades. Isabella tiene síndrome de Down y se ha convertido en activista por la diversidad y la inclusión. A pesar de (*Despite*) los muchos desafíos que sufrió debido a la discriminación, ella pudo cumplir sus sueños de aprender a coser y diseñar tomando clases en una escuela técnica. Nunca se dio por vencida cuando la gente la trataba de forma diferente. En 2016 la invitaron a participar en la Semana de la Moda de Londres, y representó a su país como diseñadora emergente. Con su marca *Down to Xjabelle*, Isabella diseña ropa que se adapta a las características físicas de las personas con síndrome de Down, cuyos (*whose*) torsos suelen ser (*are usually*) más cortos. En sus desfiles, participan modelos con distintas capacidades físicas y mentales. Para hacer sus prendas (*garments*), Isabella trabaja también con artesanas con distintas capacidades en las diferentes partes del proceso. Para ella, la historia y la tradición del tejido de su país son muy importantes, y cree que sus creaciones muestran su respeto por la extraordinaria riqueza de la tradición del tejido guatemalteco. ¡Me encanta que una diseñadora tan joven sea una gran inspiración para todos!

Isabella Springmühl usando uno de sus diseños

---

(1) Preguntas En parejas, conversen sobre la historia de Isabella.

1. ¿Qué les parece el trabajo de Isabella?
2. ¿Piensan tener algún trabajo creativo en el futuro? Expliquen sus ideas.
3. Comenten sobre el activismo de Isabella.
4. ¿Existen oportunidades de activismo en sus comunidades? Den ejemplos.

(2) Diseños Investiga más sobre la ropa que crea Isabella. Elige una prenda y descríbela. ¿Cómo se diferencia de las prendas típicas de tu cultura?

(3) Mi blog Describe el trabajo de un(a) artista que tenga un fin social. ¿Qué tipo de trabajo hace ese/a artista? ¿Dónde muestra su arte? ¿A quiénes quiere llegar, es decir, cuál es su audiencia? ¿Por qué te interesa?

☐ **I CAN** describe the advocacy work of a unique artisan.

Cultura y sociedad

¿Puede la tecnología tener un rol en el arte? Vas a leer una lectura sobre este tema.

Audio: Reading

Antes de leer

1 **Comparación** Observa con atención las dos imágenes y contesta las preguntas. Luego, en parejas, compartan sus perspectivas sobre el uso de la inteligencia artificial en el arte.

1. ¿Qué diferencias notas entre las dos imágenes?

2. ¿Cuál de estas obras te gusta más? ¿Por qué?

3. ¿Cuál es tu opinión de las obras de arte creadas por programas de inteligencia artificial?

4. La obra A fue realizada por la inteligencia artificial. ¿Qué piensas? ¿Te sorprende? Explica tu respuesta.

2 **Vocabulario** Identifica las palabras en el texto y luego indica qué definición corresponde a cada palabra.

_____ 1. el concurso
a. persona que evalúa obras de arte para elegir una ganadora

_____ 2. el/la juez(a)
b. mover algo o a alguien

_____ 3. la amenaza
c. posibilidad de sufrir un daño o una pérdida

_____ 4. empujar
d. usar útilmente algo

_____ 5. aprovechar
e. situación en la que alguien o algo está en peligro

_____ 6. impredecible
f. que no se puede anticipar o esperar

_____ 7. el riesgo
g. competición para obtener un premio

Arte e inteligencia artificial

A finales de 2022, Jason Allen, un diseñador de juegos, presentó su obra titulada *Theatre d'Opera Spatial* en la Feria Estatal de Colorado en la categoría de Artes Digitales y Fotografía Digitalmente Manipulada. Después
5 de ganar el primer lugar en el concurso, Allen les informó a los jueces que su obra había sido generada° por un programa de inteligencia artificial (IA). La pregunta que surge: ¿ha hecho trampa° o solamente estamos viendo el futuro del arte?

10 En los últimos años, hemos visto un aumento en la cantidad de obras de arte creadas por inteligencia artificial. Estas obras son el resultado de algoritmos que generan imágenes, música, poesía y otros tipos de arte. Mientras que algunos argumentan que las obras
15 de arte generadas por IA son una forma emocionante de explorar la creatividad y la tecnología, otros ven estos avances como una amenaza para el trabajo humano y la originalidad.

Obra realizada por la inteligencia artificial y ganadora del primer premio en una de las categorías de la Feria Estatal de Colorado

Théâtre D'opéra Spatial "©2022 Jason M Allen".

En cuanto a los beneficios, las obras de arte generadas
20 por IA ofrecen una serie de ventajas. En primer lugar, la IA puede crear obras de arte a una escala y velocidad que los humanos simplemente no pueden igualar. Esto significa que puede haber una mayor cantidad de obras de arte disponibles para disfrutar y apreciar.
25 Además, la IA puede crear obras de arte que desafían nuestras expectativas y empujan los límites de lo que se considera "arte". Esto puede llevar a nuevas formas de expresión y a una exploración de la creatividad que podría no haber sido° posible de otra manera.

30 Otro beneficio de las obras de arte generadas por IA es su accesibilidad. La tecnología de IA puede ayudar a superar° barreras lingüísticas y culturales, lo que significa que las personas de todo el mundo pueden disfrutar de obras de arte creadas en diferentes partes
35 del mundo. Además, la IA puede crear obras de arte personalizadas para satisfacer las necesidades y gustos individuales de las personas, lo que hace que el arte sea más accesible y relevante para una audiencia más amplia.

40 Sin embargo, también hay desafíos asociados con las obras de arte generadas por IA. En primer lugar, algunos argumentan que estas obras de arte son simplemente copias o imitaciones de las obras de arte creadas por humanos. Esto puede reducir la
45 originalidad y la singularidad del arte generado por IA y, por lo tanto, su valor artístico. Además, algunos opinan que las obras de arte generadas por IA son una amenaza para el trabajo humano, ya que pueden reemplazar a los artistas y otros trabajos creativos.

50 Otro desafío es la falta de control humano en el proceso creativo. La IA puede generar obras de arte que son impredecibles y difíciles de controlar. Esto puede llevar a la creación de obras de arte inapropiadas u ofensivas que no se ajustan a los
55 valores y estándares éticos de la sociedad. A medida que la tecnología de IA continúa evolucionando, es importante explorar cuidadosamente estos beneficios y desafíos y considerar cómo podemos aprovechar al máximo el potencial creativo de la tecnología de IA
60 mientras minimizamos los riesgos asociados. ●

había sido generada *had been generated* **¿ha hecho trampa...?** *Has he cheated...?* **podría no haber sido** *it could not have been* **superar** *to overcome*

Después de leer

(3) Comprensión Contesta las preguntas.

1. ¿Qué ganó Jason Allen a finales de 2022?

2. ¿Cómo genera la inteligencia artificial las obras de arte?

3. Nombra dos beneficios y dos desafíos del arte generado por la IA.

4. El artículo dice que "[l]a tecnología de la inteligencia artificial puede ayudar a superar barreras lingüísticas y culturales" en el campo del arte. Explica cómo la IA puede ayudar a superar estas barreras en tu comunidad.

(4) Análisis En grupos pequeños, conversen sobre las preguntas.

1. ¿Creen que el arte generado por la IA debe estar permitido en concursos de arte? ¿Por qué?

2. ¿Piensan que la IA va a destruir la creatividad humana? ¿Por qué?

3. ¿Les interesa comprar una obra de arte creada por IA? ¿Por qué?

4. Durante muchos años, la industria de la música ha usado la tecnología para cambiar los sonidos y, en algunos casos, alterar las voces de los cantantes. ¿Existen diferencias entre el campo de la música y el campo de las artes visuales en relación con el papel de la tecnología?

(5) A escribir Vas a ofrecer algunas recomendaciones sobre el uso de la IA para la creación de arte. Lee la estrategia de escritura y luego completa los pasos.

Estrategia de escritura: Structuring

It is important that you not only write well but make your writing easy to follow. Create a clear and logical structure for your writing. Help the reader as you progress from one idea to the next one so that it is easy to follow. Divide your piece into an introduction, body paragraphs, and conclusion. This will vary a little depending on the type of writing, but this basic structure will help the reader. Each paragraph should focus on a single idea or topic and flow smoothly from one to the next. Try not to mix in too many ideas into a single paragraph that will confuse your reader.

Paso 1 Elige la perspectiva de un(a) artista tradicional o de un(a) programador(a) de computadoras y escribe un párrafo describiendo tu reacción al artículo. Recuerda organizar tus ideas claramente, según la estrategia.

Paso 2 En parejas, túrnense para compartir lo que escribieron. Comparen las diferentes perspectivas.

Resources

Vhlcentral

Online activities

☐ **I CAN** compare practices and perspectives related to the use of AI in creating art.

Audio:
Reading

María Dueñas (1964–)

María Dueñas es novelista y profesora universitaria de inglés en la Universidad de Murcia en España. Llegó a ser reconocida a nivel internacional por su novela *El tiempo entre costuras*. Esta novela, ambientada en la época de la guerra civil española, se adaptó exitosamente a la televisión y se transmitió por la cadena española Antena 3. Entre las novelas de Dueñas destacan *Misión Olvido*, *La Templanza*, *Las Hijas del Capitán* y *Sira*. Esta última novela es la segunda parte de *El tiempo entre costuras* y describe los próximos pasos de la protagonista, Sira. Las novelas de Dueñas han sido traducidas a más de treinta idiomas y han recibido distintos premios.

Antes de leer

Estrategia de lectura: Reciprocal Questioning

This while-reading strategy helps you engage critically with the text. First, take the passage and divide it into chunks or sections. Then read one segment, create several questions about it, close the book or look up from the passage and answer the questions as fully as possible. Continue with the next section in the same fashion. You can also practice reciprocal questioning with a partner, reversing roles so that each one gets the opportunity to answer the questions. Types of questions can include:

• Those asking about the meaning of particular words.

• Those answered directly in the text.

• Those that can be answered using common knowledge of the world.

• Those that relate the text to your life, or require you to go beyond the information in the text.

(1) La vida de una espía Selecciona las ideas que asocias con la palabra "espía" (*spy*). Luego, en parejas, comparen sus respuestas.

☐ una vida secreta   ☐ una vida normal   ☐ una vida opulenta

☐ llevar un arma (*weapon*)   ☐ una vida peligrosa   ☐ hablar varios idiomas

☐ escribir y leer usando códigos   ☐ pelear con los enemigos   ☐ vivir en el extranjero

(2) Vocabulario Vas a familiarizarte con el vocabulario del fragmento.

Paso 1 Lee por encima (*skim*) el fragmento e identifica todos los cognados.

Paso 2 Escribe una definición para cada término usando tus propias palabras. Luego, en parejas, compartan sus respuestas.

el guardarropa	los útiles de dibujo básicos	la cobertura
la carpeta de los artistas	el sobre	la vigilancia

El tiempo entre costuras

(fragmento)

—Muy bien. Vamos ahora con la entrega de los sábados. Para estos días hemos previsto trabajar en el Museo del Prado. Tenemos un contacto infiltrado entre los

5 encargados del guardarropa. Para estas ocasiones, lo más conveniente es que llegue al museo con una de esas carpetas que utilizan los artistas, ¿sabe a qué me refiero?

Recordé la que utilizaba Félix para sus clases de pintura
10 en la escuela de Bertuchi.

—Sí, me haré con una de ellas sin problemas.

—Perfecto. Llévela consigo y meta dentro útiles de dibujo básicos: un cuaderno, unos lápices; en fin, lo normal, podrá conseguirlos en cualquier parte. Junto
15 a eso, deberá introducir lo que tenga que entregarme, esta vez, dentro de un sobre abierto de tamaño cuartilla. Para hacerlo identificable, prenda sobre él un recorte de tela de algún color vistoso pinchado con un alfiler. Irá al museo todos los sábados sobre
20 las diez de la mañana, es una actividad muy común entre los extranjeros residentes en la capital. Llegue con su carpeta cargada con su material y con cosas que la identifiquen dentro, por si hubiera algún tipo de vigilancia: otros dibujos previos, bocetos de trajes°,
25 en fin, cosas relacionadas una vez más con sus tareas habituales.

—De acuerdo. ¿Qué hago con la carpeta cuando llegue?

—La entregará en el guardarropa. Deberá dejarla siempre junto con algo más: un abrigo, una gabardina,
30 alguna pequeña compra; intente que la carpeta vaya siempre acompañada, que no resulte demasiado evidente ella sola. Diríjase después a alguna de las salas, pasee sin prisa, disfrute de las pinturas. Al cabo

de una media hora, regrese al guardarropa y pida
45 que le devuelvan la carpeta. Vaya con ella entonces a una sala y siéntese a dibujar durante al menos otra media hora más. Fíjese en las ropas que aparecen en los cuadros, simule que está inspirándose en ellos para sus posteriores creaciones; en fin, actúe como le
50 parezca más convincente, pero, ante todo, confirme que el sobre ha sido retirado del interior. En caso contrario, tendrá que regresar el domingo y repetir la operación, aunque no creo que sea necesario: la cobertura del salón de peluquería es nueva, pero la
55 del Prado ya la hemos utilizado con anterioridad y siempre ha dado resultados satisfactorios. ●

bocetos de trajes *sketches of costumes*

Después de leer

3 **Preguntas recíprocas** En parejas, dividan el fragmento en partes o secciones. Luego lean cada sección y hagan dos o tres preguntas acerca de lo que leyeron. Contesten las preguntas sin consultar el texto. Pueden usar las preguntas sugeridas en la estrategia de lectura.

4 **Comprensión** Indica el orden (1 a 5) en que ocurren los hechos según el fragmento.

A. ____

B. ____

C. ____

D. ____

E. ____

5 **Expresión creativa** Imagina lo que pasó después del fragmento que leíste. ¿Qué le pasó a la protagonista? Inventa las circunstancias, la descripción del lugar, con quién estaba, a qué hora, qué tiempo hacía y qué hizo.

☐ **I CAN** interpret a sequence of events in a literary passage.

Manifiesto contra la barbarie: El arte como protesta

Vas a ver un video sobre el artista venezolano Eduardo Sanabria, también conocido como EDO, y la forma que encontró para protestar contra el gobierno de su país tras la muerte de unos manifestantes. Lee la estrategia intercultural antes de ver el video.

Estrategia intercultural: Reflect on Your Own Cultural Biases

As you watch this video, reflect on your own cultural biases (**sesgo cultural**) and their influence on your perceptions of the artwork and this form of protest. Ask yourself: How do my cultural background and cultural experiences affect how I interpret this artwork? What assumptions am I making about the artist and his message? Next, try to withhold your preconceived stereotypes and judgments. Be curious and keep an open mind in order to understand artwork from other cultures and the people who create it.

Antes de ver

(1) Preparación Contesta las preguntas y luego, en parejas, compartan sus respuestas.

1. ¿En qué piensas cuando escuchas la palabra "protesta"?

2. ¿Has visto o participado (*Have you seen or participated*) en alguna protesta? Da detalles.

3. ¿Qué obras de arte que critiquen alguna injusticia en la sociedad conoces?

4. ¿Cómo puede ayudar el arte a generar cambios en una sociedad?

(2) Vocabulario Indica qué definición corresponde a cada palabra que aparece en el video.

_____ 1. hallar   **a.** dibujo preliminar de un trabajo artístico

_____ 2. el boceto   **b.** poner algo en un lugar determinado

_____ 3. colocar   **c.** fuego que arde sin humo visible

_____ 4. el/la funcionario/a   **d.** persona que trabaja para el gobierno

_____ 5. el/la manifestante   **e.** encontrar algo que se buscaba

_____ 6. la llama   **f.** persona que participa en una protesta

_____ 7. el fin benéfico   **g.** objetivo para hacer el bien a otros

Learning Objective: Examine your own cultural biases in relation to art.

Mientras ves el video

 3 **Escenas** Escribe la letra de la imagen que corresponde a cada cita del video.

A

B

C

D

_____ **1.** "Arriba está el ojo, el ojo de Dios, que de alguna manera simboliza la justicia divina".

_____ **2.** "Todo comenzó con las protestas que se iniciaron en Venezuela entre marzo y abril".

_____ **3.** "Toda esa oscuridad en blanco y negro de la obra tiene un contraste que es la esperanza, que es Simón Bolívar que sale con una luz, con una llama…"

_____ **4.** "Entonces decidí hacer una imagen inspirada en esta obra universal".

> **¡ATENCIÓN!**
>
> Simón Bolívar (1783–1830) was a Venezuelan military and political leader who is considered one of the most influential figures in the fight for Independence from the Spanish Empire in South America.

Después de ver

 4 **Comprensión** En parejas, contesten las preguntas acerca del video.

1. ¿Cómo empezó la violencia en Venezuela?

2. ¿Cuál fue la obra que inspiró al artista?

3. ¿Por qué decidió ampliar la distribución de su obra el artista?

 5 **Reflexiones sobre los sesgos culturales** En parejas, piensen en los factores que influyen en nuestra interpretación de cualquier obra de arte, como por ejemplo la de EDO. Luego contesten las preguntas.

- ¿Cómo pueden afectar sus valores culturales su propia percepción de las distintas expresiones artísticas?

- ¿De qué manera conocer a personas de otras culturas puede darles una nueva perspectiva sobre esa cultura?

☐ **I CAN** examine my own cultural biases in relation to art.

Resources

Ⓢ

VhIcentral

Online activities

Experiencias   Proyectos

1 **¿Cómo refleja el arte nuestra cultura?** Vas a crear una presentación para promocionar el arte de tu comunidad.

Paso 1 Consulta los materiales del capítulo: videos, lectura, presentaciones, etc. También repasa el vocabulario y la gramática del capítulo. Toma nota de las palabras y expresiones útiles.

Paso 2 Busca información en internet sobre mercados de artesanías, galerías, museos u otros lugares donde expongan o vendan productos relacionados con el arte en tu comunidad. Escoge uno y, si puedes, visítalo.

Paso 3 Selecciona un producto y usa las preguntas como guía.

- ¿Cómo es? ¿Qué aspectos te gustan? ¿Hay algo que te disguste?

- ¿Qué sentimientos provoca? ¿Por qué lo escogiste?

- ¿Qué crees que quiere transmitir su creador(a)? Si puedes hablar con el/la artista, pregúntale qué lo/la inspiró y cómo fue el proceso de creación.

- ¿Sabes cuánto cuesta? Si es así, ¿qué piensas del precio?

Paso 4 Prepara tu presentación con la información de los pasos anteriores. Usa fotos (de ser posible). Prepárate para compartir tu proyecto con el resto de la clase.

> **¡ATENCIÓN!**
>
> Ask your instructor to share the **Rúbrica** to understand how your work will be assessed.

☐ **I CAN** describe an artistic product.

Experiencias profesionales Vas a entrevistar a una persona que use el español en tu área de interés.

Paso 1 Prepara una lista de ocho a diez preguntas sobre el trabajo de esta persona y cómo él/ella usa el español en su trabajo. Por ejemplo:

- ¿Cómo es un día típico en su trabajo?

- ¿En qué situaciones usa el español?

- ¿Qué cuestiones culturales son importantes en la interacción con hispanohablantes en su trabajo?

Paso 2 Haz la entrevista y ten en cuenta lo siguiente:

1. El/La entrevistado/a no debe ser hablante nativo/a de español.

2. La entrevista debe durar de quince a veinte minutos.

3. La entrevista puede realizarse en español o en inglés.

Paso 3 Escribe un resumen de 250 a 350 palabras de la entrevista resaltando los puntos interesantes o importantes.

☐ **I CAN** interview someone related to my field of interest.

Repaso de objetivos

Reflect on your progress toward the chapter main goals.

I am able to...

	Well	Somewhat
Identify practices and perspectives about creative expressions.	☐	☐
Express ideas and perspectives about art and crafts.	☐	☐
Compare products, practices, and perspectives related to art and social change.	☐	☐
Describe an artistic product.	☐	☐
Interview someone related to my field of interest.	☐	☐

Repaso de vocabulario

Expresiones creativas
Creative expressions
la alegría   *joy*
la arquitectura   *architecture*
el autorretrato   *self-portrait*
el bailarín/la bailarina   *dancer*
la danza   *dance*
el dibujo   *drawing*
el/la escritor(a)   *writer*
el/la escultor(a)   *sculptor*
la escultura   *sculpture*
la esperanza   *hope*
la exposición   *exhibition*
el/la fotógrafo/a   *photographer*
la galería de arte   *art gallery*
el mensaje   *message*
la narración   *narrative*
la obra   *work (of art)*
la obra de teatro   *play*
la paz   *peace*
el personaje   *character (in a play, story)*
el/la pintor(a)   *painter*
la pintura   *painting*
el retrato   *portrait*
el taller   *workshop*
la tristeza   *sadness*

callejero/a   *street (adj.)*
deprimente   *depressing*
impresionante   *impressive*
llamativo/a   *striking*

apreciar   *to appreciate; to observe*
dibujar   *to draw, to sketch*
esculpir   *to sculpt*
expresarse   *to express oneself*

Cognados
el/la artista
la curiosidad
la figura
la indignación
la interpretación
la literatura
el mural
el museo
la protesta

abstracto/a
artístico/a
moderno/a
original

exhibir
interpretar
provocar

El mercado de artesanías
Handicraft market
el/la artesano/a   *crafter, artisan*
la canasta   *basket*
la cerámica   *ceramics*
el cuero   *leather*
las joyas   *jewelry*
el lápiz de color   *colored pencil*
las manualidades   *handmade crafts*
la máscara folclórica   *folkloric mask*
la muñeca   *doll*
la paleta   *pallet*
el pincel   *paint brush*
el recuerdo   *souvenir*
el rotulador/marcador   *marker*
el tejido   *weaving*
la tinta   *ink*
la tiza   *chalk*

artesanal   *handcrafted, artisanal*
colorido/a   *colorful*
hecho/a a mano   *handmade*
único/a   *unique*

adornar   *to decorate*
coser   *to sew*
diseñar   *to design*
ilustrar   *to illustrate*
tejer   *to knit; to weave*

Repaso

Repaso de gramática

1 Verbs like gustar

Verbs that convey perspectives and opinions that function like *gustar*			
aburrir	*to bore*	interesar	*to interest*
disgustar	*to upset; to find distasteful*	irritar	*to irritate*
encantar	*to love (literally to enchant, to charm)*	molestar	*to bother, to annoy*
fascinar	*to fascinate*	preocupar	*to worry*
importar	*to be important; to matter*	sorprender	*to surprise*

2 The subjunctive for expressing emotions

Verbs and expressions that indicate emotions and personal reactions			
alegrarse de	*to be happy/glad (about)*	es extraño	*it's strange*
estar contento/a de	*to be happy (about)*	es una lástima/pena	*it's a pity/shame*
sentir (e:ie)	*to regret, to be sorry*	es ridículo	*it's ridiculous*
temer	*to be concerned (about); to be afraid*	es sorprendente	*it's surprising*
tener miedo de/a	*to be afraid of*	es terrible	*it's terrible*
es emocionante	*it's exciting*	es triste	*it's sad*

The verbs seen in **Gramática 1** to express perspective and opinions such as **gustar, encantar, preocupar**, etc. can be also used with the subjunctive for expressing emotions.

Me gusta que sus obras **den** esperanza.	*I like that her works give hope.*
Nos encanta que estos recuerdos **sean** únicos.	*We love that these souvenirs are unique.*
¿Te preocupa que no **podamos** llegar a tiempo?	*Are you worried that we can't make it on time?*

Resources

Vhlcentral

Online activities

¿Qué tipo de turismo practicamos?

OBJETIVOS DE APRENDIZAJE

By the end of this chapter, I will be able to...

- Identify practices and perspectives about traveling.
- Exchange information about traveling and responsible and inclusive tourism.
- Compare products, practices, and perspectives related to the impact of tourism on local communities.
- Describe sustainable and responsible travel plans.
- Describe career skills I have investigated so far.

ENCUENTROS

Sofía sale a la calle: Perspectivas sobre los viajes

Panorama actual: El turismo ético y responsable

EXPLORACIONES

Vocabulario

Los viajes

El turismo

Gramática

The future tense

The subjunctive with adverbial conjunctions

EXPERIENCIAS

Blog: Los bribris

Cultura y sociedad: La mejor manera de conocer el mundo

Literatura: *El reencuentro,* de Juan Balboa Boneke

Intercambiemos perspectivas: *Ichó, Colombia: Mujeres que inspiran turismo comunitario*

Proyectos: ¿Qué tipo de turismo practicamos?, Experiencias profesionales

Encuentros

Sofía sale a la calle

Video: Interview

Perspectivas sobre los viajes

Lee y reflexiona sobre la estrategia intercultural de este capítulo.

> **Estrategia intercultural: Developing Intercultural Competence**
>
> As you are exposed to cultural practices, products, and perspectives that are distinct from your own, try to cultivate your curiosity. Being curious means observing with an open mind and asking questions to try to learn more about aspects of a culture that are new and different for you. Find out more by doing your own research, talking to people from a specific cultural group, and participating in new experiences. Being curious means not being afraid to ask questions.

Antes de ver

(1) Entrando en el tema Sofía entrevista a Patricia, Viviana y Michelle sobre los viajes y las vacaciones.

Paso 1 Lee los posibles factores que las personas toman en cuenta al elegir dónde van a ir de vacaciones y selecciona los tres más comunes, en tu opinión.

- las actividades que pueden realizar los viajeros en el lugar de destino
- el presupuesto de los viajeros
- la accesibilidad para llegar al lugar de destino y dentro de él (opciones de transporte, requerimientos como visas o documentos sanitarios)
- la seguridad en el lugar de destino
- el tiempo y el clima del lugar de destino
- recomendaciones de otras personas sobre el lugar de destino
- la sustentabilidad y condiciones éticas del viaje

Paso 2 En parejas, comparen sus respuestas y determinen si tienen factores en común.

Paso 3 En parejas, conversen sobre estas preguntas.

1. ¿Cuáles son los lugares preferidos para ir de vacaciones de las personas que conocen?
2. ¿En estos lugares se habla inglés u otros idiomas?
3. ¿Qué acciones para cuidar el medioambiente observan en las personas que viajan?

Mientras ves

(2) Perspectivas Mira el video y contesta las preguntas.

Patricia   Viviana   Michelle

1. ¿A qué entrevistada corresponde cada lugar favorito?

_____ **a.** la República Dominicana

_____ **b.** Las Vegas

_____ **c.** el norte de España y Big Sur en California

2. ¿A qué entrevistada corresponde cada sugerencia?

_____ **a.** Utilizar una botella de agua que se pueda reusar todas las veces que se quiera.

_____ **b.** Planear el viaje antes de subirse al coche y usar el mismo mapa.

_____ **c.** No tirar basura en el mar.

Después de ver

(3) Análisis En grupos pequeños, analicen las perspectivas en el video usando las preguntas como guía.

1. Sofía dice que ahora "hay mucho más contacto entre personas de diferentes culturas que hace cincuenta años". ¿Por qué creen que dice eso?

2. ¿Conocieron alguna perspectiva nueva sobre por qué a la gente le gusta viajar? ¿Cuál(es)?

3. ¿Tienen algo en común las experiencias de Patricia y Viviana cuando viajaron a lugares donde no hablaban el idioma?

4. En su opinión, ¿cuál de las acciones mencionadas para proteger el planeta durante los viajes es la que más gente hace?

5. Para Sofía, viajar "nos permite conocer diferentes culturas y ser más tolerantes". ¿Qué quiere decir?

Estrategia de aprendizaje: Considering Gestures

Have you wondered if gestures have the same meaning in Spanish? Our culture and Spanish-speaking cultures may have the same gestures, but they may or may not be interpreted the same …
Go online to watch the complete learning strategy.

Video: Strategy

□ **I CAN** identify some perspectives on traveling.

El turismo ético y responsable

Según el diccionario de la Real Academia Española, el **turismo** se define como "[la] actividad o [el] hecho de viajar por placer°". A muchas personas les gusta conocer lugares diferentes del lugar donde viven, ya sea por el clima, el paisaje, la flora y fauna, la cultura, la comida, o por tener atractivos famosos como monumentos, ruinas o museos. En muchos países hispanohablantes, el turismo representa una industria crucial para la economía local pues crea empleos para miles de personas. Sin embargo, el turismo masivo y desenfrenado° puede causar una variedad de problemas para el medioambiente, la economía y la sociedad del lugar.

En este **Panorama actual** vas a investigar sobre los países con las mayores economías que dependen del turismo, cómo ser un(a) **turista ético/a** y **responsable**, y la diferencia entre ser **turista** y **viajero/a°**.

placer *pleasure* **desenfrenado** *uncontrolled* **viajero/a** *traveler*

Los países más dependientes del turismo

Contribución de los viajes y el turismo al PIB de las mayores economías del mundo en 2019*

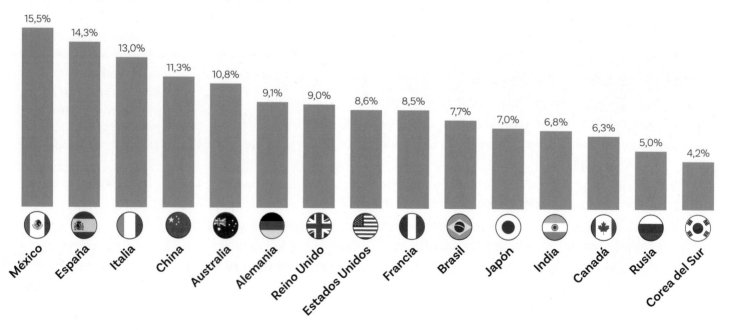

País	Porcentaje
México	15,5%
España	14,3%
Italia	13,0%
China	11,3%
Australia	10,8%
Alemania	9,1%
Reino Unido	9,0%
Estados Unidos	8,6%
Francia	8,5%
Brasil	7,7%
Japón	7,0%
India	6,8%
Canadá	6,3%
Rusia	5,0%
Corea del Sur	4,2%

*Incluye contribuciones de industrias que trabajan directamente con turistas (como hoteles, aerolíneas, agencias de viajes) y el impacto indirecto o influido por el turismo.

Fuente: World Travel and Tourism Council

¿Cómo ser turistas éticos y responsables?

Con la comunidad

- Respeten las costumbres y tradiciones locales.
- Apoyen los negocios y comunidades locales.
- Opten por alojamientos° ecoamigables.
- Aprendan frases básicas en el idioma local.
- Pidan permiso antes de tomar fotografías.
- Participen en actividades turísticas en la comunidad.

Con la naturaleza y el medioambiente

- Respeten la vida silvestre° y obsérvenla desde lejos.
- Apoyen los esfuerzos locales de conservación.
- Minimicen los residuos y lleven artículos reutilizables.
- Sean conscientes del uso de agua y energía.
- No dañen° el lugar ni tiren basura.

¿Turista o viajero?

Mariel es una autoproclamada viajera y *travel blogger* mexicana que recorre el mundo compartiendo sus experiencias. Para ella, el/la viajero/a vive la experiencia del viaje intensamente, conectándose con las personas del lugar y partiendo° del lugar, siendo alguien diferente.

"Sé un viajero, no un turista".

---

alojamientos *lodging* silvestre *wild* No dañen *Don't harm* partiendo *leaving*

1. **Comprensión** Contesta las preguntas según la información de esta presentación.

   1. ¿Cuáles son los dos países hispanohablantes que figuran entre las economías más grandes del mundo? ¿Dónde se encuentran en el *ranking* de dependencia del turismo y los viajes?

   2. ¿Cuáles son los tres países que figuran entre las economías más grandes del mundo que dependen poco del turismo y los viajes?

   3. ¿Cuáles son las categorías de recomendaciones de cómo ser turistas éticos/as?

2. **Analizar** En grupos pequeños, conversen sobre las preguntas.

   1. Examinen el gráfico de los países más dependientes del turismo. ¿Cuál es la fuente de la información? ¿Es una fuente de autoridad? ¿Hay alguna tendencia entre los países con alta dependencia del turismo? Por ejemplo, ¿comparten localizaciones geográficas o similitudes culturales?

   2. ¿Qué consecuencias negativas puede haber en el medioambiente de un lugar si (*if*) los turistas no siguen las recomendaciones de cómo ser turistas éticos/as y responsables? ¿Y en la comunidad?

   3. ¿Qué quiere decir Mariel cuando dice que seamos viajeros y no turistas?

3. **Para investigar** Elige un tema para investigar.

   1. Para cada uno de los dos países hispanohablantes que aparecen en el gráfico, determina qué sector del turismo o qué atractivos turísticos generan la mayor cantidad de ingresos. ¿Se conoce el impacto de ese sector en las dos categorías del turismo ético y responsable?

   2. Busca en un diccionario de español las palabras "viajero" y "turista". ¿Qué diferencias hay entre las definiciones? ¿Cómo se comparan con las ideas de Mariel?

☐ **I CAN** identify essential components of responsible tourism.

Los viajes

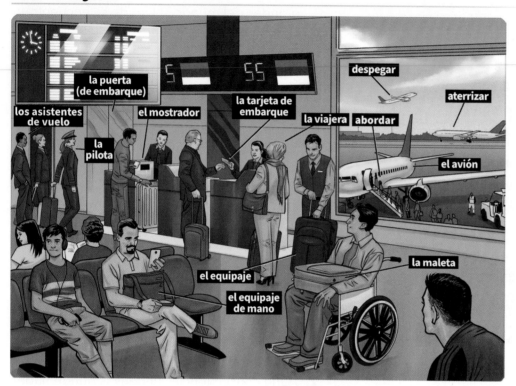

la puerta (de embarque)

los asistentes de vuelo

el mostrador

la tarjeta de embarque

la viajera

abordar

despegar

aterrizar

la pilota

el avión

el equipaje

el equipaje de mano

la maleta

Más palabras

la aerolínea *airline*

el aeropuerto *airport*

el asiento *seat*
  de pasillo *aisle seat*
  de ventanilla *window seat*

la bandeja *tray*

el boleto/billete *ticket*
  de ida y vuelta *round trip ticket*

el compartimento superior
  overhead compartment

el destino *destination*

el documento de identidad
  identification card

la escala *layover*

la estación *station*

la llegada *arrival*

el pasillo *aisle*

la sala de espera *waiting area*

la salida *departure*

el vuelo *flight*

cancelado/a *canceled*

retrasado/a *delayed*

abrocharse el cinturón de seguridad
  to fasten one's seat belt

bajar de *to get off*

(des)hacer la maleta *to (un)pack*

facturar el equipaje *to check in luggage*

pasar por el control de seguridad
  to pass through security

perder (el vuelo, el tren, el autobús/bus)
  to miss (the flight, the train, the bus)

subir a *to get on*

viajar *to travel*

Cognados

la conexión

la excursión

el itinerario

el pasaporte

la seguridad

el transporte público

1 La seguridad en el aeropuerto Estás en el aeropuerto de la Ciudad de México para viajar a San José, Costa Rica.

Paso 1 Escucha los anuncios e indica el número correspondiente a cada imagen.

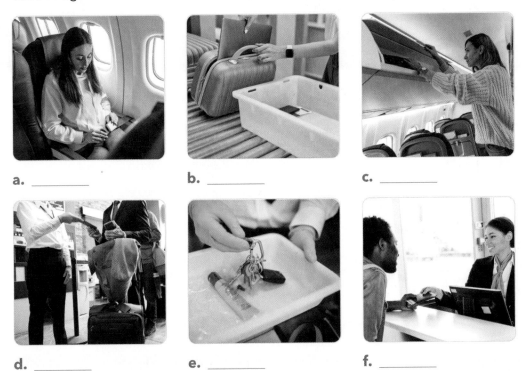

a. _____

b. _____

c. _____

d. _____

e. _____

f. _____

Paso 2 En parejas, conversen sobre la seguridad en los aeropuertos.

2 Consejos Eres miembro (*member*) de un club de viajes y tienes que preparar una sesión para nuevos miembros con una lista de consejos de viaje.

Paso 1 Escribe por lo menos cinco consejos para viajar en avión, tren o autobús. Incluye consejos para antes, durante y después del viaje. Luego, en parejas, compartan lo que escribieron.

Modelo

Antes del viaje	Durante el viaje	Después del viaje
Es importante que llegues al aeropuerto dos horas antes de tu vuelo.	*Es aconsejable que no te levantes de tu asiento si no es necesario.*	*Es recomendable que abras el compartimento superior con cuidado.*

Paso 2 Con tu lista de consejos, prepara una presentación con imágenes.

STUDENT TIP: Using Visuals (by Rachel Petranek, Xavier University)

I am a visual learner, so charts and pictures help a lot. If there are no visuals in the book, then I try to create my own … *Go online to watch the complete learning tip.*

Video: Tip

Exploraciones

3 **De Madrid a Sevilla** Estás en Madrid y deseas ir a Sevilla para visitar a unos amigos durante su semestre de estudios en el extranjero.

Paso 1 Observa el billete que acabas de comprar y contesta las preguntas de tus amigos que están en Sevilla.

1. ¿Compraste un billete de ida y vuelta?

2. ¿Tienes que cambiar de tren? Si es así, ¿en dónde y cuánto tiempo tienes de espera?

3. ¿De qué estación sales en Madrid? ¿Y a qué estación llegas en Sevilla?

4. ¿A qué horas llegas a Sevilla?

5. ¿Qué viaje es más largo: el viaje de ida o el de vuelta?

6. ¿Cuestan lo mismo el billete de ida y el de vuelta? ¿Cuál es el costo total?

7. ¿Qué asiento elegiste?

Paso 2 En parejas, conversen sobre este viaje en tren. ¿Qué les gusta? ¿Qué les disgusta? Cuenten sus experiencias en algún viaje en tren o en autobús.

4 **Busco compañero/a de viaje** En grupos pequeños, comparen sus gustos y preferencias de viaje. Usen estas preguntas para encontrar al/a la compañero/a de viaje más compatible con ustedes.

1. ¿Qué medio de transporte prefieres? ¿Por qué?

2. ¿Te gusta viajar en avión o prefieres usar otros medios de transporte?

3. ¿Prefieres viajes con escalas o viajes directos? ¿Por qué?

4. ¿Te molestan los viajes largos en tren o autobús?

5. ¿Cuántas maletas llevas normalmente cuando vas de vacaciones?

6. ¿Qué prefieres hacer mientras viajas?

7. ¿Qué destino quieres visitar en tu próximo viaje?

5 **El español cerca de ti** Busca información en español en algún aeropuerto o en internet sobre el control de seguridad, los vuelos o el equipaje.

Paso 1 Completa la tabla con información sobre cuatro palabras o expresiones que no conozcas, su posible significado y el contexto en que se usan.

Palabra o expresión	Significado	¿En qué contexto se usa?

Paso 2 En parejas, comparen sus palabras o expresiones. ¿Están de acuerdo en el significado de ellas? ¿Creen que es importante poder hablar español para trabajar en una aerolínea o en un aeropuerto?

CULTURA VIVA

¡Costa Rica es *pura vida*! La expresión "pura vida" es muy común en Costa Rica. Se utiliza para expresar gratitud, saludar o simplemente para decir que todo está bien. Esta expresión está también relacionada con el compromiso de Costa Rica con la sostenibilidad ambiental y se ha adoptado (*has been adopted*) como eslogan turístico del país, pues resume la esencia de la experiencia costarricense tanto para los costarricenses como para los visitantes. **¿Qué expresión representa la forma de pensar de tu comunidad o tu país?**

Resources

Vhlcentral

WebSAM

☐ **I CAN** exchange information about traveling.

Talking about what will happen: The future tense

Up until now you have been using a three-word phrase (**ir** + **a** + *infinitive*) to talk about future plans or predictions. In this chapter you will learn how to express these actions using the future tense. Compare these sentences.

En Lima, **voy a tomar** el metro.   *In Lima, I am going to take the Metro.*

En Lima, **tomaré** el metro.   *In Lima, I will take the Metro.*

Most verbs form the future tense by adding these endings to the infinitive.

Subject pronouns	llegar	perder	subir
yo	llegar**é**	perder**é**	subir**é**
tú	llegar**ás**	perder**ás**	subir**ás**
él, ella, usted	llegar**á**	perder**á**	subir**á**
nosotros/as	llegar**emos**	perder**emos**	subir**emos**
vosotros/as	llegar**éis**	perder**éis**	subir**éis**
ellos, ellas, ustedes	llegar**án**	perder**án**	subir**án**

¿Qué observas?

What similarities or differences do you observe between the **-ar**, **-er**, and **-ir** verb endings?

Llegaremos por la mañana.   *We will arrive in the morning.*

Perderé el tren si no salgo ahora.   *I will miss the train if I don't leave now.*

Ana **subirá** al autobús a las dos.   *Ana will get on the bus at two o'clock.*

The following verbs have an altered stem in the future form, but use the same future tense endings as regular verbs.

Verbs	Altered stems	Examples
hacer	har-	¿Qué **haremos** durante la próxima escala?
poder	podr-	No **podremos** facturar esta maleta.
poner	pondr-	**Pondré** mi reloj en la bandeja.
querer	querr-	¿**Querrá** ir ella?
saber	sabr-	¿Cuándo **sabrás** si el vuelo está cancelado?
salir	saldr-	¿A qué hora **saldréis** para el aeropuerto?
tener	tendr-	Él **tendrá** que llevar su pasaporte.
venir	vendr-	**Vendrán** con nosotros en el viaje.

1 **¿Estudiaremos en Costa Rica?** Escucha a Alejandro y Raúl mientras hablan de la posibilidad de estudiar en el extranjero el año que viene. Selecciona la respuesta que completa cada oración correctamente.

1. Alejandro y Raúl consultarán con _____ para saber más sobre los programas y los créditos académicos que recibirán.
   a. su profesor de español
   b. sus amigos
   c. un consejero del centro de estudios internacionales

2. Raúl estará libre _____.
   a. después de que termine su clase de química
   b. a partir de las tres
   c. antes de las doce

3. Alejandro estará libre _____.
   a. a partir de las tres
   b. después de que termine su clase de biología
   c. mañana

4. Antes de reunirse con Raúl, Alejandro _____.
   a. le pedirá recomendaciones de programas a su profesor de español
   b. buscará información por internet sobre programas en Costa Rica
   c. le pedirá a Julio el nombre del programa en el que participó él

5. Alejandro y Raúl se reunirán en _____ para ir juntos al centro de estudios internacionales.
   a. el café
   b. la cafetería
   c. el centro estudiantil

El parque nacional Volcán Arenal es uno de los destinos más visitados de Costa Rica.

Exploraciones

2 **Preguntas** Tú y tu mejor amigo/a van a participar este verano en un programa de su universidad en Ecuador. Quieren hablar con la profesora a cargo del programa para hacerle preguntas. En parejas, hagan preguntas usando estas palabras y expresiones con verbos en el futuro.

> **Modelo** pasaporte
>
> *¿Necesitaremos pasaporte?*

1. maletas
2. familias anfitrionas (*host families*)
3. excursiones
4. cursos académicos
5. español
6. lugares famosos
7. comida típica
8. ¿?

3 **Planes de viaje** En parejas, hablen de sus próximos planes de viaje usando verbos en el futuro. Usen estas preguntas como guía.

1. ¿Cuándo viajarás?
2. ¿Adónde irás?
3. ¿Cómo llegarás a tu destino?
4. ¿Con quién(es) viajarás?
5. ¿Qué sitios turísticos visitarás?
6. ¿Dónde te quedarás (*will you stay*)?
7. ¿Qué cosas tendrás que llevar para este viaje?

4 **Situaciones** En parejas, hagan los papeles de A y de B para representar la situación.

Estudiante A Tu mejor amigo/a quiere pasar tiempo contigo este fin de semana, pero tú tienes una primera cita con alguien especial. El problema es que tu amigo/a no tiene una buena impresión de esta persona. Inventa excusas sobre lo que estarás haciendo ese día durante las horas que te proponga tu amigo/a.

Estudiante B Por fin tienes un fin de semana libre en tu trabajo y quieres pasar tiempo con tu mejor amigo/a. Sabes que él/ella tiene una cita con alguien que no te cae bien, así que quieres hacer algo con él/ella para que no salga con esa persona. Piensa en actividades divertidas que tu amigo/a quiera hacer en lugar de salir con esa persona. Sugiere diferentes actividades a distintas horas para que esté ocupado/a contigo todo el día.

☐ **I CAN** talk about what will happen.

Resources

VhICentral

WebSAM

Learning Objective: Talk about responsible and inclusive tourism.

Audio: Vocabulary

El turismo

¿Cómo puedes marcar la diferencia al viajar? Con el **turismo responsable**, **ético** e **inclusivo**. Es decir, siendo **consciente** de tu comportamiento al viajar, considerando el bienestar de las **comunidades locales**, la preservación de los recursos naturales y culturales, y la inclusión de todas las personas, independientemente de sus circunstancias. Por ejemplo, puedes **apoyar** la economía local eligiendo servicios y productos locales, como **alojamientos** y restaurantes, en lugar de optar por **paquetes turísticos** en grandes **cadenas** internacionales. Hay muchas opciones de **agroturismo** o **ecoturismo** que respetan el medioambiente y benefician a la gente local. Además, puedes elegir alojamientos y actividades **turísticas** que sean **accesibles** y que promuevan la participación de todas las personas.

STUDENT TIP: Practicing New Vocabulary (by Shaan Dahar, Xavier University)

When you begin a new chapter, look at the new vocabulary and practice all of it. Whether it's writing it down, using online flashcards, or just speaking out loud ... *Go online to watch the complete learning tip.*

Video: Tip

Más palabras

la agencia de viajes *travel agency*

el ascensor *elevator*

las capacidades restringidas *restricted abilities*

el/la guía turístico/a *tourist guide*

la habitación *room*

el/la huésped *(hotel) guest*

la tarifa *rate, price*

la visita guiada *guided tour*

disfrutar *to enjoy*

experimentar *to experience*

planear *to plan*

recorrer *to go all over*

relajarse *to relax*

Cognados

la atracción turística

el hotel

la rampa

la reservación

el/la turista

el vehículo adaptado

Exploraciones

(1) Turismo en Guinea Ecuatorial Escucha el podcast sobre Guinea Ecuatorial.

Paso 1 Indica si cada oración es **cierta (C)** o **falsa (F)**, según lo que escuchaste.

1. El podcast es un anuncio publicitario de una
   cadena de hoteles en Guinea Ecuatorial. .... **C F**

2. Juan trabaja como guía turístico. .... **C F**

3. Para Juan el turismo responsable no es bueno
   para el desarrollo del agroturismo en su país. .... **C F**

4. Juan cree que un aspecto fundamental del
   turismo responsable es apoyar la economía local. .... **C F**

5. Juan recomienda que los viajeros
   no salgan de las zonas turísticas. .... **C F**

6. Juan promueve el turismo en las comunidades locales para
   conocer la cultura del lugar y contribuir a las economías locales. .... **C F**

Paso 2 Completa la tabla con lo que escuchaste en el podcast y lo que sabes sobre cada tipo de turismo.

Tipos de turismo	Definición	Ventajas	Desafíos
turismo convencional			
turismo responsable			
turismo inclusivo			
turismo ecológico			

Paso 3 En parejas, comparen sus tablas y conversen sobre el turismo. ¿Qué tipo de turismo prefieren? ¿Por qué? En el futuro, ¿participarán en otro tipo de turismo?

Isla de Bioko en Guinea Ecuatorial donde está la capital, Malabo

2 **El turismo accesible** Lee un fragmento del artículo del periódico uruguayo *El País* sobre el turismo accesible en ese país.

El turismo accesible, una tendencia mundial con un potencial de negocio de US $70.000 millones

En Uruguay, el tema también comenzó a sonar en ámbitos° públicos y privados, aunque aún es incipiente, reconoció María Del Campo, directora de Umuntu (agencia uruguaya que promueve la accesibilidad). "Hay una oportunidad y las empresas comienzan a verlo".

En la agencia DCom Travel, la primera agencia de viajes en Uruguay en ofrecer un paquete turístico accesible, dicen que no fue difícil armarlo° porque contaron con los proveedores° necesarios. El paquete incluye traslados en vehículo adaptado, alojamiento en Montevideo en hoteles de 4 y 5 estrellas en habitaciones accesibles, paseo guiado de ocho horas por la ciudad con visitas a sitios relevantes como Teatro Solís, Museo del Fútbol y almuerzo en el bar Facal.

A nivel de hospedaje, la hotelería también da buenas señales. Por ejemplo, Hilton (con tres hoteles en Uruguay) cuenta con ocho habitaciones para personas con algún tipo de discapacidad, detalló Agustín Maddocks, director de la cadena° en el país, aunque reconoce que Uruguay aún no es un destino para personas con discapacidad. «Recién ahora tenemos rampas, veredas° algo arregladas, etcétera. Es un tema que se comenzó a trabajar», analizó. De hecho, el año pasado las habitaciones con accesibilidad se ocuparon 150 noches, que representa menos del 1% del total.

En su caso, las habitaciones están preparadas para personas con discapacidades motrices°, personas ciegas° y sordas°, y también se tomaron otras medidas. Por caso, en el restaurante quitan una silla en las mesas para quienes utilizan sillas de ruedas u ofrecen menú para celíacos.

Así, si bien incipiente, se comienza a generar un circuito turístico accesible, que un gran número de público disfrutará, y la industria también.

Fuente: EL PAÍS Uruguay

ámbitos *spheres*   **armarlo** *put it together*   **proveedores** *suppliers*   **cadena** *chain*   **veredas** *sidewalks*   **motrices** *motor*
ciegas *blind*   **sordas** *deaf*

Paso 1 Identifica qué se está haciendo en Uruguay en relación con el turismo accesible y elige tres ideas que consideras importantes de replicar a nivel mundial.

Paso 2 En parejas, conversen sobre las tres ideas que eligieron y justifíquenlas.

3 **Opiniones** En parejas, expresen sus opiniones sobre estos temas. Utilicen expresiones como **creo que, no creo que, dudo que, pienso que, estoy seguro/a de que, es cierto/evidente/verdad/obvio que**.

1. las tarifas de alojamiento

2. las visitas guiadas

3. la igualdad de oportunidades para acceder a las zonas turísticas

4. las comunidades locales

5. el turismo ecológico y el agroturismo

Resources

Vhlcentral

WebSAM

☐ **I CAN** talk about responsible and inclusive tourism.

Exploraciones

Gramática 2

Learning Objective:
Express pending or
implied future actions.

 Tutorial

Expressing pending or implied future actions: The subjunctive with adverbial conjunctions

In previous chapters you have seen the subjunctive used to indicate wants and needs, emotions, doubt, and also uncertainty. In those cases, two related clauses were joined by the conjunction **que**. This chapter will show you how the subjunctive, when combined with certain adverbial conjunctions, is used to express possible future actions.

Adverbs give us information on how, when, where, or why an activity takes place; a conjunction joins two related thoughts. An *adverbial conjunction* specifies when (e.g., in the future) or under what circumstances an action *might* take place. For example:

Envíame un texto **tan pronto como llegues** al hotel.

Send me a text as soon as you arrive (in the future) at the hotel.

Pueden alojarse en el Hotel Trópico **a menos que** no **tengan** ninguna habitación disponible.

You can stay at the Trópico Hotel unless they don't have any available rooms. (circumstances)

Remember that the subjunctive, as always, expresses a possible outcome, something that is not yet a reality. In the previous examples, we don't know for sure whether the traveler will send a text or if the hotel will have a vacant room.

The following adverbial conjunctions express a pending, future action or a condition that must be met for the action to take place.

Adverbial conjunctions that express a pending, future action	
a menos que	unless
antes (de) que	before
con tal (de) que	provided that
cuando	when
después (de) que	after
en caso de que	in case
hasta que	until
para que	so that
sin que	without
tan pronto como, en cuanto	as soon as

Apaguen sus teléfonos **antes que despegue** el avión.

Turn off your phones before the plane takes off.

Compraré los boletos **cuando** Manuel **llegue** a la estación.

I will buy the tickets when Manuel gets to the station.

Va a llevar un paraguas **en caso de que llueva**.

He is going to bring an umbrella in case it rains.

Cierre la ventanilla **para que** los niños **descansen** bien.

Close the window so the children can rest well.

¿Qué observas?

1. What do you notice about the verb that follows the adverbial conjunction?

2. What do you observe about the verb that expresses the main action?

When the action that follows the adverbial conjunction is habitual (it happens all the time) or completed (it has already taken place), the indicative—not the subjunctive—is used.

Adverbial conjunctions that express habitual or completed actions	
cuando	*when*
después (de) que	*after*
hasta que	*until*
tan pronto como, en cuanto	*as soon as*

Siempre tomamos muchas fotos **cuando** viajamos.

We always take a lot of photos when we travel.

Volvimos al hotel **después de que** terminó la película.

We returned to the hotel after the movie ended.

Nadaron en el mar **hasta que** bajó el sol.

They swam in the sea until the sun went down.

Normalmente cenamos **en cuanto** llegamos a casa.

Normally we eat as soon as we get home.

Note that when there is no change of subject, the conjunctions **antes de, después de, hasta, para**, and **sin** are followed by the infinitive. Look at the following examples:

Compararemos los precios **antes de comprar** un billete.

We will compare prices before buying a ticket.

Después de sacar una foto de la catedral, se la voy a mandar a mi amiga.

After taking a picture of the cathedral, I am going to send it to my friend.

Sigues derecho **hasta llegar** a la plaza de Armas.

You will continue straight until arriving at the plaza de Armas.

Llamé un taxi **para** no **tener** que caminar al museo.

I called a taxi so I wouldn't have to walk to the museum.

Exploraciones

(1) **El viaje a Santiago** Escucha el mensaje de tu amiga Maite en el que te explica sus planes para cuando llegues a Santiago de Chile para visitarla.

Paso 1 Indica si cada oración es **cierta (C)** o **falsa (F)**.

1. Probablemente estarás muy cansado/a cuando
llegues a la casa de Maite. .... **C F**

2. Maite te ayudará a deshacer las maletas antes
de que tomes una siesta. .... **C F**

3. Llamarás a tus padres después de tomar una siesta
para que sepan que ya llegaste a Santiago. .... **C F**

4. Maite y tú cenarán en casa la primera noche, pero recorrerán
la ciudad al día siguiente cuando estés más descansado/a. .... **C F**

5. Maite tiene planeada toda la semana de tu visita. .... **C F**

Paso 2 Escríbele un correo electrónico a Maite para decirle que recibiste su mensaje. En tu correo, explícale qué opinas de las actividades que ha planeado (*has planned*) para ti cuando estés en Santiago.

(2) **De vacaciones en Santiago** Estás en Santiago visitando a tu amiga Maite. Selecciona la opción que describa lo que piensas hacer en cada situación.

1. Estás en el centro y pierdes tu cartera. ¿Qué haces?
   a. Maite me puede prestar dinero hasta que pueda ir al banco.
   b. Llamo a mis padres tan pronto como pueda.
   c. Pido dinero en la calle hasta que me den la cantidad suficiente
   para el autobús.

2. Invitas a tu amiga Maite a cenar en un restaurante caro.
   a. En cuanto terminemos de cenar, buscaremos un taxi para volver
   a la casa de Maite.
   b. Tan pronto como nos sirvan el postre, le diré a Maite que no tengo
   dinero suficiente para pagar la cuenta.
   c. En caso de que no sea muy tarde, caminaremos por las calles
   cercanas al restaurante.

3. En Santiago, tú y Maite toman el funicular a Bellavista.
   a. No abro los ojos hasta que lleguemos a la cima del cerro (*hill*).
   b. Tan pronto como salgamos del funicular, tomaré fotos de la vista
   de Santiago desde arriba.
   c. En cuanto entremos al funicular, buscaré mi cámara para tomar
   fotos y hacerme un selfi con Maite.

4. Piensa en el final de tus vacaciones en Chile.
   a. Compraré regalos para mi familia antes de volver a mi país.
   b. Buscaré un regalo para Maite tan pronto como pueda.
   c. Compraré varios libros en español antes de que empiecen mis
   clases de nuevo.

STUDENT TIP: Making the Most of Learning Journals (by Catherine Sholtis, Xavier University)

I like to keep entries in a learning journal. And it helps me take stock of how I learn and how I learn best ... *Go online to watch the complete learning tip.*

 **Video: Tip**

3 **¿Qué le recomiendas?** Tu amiga chilena Maite vendrá a visitarte la primavera próxima. Termina las sugerencias que le das a ella.

1. No empieces a hacer la maleta antes de…

2. Trae unas botas de lluvia a menos que…

3. Ten en tu equipaje de mano algún libro y un cargador (*charger*) de teléfono en caso de que…

4. No te olvides de traer ropa cómoda (*comfortable*) para cuando…

5. Verifica que tienes todo lo que necesitas tan pronto como…

4 **24 horas en Santiago** Tienes que escribir un artículo para el periódico de tu universidad sobre qué hacer en una ciudad durante 24 horas.

Paso 1 Busca información turística sobre la capital chilena y contesta las preguntas.

1. ¿Qué lugares recomiendas visitar para que los turistas aprendan datos interesantes sobre Santiago de Chile?

2. ¿Qué es bueno hacer antes de que se ponga el sol?

3. ¿Qué lugares se pueden visitar en caso de que llueva?

Paso 2 En parejas, compartan sus planes y decidan cuál piensan que les interesará más a los estudiantes de su universidad.

Teleférico de Santiago

5 **Situaciones** En parejas, hagan los papeles de A y de B para representar la situación.

Estudiante A Estás planeando un viaje a Costa Rica con tu amigo/a. Tú ya sabes lo que quieres hacer allá, pero tu amigo se preocupa mucho por todo y siempre encuentra problemas en los planes que tienes. Explícale cinco actividades que quieres hacer en Costa Rica y contesta sus preguntas para aliviar sus preocupaciones. Usa las conjunciones: **en caso de que, sin que, con tal de que, antes de que, para que, a menos que, cuando, hasta que,** etc. para darle más información.

Estudiante B Estás muy preocupado/a. Tu amigo/a quiere ir a Costa Rica y nunca planea las cosas bien. Además, estás seguro/a de que va a haber problemas en el viaje: volcanes, terremotos, robos, inundaciones, tormentas, vuelos perdidos, etc. Cuando él/ella te explique las diferentes actividades, preséntale un problema que puede ocurrir durante cada una de ellas. Pregúntale a tu amigo/a cómo piensa resolverlos.

☐ **I CAN** express pending or implied future actions.

Exploraciones

Podcast

| **Learning Objective:** Reflect on your progress using language related to traveling.

Audio: Reading

Episodio #6: Natalia Guillén Molina

Antes de escuchar

(1) **El verano** En parejas, contesten estas preguntas.

1. ¿Cuáles son algunas de las actividades que hacen durante sus vacaciones?

2. ¿Trabajan durante sus vacaciones? ¿Dónde? ¿Qué hacen en su trabajo?

3. ¿Conocen a alguien que trabaje en un hotel? ¿Cómo es su trabajo o cómo imaginan que es trabajar en un hotel?

4. ¿Han trabajado (*Have you worked*) alguna vez en un campamento? Describan su experiencia.

5. ¿Cuáles son sus planes para sus próximas vacaciones?

Mientras escuchas

(2) **¿Quién es Natalia?** Escucha lo que cuenta Natalia y cambia las siguientes oraciones para que sean ciertas.

1. Natalia nació en Osorno, al norte de Chile.

2. Ella estudia medicina.

3. Ella trabajará en la Patagonia cuando termine su carrera.

4. La empresa para la que trabajará Natalia ofrece turismo inclusivo.

5. Una de las responsabilidades de Natalia será el proceso de *check-in* y *check-out*.

Después de escuchar

(3) **Turismo responsable** Vas a crear un itinerario para un viaje de turismo sostenible y responsable desde tu universidad a un lugar interesante de tu país.

Paso 1 Usa estas preguntas como guía para crear tu itinerario.

- ¿Cómo llegarás al lugar?

- ¿Dónde te quedarás durante la visita?

- ¿Qué actividades harás en el lugar?

- ¿Qué acciones tomarás para practicar turismo responsable?

- ¿Cuánto tiempo necesitarás para visitar este lugar?

Paso 2 En parejas, compartan sus itinerarios y elijan el más interesante que cumpla con practicar turismo sostenible y responsable.

☐ **I CAN** create a sustainable travel itinerary.

Resources

Vhlcentral

Online activities

Experiencias Blog

Learning Objective: Describe places that are considered rural tourism in Costa Rica and in my own community.

Los bribris

Lee el blog de Sofía sobre los bribris en Costa Rica.

www.el_blog_de_sofia.com/los_bribris

Los bribris

Plato típico bribri

El pueblo bribri es uno de los pueblos originarios más grandes de Costa Rica. Hay un grupo de bribris que vive en la reserva de Keköldi, en la cordillera de Talamanca, muy cerca de Puerto Viejo. Durante uno de mis viajes a Costa Rica, decidí visitarlos para conocer su cultura y sus costumbres. Para llegar a la comunidad, viajé primero a Bambú, un pueblo a la orilla del río Yorkin, donde me esperaban los bribris en sus canoas. Viajamos por el río Sixoloa, que marca la frontera con Panamá. Cuando llegamos a la comunidad, descubrí que los bribris conservan su propio idioma. Sus cultivos más importantes son el cacao y el banano. También conocí la *Casa de las mujeres*, en donde trabajan su proyecto de agroturismo. Me llevaron a una caminata en la selva hasta un puente colgante (*suspension bridge*) y una cascada. Nos bañamos en el río. Participé en otras actividades con ellos, como el tiro con arco (*archery*) y una clase sobre las plantas medicinales. Después, almorcé con las familias. Comimos arroz, pollo, frijoles y plantas de la selva servidos en hojas de banano. Para el postre, comimos bananos con chocolate, que antes me habían enseñado (*they had taught me*) cómo hacer de las semillas tostadas del cacao. ¡Delicioso!

1 **Las actividades** Identifica cuatro actividades que hizo Sofía con los bribris y ordénalas en la lista de más interesante a menos interesante. Luego, en parejas, compartan sus opiniones y justifíquenlas.

1. _____   3. _____

2. _____   4. _____

2 **Mapa** Investiga con ayuda de mapas los lugares y pueblos que menciona Sofía. ¿Cuánto tiempo dura el viaje desde la capital de Costa Rica hasta donde viven los bribris?

3 **Mi blog** Escribe sobre un lugar en tu comunidad o tu país que se considere un destino de turismo rural. ¿Cómo se llega? ¿En qué actividades se puede participar? ¿Sirven comida? ¿Por qué se considera un destino de turismo rural? Puedes incluir fotos del lugar.

☐ **I CAN** describe places that are considered rural tourism in Costa Rica and in my own community.

Experiencias

Cultura y sociedad

Hoy en día, hay cada vez más interés en el turismo responsable. Las personas no solamente quieren ver el mundo, sino que también quieren proteger el planeta al viajar. Vas a leer una lectura sobre este tema.

Audio: Reading

Antes de leer

1 **Expresión** En parejas, reflexionen sobre la expresión "No se lleve nada más que fotos y no deje nada más que sus huellas (*footprints*)". Luego contesten las preguntas.

1. ¿Qué quiere decir la expresión? ¿Cuál es la recomendación?

2. ¿Cómo se puede lograr dejar solamente huellas en los lugares que visitamos cuando viajamos?

3. ¿Cuáles son las dificultades que pueden encontrar los turistas para lograr este objetivo?

4. ¿Qué beneficios puede tener el turismo responsable tanto para los viajeros como para las comunidades locales?

5. ¿Piensan que son turistas responsables? ¿Por qué?

6. ¿Qué pueden hacer en su comunidad para ser parte del turismo responsable?

2 **Vocabulario** Identifica los verbos en el texto y luego indica qué definición corresponde a cada uno de ellos.

_____ **1.** aislarse

_____ **2.** empoderar

_____ **3.** fomentar

_____ **4.** hospedarse

_____ **5.** superar

_____ **6.** relacionarse

_____ **7.** romper

_____ **8.** quedarse

a. vencer obstáculos o dificultades

b. tener trato con otras personas

c. ser huésped en una casa, en un hotel, etc.

d. separarse o apartarse de los demás

e. promover o impulsar algo

f. dar a alguien poder o autoridad

g. continuar en un lugar o una situación

h. destruir o partir en pedazos

La mejor manera
de conocer el mundo

En los últimos años, se ha producido° un cambio significativo en la industria del turismo, ya que cada vez más personas buscan explorar el mundo de manera responsable y sostenible. El turismo
5 responsable, un concepto centrado en empoderar a las comunidades locales, preservar el medioambiente y fomentar el intercambio cultural, ha surgido como un movimiento poderoso que transforma la forma en que viajamos. Desde aldeas° remotas hasta ciudades
10 bulliciosas°, esta tendencia global está remodelando el panorama turístico y dejando un impacto positivo en destinos de todo el mundo. La pregunta, entonces, que nos hacemos como viajeros es, ¿cómo se logra ser un(a) turista responsable? A continuación, presentamos
15 unas ideas sobre cómo practicar turismo responsable:

1. Investigue y elija agencias de viajes u operadores turísticos responsables. Busque agencias y operadores que apoyen a las comunidades locales, empleen guías locales y tengan iniciativas para
20 minimizar su impacto ambiental.

2. Conozca y respete las culturas y costumbres locales. Familiarícese con las costumbres y tradiciones del lugar que desea visitar antes de llegar a su destino. Respete las diferencias culturales y relaciónese con
25 la comunidad local de manera apropiada. Aprenda algunas frases básicas en el idioma local para mostrar respeto y disposición para conectar con la gente.

3. Apoye la economía local. Puede hospedarse en un hostal u hotel local en vez de en una cadena
30 internacional de hoteles. Esto le permite contribuir a la economía local porque el dinero se queda en ese lugar. Use guías locales para realizar visitas a los lugares turísticos.

4. Minimice el impacto ambiental: Sea consciente de
35 su huella ambiental mientras viaja. Lleve una botella de agua reusable y evite plásticos de un solo uso. Respete los hábitats naturales y la vida silvestre° siguiendo senderos° designados, evitando tirar basura y no comprando productos hechos de especies en
40 peligro de extinción.

5. Sea un miembro temporal de la comunidad. No se aísle de la comunidad local al visitar un lugar. Puede hacer muchas cosas para integrarse con los habitantes de la zona, como caminar por las calles,
45 hablar con la gente, jugar al fútbol o comer y tomar su café en los lugares que están fuera del circuito turístico. Estas interacciones superan las barreras culturales, rompen estereotipos y fomentan el respeto mutuo.

50 **6.** Quítese los lentes de color de rosa. Mientras está de vacaciones en el paraíso, lo que necesita saber es que el paraíso no está exento de problemas. Si va más allá de las playas, museos y lugares de interés, usted puede tener una idea más completa del lugar
55 que visita. Y eso está bien. Quitarse los lentes de color rosa y ser susceptible de ver todo lo bueno y lo malo (como la pobreza y otros problemas sociales que afectan hasta los lugares más prósperos del mundo) le ayudará a apreciar más las cosas. ●

se ha producido *there has been* **aldeas** *small villages* **bulliciosas** *bustling* **silvestre** *wild* **senderos** *trails*

Experiencias

Después de leer

3 **Comprensión** Contesta las preguntas.

1. ¿Cómo puede una persona contribuir a la economía local?

2. ¿Cuál es una estrategia para participar en la comunidad?

3. ¿Cómo un(a) turista se puede quitar los lentes de color de rosa al visitar un lugar?

4. ¿Qué puede hacer un(a) turista responsable en relación con el medioambiente?

4 **Análisis** En parejas, conversen sobre las preguntas.

1. ¿Cómo puede contribuir el turismo responsable a reducir la pobreza?

2. ¿Cómo puede facilitar el turismo responsable el aprendizaje intercultural?

3. ¿Cómo podemos controlar y proteger la biodiversidad en las zonas utilizadas para el turismo?

4. ¿Cómo podemos disminuir los impactos sociales y ambientales negativos del turismo?

5 **A escribir** Vas a escribir sobre un viaje que hiciste y sobre uno que harás en el futuro. Lee la estrategia de escritura y luego completa los pasos.

Estrategia de escritura: Freewriting

Freewriting is a simple strategy with a powerful impact on your writing when used regularly. Choose a topic and set a timer for two to five minutes. As you start writing, avoid making corrections until the timer stops. The purpose of freewriting isn't to achieve accuracy; it's about building fluency and processing ideas. During freewriting, silence your inner editor and concentrate on creating ideas and producing language. You can use freewriting before tackling a writing assignment, before class to focus on the day's topic, or after class for processing and summarizing the lesson.

Paso 1 Escribe durante cinco minutos sobre un viaje que hiciste donde no conocías muy bien el lugar ni tampoco a las personas del lugar. ¿Qué pasó? ¿Cómo fue la experiencia?

Paso 2 Escribe durante cinco minutos sobre un viaje al mismo lugar del **Paso 1,** pero en el futuro y siguiendo las recomendaciones de la lectura. ¿Cómo será esa experiencia diferente? ¿Qué pasará en ese viaje?

Paso 3 En parejas, túrnense para compartir lo que escribieron. Comparen las distintas experiencias.

Resources

Vhlcentral

Online activities

☐ **I CAN** compare practices and perspectives related to responsible tourism.

Audio:
Reading

Juan Balboa Boneke (1938–2014)

Juan Balboa Boneke nació en Rebola, en la isla de Fernando Poo (Bioko, Guinea Ecuatorial). Estudió pedagogía en Malabo para ser maestro y luego estudió trabajo social en Granada, España. Cuando se exilió en ese país, empezó a escribir. Sus dos períodos de exilio le producen nostalgia por la vida que dejó atrás, y el profundo impacto del exilio está presente en los temas que desarrolla en sus novelas, ensayos y poemas. Específicamente son sus poemas los que muestran la frustración y la angustia que siente de estar lejos de su país y de no poder luchar contra la fragmentación social que vio ocurrir desde lejos. Desde sus textos abogó (*advocated*) por los derechos humanos en su país.

Antes de leer

> 🔁 **Estrategia de lectura: Recognizing the Purpose of a Literary Work**
>
> Most authors have a purpose for writing and it's always helpful to understand this purpose before reading what they have written. For instance, a front-page newspaper article is typically written to inform you of the latest important news. Knowing something about the author's background or life may also help you to understand the purpose. Before reading, try to identify the author's purpose based on the background information of his/her life. This will help you better comprehend what you read.

(1) **Propósito** Considerando lo que sabes de Juan Balboa Boneke, ¿cuál piensas que puede ser el propósito de su novela *El reencuentro: el retorno del exiliado*? Luego, en parejas, compartan sus ideas.

(2) **Historia** Guinea Ecuatorial fue una colonia española durante casi doscientos años. En este fragmento, el autor habla con un grupo de jóvenes guineanos, quienes le preguntan sobre la situación política del país y las tensiones entre los grupos étnicos que ahí viven. Ojea (*Scan*) el texto y encuentra lo siguiente.

  1. Tres palabras o frases que reflejen la presencia lingüística de España en Guinea Ecuatorial. (Piensa en las formas verbales que se usan exclusivamente en España en comparación con América Latina).

  2. Un ejemplo que refleje la influencia de la colonización española en la identidad cultural de los guineanos. (Presta atención a los nombres de los jóvenes de la lectura).

(3) **Cognados** Identifica los cognados en el fragmento de la novela de Juan Balboa Boneke.

El reencuentro: el retorno del exiliado

(fragmento)

[...] —Sois Bôhôbes y sois guineanos. El amor a vuestro origen y, por tanto, a vuestro pueblo no impide el amor hacia vuestro país. Guinea, amigos míos, es una, pero es diversa.

5 —¿Qué significa esto de que es diversa?, yo no lo entiendo —dijo Santi levantando la mano.

—Esto significa que nuestro país no está constituido por una sola tribu. Son varias tribus en un mismo país. Vamos a ver, ¿habéis visto algún jardín? Pues nuestro
10 país es un jardín.

—¿Cómo un jardín? ¿Por qué?

—Porque en el jardín hay una gran variedad de flores y de plantas, ¿verdad?

—Así es.

15 —Las distintas plantas y flores dan belleza°, colorido y alegría al lugar. El jardín es uno, pero las plantas y flores son diversas. Cada planta constituye su propia vida dentro del conjunto. Todas en su conjunto, bien tratadas, respetando la realidad de cada una, forman una bella
20 franja° de paz y de sosiego°. Creedme, así debería ser° nuestro país: cada etnia es una flor. El gran problema es que nosotros lo sepamos comprender y reconocer. Y, como, tal, con la debida delicadeza, tratarlo.

—Todo esto nunca lo había escuchado° —intervino de
25 nuevo Pablo—. ¿Estas cosas las ha aprendido° en España?

—En España se estudian muchas cosas. Pero no sólo en ese país se puede aprender cosas. Aquí mismo se puede estudiar y profundizar en los conocimientos. Cuando se normalice la situación del país, cuando haya librerías
30 deberéis leer° mucho.

—¿Puedo hacerle una pregunta? —dijo Ribobe.

—Claro que sí, hazla, si puedo te contestaré.

—¿Existe la posibilidad de que todo el mal que hemos vivido° y que ha producido° tanta destrucción vuelva a
35 nuestro país?

—No sé qué decirte, Ribobe. Sí, es posible. Cometiendo los mismos errores de ayer, claro que volveremos a sufrir esos mismos males. De todos modos, os puedo decir que nos faltó° el diálogo.

40 Es diálogo entre todos nosotros. Entre las distintas tribus de nuestro país. Sabéis que fuimos colonizados por España, que la colonización duró casi doscientos años; pues en ese tiempo no hubo un intercambio cultural entre nuestros respectivos pueblos. Apenas nos
45 conocemos. Somos unos extraños° tribu a tribu. [...] ●

---

belleza *beauty* **franja** *stripe* **sosiego** *calm* **debería ser** *should be* **nunca lo había escuchado** *I had never heard it* **las ha aprendido** *have you learned them*
deberéis leer *you should read* **hemos vivido** *we have lived* **ha producido** *has produced* **nos faltó** *we lacked* **extraños** *strangers*

Después de leer

(4) Comprensión Contesta las preguntas.

  1. ¿Con qué compara el autor Guinea Ecuatorial?

  2. ¿Qué les recomienda a los jóvenes?

  3. ¿Qué sugiere el autor para mejorar la situación política de su país?

  4. ¿Por qué no se conocen las varias tribus que existen en el país?

(5) Análisis En parejas, contesten las preguntas.

  1. ¿Por qué dice el autor que en su país "cada etnia es una flor"?

  2. ¿Qué explica el autor sobre la historia de su país?

  3. ¿Por qué dice el autor que es posible que lo que vivió su país se repita? Según esa explicación, ¿puede suceder lo mismo en otros lugares?

  4. ¿Hay similitudes entre la historia de Guinea Ecuatorial y su país? ¿Cuáles?

(6) Una sociedad mejor ¿Cómo puede mejorar la sociedad guineana según el autor? ¿Y la tuya?

Paso 1 En parejas, imaginen que ustedes estaban entre los jóvenes que escucharon al autor y quieren difundir (*spread*) sus ideas a otros guineanos. Identifiquen cuatro ideas que menciona el autor para que su país cambie.

> **Modelo** *Hasta que cada una de nuestras tribus no respete a las otras...*
> *Cuando todos los guineanos entendamos que nuestro país...*

Paso 2 Reflexiona sobre la sociedad en la que vives y escribe cuatro ideas para que sea una sociedad mejor. Sigue el modelo del paso anterior.

(7) Investigación En el fragmento, Balboa Boneke habla de la historia y la identidad del pueblo guineano.

Paso 1 Busca información sobre el contexto político de Guinea Ecuatorial.

  1. Número y situación de los grupos étnicos

  2. Fecha de la independencia de España

  3. Nombre del actual (*current*) presidente

  4. Año de las últimas elecciones

Paso 2 En parejas, compartan la información que encontraron. ¿Cómo esta información les puede ayudar a comprender mejor el mensaje del autor?

Resources

Vhlcentral

Online activities

☐ **I CAN** interpret historical perspectives in a literary passage.

Ichó, Colombia: Mujeres que inspiran turismo comunitario

Vas a ver un video sobre unas mujeres que promueven el turismo responsable en su pueblo. Lee la estrategia intercultural antes de ver el video.

Estrategia intercultural: Curiosity

Curiosity is the third key essential attitude toward developing intercultural competence. Curiosity involves acting intentionally by being curious about others. This shows others you are interested in them as human beings and in their way of life. Observe their practices and products and don't be afraid to ask questions. Try to understand life from their perspective. Reflect on comparisons to your own perspectives and cultural self-awareness. Valuing the way others think by demonstrating curiosity can go a long way toward increasing your cultural awareness and competency.

Fuente: Deardorff, D. K. (2020). *Manual for Developing Intercultural Competencies: Story Circles.* UNESCO, París.

Antes de ver

1 **Preparación** Reflexiona sobre tu comunidad y contesta las preguntas. Luego, en parejas, compartan sus respuestas.

   1. ¿Qué adjetivo o aspecto describe mejor a tu comunidad?

   2. ¿Tienen las mujeres un papel especial en tu comunidad?

   3. ¿Cuáles son las industrias más importantes de tu comunidad?

2 **Vocabulario** Indica qué definición corresponde a cada palabra que aparece en el video.

_____ **1.** la sazón   **a.** hacer participar a alguien en algo

_____ **2.** faltar   **b.** no estar presente

_____ **3.** el cariño   **c.** sabor de la comida

_____ **4.** involucrar   **d.** amor o afecto

Mientras ves el video

3 **Ichó, Colombia** Mientras ves el video identifica lo siguiente.

   1. dos características de la gente de Ichó que atraen a los viajeros

   2. cuatro aspectos de la cultura de Ichó que comparte su gente con los visitantes

4 **Escenas** Escribe la letra de la imagen que corresponde a cada cita del video.

_____ **1.** "Y estamos involucrando a los jóvenes, hombres y mujeres, para que esto cuando nosotras faltemos no se termine ahí, sino que continúe, siga".

_____ **2.** "Una comunidad sin magia, sin gente no es nada".

_____ **3.** "Y nuestras manos que alimentan los cuerpos de los visitantes con nuestra sazón".

_____ **4.** "Es nuestro carisma, es nuestro cariño, que mostramos a la gente…"

Después de ver

5 **Comprensión** Selecciona la opción que represente la idea principal del video sobre Ichó y justifica tu respuesta.

   1. La belleza de Ichó, Colombia, atrae a turistas de todo el mundo.

   2. Las personas en la comunidad trabajan para crear una experiencia positiva para los visitantes.

   3. La atracción más importante de Ichó, Colombia, son las personas que componen la comunidad.

6 **Curiosidad** Reflexiona sobre lo que dijeron las personas del video y contesta las preguntas. Luego, en parejas, compartan sus respuestas.

   • ¿Encuentras puntos en común (valores, formas de pensar, actitudes) entre Ichó y tu comunidad? ¿Y diferencias?

   • ¿Hay personas u organizaciones en tu comunidad que buscan transmitir los valores o tradiciones de la comunidad al resto? ¿Cómo lo hacen?

Resources

Vhlcentral

Online activities

Experiencias

Proyectos

Learning Objectives:
Describe sustainable and responsible travel plans.
Describe the career skills you have investigated so far.

(1) **¿Qué tipo de turismo practicamos?** Vas a crear un vlog donde les cuentes a tus amigos el itinerario de tu próximo viaje basándote en una reflexión sobre tus viajes pasados.

Paso 1 Consulta los materiales del capítulo: videos, lectura, presentaciones, etc. También repasa el vocabulario y la gramática del capítulo. Toma nota de las palabras y expresiones útiles.

Paso 2 Reflexiona sobre los viajes que has hecho (*you have made*) hasta el momento: el tipo de alojamiento, el tipo de transporte, tu comportamiento en relación con el medioambiente del lugar, los lugares que visitas, los artículos que compras, la interacción con la gente del lugar, etc.

Paso 3 Investiga sobre un lugar adonde te gustaría (*you would like*) viajar y conocer su cultura.

Paso 4 Tomando en consideración los pasos anteriores, crea el itinerario de tu próximo viaje para presentarlo en forma de vlog. ¿Cómo afecta tu reflexión tu próximo itinerario?

> **Modelo** *¡Hola, amigos y amigas! Normalmente compro un paquete a Cancún, pero mi próximo viaje será diferente. Llegaré al aeropuerto de Panamá en un vuelo con escala en Miami el 15 de agosto. Tan pronto como llegue, iré a mi hotel tomando el autobús público, porque quiero reducir mi huella de carbono. Me quedaré en un pequeño hotel local cerca de...*

¡ATENCIÓN!

Ask your instructor to share the **Rúbrica** to understand how your work will be assessed.

☐ **I CAN** describe sustainable and responsible travel plans.

Experiencias profesionales Vas a grabar una reflexión sobre las experiencias profesionales de los capítulos anteriores.

Paso 1 Reflexiona sobre lo que has aprendido de la cultura hispana y la lengua española, así como de tu área de interés profesional y del uso del español en esa área.

Paso 2 Prepara un video de entre cuatro y cinco minutos en español con tu reflexión. En el video, contesta también estas preguntas.

- ¿Qué tipo de vocabulario se utiliza en tu área de interés profesional?

- ¿Cuáles son las ventajas de ser bilingüe según tus observaciones?

- ¿Cómo te puede ayudar en tu área de interés profesional tener más conocimiento de las diferentes culturas hispanas?

- ¿Cuáles son las destrezas que necesitas mejorar en español para poder usarlo en tu área de interés profesional?

☐ **I CAN** describe the career skills I have investigated so far.

Repaso

Repaso de objetivos

Reflect on your progress toward the chapter main goals.

I am able to...

	Well	Somewhat
Identify practices and perspectives about traveling.	☐	☐
Exchange information about traveling and responsible and inclusive tourism.	☐	☐
Compare products, practices, and perspectives related to the impact of tourism on local communities.	☐	☐
Describe sustainable and responsible travel plans.	☐	☐
Describe the career skills I have investigated so far.	☐	☐

Repaso de vocabulario

Los viajes   *Travel*
la aerolínea   *airline*
el aeropuerto   *airport*
el asiento   *seat*
  de pasillo   *aisle seat*
  de ventanilla   *window seat*
el/la asistente de vuelo   *flight attendant*
el avión   *plane*
la bandeja   *tray*
el boleto/billete   *ticket*
  de ida y vuelta   *round trip ticket*
el compartimento superior
  overhead compartment
el destino   *destination*
el documento de identidad
  identification card
el equipaje (de mano)   *(carry on) luggage*
la escala   *layover*
la estación   *station*
la llegada   *arrival*
la maleta   *suitcase*
el mostrador   *counter*
el pasillo   *aisle*
la puerta (de embarque)   *(boarding) gate*
la sala de espera   *waiting area*
la salida   *departure*
el/la viajero/a   *passenger; traveller*
el vuelo   *flight*

cancelado/a   *canceled*
retrasado/a   *delayed*

abordar   *to board*
abrocharse el cinturón de seguridad
  to fasten one's seat belt
aterrizar   *to land*
bajar de   *to get off*
(des)hacer la maleta   *to (un)pack*
despegar   *to take off (airplane)*
facturar el equipaje   *to check in luggage*
pasar por el control de seguridad
  to pass through security
perder (el vuelo, el tren, el autobús/bus)
  to miss (the flight, the train, the bus)
subir a   *to get on*
viajar   *to travel*

Cognados
la conexión
la excursión
el itinerario
el pasaporte
el/la piloto/a
la seguridad
el transporte público

El turismo   *Tourism*
la agencia de viajes   *travel agency*
el alojamiento   *lodging*
el ascensor   *elevator*
la cadena (de hoteles)   *hotel chain*
las capacidades restringidas
  restricted abilities

el/la guía turístico/a   *tourist guide*
la habitación   *room*
el/la huésped   *(hotel) guest*
la tarifa   *rate, price*
la visita guiada   *guided tour*

consciente   *aware of, conscious of*
ético/a   *ethical*
turístico/a   *tourist, pertaining to tourism*

apoyar   *to support*
disfrutar   *to enjoy*
experimentar   *to experience*
planear   *to plan*
recorrer   *to go all over*
relajarse   *to relax*

Cognados
el agroturismo
la atracción turística
las comunidades locales
el ecoturismo
el hotel
el paquete turístico
la rampa
la reservación
el/la turista
el vehículo adaptado

accesible
inclusivo
responsable

Repaso

Repaso de gramática

1 The future tense

Subject pronouns	llegar	perder	subir
yo	llegar**é**	perder**é**	subir**é**
tú	llegar**ás**	perder**ás**	subir**ás**
él, ella, usted	llegar**á**	perder**á**	subir**á**
nosotros/as	llegar**emos**	perder**emos**	subir**emos**
vosotros/as	llegar**éis**	perder**éis**	subir**éis**
ellos, ellas, ustedes	llegar**án**	perder**án**	subir**án**

Altered (irregular) stems in the future:

- hacer → har-
- poder → podr-
- poner → pondr-
- querer → querr-
- saber → sabr-
- salir → saldr-
- tener → tendr-
- venir → vendr-

2 The subjunctive with adverbial conjunctions

Adverbial conjunctions that express a pending, future action	
a menos que	*unless*
antes (de) que	*before*
con tal (de) que	*provided that*
cuando	*when*
después (de) que	*after*
en caso de que	*in case*
hasta que	*until*
para que	*so that*
sin que	*without*
tan pronto como, en cuanto	*as soon as*

When the action that follows the adverbial conjunction is habitual (it happens all the time) or completed (it has already taken place), the indicative—not the subjunctive—is used.

Adverbial conjunctions that express habitual or completed actions	
cuando	*when*
después (de) que	*after*
hasta que	*until*
tan pronto como, en cuanto	*as soon as*

Resources

Vhlcentral

Online activities

Capítulo 7

¿De dónde viene la comida que consumimos?

OBJETIVOS DE APRENDIZAJE

By the end of this chapter, I will be able to...

- Identify practices and perspectives on farming, food production, and fair trade.
- Exchange information about responsible consumption of food products.
- Compare products, practices, and perspectives related to farming and purchasing practices.
- Describe the benefits of buying locally grown foods.
- Contact an organization related to my field of interest.

ENCUENTROS

Sofía sale a la calle: Perspectivas sobre el comercio de los alimentos

Panorama actual: La agricultura

EXPLORACIONES

Vocabulario

La finca y sus productos

El comercio y el consumidor

Gramática

The subjunctive for expressing possibility and probability

The present perfect

EXPERIENCIAS

Blog: UTZ Market, productos guatemaltecos a precio justo

Cultura y sociedad: La paradoja costarricense: Plátanos costosos en su propia tierra

Literatura: *El cuento del cafecito*, de Julia Álvarez

Intercambiemos perspectivas: *¿Qué es la agroecología?*

Proyectos: ¿De dónde viene la comida que consumimos?, Experiencias profesionales

Perspectivas sobre el comercio de los alimentos

Lee y reflexiona sobre la estrategia intercultural de este capítulo.

Estrategia intercultural: Self-Awareness and Identity

Have you ever wondered, "How does my identity affect how I interact with others?" Experts recommend that a first step in developing intercultural competence is to reflect on your own cultural identity and values. (UNESCO, 2017) Try mapping the different identities of who you are, including age, religion, preferred pronouns, language(s), education, and location. Critically reflect on the interrelatedness of your identities, how they have changed over time, and how they can influence your interactions with others.

Fuente: UNESCO (2017). *Competencias interculturales: Marco conceptual y operativo.* Bogotá: Cátedra UNESCO-Diálogo intercultural, Universidad Nacional de Colombia.

Antes de ver

(1) **Entrando en el tema** Sofía entrevista a Andrés, Steve, Guido y Michelle sobre sus preferencias al comprar alimentos.

Paso 1 Selecciona las preguntas que supones (*you assume*) que son importantes para las personas cuando compran alimentos en mercados o supermercados.

- ¿Es un alimento o producto local o es importado?

- ¿Cómo se cultiva o se produce?

- ¿Tiene conservantes o aditivos el alimento?

- ¿Es justo el precio que se paga por el alimento o producto?

- ¿El productor recibe un pago justo por su producto?

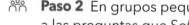 **Paso 2** En grupos pequeños, hagan predicciones sobre posibles respuestas a las preguntas que Sofía hace.

1. ¿Cuál es tu lugar preferido para comprar comida: granjas (*farms*), mercados al aire libre, supermercados o supermercados orgánicos? ¿Por qué?

2. ¿Compras frutas y verduras orgánicas? ¿Por qué?

3. ¿Has ido a un mercado al aire libre para comprar alimentos? Si vas, ¿qué compras?

4. ¿Te parece importante saber en dónde crecen (*grow*) esos alimentos y quién los cultiva?

Mientras ves

(2) Perspectivas Mira el video y selecciona los alimentos que a Andrés,
Steve, Guido y Michelle les gusta comprar en mercados al aire libre o
en supermercados orgánicos.

Andrés

Steve

Guido

Michelle

☐ la carne

☐ las manzanas

☐ los huevos

☐ el pescado

☐ los tomates

☐ la lechuga

☐ el pollo

☐ los mangos

☐ las uvas

☐ las fresas

Después de ver

(3) Análisis En parejas, analicen las perspectivas presentadas en el video.

1. Steve prefiere comprar alimentos en los mercados al aire libre porque
   "puedes preguntarles a las mismas personas que están vendiendo sus
   productos". ¿Por qué es una ventaja para él poder hacer eso?

2. Guido dice que solo compra frutas y verduras orgánicas "porque las
   cultivan de forma natural". ¿Por qué le importa eso?

3. Para Andrés es una prioridad ir a un mercado al aire libre cuando
   visita un país nuevo para "aprender de su cultura y sus formas de
   comunicación". ¿Qué quiere decir?

4. Para Michelle es importante saber cómo crecen los alimentos y quién
   los cultiva. ¿Por qué?

5. ¿Conocieron alguna perspectiva nueva sobre el comercio y la compra
   de alimentos? ¿Cuál(es)?

**Estrategia de aprendizaje:
Examining How Much Time
It Takes**

Have you wondered why you
can remember some words and
phrases easier than others? There
are two reasons I have discovered
that can make it easy or difficult
for you to remember what you
want to say and how you want to
say it... *Go online to watch the
complete learning strategy.*

Video: Strategy

Resources

Vhlcentral

Online
activities

☐ **I CAN** identify perspectives on grocery shopping and the food trade.

Learning Objective:
Examine practices related to agriculture
and food management around the world.

La agricultura

En el pasado, los **agricultores°** principalmente sembraban y cosechaban° **cultivos°** para la venta local o regional. Con el transcurso del tiempo, el **comercio°** de nuestros alimentos ha traspasado° fronteras: muchos agricultores producen cultivos que se venden en **mercados** a miles y miles de kilómetros de distancia. Los avances en la tecnología han facilitado la **siembra°** y la **cosecha°** de enormes cantidades –miles de toneladas al año– de cultivos que, en algunos casos, sobrepasan la demanda local o regional y que proveen una fuente de ingresos fundamental para las economías locales. En este **Panorama actual** vas a analizar qué países producen los alimentos más básicos, el crecimiento o disminución de las áreas de cultivo y cuánta comida se desperdicia en el mundo.

agricultores *farmers* **cosechaban** *harvested* **cultivos** *crops* **comercio** *trade*
ha traspasado *has crossed* **siembra** *sowing, planting* **cosecha** *harvest*

Principales países productores de alimentos básicos
(producción en millones de toneladas)

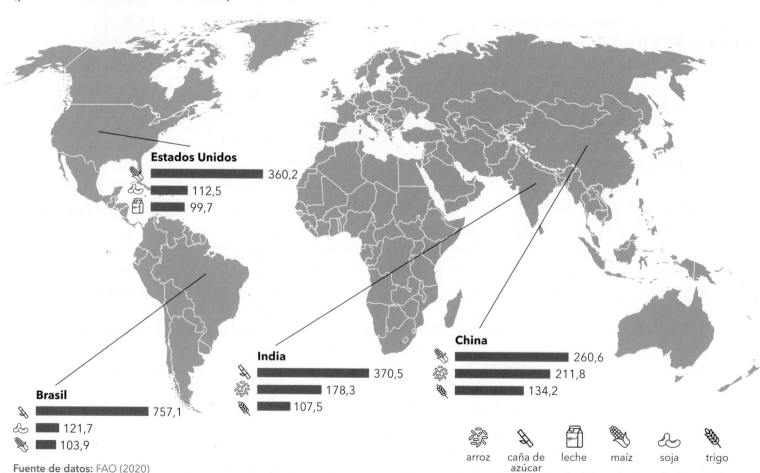

Estados Unidos
360,2
112,5
99,7

China
260,6
211,8
134,2

India
370,5
178,3
107,5

Brasil
757,1
121,7
103,9

arroz   caña de azúcar   leche   maíz   soja   trigo

Fuente de datos: FAO (2020)

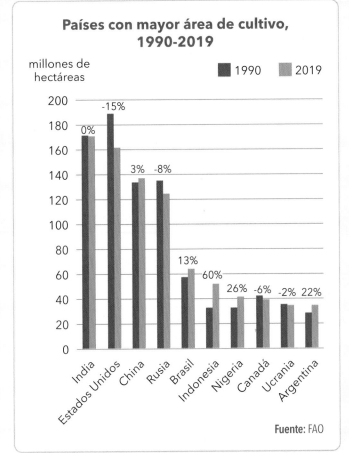

Países con mayor área de cultivo, 1990-2019

millones de hectáreas

■ 1990 ■ 2019

Fuente: FAO

Desperdicio de alimentos en el mundo en 2019

931 millones toneladas de alimentos desperdiciados

Esto sugiere que se desperdicia el **17% de la producción total** de alimentos a nivel mundial.

61% doméstica

26% servicio de alimentos

13% comercial

121kg

Cada consumidor desperdicia en promedio **121 kg** de comida al año.

Fuente: BBC

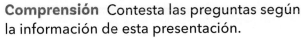

1 **Comprensión** Contesta las preguntas según la información de esta presentación.

1. Según la información del mapa, ¿qué alimento básico se produce más que cualquier otro en todo el mundo? ¿Qué país es el mayor productor de ese cultivo?

2. ¿Cuál es el mayor cultivo en Estados Unidos? ¿Cómo se compara con la producción de los otros países?

3. ¿Qué país ganó más área de cultivo entre 1990 y 2019? ¿Y cuál perdió más?

4. ¿Qué porcentaje de la producción total de alimentos se desperdicia a nivel mundial? ¿En qué contexto se desperdicia el mayor porcentaje de comida?

2 **Analizar** En parejas, conversen sobre las preguntas.

1. ¿Qué tienen en común los grandes productores de alimentos como Estados Unidos, Brasil, India y China? ¿Qué consecuencias puede haber si uno de estos países reduce significativamente la producción de uno de sus productos?

2. ¿En general, los países con mayor área de cultivo han incrementado (*have increased*) o han disminuido (*have decreased*) sus áreas de 1990 a 2019?

3. ¿Dónde se desperdicia el 13% de los alimentos en el mundo? Den ejemplos.

4. De los datos que leyeron, ¿cuál les sorprendió más y por qué?

3 **Para investigar** Elige un tema para investigar.

1. Selecciona uno de los alimentos básicos que producen Estados Unidos, Brasil China o India y busca información sobre el porcentaje de la producción de ese alimento que se exporta y adónde.

2. Busca información sobre la cantidad de alimentos que se desperdician en tu país. ¿Cómo se compara con el desperdicio mundial?

☐ **I CAN** identify some practices related to agriculture and food management around the world.

La finca y sus productos

el granero

el ganado

la camioneta

el agricultor

el campo

cultivar

el cultivo

la hierba

la tierra

el tractor

Más palabras

el/la consumidor(a) *consumer*

la cosecha *harvest*

el huerto *vegetable garden*

la semilla *seed*

la siembra *sowing*

agrícola *farming, agricultural*

de temporada *seasonal*

disponible *available*

fresco/a *fresh*

libre de… *free from…*

criar *to breed*

probar (o:ue) *to taste, to try*

regar (e:ie) *to water*

Cognados

la agricultura

el fertilizante

la planta

convencional

natural

orgánico/a

rural

1 **Tu propio huerto** Una organización de tu comunidad está ofreciendo cinco talleres educativos sobre cómo cultivar frutas y verduras en tu propio huerto.

Paso 1 Escucha la descripción de cada taller y completa la tabla con la información que falta.

Talleres	Fecha	Horario	Costo	Título	Objetivo
Taller 1		10 a.m. - 3 p.m.		Su propio huerto	
Taller 2	cada domingo		$35		mantener su huerto saludable y hacer fertilizantes
Taller 3	primer sábado de cada mes				
Taller 4				Conexión entre la salud y el huerto	
Taller 5			$30		

Paso 2 En parejas, conversen para determinar cuál es el mejor taller para cada uno/a según sus intereses.

2 **Recomendaciones** Tu amigo quiere construir un pequeño huerto y te pide ayuda.

Paso 1 Completa la tabla con consejos y recomendaciones que tú crees que pueden ayudar a tu amigo.

Consejos	Para preparar el huerto	Para mantener el huerto
1. Es necesario…		
2. Es importante…		
3. No es recomendable que…		

Paso 2 En parejas, comparen sus respuestas y decidan cuáles son las recomendaciones más útiles y cuáles son las más originales.

3 **Adivinanzas** En parejas, túrnense para describir los siguientes términos y adivinarlos (*guess them*). Pueden añadir otros.

el/la agricultor(a)	el fertilizante	regar
cosechar	el ganado	la semilla

Modelo **Estudiante A:** *Es el material donde se siembran las plantas.*
Estudiante B: *¿Es la tierra?*

4 **Los cultivos** En parejas, intercambien ideas y contesten las preguntas.

1. ¿Hay tierras de cultivo en su comunidad o cerca de ella? ¿Qué se cultiva? ¿Se cría ganado?

2. ¿Conocen productos que se cultiven solo en determinadas temporadas en su comunidad o región? ¿Cuáles? ¿Están disponibles en los mercados y supermercados todo el año?

3. En su opinión, ¿qué ventajas encuentran los consumidores en los cultivos convencionales en comparación con los orgánicos?

4. De manera similar, ¿cuáles son las ventajas que encuentran los consumidores en los cultivos orgánicos en comparación con los convencionales?

5. ¿Piensan que existen diferencias nutricionales entre los alimentos convencionales y los orgánicos? Expliquen sus respuestas.

5 **El español cerca de ti** Investiga si los alimentos, frutas y verduras que compras normalmente vienen de algún país hispano. ¿De qué país viene la mayoría de los productos? En parejas, comparen la información que encontraron. ¿Es importante para ustedes saber de dónde vienen los productos que consumen? ¿Por qué?

☐ **I CAN** talk about basic concepts related to farming and food production.

STUDENT TIP: Learning Vocabulary (by Nathalie Solorio, Xavier University)

Something that really helps me to learn vocabulary is to make flashcards. It's an easy way to memorize words as well as accent marks... *Go online to watch the complete learning tip.*

 Video: Tip

Resources

Vhlcentral

WebSAM

Expressing possibility and probability: The subjunctive

In previous chapters you have seen the subjunctive used to indicate wants and needs, emotions, doubt or uncertainty, and to express future actions. You will also recall that the subjunctive is used to express events, people, and things considered to be unknown at the present time and, possibly, nonexistent.

Up until now you have been using the expression **puede ser que...** or **no puede ser que...** to express possible actions.

Puede ser que sembremos tomates este año.	It may be that we plant tomatoes this year.
	(Maybe we'll plant tomatoes this year.)

Other expressions that you can use to express possibility or probability with the subjunctive are the following.

Expressions to indicate possibility and probability			
(No) Es posible que…	It's (not) possible that…	Es imposible que…	It's impossible that…
(No) Es probable que…	It's (not) probable, likely that…	Es improbable que…	It's improbable, unlikely that…

No es posible que la finca **esté** cerrada.	It's not possible that the farm will be closed.
Es improbable que esta planta **crezca**.	It's unlikely that this plant will grow.

Note there are other expressions that express possibility or probability that do not require using **que**.

Expressions to indicate possibility and probability that do not require **que**			
posiblemente	possibly, maybe	quizás	maybe
probablemente	probably	tal vez	maybe

Posiblemente los precios **suban**.	The prices will possibly go up.
Quizás llueva mañana.	Maybe it will rain tomorrow.

Exploraciones

1 **La finca de Vicente** Vicente Padilla y su familia tienen una finca en Matagalpa, Nicaragua. Escucha a Vicente mientras habla con su hijo Esteban sobre la posibilidad de recibir a estudiantes extranjeros en su finca. Escoge la respuesta más lógica según su conversación.

1. A los estudiantes les interesa ir a la finca de Vicente porque…
   a. quieren aprender nuevas técnicas de cultivo orgánico.
   b. desean mejorar su español.
   c. quieren investigar sobre los pesticidas.

2. Es probable que Vicente les enseñe a los estudiantes…
   a. cómo cultivar sin el uso de pesticidas.
   b. las palabras y expresiones útiles para trabajar en una finca.
   c. vocabulario relacionado con la vida diaria.

3. Esteban está emocionado con la idea de…
   a. enseñarles a los estudiantes a regar los cultivos.
   b. que los estudiantes prueben sus productos.
   c. recibir a los estudiantes estadounidenses en su finca.

4. Según Esteban, es posible que él pueda…
   a. viajar a Seattle y estudiar allí.
   b. practicar su inglés con los estudiantes.
   c. estudiar en Estados Unidos.

5. Probablemente los estudiantes se queden…
   a. en la universidad del pueblo.
   b. en un hotel cerca de la finca.
   c. en la finca de la familia Padilla.

Vicente Padilla cultiva café y otros alimentos orgánicos en su finca en Matagalpa, Nicaragua.

2 **¿Probable o improbable?** Dos estudiantes estadounidenses van a trabajar en una finca nicaragüense como parte de su programa de estudios. Decide si consideras que las siguientes situaciones son probables (**P**) o improbables (**IP**). Luego, en parejas, comparen sus respuestas.

_____ 1. Tal vez los estudiantes necesiten un pasaporte.

_____ 2. Quizás los estudiantes no paguen nada por los billetes ni el alojamiento.

_____ 3. Puede ser que los estudiantes prueben algunos productos que se cultivan en la finca.

_____ 4. Posiblemente los estudiantes aprendan un poco de español durante su viaje.

_____ 5. Es posible que los estudiantes lleven semillas de su país para plantarlas en la finca.

_____ 6. Quizás sea una experiencia inolvidable para los estudiantes.

(3) En tu comunidad Piensa en un proyecto de tu comunidad en el que quieras participar (huerto comunitario, campaña para limpiar los parques, etc.). Luego, en parejas, conversen sobre sus proyectos e incluyan cuatro o cinco predicciones sobre ellos usando estas expresiones.

1. Es posible que...
2. Quizás...
3. Probablemente...
3. Posiblemente...
4. Tal vez...
6. Es probable que...

(4) Situaciones En parejas, hagan los papeles de A y de B para representar la situación.

Estudiante A Acabas de mudarte a un apartamento y necesitas hacer compras en el supermercado. Le pides a un(a) amigo/a que vaya contigo. En el supermercado, tu amigo/a solo busca productos orgánicos, pero a ti no te parece necesario comprar ese tipo de productos. Háblale de las posibles ventajas de no comprar productos orgánicos. Incluye expresiones de posibilidad y probabilidad.

Estudiante B Tu amigo/a te pide que le ayudes a hacer las compras del supermercado porque se acaba de mudar. Decides acompañarlo/a especialmente porque es tu oportunidad de convencerlo/a de consumir productos orgánicos. Háblale de las posibles ventajas de comprar productos orgánicos. Incluye expresiones de posibilidad y probabilidad.

CULTURA VIVA

El agroetnoturismo en Colombia En Cauca, los guambianos —un pueblo originario americano— reciben a los turistas para mostrarles sus tradiciones y costumbres. Uno de sus pueblos, Silvia, está ubicado en las montañas y es famoso por su mercado y su agroetnoturismo. Allí se puede disfrutar de un clima fresco, un río con agua refrescante, la naturaleza y el aire limpio. Esta comunidad se dedica a la producción y preparación de alimentos. La Asociación Indígena de Guambía y sus miembros cultivan productos agrícolas como el queso, la quinua y la trucha (*trout*) en Silvia y sus alrededores. Las familias tienen proyectos de piscicultura (*fish farming*) donde crían truchas arcoíris. **¿Conoces algún proyecto de agroetnoturismo en tu país? ¿Cómo se compara con este?**

☐ **I CAN** express possibility and probability.

El comercio y el consumidor

El comercio se basa en un **acuerdo** entre el consumidor y la empresa. Los **productores** y **microproductores** proveen productos a los **intermediarios**, quienes a su vez ganan dinero de las **ventas**. Existen otros tipos de comercio que apoyan a los microproductores y mantienen la **calidad** del producto. El comercio justo y el **comercio directo** son dos conceptos similares que promueven la protección ambiental y la sostenibilidad económica de los trabajadores. Pagan un **precio** justo por los productos, respetando los **derechos** fundamentales de los agricultores de fincas pequeñas y sus trabajadores, y dándoles mejores condiciones de trabajo y calidad de vida. También, promueven la igualdad de género y se oponen a la explotación de niños trabajadores. Adicionalmente, el comercio directo elimina a los intermediarios, promueve el respeto hacia el agricultor local y apoya una relación **cercana** entre el productor y el consumidor.

Más palabras

el/la **comprador(a)** *buyer*

la **dirección** *management*

el/la **dueño/a** *owner*

el **mercado** *market*

el **sello** *seal*

el **valor** *value*

alto/a *high*

bajo/a *low*

mutuo/a *common; mutual*

producir (c:zc) *to make, to produce*

Cognados

el **costo**

la **transacción**

1 **Modelos de comercio** Escucha lo que cuenta una clienta del café Coffee Emporium, en Cincinnati, Ohio, y por qué apoya ese negocio local.

Paso 1 Completa la tabla según la información que escuches.

	comercio justo	comercio directo
ventajas		
desafíos		

Paso 2 En parejas, hablen sobre las ventajas y desafíos de ambos tipos de comercio y, luego, contesten las preguntas.

1. ¿Qué modelo de comercio sigue Coffee Emporium?

2. ¿Cómo es la relación entre Coffee Emporium y los productores de su café?

3. En su opinión, ¿qué modelo es mejor? ¿Por qué?

2 **Comercio justo y comercio directo** Lee la presentación de vocabulario nuevamente y selecciona las oraciones que describan al comercio justo y al comercio directo.

1. ☐ Se pagan salarios justos a los trabajadores.

2. ☐ Se apoyan los productos de calidad.

3. ☐ Se cultivan los productos con pesticidas.

4. ☐ Se protegen los derechos fundamentales de las personas.

5. ☐ Se promueven horarios de trabajo largos para producir un cambio en las comunidades.

6. ☐ Se promueven la igualdad de género.

7. ☐ Se explota a los niños y se favorece el trabajo infantil.

Exploraciones

3 **¿Estás de acuerdo?** La gente tiene distintas opiniones sobre el comercio de productos.

Paso 1 Lee estas opiniones y selecciona las ideas con las que estás de acuerdo.

- Todos somos responsables del impacto social y ambiental de los productos que consumimos.

- No somos conscientes de las repercusiones de nuestras actividades cotidianas en el medioambiente.

- El comercio justo garantiza una vida mejor para muchas personas.

- Gracias al comercio justo, la calidad de los productos es mucho mejor.

- Al tomar la decisión de comprar un producto, el precio es el factor determinante.

- Los productos comprados directamente a los productores reducen el número de intermediarios.

- Los países más desarrollados tienen ventajas competitivas sobre los países con economías en vías de desarrollo.

Paso 2 En parejas, compartan sus respuestas y expliquen por qué piensan así.

STUDENT TIP: Visualizing the End Product (by Shaan Dahar, Xavier University)

If you're feeling stressed about Spanish class, or any class really, visualize the end product, what you are going to gain out of that class... *Go online to watch the complete learning tip.*

Video: Tip

Según una encuesta de Alliance for Science, el 48% de los entrevistados estadounidenses dijo que nunca o casi nunca buscaba información sobre el origen de sus alimentos o cómo se produjeron.

4 **El español cerca de ti** Busca información sobre una empresa en tu comunidad o en internet que tenga programas de comercio justo o directo. Prepara un resumen de los principios que sigue y los productos que vende (de dónde provienen y cuánto cuestan).

Resources

Vhlcentral

WebSAM

☐ **I CAN** talk about basic concepts related to trade.

Describing what has happened: The present perfect

The present perfect describes an action that began in the past and is still going on or is still relevant in the present. It closely corresponds with the way in which this is expressed in English.

Mariana **ha trabajado** en la finca por tres años.

Mariana has worked on the farm for three years.

Yo **he comido** ese plato muchas veces.

I have eaten that dish many times.

As you can see, the present perfect is made up of two parts:

present tense of **haber** + [PAST PARTICIPLE OF A VERB]

The forms of the present tense of **haber** (*to have*) are in the following table.

Subject pronoun	haber
yo	**he**
tú	**has**
él, ella, usted	**ha**
nosotros/as	**hemos**
vosotros/as	**habéis**
ellos, ellas, ustedes	**han**

To form most past participles, drop the **-ar, -er**, and **-ir** endings of the infinitive forms and add **-ado** to the stem of **-ar** verbs and **-ido** to the stems of **-er** and **-ir** verbs.

Regular past participles
-ar verbs: habl**ar** → habl**ado**
-er verbs: com**er** → com**ido**
-ir verbs: viv**ir** → viv**ido**

¿Qué observas?

What do you notice about all the endings of the past participles?

Exploraciones

Below is a list of verbs with irregular past participles:

Irregular past participles	
abrir → **abierto** (*opened*)	poner → **puesto** (*put*)
decir → **dicho** (*said*)	resolver → **resuelto** (*solved*)
escribir → **escrito** (*written*)	romper → **roto** (*broken*)
hacer → **hecho** (*done*)	ver → **visto** (*seen*)
morir → **muerto** (*died*)	volver → **vuelto** (*returned*)

Yo **he abierto** una tienda de productos de comercio justo.

I have opened a store with fair trade products.

Mi hija **ha roto** la canasta que llevo al mercado.

My daughter has broken the basket that I take to the market.

Mis amigos **han vuelto** a esa finca cinco veces.

My friends have returned to that farm five times.

CULTURA VIVA

La caña de azúcar La República Dominicana es conocida no solo por sus hermosas playas y la amabilidad de su gente, sino también por su destacada producción de azúcar. La caña de azúcar es el cultivo más importante del país y fue introducida durante el segundo viaje de Cristóbal Colón a la isla en 1493. Para su crecimiento óptimo, la caña de azúcar requiere altas temperaturas, en un rango de entre 32 °C y 38 °C. Su éxito en la República Dominicana llevó a su expansión por todo el Caribe y Sudamérica. Esta planta alcanza una altura de dos a cinco metros y la mayor parte de la cosecha en el país todavía se realiza de forma manual. El principal destino de exportación del azúcar dominicano es Estados Unidos. En el año 2021, la producción de azúcar superó las 600.000 toneladas métricas. No obstante, esta cifra puede variar significativamente de un año a otro debido a factores como la sequía y los huracanes, que impactan en la producción. **¿Cómo afecta la producción de caña de azúcar en la República Dominicana a la disponibilidad y al precio de los productos a base de azúcar en Estados Unidos?**

1 **Mercados de productos locales** Escucha un podcast sobre los mercados de productos locales en Estados Unidos. Luego indica si cada oración es **cierta (C)** o **falsa (F)**.

1. En los mercados de productos locales se pueden comprar frutas y verduras sin pesticidas. .... **C F**

2. El número de mercados de productos locales en Estados Unidos no ha cambiado significativamente en los últimos años. .... **C F**

3. El precio de los alimentos en los mercados de productos locales es generalmente más alto. .... **C F**

4. El número de mercados locales cerca de las universidades se ha reducido en los últimos años. .... **C F**

5. La persona que habla en el podcast ha ido a mercados de productos locales varias veces (*times*). .... **C F**

2 **Nunca he...** En grupos pequeños, van a jugar un juego para descubrir las actividades que han hecho y que no han hecho.

Paso 1 Cada estudiante escribe sus iniciales en varios pedazos de papel (4 pedazos si son 3 estudiantes, 5 pedazos si son 4 estudiantes, etc.)

Paso 2 Un(a) estudiante empieza describiendo una actividad que él/ella nunca ha hecho, pero que cree que los demás sí han hecho. Por ejemplo, si la persona nunca ha ido a una finca, va a decir: "Nunca he ido a una finca".

Paso 3 Los/Las estudiantes que sí han hecho la actividad mencionada tienen que darle uno de sus papeles al/a la estudiante que describió la actividad. Si hay alguien que tampoco ha hecho la actividad, el/la estudiante que la mencionó tiene que darle un papel a esa(s) persona(s).

Paso 4 Cuando todos hayan descrito una actividad que han hecho, cada uno/a cuenta el número de papeles que tiene. Gana la persona que tiene el mayor número de papeles.

3 **Situaciones** En parejas, hagan los papeles de A y de B para representar la situación.

Estudiante A Estás pensando abrir un puesto (*stall*) en un mercado de productos locales y vas a conversar con un(a) amigo/a que viene de una familia de agricultores para saber más del tema. Pregúntale sobre las experiencias que ha tenido en fincas y en mercados de productos locales. Explícale por qué quieres abrir este puesto.

Estudiante B Tu amigo/a sabe que creciste en una finca y desea hablar contigo porque quiere abrir su propio puesto (*stall*) en un mercado de productos locales. Contesta sus preguntas. Explícale lo que has aprendido y pregúntale qué ha pensado vender en su puesto. Dale recomendaciones.

Resources

Vhlcentral

WebSAM

□ **I CAN** describe what has happened.

Audio:
Reading

Episodio #7: Patricia Meléndez Valderas

Antes de escuchar

1 **La historia de Patricia** Patricia va a hablar de sus experiencias como agricultora en Ecuador. En parejas, conversen sobre estas preguntas antes de escuchar el podcast.

1. ¿Qué piensan del comercio justo?

2. ¿Qué significa el término "precio justo" para ustedes?

3. Cuando van al supermercado, ¿prestan atención al lugar de origen de los productos que compran? ¿Por qué?

4. ¿Han cultivado alguna vez un pequeño huerto o han plantado algo? ¿Cómo fue la experiencia? ¿Qué plantas eran? Si nunca lo han hecho, expliquen por qué.

Mientras escuchas

2 **¿Qué pasó?** Escucha lo que cuenta Patricia sobre su vida y escribe qué pasó o qué hacía ella cuando tenía estas edades.

1. 7 años

2. 10 años

3. 18 años

4. 20 años

Después de escuchar

3 **El comercio agrícola** Describe la producción de alimentos en tu comunidad usando estas preguntas guía.

1. ¿Es importante para ti consumir productos naturales? ¿Qué se cultiva en tu comunidad o cerca de ella? ¿Dónde se pueden comprar estos productos?

2. ¿Crees que los agricultores reciben en general un precio justo por sus productos?

3. ¿Qué pueden hacer los consumidores que quieren apoyar el comercio justo?

4. ¿Hay lugares en tu comunidad donde se pueden encontrar productos de comercio justo o directo?

Resources

Vhlcentral

Online activities

☐ **I CAN** describe farming and fair trade practices in my community.

UTZ Market, productos guatemaltecos a precio justo

Lee el blog de Sofía sobre un proyecto para crear una solución en la comunidad.

www.el_blog_de_sofia.com/utz_market

UTZ Market, productos guatemaltecos a precio justo

La última vez que fui a Guatemala, conocí a un joven ingeniero llamado Hubert que se dedicaba a ayudar a la gente a través de trabajos de servicio en la comunidad. Hubert y otros dos compañeros —Tony y Sergio— notaron que muchos productos hechos a mano por guatemaltecos se vendían a precios mínimos e injustos en comparación con la calidad y las horas requeridas para producirlos. Así que los jóvenes tuvieron la idea de crear un sitio web para vender esos productos a un precio más justo. Así nació UTZ Market, un mercado en línea que conecta a los artesanos y productores guatemaltecos con los consumidores de todo el mundo. Este mercado busca empoderar (*empower*) a los artesanos y productores y crear una economía que beneficie a todos y que, al mismo tiempo, permita un desarrollo sostenible. En un mundo cada vez más globalizado, proyectos como UTZ Market demuestran cómo la innovación y la colaboración pueden transformar las vidas de las personas y fomentar la equidad en el comercio internacional.

1 **Preguntas** Contesta las preguntas según la información del blog.

1. ¿Qué es UTZ Market?

2. ¿Cómo nació UTZ Market?

3. ¿Quiénes forman parte del equipo de UTZ Market?

4. ¿Cuál es el objetivo de UTZ Market?

2 **UTZ Market** Busca el sitio web de UTZ Market u otro sitio en español de comercio justo y contesta las preguntas.

1. ¿Qué tipo de productos venden?

2. ¿Cuál es la filosofía de la empresa?

3. ¿Qué productos te interesan? ¿Por qué?

3 **Mi blog** Escribe sobre un proyecto en tu comunidad que esté tratando de solucionar un problema. ¿Por qué te interesa este proyecto?

☐ **I CAN** describe a project that is creating a solution in my community.

Experiencias

Cultura y sociedad

Audio: Reading

Una economía globalizada ha traído riqueza y prosperidad a muchos países, pero no ha ocurrido sin problemas. Vas a leer una lectura sobre los problemas relacionados con el costo de los plátanos en Costa Rica, a pesar de (*despite*) ser uno de los principales exportadores a nivel mundial.

Antes de leer

(1) Preguntas En parejas, contesten las preguntas.

1. ¿Cuáles son los productos que se producen en su comunidad o región?

2. ¿Saben si el precio de estos productos cambia dependiendo de si se venden en tiendas o supermercados locales o lejos de su comunidad o región?

3. ¿Cuáles son los factores que influyen en el precio de estos productos?

4. ¿Hay productos que se producen en su comunidad o región que se destinan solo a mercados no locales?

5. ¿Por qué resulta sorprendente que Costa Rica tenga problemas con el costo de los plátanos a pesar de ser un importante exportador a nivel mundial?

6. ¿Cómo creen que los problemas relacionados con el costo de los plátanos en Costa Rica pueden estar vinculados con la economía globalizada?

(2) Vocabulario Identifica las palabras en el texto y luego indica qué definición corresponde a cada palabra.

_____ **1.** el aumento   **a.** vista o panorama natural o urbano

_____ **2.** atraer   **b.** ocasionar o causar algo

_____ **3.** la divisa   **c.** moneda extranjera

_____ **4.** el impuesto   **d.** consistir

_____ **5.** el paisaje   **e.** incremento o crecimiento en la cantidad de algo

_____ **6.** radicar   **f.** dinero que las personas o empresas pagan al gobierno

_____ **7.** someter   **g.** hacer que algo cumpla ciertas normas o reglas

_____ **8.** la disminución   **h.** acción de reducir la cantidad de algo

La paradoja costarricense:
Plátanos costosos° en su propia tierra

Costa Rica es el tercer mayor exportador de plátanos del mundo.

Costa Rica, conocida por su exuberante biodiversidad y sus impresionantes paisajes, también es famosa por su producción de plátanos. Sin embargo, a pesar de° ser el tercer país exportador del mundo, muchos
5 costarricenses no pueden adquirir° ese producto por su alto costo en el mercado local.

En primer lugar, es importante comprender que Costa Rica es uno de los principales exportadores de plátanos a nivel mundial. La calidad de sus frutos y
10 la eficiencia de sus productores han permitido que este sector sea altamente competitivo en el mercado internacional. Esta exportación masiva de plátanos ha traído beneficios económicos significativos para el país, generando empleos y atrayendo divisas. Sin
15 embargo, esta realidad económica también tiene implicaciones para los costarricenses. La demanda extranjera de plátanos ha llevado a un aumento en los precios nacionales, haciendo que este alimento básico sea inaccesible para muchas personas en el país. La
20 ironía de la situación radica en que Costa Rica, siendo un importante productor de plátanos, no puede disfrutar plenamente de su propia producción debido a su alta demanda en el extranjero.

Además, existen otros factores que contribuyen al
25 costo elevado de los plátanos en el mercado local. La logística de transporte y distribución de los productos dentro del país es un desafío, especialmente en áreas rurales y de difícil acceso. Esto aumenta los costos de transporte y el precio final del producto. Asimismo,
30 los altos impuestos y la burocracia asociada con la producción y venta de plátanos también influyen en su costo para el consumidor. Otra razón detrás de este fenómeno es el modelo económico centrado en la exportación. La producción de plátanos
35 en Costa Rica está orientada principalmente a satisfacer la demanda extranjera, lo que implica altos volúmenes de producción y estándares de calidad internacionales. Esto hace que los plátanos

costarricenses sean sometidos a rigurosos controles
40 y requisitos de certificación, elevando los costos de producción. A su vez, esto se traduce en precios más altos para los consumidores nacionales, que no pueden competir con los precios más bajos de los plátanos importados de otros países.

45 Las consecuencias de los plátanos costarricenses costosos y su exportación masiva son diversas. En primer lugar, existe una disparidad económica entre aquellos que pueden permitirse comprar plátanos y aquellos que no pueden. Esto crea un acceso desigual
50 a los alimentos básicos y contribuye a la desigualdad social en el país. Además, la dependencia excesiva de la exportación de plátanos puede hacer que la economía costarricense sea vulnerable a los cambios en la demanda internacional o a posibles crisis en los
55 mercados de destino. Una disminución en la demanda de plátanos en el extranjero podría tener un impacto significativo en los ingresos del país y en el bienestar de los productores locales.

El alto costo de los plátanos en Costa Rica y su
60 exportación masiva plantean° un dilema complejo. Si bien° la exportación de este producto es beneficiosa para la economía nacional, también genera desafíos para la población local que no puede adquirirlos debido a su elevado precio. Es necesario
65 buscar soluciones que permitan un equilibrio entre la exportación y un precio asequible° para los costarricenses, promoviendo así la equidad y el desarrollo sostenible en el país. ●

costosos *expensive* **a pesar de** *despite* **adquirir** *purchase* **plantean** *pose* **Si bien** *Although* **asequible** *affordable*

Experiencias

Después de leer

③ Comprensión Contesta las preguntas sobre la lectura.

1. ¿Por qué es Costa Rica uno de los mayores exportadores de plátanos en el mundo?

2. ¿Cuáles son tres factores que causan que los plátanos sean costosos en Costa Rica?

3. ¿Cuál es una preocupación para los costarricenses en relación con la producción de plátanos?

4. ¿Cómo influye la disparidad económica en Costa Rica en la compra de plátanos?

④ Análisis En parejas, intercambien ideas y contesten las preguntas.

1. ¿Cuál es la paradoja mencionada en el título y cómo se relaciona con el alto costo de los plátanos en el mercado local de Costa Rica?

2. ¿Qué ventajas y desafíos resultan de los estrictos controles de calidad que se aplican a los plátanos costarricenses para los productores y consumidores locales?

⑤ A escribir Vas a escribir un ensayo donde compares los precios y la disponibilidad de algunos productos básicos en tu comunidad con los de otra comunidad en tu país. Lee la estrategia de escritura y luego sigue los pasos.

Estrategia de escritura: List Making

List making is a simple strategy that can serve as a springboard for writing an essay or other writing assignment. Making a list can serve as a great way to focus on the topic, brainstorm terms, and get some words on paper. For instance, a list of free-time activities can later be turned into an essay comparing popular activities across different cultures. Similarly, a list of groceries can be transformed into a recipe with instructions for creating a dish.

Paso 1 Haz una lista de diferentes alimentos, productos o servicios básicos.

Paso 2 Busca información sobre los precios y disponibilidad de los ítems de tu lista en tu comunidad y en otra comunidad de tu país.

Paso 3 Escribe un ensayo de dos o tres párrafos en el que compares los precios y la disponibilidad de esos ítems en esos dos lugares. ¿Cuáles son las diferencias y similitudes? ¿Alguno de estos ítems se puede comparar con el caso de los plátanos en Costa Rica?

Resources

Ⓢ
Vhlcentral

Online
activities

☐ **I CAN** compare practices related to global and local trade.

Literatura

Learning Objective: Interpret a description of a farming practice in a literary passage.

Audio: Reading

Julia Álvarez (1950–)

Julia Álvarez es novelista, poeta, ensayista y educadora. Nació en Nueva York y pasó su niñez en la República Dominicana, el país natal de sus padres. A los diez años, su familia tuvo que huir a Estados Unidos debido a la dictadura de Rafael Trujillo. Álvarez obtuvo su título de pregrado de Middlebury College y su maestría en creación literaria de la Universidad de Syracuse. En la actualidad, es escritora residente en Middlebury College donde enseña y asesora a estudiantes latinos. Entre los temas sobre los que escribe están las diferencias culturales, la identidad y la justicia económica. Sus libros, *De cómo las chicas García perdieron su acento* y *En el tiempo de las mariposas* han sido traducidos a varios idiomas.

Antes de leer

> **Estrategia de lectura: Identifying the Steps in Instructions**
>
> Some reading passages describe steps regarding how to do something. These steps may be numbered or may be written within paragraphs. When steps are descriptive and are not numbered, it may help to skim the passage and write your own numbers for each of the steps described. You could also create a shortened list of the steps in your own words.

(1) Temas *El cuento del cafecito* es la historia de Alta Gracia, una finca en la República Dominicana donde se produce café orgánico. Selecciona las ideas que piensas encontrar en el texto.

- ☐ la historia de la familia de la autora
- ☐ los consumidores de café
- ☐ el papel del intermediario en el proceso del café
- ☐ las razones por las que las personas beben café
- ☐ el trabajo de producir una taza de café
- ☐ el proceso de cultivar el café
- ☐ el cultivo del café en la República Dominicana
- ☐ el apoyo de los consumidores a los agricultores

(2) Vocabulario Vas a familiarizarte con el vocabulario de la selección.

Paso 1 Lee por encima (*Skim*) el fragmento e identifica todos los cognados.

Paso 2 Escribe una definición para cada término usando tus propias palabras.

los trasplantes	los granos	el patio
las terrazas	la pulpa	vigorosos

(3) Lista de pasos Lee por encima nuevamente el fragmento e identifica y numera (*number*) los pasos del proceso que se describe. ¿Qué proceso es?

El cuento del cafecito

(fragmento)

Antes de sembrar café se debe preparar la tierra en terrazas con árboles de distintos tamaños para crear distintos niveles de sombras°: primero, los cedros°; luego, las guanas° y los guineos°.

5 Mientras tanto, Miguel comienza a hacer germinar las semillas de café. Los retoños° se toman alrededor de cincuenta días.

Del germinador, los pequeños trasplantes pasan al vivero° por ocho meses. Finalmente, cuando están
10 fuertes y vigorosos, Miguel los siembra en las terrazas.

Entonces hay que quitar la yerba y alimentar las plantas con abonos° hechos de lo que se encuentre alrededor. Nosotros lo llamamos orgánico, explica Miguel, porque usamos solo lo que la naturaleza nos brinda gratis.

15 Después de tres años, si Dios quiere, tenemos nuestra primera cosecha. La recogemos cuatro veces entre diciembre y marzo. Claro, solo los granos rojos.

Entonces comienza nuestra prisa: tenemos que quitarle la pulpa a cada cereza esa misma noche o bien
20 temprano la mañana siguiente. La pulpa va a nuestra lombriguera donde producimos fertilizantes naturales.

Entonces cargamos los granos mojados al río. Deben lavarse con agua corriente por cerca de ocho horas — un proceso que requiere atención, porque debemos
25 llevar las semillas al punto en que los granos están lavados, pero no se fermentan—. No es distinto al momento en que una mujer se enamora —dice Miguel, sonriendo y mirando en la dirección de las montañas.

Y entonces comienza el largo proceso de secar al sol.
30 Algunos de nosotros, que no tenemos un patio de concreto, usamos la carretera°. Hay que voltear° los

granos cada cuatro horas. Por la noche, los apilamos y depositamos bajo cubierta. ¡Pobre de nosotros si llueve y no logramos cubrir los granos a tiempo! El café
35 mojado° se enmohece° y termina en la pila de abono.

Después, cerca de dos semanas si el tiempo es bueno, ensacamos° el café —Joe respira con alivio—. ¡No sabía que una taza costaba tanto trabajo! —confiesa.

—No he terminado —continúa Miguel levantando
40 la mano—. Después de ensacar el café, lo dejamos descansar. Unos cuantos días, unas cuantas semanas. Solamente le hemos quitado la pulpa, pero el grano todavía está dentro del pergamino. Más tarde, cuidadosamente, separamos los granos uno a uno a
45 mano, ya que un grano fermentado puede dañar el sabor del grano para el comprador. La trilla o los de segunda categoría los dejamos para nosotros. ●

sombras *shade* **cedros** *cedar trees* **guanas** *palm trees* **guineos** *banana trees* **retoños** *shoots* **vivero** *nursery* **abonos** *fertilizers* **carretera** *road* **voltear** *to turn, to flip*
mojado *wet* **se enmohece** *it becomes moldy* **ensacamos** *we put into a sack*

Después de leer

(4) Comprensión Lee los pasos para cultivar café y ordénalos según el texto.

_____ Se recogen los granos rojos.

_____ Se comienza a germinar las semillas de café.

_____ Se siembran los trasplantes fuertes en las terrazas.

_____ Se quita la yerba y se alimentan las plantas con fertilizante.

_____ Se debe preparar la tierra en terrazas con árboles de distintos tamaños.

_____ Se secan los granos al sol, volteándolos cada cuatro horas.

_____ Se pasan los pequeños trasplantes al vivero por ocho meses.

_____ Se lavan los granos con agua corriente por ocho horas.

_____ Se le quita la pulpa a cada cereza.

_____ Se separan los granos uno a uno a mano.

(5) Análisis En parejas, intercambien ideas y contesten las preguntas.

1. ¿Por qué Miguel se refiere a su cultivo de café como "orgánico"?

2. ¿Por qué compara Miguel el momento en que se lavan los granos de café con una mujer enamorándose?

3. ¿Cuál es la importancia de lo que dice Joe acerca del trabajo que cuesta una taza de café?

4. ¿Por qué creen que el café de segunda categoría es el que se utiliza dentro del país?

(6) Investigación Investiga sobre el café para comprender mejor el texto de Álvarez.

1. ¿Cuánto tiempo dura la producción completa del café desde el cultivo hasta tomar una taza?

2. ¿Te sorprende el número de pasos para producir el café? Explica tu respuesta.

3. ¿En qué otros países de América Latina se produce café?

4. ¿Qué determina que el café sea orgánico?

Resources

VhlCentral

Online activities

☐ **I CAN** interpret a description of a farming practice in a literary passage.

Experiencias

Intercambiemos perspectivas

Video: Culture

¿Qué es la agroecología?

Vas a ver un video sobre una finca en Argentina que practica la agroecología para producir aceite de oliva. Lee la estrategia intercultural antes de ver el video.

Estrategia intercultural: Relationship Building with Culturally Diverse Others

One way to build intercultural competence is to expand your circle of friends to include a culturally diverse group of individuals. This might be challenging as you wonder what topics you can discuss, how others will perceive you, or how you might be judged. Try taking a risk to connect with a new group or a few new individual friends from diverse backgrounds. This will give you the chance to apply strategies for developing intercultural competence. Remember to put yourself in the other persons' shoes and critically reflect on the outcomes and challenges of your interactions.

Antes de ver

(1) Preparación En parejas, conversen sobre estas preguntas.

1. ¿Han visitado una finca alguna vez? ¿Qué cultivaban? ¿Cómo vendían sus productos?

2. ¿Conocen cuáles son las dificultades que tienen los agricultores en su estado, región o país?

3. ¿Qué creen que significa la palabra "agroecología"? ¿Cuáles pueden ser los beneficios?

(2) Vocabulario Indica qué definición corresponde a cada palabra que aparece en el video.

_____ **1.** el abono   **a.** fruto del olivo que es utilizado para producir aceite de oliva

_____ **2.** el aceite de oliva   **b.** sustancia química utilizada en la agricultura

_____ **3.** la aceituna   **c.** dispositivo mecánico para realizar trabajos

_____ **4.** el agroquímico   **d.** restos o residuos de la producción de aceite de oliva

_____ **5.** la máquina   **e.** sustancia orgánica o química para fertilizar el suelo

_____ **6.** el orujo   **f.** líquido graso que se obtiene de las aceitunas y es utilizado en la cocina

Mientras ves el video

(3) Finca Tutuna Mientras ves el video identifica lo siguiente.

1. ¿Cuáles son dos de las razones de por qué utilizan la agroecología en la finca Tutuna?

2. ¿Cuáles son dos de los beneficios de la agroecología para la finca Tutuna?

4 **Escenas** Escribe la letra de la imagen que corresponde a cada cita del video.

_____ **1.** "El 20% de la aceituna ingresada a la máquina es aceite de oliva y el 80% restante es orujo".

_____ **2.** "Nos damos cuenta de que cada vez la gente demanda más productos saludables".

_____ **3.** "Empezamos a armar esta finca agroecológica de olivos para la producción del aceite con el motivo de producir un producto más saludable".

_____ **4.** "El orujo se transforma en abono".

Después de ver

5 **Comprensión** Selecciona la opción que represente la idea principal del video de la finca Tutuna. Luego explica por qué la seleccionaste.

1. Los agricultores que utilizan los principios de la agroecología reciben más beneficios económicos que los agricultores que no los utilizan.

2. La venta directa a los consumidores facilita la distribución del producto.

3. El uso de la agroecología para producir aceite de oliva beneficia a los productores, a los consumidores y a la tierra.

6 **Expandiendo nuestro círculo social** En parejas, intercambien ideas sobre cómo expandir su círculo social usando estas preguntas como guía.

- ¿Es fácil para ustedes conocer a otras personas, incluso si son de entornos (*backgrounds*) culturales, sociales, políticos y económicos diferentes de los suyos? Expliquen su respuesta.

- ¿Qué actitudes o destrezas relacionadas con la competencia intercultural pueden aplicar para expandir su grupo de amigos/as?

Resources

Vhlcentral

Online
activities

☐ **I CAN** identify ways to expand my social circle.

Experiencias

Proyectos

Learning Objectives:
Describe the benefits of buying locally grown foods.
Contact an organization related to your field of interest.

(1) **¿De dónde viene la comida que consumimos?** Vas a hacer una campaña para que más personas de tu comunidad conozcan y apoyen las fincas locales y que, si pueden, compren sus productos.

Paso 1 Consulta los materiales del capítulo: videos, lectura, presentaciones, etc. También repasa el vocabulario y la gramática del capítulo. Toma nota de las palabras y expresiones útiles.

Paso 2 Busca un mercado al aire libre o una finca de tu comunidad o región. Si es posible, haz una visita y toma fotos (si está permitido). Haz una lista de los productos que tiene e indica cómo se cultivan.

Paso 3 Reflexiona sobre estas preguntas: ¿De dónde vienen los productos frescos que se venden en tu comunidad? ¿Cómo se puede apoyar a los productores locales? ¿Cuáles son las ventajas de comprar productos locales para el consumidor? ¿Y para la comunidad? ¿Es posible que los productos locales sean de mejor calidad? ¿Es probable que los productos locales cuesten un poco más?

¡ATENCIÓN!

Ask your instructor to share the **Rúbrica** to understand how your work will be assessed.

Paso 4 Prepara tu presentación con la información de los pasos anteriores. Usa fotos y gráficos. Trata de convencer a tu audiencia de por qué deben apoyar la agricultura local.

> **Modelo** *¿Has visitado la Finca del Sol? Está a diez millas de aquí y es probable que cultiven las fresas más deliciosas de la región. Utilizan/Cultivan... Es importante que...*

☐ **I CAN** describe the benefits of buying locally grown foods.

Experiencias profesionales Vas a contactarte con una empresa u organización relacionada con tu área de interés profesional.

Paso 1 Selecciona una profesión o área de interés relacionada con tu especialización en la universidad. Si ya seleccionaste un área de interés para los primeros seis capítulos de **Experiencias profesionales**, puedes seguir con esa área o elegir otra.

Paso 2 Busca una empresa u organización que tenga un sitio web en español y que esté relacionada con tu área de interés. Identifica tres actividades que hacen o tres servicios que ofrecen.

Paso 3 Escribe por lo menos cuatro preguntas que quisieras hacerles (*you would like to ask*) sobre las actividades o servicios que ofrecen.

Paso 4 En parejas, conversen sobre la empresa u organización que eligieron y ofrezcan recomendaciones sobre las preguntas que escribieron. Esperen los comentarios de su profesor(a) antes de contactarse con la empresa.

☐ **I CAN** contact an organization related to my field of interest.

Repaso

Repaso de objetivos

Reflect on your progress toward the chapter main goals.

I am able to...

	Well	Somewhat
• Identify practices and perspectives on farming, food production, and fair trade.	☐	☐
• Exchange information about responsible consumption of food products.	☐	☐
• Compare products, practices, and perspectives related to farming and purchasing practices.	☐	☐
• Describe the benefits of buying locally grown foods.	☐	☐
• Contact an organization related to my field of interest.	☐	☐

Repaso de vocabulario

La finca y sus productos   *The farm and its products*
el/la agricultor(a)   *farmer*
la camioneta   *pick-up truck*
el campo   *countryside; field*
el/la consumidor(a)   *consumer*
la cosecha   *harvest*
el cultivo   *farming; crops*
el ganado   *cattle*
el granero   *barn*
la hierba   *grass*
el huerto   *vegetable garden*
la semilla   *seed*
la siembra   *sowing, planting*
la tierra   *soil*

agrícola   *farming, agricultural*
de temporada   *seasonal*
disponible   *available*
fresco/a   *fresh*
libre de...   *free from...*

criar   *to breed*
cultivar   *to grow; to harvest*
probar (o:ue)   *to taste, to try*
regar (e:ie)   *to water*

Cognados
la agricultura
el fertilizante
la planta
el tractor

convencional
natural
orgánico/a
rural

El comercio y el consumidor   *Trade and customers*
el acuerdo   *agreement*
la calidad   *quality*
el comercio directo   *direct trade*
el/la comprador(a)   *buyer*
el derecho   *right*
la dirección   *management*
el/la dueño/a   *owner*
el mercado   *market*
el/la (micro)productor(a)   *(micro)producer*
el precio   *price*
el sello   *seal*
el valor   *value*
la venta   *sale; sales*

alto/a   *high*
bajo/a   *low*
cercano/a   *close*
mutuo/a   *common; mutual*

producir (c:zc)   *to make, to produce*

Cognados
el costo
el intermediario
la transacción

Repaso

Repaso de gramática

1 The subjunctive for expressing possibility and probability

Expressions that require **que**			
(No) Es posible que…	*It's (not) possible that…*	Es imposible que…	*It's impossible that…*
(No) Es probable que…	*It's (not) probable, likely that…*	Es improbable que…	*It's improbable, unlikely that…*

Expressions that do not require **que**			
posiblemente	*possibly, maybe*	quizás	*maybe*
probablemente	*probably*	tal vez	*maybe*

2 The present perfect

Subject pronouns	Present perfect: present tense of *haber* + past participle		
	hablar	**comer**	**vivir**
yo	he hablado	he comido	he vivido
tú	has hablado	has comido	has vivido
él, ella, usted	ha hablado	ha comido	ha vivido
nosotros/as	hemos hablado	hemos comido	hemos vivido
vosotros/as	habéis hablado	habéis comido	habéis vivido
ellos, ellas, ustedes	han hablado	han comido	han vivido

Some irregular past participles are the following:

abrir → **abierto** (*opened*)	poner → **puesto** (*put*)
decir → **dicho** (*said*)	resolver → **resuelto** (*solved*)
escribir → **escrito** (*written*)	romper → **roto** (*broken*)
hacer → **hecho** (*done*)	ver → **visto** (*seen*)
morir → **muerto** (*died*)	volver → **vuelto** (*returned*)

Resources

Vhlcentral

Online activities

¿Cómo logramos una educación para todos?

OBJETIVOS DE APRENDIZAJE

By the end of this chapter, I will be able to...

- Identify perspectives on educational opportunities.
- Exchange information about school and college experiences.
- Compare products, practices, and perspectives related to higher education.
- Explain reasons to stay in school.
- Reflect on a cultural event in my community.

ENCUENTROS

Sofía sale a la calle: Perspectivas sobre las oportunidades educativas

Panorama actual: La educación universitaria

EXPLORACIONES

Vocabulario

La educación y la alfabetización

Los estudios universitarios

Gramática

Informal commands

The past perfect

EXPERIENCIAS

Blog: La Cruzada Nacional de Alfabetización

Cultura y sociedad: Las universidades más antiguas de las Américas

Literatura: *Banderas y harapos*, de Gabriela Selser

Intercambiemos perspectivas: *Jardín infantil en las islas flotantes de los uros*

Proyectos: ¿Cómo logramos una educación para todos?, Experiencias profesionales

Perspectivas sobre las oportunidades educativas

Lee y reflexiona sobre la estrategia intercultural de este capítulo.

Estrategia intercultural: The Cultural Iceberg

The concept of culture is complicated and difficult to define. Using the visual of an iceberg, anthropologist Edward T. Hall suggests two elements of culture: practices and products that we can see (the visible iceberg); and perspectives, values, and attitudes that we cannot see (those below the water). Visible culture is just the tip of the iceberg; the majority of culture includes those elements in the hidden part of the iceberg. Deep below are commonalities that we all share, such as basic physical and emotional needs. Remember this visual as you continue to learn about Spanish-speaking cultures.

Visible products, like clothing styles, and practices, such as how people greet one another

Perspectives, attitudes, and values that are not visible or observable

What do we all have in common as human beings?
We all want to be respected and loved, for instance.

Fuente: Hall, E. T. (1976). *Beyond Culture.* Anchor Press.

Antes de ver

(1) **Entrando en el tema** Sofía entrevista a Steve, Viviana y Dan sobre la educación. ¿Cuáles crees que son las razones por las que las personas deciden ir a la universidad?

Paso 1 Ordena según el nivel de importancia que tú consideras que las personas le dan a cada una de estas razones (1 para la más importante y 7 para la menos importante).

_____ promover el crecimiento individual

_____ crear recuerdos duraderos (*long-lasting memories*)

_____ tener mejores oportunidades de trabajo

_____ conocer a más personas

_____ obtener conocimientos útiles para la vida

_____ encontrar dirección en la vida

_____ divertirse

Paso 2 En parejas, compartan sus respuestas y justifíquenlas.

Mientras ves

2 **Perspectivas** Mira el video e identifica de quién es cada una de estas opiniones.

Dan

Viviana

Steve

_____ 1. "Creo que la educación condiciona el futuro de una persona dándole ventajas".

_____ 2. "También existe la posibilidad de que, si eres muy inteligente o muy astuto, puedas sobresalir y no necesitar de la universidad".

_____ 3. "Hay muchos trabajos que solo requieren experiencia y hay muchas oportunidades ahora en la red…"

_____ 4. "Creo que la educación universitaria debería ser gratis para todos, independientemente de género, raza y clase social".

_____ 5. "Creo que podemos promover la educación escolar a través de la creación de una cuenta de fondos para la educación mundial".

_____ 6. "Es un gran problema el que tenemos los estudiantes, tener esos préstamos estudiantiles".

Estrategia de aprendizaje: Considering Grammar (Understanding the Big Picture and the Details)

Have you ever noticed how very young children learn languages? It is more of a game to them… *Go online to watch the complete learning strategy.*

Video: Strategy

Después de ver

3 **Análisis** En grupos pequeños, analicen las perspectivas presentadas en el video.

1. Viviana dice que en su país hay personas que "no leen o escriben, pero son muy buenos para los negocios y tienen sus propias tiendas". Según esta opinión, ¿piensa Viviana que la única opción para encontrar un buen trabajo es ir a la universidad?

2. ¿En qué están todos los entrevistados de acuerdo con respecto al costo de los estudios universitarios?

3. Para Sofía, "la educación es la base fundamental para hacer prosperar un país". ¿Qué quiere decir ella con esa frase?

Resources

Vhlcentral

Online activities

☐ **I CAN** identify perspectives on educational opportunities.

Encuentros — Panorama actual

Learning Objective: Examine practices related to education around the world.

La educación universitaria

Las universidades, como instituciones de **educación** formal, han existido desde la Edad Media°. En aquel entonces, un porcentaje muy bajo de la población asistía a las universidades, ya que solo lo hacía la élite aristocrática que estudiaba disciplinas como el arte, la retórica, la música, la ciencia, la filosofía y las matemáticas. En los últimos mil años, la naturaleza y la función de las universidades en la sociedad han cambiado considerablemente. En la actualidad, una educación **universitaria** se considera como un medio para mejorar la situación económica y social del estudiante, además de ser una fuente de enriquecimiento° cultural e intelectual. En este **Panorama actual**, vas a analizar datos sobre el costo de asistir a la universidad en distintos países, los salarios y el desempleo según el nivel de educación en Estados Unidos y el porcentaje de la población que tiene **educación superior°** en diferentes países.

Edad Media *Middle Ages*   **enriquecimiento** *enrichment*   **educación superior** *higher education*

Las tasas de matrícula° más altas y más bajas del mundo
Tasas de matrícula anuales promedio cobradas por instituciones públicas a nivel de licenciatura° (2019/20)*

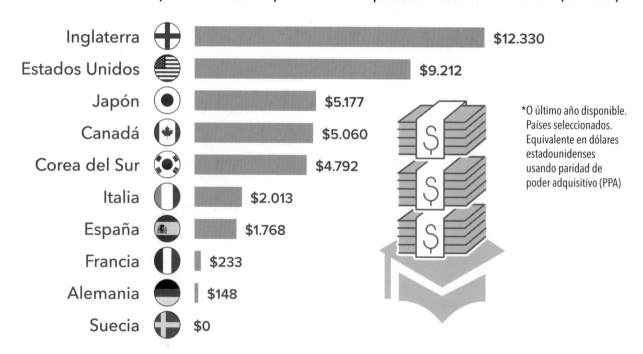

Inglaterra	$12.330
Estados Unidos	$9.212
Japón	$5.177
Canadá	$5.060
Corea del Sur	$4.792
Italia	$2.013
España	$1.768
Francia	$233
Alemania	$148
Suecia	$0

*O último año disponible. Países seleccionados. Equivalente en dólares estadounidenses usando paridad de poder adquisitivo (PPA)

tasas de matrícula *tuition fees*   **licenciatura** *Bachelor's degree*

Fuente: Statista

Ingresos y tasas de desempleo por nivel educativo en Estados Unidos, 2021

Mediana° de los ingresos semanales habituales ($) | Tasa de desempleo (%)

Nivel educativo	Mediana de los ingresos semanales ($)	Tasa de desempleo (%)
Doctorado	1,909	1.5
Título profesional°	1,924	1.8
Maestría	1,574	2.6
Licenciatura	1,334	3.5
Título técnico°	963	4.6
Estudios universitarios, sin título	899	5.5
Diploma de escuela secundaria	809	6.2
Menos que diploma de escuela secundaria	626	8.3

Todos los trabajadores: $1,057 · **Total: 4.7%**

Nota: Los datos son de personas mayores de 25 años. Los ingresos son para trabajadores asalariados a tiempo completo.

Fuente: U.S. Bureau of Labor Statistics, Current Population Survey.

Porcentaje de la población entre 25 y 64 años con educación superior, 2021

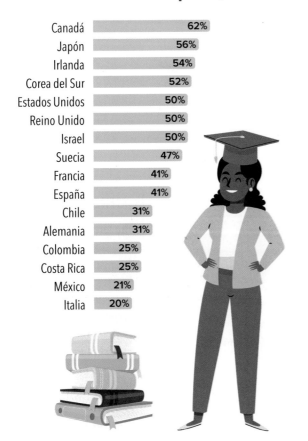

País	Porcentaje
Canadá	62%
Japón	56%
Irlanda	54%
Corea del Sur	52%
Estados Unidos	50%
Reino Unido	50%
Israel	50%
Suecia	47%
Francia	41%
España	41%
Chile	31%
Alemania	31%
Colombia	25%
Costa Rica	25%
México	21%
Italia	20%

Fuente de datos: OECD

Mediana *Median* · **Título profesional** *Professional degree*
Título técnico *Associate's degree*

---

(1) Comprensión Contesta las preguntas según la información de esta presentación.

1. ¿Cuáles son los dos países con las tasas de matrícula más altas para universidades públicas?

2. ¿En qué región del mundo se dan las tasas de matrícula para universidades públicas más bajas? ¿En qué país es gratis ir a una universidad pública?

3. En Estados Unidos, ¿cuál es la diferencia de ingresos entre alguien que solo completó los estudios secundarios y alguien que obtuvo un título universitario a nivel de licenciatura? ¿Y cuál es la diferencia entre los que no terminaron la secundaria y los que sí la terminaron?

4. Del gráfico sobre el porcentaje de habitantes con educación superior, ¿qué país tiene el porcentaje más alto? ¿Y el más bajo? ¿Qué porcentaje tiene el país en el que vives?

(2) Analizar En parejas, conversen sobre estas preguntas.

1. ¿Cuál es el dato más sorprendente sobre las tasas de matrícula en el mundo?

2. ¿Qué conclusión o conclusiones pueden obtener del gráfico sobre los ingresos y el desempleo en Estados Unidos?

3. ¿Esperaban que el país donde viven tuviera (*had*) ese porcentaje de habitantes con estudios superiores? ¿Saben cuál es el porcentaje en el estado o región donde viven?

(3) Para investigar Elige un tema para investigar.

1. Elige dos de los tres países donde cuesta menos estudiar en una universidad pública e investiga cómo se financian esas instituciones.

2. Investiga sobre los ingresos y las tasas de desempleo por nivel educativo en tu estado o región.

☐ **I CAN** identify key facts about education around the world.

La educación y la alfabetización

La **educación** es un **derecho humano** fundamental que tiene el poder de transformar vidas y elevar comunidades. Sin embargo, la realidad es que el **analfabetismo** continúa siendo un desafío en el mundo. Según la UNESCO, actualmente 773 millones de adultos en el mundo no saben leer ni escribir y dos tercios de ellos son mujeres. Estas **cifras** reflejan la **desigualdad** en el acceso a la educación y afectan tanto a los países **en vías de desarrollo** como a algunos países **desarrollados**. Por ejemplo, según el Departamento de Educación de Estados Unidos, el 21% de los adultos tiene bajo nivel de **alfabetización**. Hay **falta de** maestros y recursos en muchos lugares del mundo. ¿Cómo podemos **garantizar** una educación para todos? La respuesta es compleja y requiere de grandes **esfuerzos** tanto de los gobiernos como de la sociedad en general.

Más palabras

el aprendizaje *learning*
la escritura *writing*
la lectura *reading*

gratuito/a *free*
obligatorio/a *mandatory, required*

abandonar (los estudios) *to drop out (of school)*
aprobar (o:ue) (un examen, una asignatura) *to pass (an exam, a subject)*
aprovechar *to take advantage of*
capacitarse *to get/be trained*

concentrarse *to focus*
fomentar *to promote*
formar *to train, to educate*
reprobar (o:ue) (un examen, una asignatura) *to fail (an exam, a subject)*

Cognados

la educación preescolar
la educación primaria
la educación secundaria
la habilidad

¡ATENCIÓN!

The terms for schools vary significantly among Spanish-speaking countries. Terms such as **el colegio, la escuela, la primaria, la secundaria, el instituto, la preparatoria, el liceo**, and **el bachillerato** may refer to different educational settings throughout the Hispanic world. In *Experiencias: Intermediate Spanish*, we use **la escuela** for *school*, **la escuela primaria** for *elementary school*, and **la escuela secundaria** for *high school* unless specified otherwise.

Learning Objective: Examine issues of social responsibility and human rights related to education.

1 **Una deuda social** Algunas personas piensan que la educación es la solución a muchos problemas sociales. Vas a escuchar un podcast sobre la importancia de la educación en la sociedad.

Paso 1 Escucha el podcast y completa los espacios en blanco.

> Muchos dicen que la _____ es un derecho humano fundamental, pero tal vez no hayan pensado en la idea de que la democracia depende de la _____. La conexión entre la democracia y la educación es lógica para mí, ya que es muy difícil lograr una democracia cuando muchos ciudadanos no tienen acceso a la lengua escrita. Es indispensable que los ciudadanos _____ por medio de la palabra escrita para comprender la realidad social, económica y política de su propio país. Según la UNICEF, cada niño tiene el _____ a acceder a una educación en igualdad de oportunidades y sin discriminación, así como el derecho a recibir una educación que respete su dignidad como ser humano. Por eso muchos gobiernos del mundo intentan ofrecer educación primaria _____, de calidad y _____. Muchos países también trabajan para _____ el acceso a la educación _____ obligatoria. Sin embargo, muchos estudiantes abandonan sus estudios antes de empezar la escuela _____. Otros niños dejan de asistir a la escuela y optan por trabajar para sobrevivir. El _____ sigue existiendo y sigue siendo una de las situaciones de exclusión más graves de nuestra sociedad. Para solucionar esta situación, queda mucho por hacer. Para mí, la educación es la solución a la pobreza y creo que cada gobierno tiene la _____ de educar a todos sus ciudadanos.

Paso 2 En parejas, compartan sus opiniones sobre el acceso a la educación y la alfabetización. ¿Están de acuerdo con las siguientes actitudes? Expliquen sus respuestas.

1. Si los padres quieren que sus hijos asistan a una escuela secundaria muy buena, deberán pagar una matrícula (*tuition*) muy alta.

2. Los maestros deben aprobar a los estudiantes, independientemente de si aprenden o no.

3. Cuando hay falta de maestros, se debe contratar a profesionales sin importar (*regardless of*) si tienen formación pedagógica (*teaching*).

4. Los maestros desmotivados no deben enseñar a los niños.

5. Las cifras de analfabetismo son altas. En el mundo actual no debe existir el analfabetismo.

6. Las comunidades deben participar activamente para evitar que sus miembros abandonen la escuela.

STUDENT TIP: Learning a New Word Every Day (by Gina Deaton, Xavier University)

I have made it a goal to learn a new word in Spanish every day and to practice speaking even if I am not correct to help build my confidence… *Go online to watch the complete learning tip.*

 Video: Tip

Exploraciones

2 **Recuerdos de la escuela** En parejas, conversen y comparen sus experiencias en las escuelas primaria y secundaria.

1. ¿Cuántas horas leías aproximadamente durante una semana típica en la escuela primaria?

2. ¿Qué tipo de libros te gustaba leer?

3. ¿Cuál era tu parte preferida del día durante la escuela?

4. ¿Cuántas asignaturas tomabas en la escuela secundaria?

5. ¿Qué preferías hacer durante los fines de semana en la escuela secundaria?

6. ¿Qué tipo de juegos preferías jugar en la escuela primaria?

7. ¿Cuál era el objetivo de tu escuela preescolar? ¿Qué hacías?

8. ¿Qué otras actividades te gustaba hacer en la escuela?

3 **¿Qué significa estar alfabetizado/a?** En muchas partes del mundo hay personas que no pueden acceder a la educación.

Paso 1 Busca información de algún país que tenga una baja tasa de analfabetismo y contesta estas preguntas.

- ¿Cuál es la tasa o porcentaje de analfabetismo en ese país?

- ¿Cómo logró llegar a esa tasa?

- ¿Crees que es suficiente saber leer y escribir para considerarse alfabetizado?

Paso 2 En grupos pequeños, compartan sus respuestas. ¿Lograron esas tasas los países usando métodos similares?

Cuba está entre los países con mayor tasa de alfabetización del mundo.

4 **Proyectos de alfabetización en tu comunidad** Vas a investigar un programa en tu comunidad o en línea que busque erradicar el analfabetismo. Puede ser una escuela pública o un programa para adultos. Escribe una descripción del programa usando estas preguntas como guía.

1. ¿A quiénes va dirigido el programa?

2. ¿Cuáles son sus objetivos?

3. ¿Cuánto cuestan las clases?

4. ¿Por qué se considera un servicio importante en tu comunidad?

☐ **I CAN** examine issues of social responsibility and human rights related to education.

Giving informal instructions and orders: Informal commands

In **Capítulo 3**, we discussed formal commands and the use of **usted** and **ustedes** to tell others what to do in a formal way. In this chapter, you will learn the use of the informal **tú** commands to give instructions or orders to friends, family, or others with whom you have a close relationship.

Habla con el profesor después de clases.	*Talk to the professor after class.*
No repruebes ningún examen.	*Don't fail any exams.*

For most verbs, the informal affirmative command (**tú**) is formed by using the same ending used for *he/she/it* in the present tense. To give a negative command, use the subjunctive **tú** form.

Verbs	Affirmative *tú* command (same as *él/ella* of the present tense)	Negative *tú* command (same as *tú* of the present subjunctive)
estudi**ar**	estudi**a**	no estudi**es**
le**er**	le**e**	no le**as**
escrib**ir**	escrib**e**	no escrib**as**

No leas hasta tan tarde.	*Don't read so late.*
Escribe con claridad.	*Write clearly.*

Some common verbs have an irregular affirmative **tú** command form. The negative forms, however, are regular.

Verbs	Irregular affirmative *tú* commands
decir	di
hacer	haz
ir	ve
poner	pon
salir	sal
ser	sé
tener	ten
venir	ven

Haz la tarea todos los días.

Do your homework every day.

Ve a la sesión de tutoría
los miércoles.

*Go to the tutoring session
on Wednesday.*

Sé puntual.

Be on time.

Informal commands with pronouns

Like affirmative formal (**usted/ustedes**) commands in **Capítulo 3**, object
and reflexive pronouns follow and are attached to affirmative **tú** commands.
A written accent sometimes must be added to maintain the original stress of
the command form. Object and reflexive pronouns are placed before the verb
in all negative commands.

Dime el nombre del libro.

Tell me the name of the book.

Dímelo.

Tell it to me.

No me digas el nombre del libro.

Don't tell me the name of the book.

No me lo digas.

Don't tell it to me.

(1) **La voz de la experiencia** Mariano, un estudiante del último año de

universidad, le da ideas prácticas a su hermano menor, José, para tener
éxito en la universidad. Escucha la conversación e indica si Mariano estaría
(*would be*) de acuerdo o no con estas opiniones y explica por qué.

1. Los estudiantes deben vivir en la residencia estudiantil durante su
   primer año de universidad.

2. Los estudiantes no deben ir a ninguna fiesta durante su primer año
   de universidad.

3. Los estudiantes deben estudiar en su dormitorio y no en la biblioteca.

4. Los estudiantes deben participar en clubes universitarios durante su
   primer año de universidad.

5. Los estudiantes no deben preparar preguntas antes de clase sobre las
   lecturas y las tareas.

2 **¡Silencio!** En las bibliotecas universitarias es común ver carteles que indican las normas de comportamiento aceptables e inaceptables. Empareja cada una de las normas con la imagen relacionada.

Normas de comportamiento en la biblioteca

___ **1. Guarda** silencio la mayor parte del tiempo.

___ **2. Utiliza** un tono de voz bajo al hablar.

___ **3. Consulta** al personal de la biblioteca si necesitas ayuda.

___ **4.** Para estudiar o hacer trabajos en grupo, **haz** uso de las salas especiales que están en el sótano.

___ **5. No comas** dentro de la biblioteca.

___ **6. No uses** las computadoras para jugar a videojuegos o ver videos no relacionados con tus estudios.

___ **7. No duermas** en los sillones. Son para leer.

___ **8. No ocupes** toda una mesa con tus libros, papeles y otros artículos personales.

Exploraciones

(3) Mi experiencia Vas a hacer una lista de recomendaciones para alguien que conozcas que va a empezar la universidad pronto.

Paso 1 Dale cinco sugerencias de lo que debe hacer para tener éxito en la universidad, usando mandatos afirmativos, y cinco advertencias sobre lo que no debe hacer, usando mandatos negativos. Trata de incluir ideas creativas y auténticas para ayudarlo/a.

Sugerencias	Advertencias

Paso 2 En parejas, compartan sus recomendaciones. ¿Tienen sugerencias y advertencias en común para una persona que va a empezar la universidad?

(4) Estrategias para tener éxito El éxito en la universidad depende mucho de adquirir hábitos positivos.

Paso 1 Reflexiona sobre tu propia experiencia en la universidad y piensa en tres hábitos positivos y tres negativos que has adquirido como estudiante universitario/a. Por ejemplo, un hábito positivo: "Estudio mucho para los exámenes"; un hábito negativo: "Me levanto demasiado tarde".

Paso 2 En grupos pequeños, hablen sobre sus hábitos positivos y negativos. Luego compartan sugerencias para abandonar los hábitos negativos y expliquen los motivos.

> **Modelo** **Estudiante A:** *Normalmente voy a muchas fiestas todos los fines de semana.*
> **Estudiante B:** *No vayas a todas las fiestas porque pierdes mucho tiempo.*
> **Estudiante C:** *Estudia un poco cada fin de semana y también descansa.*

Paso 3 Escribe una reflexión sobre las recomendaciones que puedes tratar de poner en práctica.

STUDENT TIP: Using New Structures Often (by Catherine Sholtis, Xavier University)

Sometimes you think a part of Spanish grammar is really tricky or almost impossible for you, so you substitute it a lot with a structure that's easier to get your point across… *Go online to watch the complete learning tip.*

Video: Tip

Resources

Vhlcentral

WebSAM

☐ **I CAN** give informal instructions and orders.

Los estudios universitarios

Ir a la universidad es un viaje emocionante lleno de oportunidades de crecimiento **académico**, desarrollo personal y conexiones significativas con compañeros y profesores. Muchos estudiantes se preguntan qué **carrera** deben elegir o cuántos años tienen que estudiar para **graduarse** y recibir su **título**. La **matrícula universitaria** puede representar un desafío económico importante, por lo que muchos estudiantes recurren a préstamos y **becas** para poder pagarla. **Sacar buenas notas** es fundamental para conservar las becas y así aliviar la carga financiera. Para tener éxito en los cursos, es recomendable ser organizado y **administrar el tiempo** apropiadamente. Además, es importante participar activamente en clase, tomar **apuntes** detallados y revisarlos con frecuencia. Nunca olvides que el **plagio** no está permitido, ¡así que sé original en tus **trabajos** y **deberes**! Si necesitas ayuda, no dudes en acercarte al **profesorado** o a los administradores. ¡Con esfuerzo y apoyo, podrás lograr mucho en tus estudios universitarios!

Más palabras

el alumnado *student body*

el campo de estudio *field of study*

los hábitos de estudio *study habits*

la licenciatura *Bachelor's degree*

el plan de estudios *curriculum*

el posgrado *graduate studies*

especializarse en... *to specialize in...,
  to major in...*

matricularse *to enroll, to register*

rellenar (las solicitudes) *to fill out
  (the applications)*

Cognados

el doctorado

la educación superior

la institución

la maestría/el máster

la organización estudiantil

Exploraciones

1 **La educación superior y la publicidad** Escucha a la invitada de un programa de radio hablar sobre la educación superior. Indica si cada oración es **cierta (C)** o **falsa (F)**, según lo que dice.

1. La invitada del programa habla sobre una universidad en particular. .... **C F**

2. Según ella, los mensajes publicitarios de las diferentes instituciones superiores son similares. .... **C F**

3. Para la invitada del programa, no es necesario que los estudiantes investiguen los detalles de las universidades porque no hay mucha diferencia entre ellas. .... **C F**

4. Ella explica que las universidades solo dan becas a los estudiantes con buen rendimiento (*performance*) académico. .... **C F**

5. La responsabilidad y el esfuerzo del estudiante pueden ayudar para obtener una beca, según la invitada del programa. .... **C F**

6. Para la invitada del programa, las características del profesorado son un aspecto importante que los estudiantes que están pensando seguir estudios superiores deben tener en cuenta. .... **C F**

2 **Comparación** Vas a hacer una comparación entre tu universidad y otra de un país hispanohablante.

Paso 1 Busca la información para completar la tabla.

Características	Mi universidad	Universidad...
Tamaño del alumnado		
Número de carreras		
Precio de la matrícula		
Tipos de becas		
Premios (*Awards*) para el profesorado		

Paso 2 En parejas, comparen la información que encontraron y conversen sobre las universidades hispanohablantes que investigaron. ¿En qué aspectos son similares y en cuáles son diferentes? ¿Qué tipo de universidad prefieren y por qué?

3 **Seis consejos** Saber administrar tu tiempo es una habilidad muy importante como estudiante universitario.

Paso 1 Lee las recomendaciones y elige tres que piensas seguir durante el semestre.

6 CONSEJOS PARA ADMINISTRAR TU TIEMPO

UTILIZA UN CALENDARIO

Elige un calendario en tu teléfono móvil, en tu computadora o en papel para organizar tus actividades, tus deberes y tus exámenes. Un calendario garantiza que no olvides nada importante, como la fecha de matrícula, por ejemplo.

ORGANÍZATE

Divide el material de cada clase utilizando carpetas. Así encontrarás lo que necesitas fácilmente sin tener que pasar mucho tiempo buscando los apuntes que te faltan. Toma apuntes en cada sesión de clase y lee todas las lecturas asignadas para poder escribir buenos trabajos.

HAZ EL ESFUERZO DE EJERCITAR TU CUERPO

El ejercicio físico es muy importante porque reduce el estrés e incrementa los niveles de energía. Además, mejora tus hábitos de sueño y la concentración a la hora de estudiar.

ESTUDIA EN GRUPO

No importa el campo de estudio en el que estés, ponte de acuerdo con tus compañeros para estudiar sin interrupciones durante un tiempo y después salgan a comer o a ver una película.

DEDICA TIEMPO A RELAJARTE

Reserva tiempo en tu horario para relajarte y reflexionar, incluso cuando tengas muchas cosas que hacer. No tengas miedo de poner límites y decir "no".

ESCRIBE UNA LISTA

Usa una agenda° o crea recordatorios en tu teléfono móvil para hacer una lista con todos tus deberes. Luego puedes tachar° los deberes una vez que los hayas realizado°.

agenda *planner* **tachar** *cross out* **hayas realizado** *you have finished*

Paso 2 En parejas, conversen sobre las recomendaciones que eligieron y den detalles de cómo las van a aplicar.

Exploraciones

CULTURA VIVA

La Universidad de Buenos Aires La Universidad de Buenos Aires, también conocida como la UBA, es una de las universidades más prestigiosas y reconocidas de Argentina y América Latina. Fue fundada en 1821 en la capital argentina por miembros del gobierno de la provincia de Buenos Aires. Tiene alrededor de 320.000 estudiantes repartidos en 103 carreras, distribuidas en diversas disciplinas como las humanidades, las ciencias sociales, las ciencias naturales, la ingeniería y la medicina. Por ser una universidad pública, los estudios de licenciatura son totalmente gratuitos, tanto para los estudiantes argentinos como para los extranjeros. **¿Cómo crees que la política de educación gratuita de la UBA para los estudiantes internacionales impacta en la diversidad del campus y el intercambio cultural con el alumnado y profesorado local?**

4 **Opiniones** En parejas, intercambien ideas sobre estos temas y compartan sus opiniones. No olviden utilizar expresiones como **creo que, no creo que, dudo que, pienso que, estoy seguro/a de que, es cierto/evidente/verdad/obvio que**.

1. graduarse en cuatro años
2. tener buenos hábitos de estudio
3. reprobar varios cursos el primer semestre
4. plagiar en un trabajo académico
5. recibir malas notas
6. conseguir una beca para estudiar en el extranjero
7. vivir en una residencia estudiantil
8. estudiar la carrera de filosofía

5 **El español cerca de ti** Describe cómo es la presencia del español en tu universidad. Usa estas preguntas como guía y luego, en parejas, compartan su información.

- ¿Existe algún grupo de estudiantes hispanohablantes o latinos que se reúna regularmente en tu universidad?
- ¿Ofrece tu universidad actividades extracurriculares o clubes relacionados con la cultura hispana o el idioma español?
- ¿Ves anuncios en español en tu universidad? ¿Qué tipo de anuncios son?

STUDENT TIP: Teaching Spanish to Others (by Katie Kennedy, Xavier University)

One of the best things for my Spanish is being able to teach it to other people. When you start getting into all of the complexities of grammar, it can be really hard to understand… *Go online to watch the complete learning tip.*

 **Video: Tip**

☐ **I CAN** talk about succeeding in college.

Tutorial

Expressing what had happened: The past perfect

The past perfect is used to describe an action that happened in the past before another action in the past occurred. In other words, both events took place in the past, but the action expressed by the past perfect took place first. In Spanish the past perfect is very similar to the past perfect in English "had seen, had gone, etc.".

Cuando llegué a clase, el examen ya **había comenzado**.	*When I got to class, the exam had already started.*

Like the present perfect, the past perfect is made up of two parts:

imperfect of **haber** + [PAST PARTICIPLE OF A VERB]

Subject pronoun	Past perfect imperfect of *haber* + past participle		
	hablar	**comer**	**vivir**
yo	había hablado	había comido	había vivido
tú	habías hablado	habías comido	habías vivido
él, ella, usted	había hablado	había comido	había vivido
nosotros/as	habíamos hablado	habíamos comido	habíamos vivido
vosotros/as	habíais hablado	habíais comido	habíais vivido
ellos, ellas, ustedes	habían hablado	habían comido	habían vivido

Often adverbs like **ya** (*already*), **cuando** (*when*), or **antes** (*before*) appear in sentences with the past perfect since they place two actions in a particular sequence.

Antes de cumplir los cuatro años, Samir ya **había leído** su primer libro.	*Before turning four, Samir had already read his first book.*
Yo **había terminado** todos mis deberes cuando me llamaste.	*I had finished all my homework when you called me.*
Antes de entrar a la universidad, Malena **había decidido** estudiar medicina.	*Before beginning college, Malena had decided to study medicine.*

¿Qué observas?

Identify the order in which each action took place in each sentence.

Exploraciones

1 **Preparación** Marisol termina este año sus estudios en el Instituto Tecnológico de Monterrey y está reflexionando sobre el efecto que tuvieron sus decisiones durante la preparatoria (los tres últimos años de educación secundaria en México) en su éxito universitario. Escucha lo que cuenta Marisol e indica cuáles de estas acciones hizo.

☐ pedir consejos a los profesores de preparatoria

☐ hablar con profesionales

☐ ser eficiente administrando su tiempo

☐ asistir a muchos eventos sociales durante la semana

☐ tomar cursos difíciles durante la preparatoria

☐ ahorrar dinero durante la preparatoria

☐ hacerse amiga de estudiantes que no estudiaban mucho

☐ crear buenos hábitos de estudio

El Instituto Tecnológico de Monterrey es reconocido por su excelencia académica y destaca especialmente en las áreas de negocios e innovación tecnológica.

2 **Alguna vez…** Estás en un evento de bienvenida para los estudiantes nuevos de tu universidad. En parejas, contesten las preguntas sobre lo que ya habían hecho antes de entrar a la universidad. También indiquen qué acciones que no han hecho todavía quieren hacer antes de terminar la universidad.

Antes de entrar a la universidad, ¿alguna vez...

1. ... habías conocido a alguna celebridad en persona?

☐ Sí   ¿A quién? _____

☐ No   Lo quiero hacer. / No lo quiero hacer.

2. ... habías visitado otro país?

☐ Sí   ¿Cuál? _____

☐ No   Lo quiero hacer. / No lo quiero hacer.

3. ... habías corrido un maratón?

☐ Sí   ¿Cuándo? _____

☐ No   Lo quiero hacer. / No lo quiero hacer.

4. ... habías escalado (*climbed*) hasta la cima de una montaña?

☐ Sí   ¿Cuál? _____

☐ No   Lo quiero hacer. / No lo quiero hacer.

5. ... habías visto todas las películas de *La guerra de las galaxias* (*Star Wars*)?

☐ Sí   ¿Cuándo? _____

☐ No   Lo quiero hacer. / No lo quiero hacer.

---

(3) **¿Verdad o mentira?** En grupos pequeños, van a jugar a *¿Verdad o mentira?*.

Paso 1 Escribe una oración que incluya tres experiencias en tu vida usando el pasado perfecto, dos que sean verdaderas y una que sea falsa. Debes pensar en experiencias que sí hayas tenido (*you have had*), pero que tus compañeros/as piensen que son falsas.

> **Modelo** *Antes de entrar a la universidad, yo nunca había trabajo, pero ya había aprendido a conducir y había vivido...*

Paso 2 Túrnense para leer sus oraciones. Las otras personas deben tratar de identificar la oración falsa: **Creo que sí habías...** o **Creo que no habías...**

Paso 3 Cada estudiante debe revelar cuál es su experiencia falsa (**Antes de entrar a la universidad, nunca había..., pero sí había...**) y sumar la cantidad de respuestas incorrectas de sus compañeros/as. Gana el/la estudiante con la mayor cantidad de puntos.

Paso 4 Cada estudiante debe contestar las preguntas de sus compañeros/as sobre sus experiencias verdaderas, por ejemplo, cuándo fueron, con quién, por qué, etc.

(4) **Situaciones** Durante tu último semestre de la universidad te reúnes con otro/a compañero/a que no habías visto desde que empezaron la universidad el mismo año. En parejas, hagan los papeles de A y de B para representar la situación.

Estudiante A Siempre te has sentido muy cómodo/a ante la exigencia (*rigorousness*) de la universidad. Ahora terminas tu carrera con notas muy buenas y un trabajo perfecto. Sin embargo, nunca te habías puesto a pensar en todo lo que habías hecho en la escuela secundaria que te preparó para tener éxito en la universidad. Conversa con tu compañero/a e intercambien sus experiencias antes de entrar en la universidad.

Estudiante B Estás terminando la universidad con notas no muy buenas. Al reflexionar sobre tu experiencia universitaria te has dado cuenta de que muchos de tus problemas académicos se relacionan con lo que habías hecho y lo que no habías hecho en la secundaria antes de llegar a la universidad. Conversa con tu compañero/a e intercambien sus experiencias antes de entrar en la universidad.

☐ **I CAN** express what had happened.

Exploraciones **Podcast**

Learning Objective: Reflect on your progress using language related to studying at the university level.

Audio: Reading

Episodio #8: Jacob Báez Castillo

Antes de escuchar

(1) **La historia de Jacob** Jacob cuenta sus experiencias como estudiante universitario en México. En parejas, contesten estas preguntas antes de escuchar el podcast.

1. ¿Cómo pueden describir la vida universitaria en su país a alguien de otro país?

2. ¿Cuándo decidieron qué carrera iban a estudiar?

3. ¿Piensan que es necesario que todos los estudiantes tomen clases diferentes a las de su carrera profesional? ¿Por qué?

4. ¿Cambiaron de carrera en la universidad? ¿Por qué?

Mientras escuchas

(2) **Diferencias y semejanzas** Escucha lo que cuenta Jacob sobre los estudios universitarios en México y en Estados Unidos, y completa la tabla con tres diferencias y tres similitudes entre ellos.

Diferencias	Semejanzas
1.	1.
2.	2.
3.	3.

Después de escuchar

(3) **Consejos** Un estudiante mexicano va a estudiar un semestre en tu universidad. Escríbele un correo electrónico dándole consejos sobre distintos aspectos de la vida universitaria en tu universidad. Toma en consideración lo que sabes de la experiencia universitaria en México.

Resources
Vhlcentral

Online activities

☐ **I CAN** express ideas related to studying at the university level.

Literatura

Learning Objective:
Interpret perspectives and opinions in a literary passage.

Audio: Reading

Gabriela Selser (1959–)

Gabriela Selser es autora, cronista, periodista y documentalista. Nació en Buenos Aires y, a los quince años, se trasladó con su familia a México huyendo de un golpe militar en Argentina. A los dieciocho años, decidió viajar a Nicaragua para participar en el proyecto de alfabetización. Inició su carrera como periodista en 1981 y fue corresponsal de guerra en Nicaragua durante siete años. Trabajó para el Frente Sandinista de Liberación Nacional, que era un partido político y movimiento revolucionario de Nicaragua. A los veintitrés años, obtuvo la ciudadanía nicaragüense y residió en Nicaragua hasta 2021, cuando tuvo que abandonar el país por cuestiones de seguridad. Actualmente vive en el exilio en México y sigue escribiendo como periodista y corresponsal sobre Nicaragua desde ese país.

Antes de leer

Estrategia de lectura: Using Metacognitive Strategies

Metacognition refers to the awareness of your thought processes. You can apply metacognitive strategies to monitor your reading: 1) Clarify the purpose of reading and preview the text; 2) As you read, monitor your comprehension; 3) After reading, assess your comprehension and identify challenging sections; 4) Try to identify the specific cause of the difficulty; 5) Go back through the text and reread a section or two; 6) Look ahead in the text for information that might help you to resolve the difficulty.

1 **Temas** En *Banderas y harapos: Relatos de la revolución en Nicaragua*, Gabriela Selser escribe sobre sus experiencias trabajando como voluntaria para el proyecto nacional de alfabetización y como periodista durante la guerra. Selecciona las ideas que piensas encontrar en el texto.

- ☐ la ciudad de origen de la autora, Buenos Aires
- ☐ el trabajo de la autora como alfabetizadora
- ☐ la familia de la autora en México
- ☐ el trabajo de la autora como periodista
- ☐ la cultura nicaragüense
- ☐ los amigos que hizo la autora en Nicaragua
- ☐ la vida diaria en Nicaragua

2 **Vocabulario** Vas a familiarizarte con el vocabulario de la selección.

Paso 1 Lee por encima (*skim*) el fragmento e identifica todos los cognados.

Paso 2 Escribe una definición para cada término usando tus propias palabras.

el brigadista	el padre	el taller de capacitación
la campaña	el póster	la paga

Paso 3 Encuentra cada término en el texto y escribe a qué se refiere específicamente según el contexto.

Banderas y harapos: Relatos de la revolución en Nicaragua

(fragmento)

Al día siguiente me presenté en las oficinas de la Cruzada Nacional de Alfabetización, ubicadas en el Complejo Cívico, en el sector sur de la capital y que todavía hoy alberga varias dependencias públicas. [...]

5　Finalmente me hacen pasar al despacho°. Un hombre alto, de tez blanca y vivaces ojos azules me sonríe desde su escritorio y me invita a sentarme frente a él. Detrás suyo, un póster con el retrato de Sandino, también difuminado en rojos y negros, y la sentencia° de patria

10　libre o morir. Cardenal vestía jeans y una camisa celeste a cuadros de manga corta, que dejaba ver el vello claro de sus brazos. Lo menos que parecía era un cura°. [...]

El padre Fernando me escuchó con atención y me respondió en tono pausado, dulce como un maestro

15　bueno y tan amablemente como si nos conociéramos de toda la vida. Me dijo que aún faltaba un mes y medio para que la Cruzada comenzara, pero que si yo lo deseaba podía integrarme como voluntaria a trabajar en las bodegas donde se almacenaban los materiales

20　para la alfabetización, previo a su distribución a los brigadistas: las *cotonas* —aquellas camisas color gris que hacían parte del uniforme—, las botas de hule, las lámparas de gas y las cartillas de alfabetización para los más de 60.000 brigadistas que participarían en la

25　epopeya educativa, estudiantes de los últimos años de secundaria y de las universidades. La meta era enseñar a leer y escribir a casi 500.000 personas en la mayor parte del país para reducir el índice de analfabetismo que alcanzaba al 52 por ciento de la población, entonces

30　de poco más de tres millones de habitantes.

«Es mi deber aclararte que este trabajo, y la campaña de alfabetización misma, es un trabajo totalmente voluntario... no recibirás una paga económica pero estarás participando en un proyecto para los

35　más necesitados. Y cuando estés en la montaña, les enseñarás a leer a los campesinos y también aprenderás ... tanto o más que ellos», me dijo con una sonrisa. Acepté sin dudarlo y a las siete de la mañana estaba en la puerta de la bodega, lista para empezar mi

40　jornada. Una montaña de botas negras marca Calibri ocupaba el centro del enorme local, donde otros jóvenes se movían como hormigas entre cajas y cajas de donaciones enviadas por gobiernos europeos y grupos de solidaridad de Estados Unidos. «Cuánto por

45　hacer», pensé en voz alta con mi habitual impaciencia. «Calma, *compa*, tenemos tiempo», me tranquilizó una muchacha delgada, de largo pelo castaño, que apilaba cuadernos a mi lado y que empezó a bombardearme con preguntas sobre mi origen. Era Patricia Sallick, quien

50　pronto se convertiría en mi primera amiga en Nicaragua.

Al cabo de tres semanas de contar y emparejar interminables pares de botas, y de guardar en cajas centenares de lámparas Coleman cuidando de que cada una llevara dos mantillas de repuesto, concluimos

55　nuestro trabajo. Con Patricia celebramos la misión cumplida sentadas en la acera saboreando un raspado Loli, ese insuperable vasito de hielo en escarcha con cajeta de leche o miel de frutas, una de las más emblemáticas golosinas° nicaragüenses. Días

60　más tarde nos inscribiríamos, felices, en el taller de capacitación donde durante dos semanas nos entrenaron como alfabetizadoras. Y al terminar ese curso, cada uno de nosotros capacitó a nuevos grupos de nóveles maestros. [...] ●

---

despacho *office* **sentencia** *maxim* **cura** *priest* **golosinas** *sweets*

Después de leer

(3) Personas importantes En el texto, la autora se refiere a algunas personas.

Paso 1 Describe quién es cada una de ellas, utilizando el contexto del fragmento. ¿Qué papel cumplen en la Cruzada Nacional de Alfabetización?

   1. Patricia Sallick

   2. el padre Cardenal

   3. Sandino

   4. los brigadistas

Paso 2 En parejas, compartan sus respuestas y justifíquenlas citando el texto.

(4) Análisis En parejas, intercambien ideas y contesten las preguntas.

   1. ¿Por qué piensan que Gabriela decidió viajar a Nicaragua?

   2. ¿Cómo describe el padre Cardenal el trabajo de voluntario en la Cruzada de Alfabetización?

   3. ¿Cuál es el motivo de la Cruzada de Alfabetización?

   4. ¿Qué desafíos piensan que tuvieron que enfrentar los brigadistas?

   5. ¿De qué manera se refleja la importancia de la solidaridad y la cooperación internacional en la Cruzada?

   6. ¿Por qué comieron raspados la autora y Patricia?

   7. ¿Qué creen que quiere decir Patricia cuando le dice "compa" a la autora?

   8. ¿Por qué piensan que tantos jóvenes se inscribieron para ser brigadistas?

(5) Investigación Investiga sobre la política en Nicaragua para comprender mejor el texto de Gabriela Selser.

   1. ¿Quién fue Augusto César Sandino?

   2. ¿Quiénes fueron los sandinistas?

   3. ¿Hay evidencia de que la Cruzada Nacional de Alfabetización logró su objetivo?

   4. ¿Cómo es el gobierno de Nicaragua en la actualidad? ¿Ha habido cambios recientes?

Resources
Vhlcentral
Online activities

□ **I CAN** interpret perspectives and opinions in a literary passage.

Jardín infantil en las islas flotantes de los uros

Vas a ver un video sobre una escuela en el lago más alto del mundo.
Lee la estrategia intercultural antes de ver el video.

Estrategia intercultural: Local Issues Become Global Issues

Many issues that you hear about, such as those dealing with education, politics, climate, and human rights, occur in other areas of the world and may seem too distant for your attention. However, our world has become increasingly interconnected. With this in mind, try developing interest and curiosity about both local and global issues. Your actions as a consumer and global citizen can affect others more than you may imagine. The fact is that small decisions that we make locally every day can have an impact globally on the lives of people around the world.

Antes de ver

1 **Preparación** En parejas, conversen sobre estas preguntas.

1. ¿Qué recuerdos tienen de la escuela preescolar? ¿Cómo llegaban a la escuela? ¿Cómo eran sus maestros/as? ¿Qué hacían en la escuela?

2. ¿Por qué es importante ofrecer la oportunidad de una educación para todas las personas?

2 **Vocabulario** Indica qué definición corresponde a cada palabra o frase que aparece en el video.

_____ 1. el bote
_____ 2. ingresar
_____ 3. la isla
_____ 4. el jardín infantil
_____ 5. portarse bien
_____ 6. quedarse en el camino

a. entrar o ser admitido en un lugar
b. porción de tierra rodeada de agua
c. comportarse de manera adecuada y respetuosa
d. embarcación pequeña que flota en el agua
e. no poder alcanzar un objetivo
f. escuela preescolar

Mientras ves el video

3 **Establecer una escuela** Mientras ves el video identifica lo siguiente.

1. dos desafíos que tiene Amalia para mantener su escuela

2. dos logros que Amalia ha conseguido con los niños y la escuela

(4) **Escenas** Escribe la letra de la imagen que corresponde a cada cita del video.

A

B

C

D

¡ATENCIÓN!

The Uros Floating Islands are a group of artificial islands made from totora reeds that are located on Lake Titicaca between Peru and Bolivia. The Uros people have constructed and lived on these islands for centuries. The islands are unique in that they are entirely man-made, crafted by layering and weaving totora reeds to create a stable floating surface.

____ **1.** "Pero los padres luchan por educar a sus hijos y hoy saben que es lo más importante para un buen futuro".

____ **2.** "Esta isla en la que estamos no es una isla creada para el colegio. Es su casa, donde ella vive y donde vive su familia".

____ **3.** "Hasta hace pocos años los uros eran analfabetos. Su preparación tenía que ver con sus tradiciones y el lago".

____ **4.** "No puedo pedir a los padres de familia que me paguen porque acá no contamos con esa economía".

Después de ver

(5) **Comprensión** Contesta estas preguntas sobre el video.

1. ¿Por qué Amalia no recibe un sueldo por enseñar?

2. ¿Cuál es la importancia de que la escuela tenga un bote con motor?

3. ¿Por qué los niños de las islas uros no suelen ir a la escuela secundaria?

4. ¿Dónde está la escuela preescolar donde trabaja Amalia?

(6) **Asuntos locales, asuntos globales** Piensa en un asunto que está afectando a tu comunidad o una región del mundo hispanohablante. Busca información en internet al respecto y contesta las preguntas. Luego, en parejas, compartan sus respuestas.

- ¿Cuál es el asunto o problema? ¿A quiénes está afectando especialmente?

- ¿Qué acciones locales pueden tener un efecto positivo de manera más global?

- ¿Qué decisiones puedes tomar para afectar positivamente la situación?

Resources

(S)
Vhlcentral

Online activities

☐ **I CAN** identify local or global issues.

Experiencias

Proyectos

Learning Objectives:
Explain reasons to stay in school.
Reflect on a cultural event in your community.

1 **¿Cómo logramos una educación para todos?** Quieres apoyar una iniciativa educativa de tu comunidad que busca evitar que los estudiantes de secundaria abandonen sus estudios. Por esta razón, vas a crear una presentación para los estudiantes de tu comunidad donde expliques motivos para seguir estudiando y ofrezcas recomendaciones desde tu experiencia personal.

Paso 1 Consulta los materiales del capítulo: videos, lectura, presentaciones, etc. También repasa el vocabulario y la gramática del capítulo. Toma nota de las palabras y expresiones útiles.

Paso 2 Para conocer sobre la situación educativa de tu comunidad, busca en internet información sobre las tasas de alfabetismo y de abandono escolar de tu comunidad, estado o región.

> **¡ATENCIÓN!**
>
> Ask your instructor to share the **Rúbrica** to understand how your work will be assessed.

Paso 3 Haz una red de ideas sobre los motivos para no abandonar la escuela y seguir estudiando. Puedes pensar en tu propia experiencia. Por ejemplo, ¿qué te motivó? ¿Cuáles son las ventajas que has observado? ¿Cómo te ha ayudado a ti o a la gente que conoces?

Paso 4 Haz una lista de cinco recomendaciones que incentiven a los estudiantes a seguir estudiando en la escuela. ¿Qué recomendaciones son útiles para ti que le pueden ayudar a un(a) estudiante de secundaria? Por ejemplo, "administra bien tu tiempo durante la semana".

Paso 5 Prepara una presentación con los cinco motivos más convincentes y las cinco recomendaciones. Usa fotos y gráficos si lo deseas. Trata de convencer a tu audiencia para que no abandonen sus estudios.

☐ **I CAN** explain reasons to stay in school.

Experiencias profesionales Vas a participar en una actividad o evento social de tu universidad o de tu comunidad.

Paso 1 Busca un evento cultural en español patrocinado (*sponsored*) por la comunidad hispana local o por la universidad, como una feria, fiesta, exhibición o celebración cultural. Debes pasar entre 30 y 60 minutos en este evento cultural. Observa lo que pasa en el evento y, si es posible, intenta hablar con algunos de los participantes. Si no hay ningún evento cercano, busca un video o documental relacionado.

Paso 2 Escribe un resumen en español de una página (250-300 palabras) sobre lo que aprendiste al asistir al evento. Además, reflexiona sobre aspectos culturales que conociste y cómo estos pueden ser útiles en un futuro trabajo.

Paso 3 En parejas, compartan sus resúmenes y comenten lo que más les gustó del evento y qué aprendieron de esas experiencias.

☐ **I CAN** reflect on a cultural event in my community.

Repaso

Repaso de objetivos

Reflect on your progress toward the chapter main goals.

I am able to...

	Well	Somewhat
• Identify perspectives on educational opportunities.	☐	☐
• Exchange information about school and college experiences.	☐	☐
• Compare products, practices, and perspectives related to higher education.	☐	☐
• Explain reasons to stay in school.	☐	☐
• Reflect on a cultural event in my community.	☐	☐

Repaso de vocabulario

La educación y la alfabetización   *Education and literacy*

el analfabetismo   *illiteracy*
el aprendizaje   *learning*
la cifra   *number, figure (in statistics)*
el derecho humano   *human right*
la desigualdad   *inequality*
la escritura   *writing*
el esfuerzo   *effort*
la falta de…   *shortage of…*
la lectura   *reading*

desarrollado   *developed*
en vías de desarrollo   *developing*
gratuito/a   *free*
obligatorio/a   *mandatory, required*

abandonar (los estudios)   *to drop out (of school)*
aprobar (o:ue) (un examen, una asignatura)   *to pass (an exam, a subject)*
aprovechar   *to take advantage of*
capacitarse   *to get/be trained*
concentrarse   *to focus*
fomentar   *to promote*
formar   *to train, to educate*
garantizar   *to ensure*
reprobar (o:ue) (un examen, una asignatura)   *to fail (an exam, a subject)*

Cognados
la educación preescolar
la educación primaria
la educación secundaria
la habilidad

Los estudios universitarios   *University studies*

el alumnado   *student body*
los apuntes   *notes*
la beca   *scholarship*
el campo de estudio   *field of study*
la carrera   *major*
los deberes   *homework, assignments*
los hábitos de estudio   *study habits*
la licenciatura   *Bachelor's degree*
la matrícula   *enrollment; tuition*
el plagio   *plagiarism*
el plan de estudios   *curriculum*
el posgrado   *graduate studies*
el profesorado   *faculty*
el título   *degree*
el trabajo   *paper; assignment*

administrar (el tiempo)   *to manage (time)*
especializarse en…   *to specialize in, to major in*
matricularse   *to enroll, to register*
rellenar (las solicitudes)   *to fill out (the applications)*
sacar buenas/malas notas   *to get good/bad grades*

Cognados
el doctorado
la educación superior
la institución
la maestría/el máster
la organización estudiantil

académico/a
universitario/a

graduarse

Repaso

Repaso de gramática

1 Informal commands

Verbs	Affirmative *tú* command (same as *él/ella* of the present tense)	Negative *tú* command (same as *tú* of the present subjunctive)
estudi**ar**	estudi**a**	no estudi**es**
le**er**	le**e**	no le**as**
escrib**ir**	escrib**e**	no escrib**as**

Verbs	Irregular affirmative *tú* commands
decir	di
hacer	haz
ir	ve
poner	pon
salir	sal
ser	sé
tener	ten
venir	ven

2 The past perfect

Subject pronoun	Past perfect imperfect of *haber* + past participle		
	hablar	**comer**	**vivir**
yo	había hablado	había comido	había vivido
tú	habías hablado	habías comido	habías vivido
él, ella, usted	había hablado	había comido	había vivido
nosotros/as	habíamos hablado	habíamos comido	habíamos vivido
vosotros/as	habíais hablado	habíais comido	habíais vivido
ellos, ellas, ustedes	habían hablado	habían comido	habían vivido

Resources

Vhlcentral

Online activities

¿Qué rol tiene la tecnología en nuestra vida?

OBJETIVOS DE APRENDIZAJE

By the end of this chapter, I will be able to...

- Identify perspectives on the role of technology in how we communicate.
- Exchange information about the impacts of modern technology on society.
- Compare products, practices, and perspectives related to the use of technology.
- Describe possible impacts of technology on our lives.
- Create goals for increasing my proficiency.

ENCUENTROS

Sofía sale a la calle: Perspectivas sobre el papel de la tecnología en la comunicación

Panorama actual: Los móviles

EXPLORACIONES

Vocabulario

La tecnología

Los avances tecnológicos y sus desafíos

Gramática

The conditional

The imperfect subjunctive

Si clauses

EXPERIENCIAS

Blog: La netiqueta

Cultura y sociedad: IA: La revolución educativa del siglo XXI

Literatura: *La fotografía*, de Chiquita Barreto Burgos

Intercambiemos perspectivas: *Cocodrilo*

Proyectos: ¿Qué rol tiene la tecnología en nuestra vida?, Experiencias profesionales

Perspectivas sobre el papel de la tecnología en la comunicación

Lee y reflexiona sobre la estrategia intercultural de este capítulo.

> **Estrategia intercultural: Polychronic vs. Monochronic Perspectives on Time**
>
> For some, time is money and should not be wasted. This monochronic perspective values punctuality, while a polychronic perspective sees time as an unlimited good, with the view that life isn't run by a clock. From the polychronic perspective, individuals should take as long as they need to complete a task and not feel rushed. The notion of time and your response time can vary among people based on their cultural perspectives. As you reflect on your culture's perspective, consider that your perspective on time is not the only valid one.

Antes de ver

(1) Entrando en el tema Sofía entrevista a Guido, Andrés y Dan sobre el papel de la tecnología en la forma en la que nos comunicamos.

Paso 1 Lee la lista de medios para comunicarse y elige los que tú consideras son los más utilizados. Explica por qué crees que la gente los prefiere y en qué situaciones los usan.

- las aplicaciones de mensajería instantánea
- los correos electrónicos
- las llamadas (telefónicas)
- los mensajes de texto
- las redes sociales
- las videollamadas

Paso 2 En grupos pequeños, comparen sus respuestas. ¿Llegaron a conclusiones similares?

Mientras ves

2 Perspectivas Mira el video e identifica de quién es cada una de estas opiniones.

Guido

Andrés

Dan

Ventajas de comunicarse sin poder verse

_____ **1.** "Si estás haciendo otra cosa, puedes decidir hablar más tarde".

_____ **2.** "Lo puedes hacer en momentos que no quieres que te vean…"

_____ **3.** "No te tienes que arreglar. No te tienes que peinar".

Desventajas de comunicarse sin poder verse

_____ **1.** "No sabes si te están mintiendo o no están siendo honestos".

_____ **2.** "Es un poco más frío porque no hay contacto físico ni emocional con la otra persona".

_____ **3.** "[Puedes malinterpretar] las cosas que se están diciendo".

Después de ver

3 Análisis En parejas, analicen las perspectivas presentadas en el video.

1. Uno de los entrevistados dice sobre su juego virtual favorito: "Me divierte, me pone a pensar y ejercita mi mente". ¿Qué tipos de juegos no le interesan a esta persona?

2. Uno de los entrevistados dice que "las ventajas de comunicarse viendo a la persona es que no malinterpretas las cosas que se están diciendo". ¿Qué quiere decir? Den ejemplos.

3. Según uno de los entrevistados, una desventaja de no verse al comunicarse es "que es un poco más frío". ¿Por qué es más frío? Den ejemplos.

Estrategia de aprendizaje: Utilizing Technology

Have you wondered how to leverage technology to boost your proficiency in Spanish? Here are some ideas: 1. Watch foreign films. Watching movies and TV shows is a great way to get authentic listening practice… *Go online to watch the complete learning strategy.*

Video: Strategy

Resources

Vhlcentral

Online activities

□ **I CAN** identify perspectives on the use of technology in communication.

Encuentros

Panorama actual

Learning Objective: Analyze practices related to smartphone use around the world.

Los móviles

Cuando aparecieron los primeros **teléfonos móviles°** hace muchos años, a muchas personas les parecía algo sacado° de la ciencia ficción poder hablar con alguien sin estar conectado con un cable. Así es como nació la etiqueta "móvil" para referirse a este tipo de teléfonos, ya que permitían a los **usuarios** moverse fuera de casa con el teléfono en la mano. Con la llegada de internet, los teléfonos móviles, o **móviles**, se volvieron **inteligentes** al brindarnos acceso a la web y toda la información almacenada° en el ciberespacio. Era como tener una computadora en la palma de la mano. Sin embargo, debido al avance de la **tecnología** móvil y su presencia constante en nuestra vida diaria por medio de **aplicaciones** o servicios en línea, muchas personas han desarrollado lo que se conoce como "nomofobia", derivada del inglés "*nomophobia*" (*NO MObile PHone phoBIA*). Esta fobia se caracteriza por experimentar ansiedad e incluso miedo cuando una persona no tiene su **dispositivo°** a mano. En este **Panorama actual**, vas a analizar la frecuencia de uso diario del móvil en el mundo y las cifras de dependencia al móvil en España.

teléfonos móviles *cell phones* **sacado** *taken* **almacenada** *stored* **dispositivo** *device*

Uso diario° promedio° del móvil, enero 2023

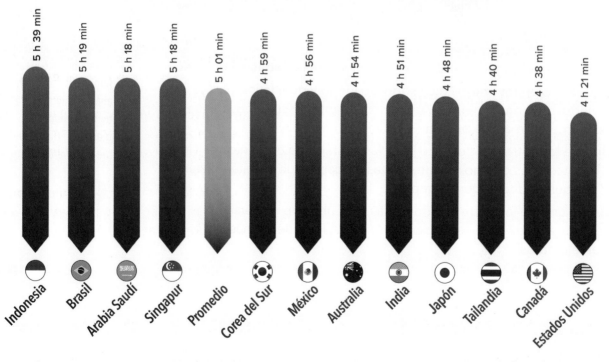

Indonesia	5 h 39 min
Brasil	5 h 19 min
Arabia Saudí	5 h 18 min
Singapur	5 h 18 min
Promedio	5 h 01 min
Corea del Sur	4 h 59 min
México	4 h 56 min
Australia	4 h 54 min
India	4 h 51 min
Japón	4 h 48 min
Tailandia	4 h 40 min
Canadá	4 h 38 min
Estados Unidos	4 h 21 min

diario *daily* **promedio** *average*

Fuente: Data.ai "State of Mobile 2022" Report. See StateofMobile2022.com.

La dependencia al móvil en España

3 h 51 min
es el tiempo promedio de uso del móvil (29 min más que el año pasado)

6 h 6 min es el tiempo promedio de uso del móvil entre jóvenes de 18 a 24 años

25% **de los españoles** se considera adicto al móvil

45% **de los jóvenes** españoles se considera adicto al móvil

51% **de los españoles** lo primero y último que hace en el día es mirar el móvil

14% **de los españoles** admite que mira el móvil mientras conduce

Fuente: Rastreator

1 **Comprensión** Contesta las preguntas según la información de esta presentación.

1. En enero de 2023, ¿en cuántos países el uso diario del móvil fue mayor que el del promedio? ¿Qué países son?

2. ¿Cuál fue el promedio de horas de uso diario del móvil en el mundo en enero de 2023?

3. ¿Está España por encima o por debajo del promedio mundial de uso diario del móvil?

4. ¿Qué grupo social en España tiene más dependencia al móvil?

2 **Analizar** En parejas, conversen sobre estas preguntas.

1. ¿Cómo las diferencias culturales pueden tener una influencia en el tiempo que pasan las personas usando sus móviles?

2. ¿Cómo la inclusión del tiempo promedio de uso de móviles puede ofrecer mayor información para entender los datos del gráfico de barras?

3. ¿Cuál es la tendencia en el uso de móviles en España en comparación con el año anterior? ¿Creen que es significativo este cambio?

4. ¿Piensan que en el gráfico de barras o en la infografía hay datos que puedan relacionarse con la nomofobia? Expliquen su respuesta.

3 **Para investigar** Elige un tema para investigar.

1. Selecciona uno o dos países del gráfico del uso diario del móvil y busca el porcentaje de la población que tiene teléfonos inteligentes. ¿Podría haber (*Could there be*) una relación entre el porcentaje de usuarios de teléfonos inteligentes y la cantidad de horas que pasan por día mirándolo? Explica tu respuesta.

2. Busca información sobre la dependencia al móvil en tu país. ¿Cómo se comparan estos datos con los de España?

☐ **I CAN** identify practices related to smartphone use around the world.

La tecnología

↻ ¡ATENCIÓN!

Antes de empezar, repasa la sección **Vocabulario 3** del Capítulo 3 de *Experiencias: Beginning Spanish*.

La **tecnología** se ha convertido en una parte integral de la vida cotidiana de muchas personas. En la actualidad, dependemos de **dispositivos** como **teléfonos inteligentes**, computadoras portátiles y **tabletas** para las tareas académicas, las actividades profesionales y para comunicarnos. Las redes sociales nos mantienen **conectados** con familiares y amigos y nos permiten compartir nuestros momentos más importantes. Como **usuarios** de la **red** podemos hacer muchas tareas: enviar **archivos**, jugar a juegos **interactivos**, acceder a las redes sociales o conectarnos a través de la **cámara web**. Además, las **aplicaciones** y **plataformas** de colaboración facilitan el trabajo en equipo y la comunicación en proyectos. La tecnología también ha revolucionado la forma en que estudiamos, con recursos en línea, bibliotecas **digitales** y tutoriales en video al alcance de nuestra mano. ¿Cuál es el impacto de la tecnología en tu vida diaria? ¿Qué **herramientas** utilizas con frecuencia?

Más palabras

la casilla *box*

el código de verificación *verification code*

la contraseña *password*

el disco duro *hard drive*

el enlace *link*

el (teléfono) móvil *cell phone*

la nube *cloud*

la videollamada *video call*

adjuntar *to attach*

almacenar *to store*

cargar *to load*

descargar *to download*

guardar *to save*

hacer clic *to click*

ingresar (información) *to enter (information)*

registrarse *to sign up*

subir *to upload*

Cognados

el ícono

el monitor

el wifi

activar

conectar

instalar

1 **Cuenta en redes sociales** Vas a estudiar un semestre en México y quieres crear una cuenta en una red social que es muy usada en ese país, pero que tú no usas.

Paso 1 Escucha las instrucciones para crear una cuenta y ponlas en orden cronológico.

_____ Ingresa el código de verificación que recibas.

_____ Busca la página de la red social en internet.

_____ Ingresa tu nombre, número de teléfono o correo electrónico.

_____ Crea una contraseña de seis caracteres o más.

_____ Haz clic en "Regístrate".

_____ Añade tus intereses y preferencias y crea tu perfil.

_____ Elige un nombre de usuario e introdúcelo en la casilla.

Según el portal DataReportal, a inicios de 2023, el número de usuarios de redes sociales en México era equivalente al 73,4% de la población de ese país.

Paso 2 En parejas, conversen sobre las redes sociales que usan. ¿Cuáles son las principales razones por las que deciden abrir una cuenta en una red social?

2 **¿Qué hago?** Un amigo que no está acostumbrado a usar dispositivos tecnológicos te pide ayuda. Contesta sus preguntas.

1. Para conectarme a internet, ¿qué uso?

2. Cuando me escribes un correo electrónico con la dirección de un sitio web interesante, ¿dónde hago clic?

3. Quiero almacenar muchas fotos digitales, pero no tengo espacio en mi computadora. ¿Dónde puedo ponerlas?

4. ¿Qué dispositivo necesito para hacer videollamadas desde mi computadora?

5. Cuando quiero trabajar fuera de casa, ¿qué debo llevar conmigo?

6. Quiero poder acceder a juegos en línea desde mi móvil. ¿Qué debo hacer?

7. Cuando quiero guardar mis archivos, ¿dónde sugieres que los guarde?

8. ¿Cómo puedo evitar que alguien acceda a mi cuenta de correo electrónico?

Exploraciones

  (3) Instrucciones En su nuevo trabajo, a ti y a tu compañero/a les piden que escriban instrucciones para el uso de los distintos dispositivos tecnológicos en su oficina.

 Paso 1 En parejas, dividan esta lista en dos partes y completen las instrucciones de forma lógica.

1. Para instalar una aplicación en la computadora…

2. Para descargar archivos…

3. Para subir un video a internet…

4. Para utilizar la nube…

5. Para hacer una videollamada…

6. Para acceder al wifi…

7. Para descargar archivos de un mensaje de correo electrónico…

8. Para cargar un programa nuevo en la computadora de la oficina…

Paso 2 Compartan sus respuestas y ofrezcan recomendaciones para que las instrucciones tengan sentido y sean claras.

Paso 3 Escribe tus cuatro instrucciones.

(4) Preferencias En parejas, conversen sobre cómo cada uno/a de ustedes utiliza la tecnología. Usen estas preguntas como guía.

1. ¿Con qué frecuencia usan las redes sociales?

2. ¿Qué hacen para no olvidar las contraseñas de sus distintas cuentas en línea?

3. ¿Qué dispositivo electrónico prefieren usar para hacer sus trabajos o la tarea de sus clases?

4. ¿Qué tipos de archivos descargan para leer en su teléfono?

5. ¿Qué dispositivo usan para escuchar música? ¿Escuchan música en línea?

6. ¿Con qué frecuencia adjuntan archivos a un correo electrónico?

7. ¿Qué piensan de la idea de estar sin su teléfono por más de un día?

8. ¿Qué tipos de usos les dan a las redes sociales?

(5) El español cerca de ti Busca un blog o una página web en español de una persona que escriba sobre temas relacionados con la tecnología en la sociedad. Lee uno de sus artículos y los comentarios si los ha recibido. Luego compara la información con tu propio entorno (*context*). ¿En qué se diferencian? ¿En qué se parecen? ¿Qué prácticas y perspectivas tienen en común?

STUDENT TIP: Making it Fun (by Shaan Dahar, Xavier University)

It's easier for me to learn the grammar and vocabulary that we are learning in class through making it fun… *Go online to watch the complete learning tip.*

 **Video: Tip**

☐ **I CAN** talk about basic concepts related to the use of technology.

Talking about what would happen: The conditional

The conditional is used to express what you *would do* or what *would happen* under certain conditions. There are three primary uses of the conditional:

▶ To express what *would* potentially happen if a hypothetical condition is met.

Descargaría el archivo, pero no hay wifi aquí.

I would download the file, but there is no Wi-Fi here.

▶ To identify pending or unrealized actions stated in the past.

Rosa dijo que su hermano le **compraría** una tableta.

Rosa said that her brother would buy her a tablet.

▶ To make a polite request.

¿Me **ayudarías** a registrarme?

Could you help me sign up?

¿**Podrías** cerrar la puerta, por favor?

Would you close the door, please?

The conditional is formed by adding the imperfect tense endings of **-er** and **-ir** verbs to the entire infinitive form (dictionary form).

Subject pronouns	conectar	aprender	subir
yo	conectar**ía**	aprender**ía**	subir**ía**
tú	conectar**ías**	aprender**ías**	subir**ías**
él, ella, Ud.	conectar**ía**	aprender**ía**	subir**ía**
nosotros/as	conectar**íamos**	aprender**íamos**	subir**íamos**
vosotros/as	conectar**íais**	aprender**íais**	subir**íais**
ellos, ellas, Uds.	conectar**ían**	aprender**ían**	subir**ían**

Verbs that have an altered stem in the future tense also have it in the conditional.

Verbs	Altered stem	Conditional
hacer	har-	haría, harías, haría…
poder	podr-	podría, podrías, podría…
poner	pondr-	pondría, pondrías, pondría…
querer	querr-	querría, querrías, querría…
saber	sabr-	sabría, sabrías, sabría…
salir	saldr-	saldría, saldrías, saldría…

¡ATENCIÓN!

Other verbs with altered stems in the conditional are:
tener: tendría, tendrías, tendría…
venir: vendría, vendrías, vendría…

Exploraciones

(1) Lo que decidió antes Marta es una estudiante que tiene un podcast sobre la vida universitaria. Esta semana va a hablar sobre las decisiones que tomó antes de empezar a usar su computadora portátil y teléfono nuevos.

Paso 1 Escucha lo que cuenta Marta y selecciona qué decisiones tomó ella completando la oración.

Marta decidió que...

☐ leería mucho más rápido con su nueva computadora portátil.

☐ reduciría el uso de videollamadas para hablar con sus amigos.

☐ jugaría a los videojuegos mucho menos que antes.

☐ no pasaría tanto tiempo en las redes sociales.

☐ les mandaría mensajes de texto solo a sus padres durante las clases.

☐ entregaría sus trabajos escritos a tiempo.

☐ usaría internet para entregar sus trabajos.

Paso 2 Reflexiona sobre tu primer semestre o tu primer año en la universidad y las metas que te pusiste. Luego, en parejas, compartan al menos cuatro metas que dijeron que cumplirían como estudiantes universitarios: dos que cumplieron y dos que no cumplieron.

(2) Promesas del pasado Normalmente, cuando hacemos una promesa, tenemos la intención de cumplirla, pero a veces no es posible.

Paso 1 Completa la tabla con información sobre cinco promesas que hiciste a otras personas o que otras personas te hicieron. Sigue el modelo.

¿Cuándo se hizo la promesa?	¿Quién hizo la promesa?	¿A quién se le hizo la promesa?	¿Cuál fue la promesa?	¿Se cumplió la promesa?
el año pasado	yo	a mis padres	estudiar más	sí

Paso 2 En parejas, compartan las promesas de su tabla y den más información sobre ellas.

> **Modelo** *El año pasado les dije a mis padres que estudiaría más.*
> *Se cumplió la promesa. Decidí estudiar...*

3 **Servicio al cliente** Uno de tus amigos tiene muchos problemas con sus dispositivos electrónicos y te ha pedido que lo ayudes a contactarse por chat con los centros de atención al cliente.

Paso 1 Mira la lista de pedidos de tu amigo y cámbialos a peticiones corteses (*polite requests*).

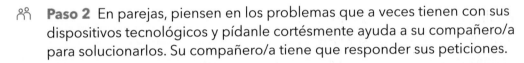
> **Modelo** Reemplacen mi tableta.
> *¿Reemplazarían mi tableta? (¿Podrían reemplazar mi tableta?)*

1. Mándenme el último modelo de mi móvil.
2. Ayúdeme a contectarme al wifi.
3. Activen mi cuenta hoy.
4. Explíqueme por qué no ha llegado el monitor.
5. Descríbame el proceso para devolver mi dispositivo.
6. Llámeme después de las cuatro de la tarde.
7. Deme el número de teléfono del supervisor.

 Paso 2 En parejas, piensen en los problemas que a veces tienen con sus dispositivos tecnológicos y pídanle cortésmente ayuda a su compañero/a para solucionarlos. Su compañero/a tiene que responder sus peticiones.

Según HubSpot, en 2022, los modos preferidos para contactarse con los centros de atención al cliente fueron el teléfono (57%), el correo electrónico (37%) y el chat (26%).

4 **Situaciones** En parejas, hagan los papeles de A y de B para representar la situación.

Estudiante A Eres una persona con mucha autodisciplina y todos los años haces resoluciones de Año Nuevo difíciles y desafiantes. Te gusta lograr tus metas. Cuéntale a tu amigo/a las resoluciones que hiciste al empezar este año y cómo vas en cada una de ellas (**Decidí que... y lo estoy haciendo**...). Tú sabes que para tu amigo/a es difícil cumplir sus resoluciones, así que dale consejos sobre cómo lograrlo.

Estudiante B Eres una persona con muchos deseos de mejorar, pero con poca voluntad. Cada año te propones muchas metas, pero cumples muy pocas. Cuéntale a tu amigo/a las metas que quisiste alcanzar este año y por qué no pudiste lograrlas (**Dije que..., pero...**). Pídele consejos a tu amigo/a.

Resources

Vhlcentral

WebSAM

☐ **I CAN** talk about what would happen.

Tutorial

Identifying past actions and events as being hypothetical: The imperfect subjunctive

In previous chapters, you have studied various contexts that require the use of the (present) subjunctive for actions and events in the present or in the future, such as expressing doubt or desire, making recommendations, expressing emotions, among others. The imperfect subjunctive is used in the same contexts as the present subjunctive when the actions and events took place in the past.

El profesor pide que no **usemos** el móvil durante la clase.	*The professor asks that we don't use our mobile phones during class.*
El profesor pidió que no **usáramos** el móvil durante la clase.	*The professor asked that we didn't use our mobile phones during class.*

The imperfect subjunctive is formed using the **ellos/ellas/Uds.** form of the preterit as a base. Then deleting the **-ron** ending from it and adding the following endings: **-ra, -ras, -ra, -ramos, -rais, -ran**. For example:

hablar → habla**ron** → habla**ra** (yo)

leer → leye**ron** → leye**ras** (tú)

decir → dije**ron** → dijé**ramos** (nosotros)

Subject pronouns	hablar	leer	decir
yo	habla**ra**	leye**ra**	dije**ra**
tú	habla**ras**	leye**ras**	dije**ras**
él, ella, Ud.	habla**ra**	leye**ra**	dije**ra**
nosotros/as	hablá**ramos**	leyé**ramos**	dijé**ramos**
vosotros/as	habla**rais**	leye**rais**	dije**rais**
ellos, ellas, Uds.	habla**ran**	leye**ran**	dije**ran**

Tus compañeros no sabían que **hablaras** tan bien chino.	*Your classmates didn't know that you spoke Chinese so well.*
Era importante que todos **leyeran** las instrucciones.	*It was important that everyone read the instructions.*
Paolo me pidió que le **dijera** mi contraseña.	*Paolo asked me to tell him my password.*

¡ATENCIÓN!

Research on learning Spanish as a second language has found that the subjunctive, especially the imperfect subjunctive, is a structure that learners acquire later. This is especially true for those whose native languages, such as English, do not have or use the subjunctive. Becoming proficient in using the subjunctive in spontaneous conversation takes many years of exposure and practice. Therefore, the goal is to support you in comprehending the form when encountered in various text types.

¡ATENCIÓN!

In the **nosotros** form, the vowel before the ending is stressed and carries a written accent.

¡ATENCIÓN!

The imperfect subjunctive has an alternate set of endings: **-se, -ses, -se, -semos, -seis, -sen**, that can be found in writing and formal contexts.

1 **La comunicación interpersonal y la tecnología** Ernesto habla con su nieta, una estudiante universitaria, sobre el cambio en las comunicaciones interpersonales debido a la tecnología.

Paso 1 Escucha lo que cuenta Ernesto y empareja las frases, según lo que dice.

_____ **1.** Mi mamá me recomendaba que (yo)

_____ **2.** Cuando buscaba pareja, era probable que mi familia

_____ **3.** Era preferible que los amigos y familiares

_____ **4.** Las personas tenían que usar el teléfono de su casa

_____ **5.** No era común que (tú)

_____ **6.** Me gustaba que (nosotros)

a. antes de que se inventara el móvil.

b. hablaran cara a cara en persona.

c. te comunicaras con personas que no conocías.

d. ya conociera a una persona con las características que yo quería.

e. nos sentáramos juntos a la mesa.

f. expresara mis sentimientos en persona.

Paso 2 En parejas, conversen sobre las ventajas y los desafíos del uso de la tecnología en las comunicaciones interpersonales.

2 **Opiniones** Cuando empezamos a usar una nueva tecnología o nuevos dispositivos, generalmente tenemos ideas de lo que esperamos de ellos.

Paso 1 Lee las opiniones de diferentes personas sobre las expectativas que tenían de las distintas tecnologías cuando empezaron a usarlas. Luego identifica los dos verbos en el pasado en cada oración (uno en imperfecto o pretérito de indicativo y el otro en imperfecto de subjuntivo).

1. Era necesario que las redes sociales no tomaran tanto tiempo de mi día a día.

2. Era importante que mis archivos estuvieran siempre seguros y respaldados en la nube.

3. Buscaba herramientas tecnológicas que me ayudaran a ser más productivo y organizado.

4. Era fundamental que nadie pudiera descifrar (*decode*) mis contraseñas.

5. Deseaba que las videollamadas fueran más comunes y accesibles para mantenerme conectado con familiares y amigos.

6. Esperaba que la tecnología me permitiera acceder a los archivos y compartirlos de manera rápida y sencilla.

Paso 2 Las personas que dieron sus opiniones en el **Paso 1** siguen pensando lo mismo. En parejas, cambien las opiniones al tiempo presente y coméntenlas. Luego conversen sobre lo que esperan de nuevas tecnologías que conozcan.

Resources

Vhlcentral

WebSAM

☐ **I CAN** identify past actions and events as being hypothetical.

Los avances tecnológicos y sus desafíos

Los **avances tecnológicos** han revolucionado nuestra forma de vivir y trabajar. Por un lado, nos han permitido **acceder** a información de manera rápida y sencilla, facilitando la comunicación y el intercambio de ideas. Gracias a la comunicación virtual podemos crearnos **perfiles** en medios sociales y enviar **mensajes instantáneos** a todo el mundo. La tecnología **ha mejorado** también la eficiencia en diversos sectores, como la medicina, la educación y la industria. Sin embargo, nos trae algunos desafíos. Por ejemplo, la **dependencia** excesiva de la tecnología puede afectar nuestras habilidades sociales y el **equilibrio** entre la vida digital y la vida real. La seguridad y la **privacidad** en línea también preocupan a mucha gente. Otro desafío es la falta de **acceso** equitativo a las tecnologías y recursos digitales. ¿Cómo podemos maximizar los beneficios y superar los desafíos para crear un entorno tecnológico más seguro, equitativo y ético?

Más palabras

la brecha digital *digital gap*
los datos *data*

actualizado/a *updated*
desactualizado/a *outdated*

intercambiar *to exchange*

Cognados

la desinformación
la inteligencia artificial
el virus

chatear
comentar
interactuar

1 **Los desafíos de la tecnología** Escucha el podcast sobre los desafíos de la tecnología que Ana Jiménez ha producido para su clase de comunicaciones.

Paso 1 Completa las oraciones según lo que dice Ana.

1. La rapidez en las comunicaciones y la simplificación de muchas de nuestras tareas diarias son consecuencias de _____.

2. Hay personas que inventan adaptaciones de la lengua, como abreviaturas para _____.

3. A veces interactuamos menos en persona porque _____.

4. La brecha digital es cuando no hay _____.

5. Hay que usar contraseñas por cuestiones de _____.

6. Es necesario tener cuidado cuando instalamos aplicaciones o programas para evitar _____.

Paso 2 Completa la tabla con tres herramientas tecnológicas o aplicaciones que utilizas e incluye sus ventajas y desafíos, según tu experiencia. Luego, en parejas, conversen sobre sus respuestas. ¿Conocen las herramientas o aplicaciones de su compañero/a? ¿Están de acuerdo con sus opiniones?

Herramientas tecnológicas o aplicaciones	Ventajas	Desafíos

2 **Reflexiones** Reflexiona sobre estas preguntas y luego, en parejas, conversen sobre ellas.

1. ¿Cómo influye la tecnología en tu vida diaria y en tus relaciones?

2. ¿Te molesta o preocupa que algunas aplicaciones o empresas tengan información sobre ti? ¿Por qué?

3. ¿Haces algo en particular para proteger tus datos en línea?

4. ¿Piensas que las redes sociales contribuyen a la propagación de la desinformación? Si es así, ¿qué se puede hacer?

5. ¿Existen organizaciones en tu comunidad o cerca de ella que ayuden a cerrar la brecha digital? ¿Qué hacen?

6. ¿Cuáles son las ventajas y los desafíos de la educación en línea o el trabajo remoto? ¿Qué modalidad de estudio o trabajo prefieres tú?

Exploraciones

3 **Una foto vale más que mil palabras** Según los expertos de la red, debes seleccionar una foto para tu perfil profesional con mucho cuidado.

Paso 1 Lee estas opiniones sobre las fotos de un perfil profesional en la red e indica si estás de acuerdo o no con ellas.

Opiniones	Estoy de acuerdo	No estoy de acuerdo
1. Una foto en blanco y negro siempre denota un perfil elegante y sofisticado.		
2. Una foto de una fiesta, de vacaciones o en familia demuestra que te gusta interactuar con otras personas.		
3. Una foto con poca luz denota un tono misterioso y creativo.		
4. Una foto con tu mascota preferida muestra tu personalidad única.		
5. Un selfi muestra que estás al día con todas las últimas tecnologías.		
6. Un perfil sin foto es el error más grave que puedes cometer porque demuestra que tu perfil está desactualizado.		

Video: Tip

Paso 2 En parejas, compartan sus respuestas y explíquenlas. ¿Qué tipo de foto escogerían para su perfil profesional en línea?

4 **El español cerca de ti** ¿Hay alguna organización o institución en tu comunidad que ofrezca clases básicas en español de computación y seguridad en internet? ¿Qué servicios dan? ¿Son gratuitos? ¿Cómo se puede apoyar a esta organización o institución? Si no encuentras ninguna organización en tu comunidad, puedes buscar una fuera de ella.

Resources

Vhlcentral

WebSAM

☐ **I CAN** talk about some advantages and disadvantages of modern technologies in society.

Expressing cause and effect: *Si* clauses

Si clauses are a very useful communication tool in Spanish. They state a condition that must be met for the action in another clause to take place. In English the sentences in which these two clauses appear are sometimes called "if/then" sentences. The **si** clause can appear before or after the main clause with the resulting action.

¡ATENCIÓN!

Remember, a clause is typically a portion of a sentence with a verb.

Si mis amigos me **envían** un mensaje de texto, **respondo** de inmediato.	*If my friends send me a text, I reply immediately.*
Respondo de inmediato **si** mis amigos me **envían** un mensaje de texto.	*I reply immediately if my friends send me a text.*

▶ When the **si** clause is in the present indicative, both actions (the one in the **si** clause and the one in the main clause) are assumed to be highly probable, expected, and even routine.

Si no **actualizas** tu dispositivo, algunas aplicaciones no **funcionan** bien.	*If you don't update your device, some apps don't work well.*
Si descargo el archivo, **se grabará** en el disco duro.	*If I download the file, it will be saved on the hard drive.*

¿Qué observas?

Which verbs tenses appear together in each of these two sentences?

▶ When the **si** clause expresses habitual past conditions or events, the imperfect is used in both the **si** clause and the main (or result) clause.

Si Nico no **terminaba** su tarea, no **podía** jugar en línea.	*If Nico didn't finish his homework, he couldn't play online.*

▶ When the **si** clause expresses actions or events that are unlikely to take place and are not reflective of reality ("hypothetical situations"), the imperfect subjunctive is used in the **si** clause and the conditional in the main clause.

Si tuviera más tiempo libre, **aprendería** a programar.	*If I had more free time, I would learn how to program.*

¡ATENCIÓN!

Research on Spanish acquisition has determined that the imperfect subjunctive may be a late-acquired structure for students learning Spanish. The goal of this lesson is to support you in comprehending the form when encountered in various text types.

Below is a summary of the different **si** clause structures:

Situation	*Si* clause	Main (Result) clause
Highly probable, expected or routine	**Si** + present indicative	present indicative future
Habitual in the past	**Si** + imperfect indicative	imperfect indicative
Hypothetical (unlikely to happen, not reflective of reality)	**Si** + imperfect subjunctive	conditional

Exploraciones

(1) Primer día de clases Es el primer día de clases en una universidad peruana. El rector de la universidad les da la bienvenida a los estudiantes y les habla sobre las diferencias entre la escuela secundaria y la universidad.

Paso 1 Escucha lo que dice el rector e indica si estas oraciones se refieren a la secundaria o a la universidad.

1. Si no vas a clase, estarás en problemas con el profesor.

2. Si no estudias todos los días, no es muy difícil ponerte al día (*catch up*).

3. Si te interesa conocer a otras personas, es importante que te unas a una organización estudiantil.

4. Si tienes problemas, debes solucionarlos personalmente.

5. Si no quieres estudiar, nadie te obliga a hacerlo.

Paso 2 En parejas, intercambien ideas sobre lo que dijo el rector. ¿Están de acuerdo con él? Describan ejemplos propios (*your own*) de situaciones y consecuencias en la escuela secundaria y en la universidad.

(2) Decisiones Frecuentemente enfrentamos dilemas morales. En muchos casos no hay una sola solución clara y ética, y no sabemos cuál es la decisión más apropiada. Otras veces, no dudamos de nuestra decisión.

Paso 1 Completa las oraciones con lo que haces normalmente o probablemente harás en estas situaciones. Luego escribe dos situaciones más.

1. Si veo a un(a) compañero/a de clase desconocido/a que copia (*is cheating*) en el examen final…

2. Si mi mejor amigo/a descarga archivos de la universidad sin permiso…

3. Si un(a) jugador(a) conocido/a del equipo universitario de béisbol me pide que escriba su ensayo…

4. Si un(a) amigo/a habla mal de otro/a amigo/a…

5. Si escucho a alguien mentirle a su novio/a…

6. Si el/la cajero/a en una tienda me da por error más vuelto (*change*) del que corresponde…

Paso 2 En parejas, compartan sus respuestas a las situaciones y expliquen sus reacciones. Luego compartan las situaciones que crearon. ¿Sus compañeros/as actuarían de la misma manera o de otro modo?

Según el Centro de Investigación Pew (2022), un mayor número de estadounidenses está más preocupado que entusiasmado sobre el uso de la inteligencia artificial en la vida diaria.

3 **Cambios** Con el paso del tiempo, nuestro comportamiento y nuestras reacciones generalmente cambian.

Paso 1 Reflexiona sobre tu comportamiento y el de los demás cuando estabas en la escuela primaria (usa el imperfecto) y ahora que estás en la universidad (usa el presente).

1. En la escuela primaria, si alguien no quería ser mi amigo/a, yo…
   Ahora en la universidad, si alguien no quiere ser mi amigo/a, yo…

2. En la escuela primaria, si no hacíamos las tareas, nuestros padres…
   Ahora en la universidad, si no hacemos las tareas, nuestros padres…

3. En la escuela primaria, si tenía un examen, yo…
   Ahora en la universidad, si tengo un examen…

4. En la escuela primaria, si teníamos tiempo libre…
   Ahora en la universidad, si tenemos tiempo libre…

5. En la escuela primaria, si yo quería hablar con mis amigos/as después de clase…
   Ahora en la universidad, si quiero hablar con mis amigos/as después de clase…

Paso 2 En parejas, compartan sus respuestas. ¿Se comportaban de manera similar si les pasaba lo mismo? ¿Y ahora?

4 **La vida sin tecnología** Estamos acostumbrados a tener acceso a la tecnología y, a veces, no nos damos cuenta de cuánto dependemos de ella. En parejas, conversen sobre lo que harían o cómo se sentirían en estas situaciones hipotéticas.

¿Qué harías o cómo te sentirías…

1. si no tuvieras acceso a internet en tu casa?

2. si perdieras tu computadora portátil o no funcionara la computadora que normalmente usas?

3. si no pudieras mandar mensajes de texto desde tu teléfono?

4. si un *hacker* tomara control de tus redes sociales?

5. si tuvieras que ir a un lugar que no conoces, pero la aplicación de navegación de tu teléfono o de tu computadora no abriera?

6. si el dispositivo que usas normalmente para escuchar música no funcionara?

STUDENT TIP: Reading the News (by Anton Mays, Xavier University)

By reading news and current state of affairs of Spanish-speaking countries I've been able to become enlightened about topics and social issues of different countries… *Go online to watch the complete learning tip.*

 **Video: Tip**

☐ **I CAN** express cause and effect.

Exploraciones

Podcast

Learning Objective: Reflect on your progress using language related to technology.

Audio: Reading

Episodio #9: Hannah María Verde

Antes de escuchar

1 **La historia de Hannah** Hannah va a hablar de sus experiencias como programadora. Si tuvieras la oportunidad de entrevistarla, ¿qué te gustaría saber de ella? Escribe tres preguntas.

Mientras escuchas

2 **Preguntas** Selecciona la respuesta correcta según lo que cuenta Hannah.

1. ¿De dónde es Hannah María Verde?

   a. Honduras   **b.** México   **c.** Panamá

2. ¿Por qué las personas se sorprenden cuando conocen la profesión de Hannah?

   a. Porque ella es muy joven.
   b. Porque las mujeres no suelen trabajar en informática.
   c. Porque piensan que las mujeres no juegan videojuegos.

3. ¿Cómo reaccionaron los amigos de Hannah al escuchar su sueño?

   a. La apoyaron mucho.
   b. Con duda y escepticismo.
   c. No menciona cómo reaccionaron.

4. ¿Qué hizo Hannah para mejorar sus habilidades en programación?

   a. Tomó clases en la universidad.
   b. Aprendió por su cuenta y tomó cursos en línea.
   c. Contrató a un tutor personal.

5. ¿Cómo consiguió Hannah su trabajo en la empresa emergente?

   a. Envió su currículum por correo.
   b. Vio un anuncio en internet.
   c. Conoció al gerente en una conferencia.

Después de escuchar

3 **Mi pasión** Piensa en un interés personal o alguna pasión que tengas y cómo la tecnología se puede integrar con ese interés.

Paso 1 Escribe un párrafo sobre este interés y cómo puede la tecnología apoyarlo. ¿Existen cursos en línea? ¿Existen herramientas tecnológicas para practicarlo? ¿Puede ese interés convertirse en tu profesión?

Paso 2 En parejas, compartan lo que escribieron. ¿Qué interés personal se beneficia más de la tecnología? ¿En qué campo hay más posibilidad de mejorar en relación con la tecnología?

Resources

Vhlcentral

Online activities

☐ **I CAN** express ideas related to technology.

La netiqueta

Lee el blog de Sofía sobre sus sugerencias y prácticas para cumplir con la netiqueta.

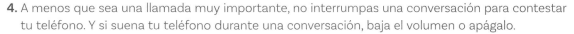

www.el_blog_de_sofia.com/la_netiqueta

La netiqueta

Muchos de nosotros estamos acostumbrados a utilizar diversos medios de comunicación: los mensajes instantáneos, los mensajes de texto, los correos electrónicos, las videollamadas, etc. Pero con tantas distracciones, es fácil ofender a otros sin querer. Por eso apareció la netiqueta, es decir, un conjunto de normas de comportamiento en línea para que la comunicación sea efectiva y respetuosa. La lista que comparto aquí son las reglas que yo sigo en mis comunicaciones en línea.

1. No utilices mayúsculas en tus mensajes, a menos que quieras levantar la voz o gritarle a alguien.
2. Usa emoticonos en tus mensajes informales, pero no los incluyas en correos electrónicos académicos o más formales.
3. Después de escribir un mensaje y antes de enviarlo, léelo con tranquilidad y reflexiona sobre su objetivo y contenido.
4. A menos que sea una llamada muy importante, no interrumpas una conversación para contestar tu teléfono. Y si suena tu teléfono durante una conversación, baja el volumen o apágalo.
5. Es mejor no imaginar el tono y la intención de los mensajes que recibes porque puede crear malentendidos (*misunderstandings*).

1 **Tu propia netiqueta** Completa la tabla con prácticas de netiqueta que sigas en tus comunicaciones. Luego, en parejas, compartan sus respuestas.

Formas de comunicación	Tu netiqueta
Correo electrónico	
Mensajes instantáneos	
Mensajes grupales	
Videollamadas grupales	

2 **Mi blog** En tu blog, escribe sobre alguna experiencia con un malentendido en tus comunicaciones en línea. ¿Qué pasó? ¿Qué recomendaciones darías para evitar ese tipo de problema?

☐ **I CAN** describe my netiquette.

Experiencias   Cultura y sociedad

Hay muchos debates hoy día sobre el uso de la inteligencia artificial (IA) en la educación y otros ámbitos. Vas a leer un artículo que describe las ventajas y las desventajas del uso de la IA en la educación.

Audio: Reading

Antes de leer

(1) Tecnologías   Contesta estas preguntas y luego, en parejas, compartan sus respuestas.

1. ¿Cuáles son las diferentes tecnologías que usas diariamente? ¿Cuáles se relacionan con tus estudios universitarios?

2. ¿Puedes pensar en ejemplos donde la tecnología ha ayudado a mejorar algún aspecto de tu vida?

3. ¿Qué te viene a la mente cuando piensas en la inteligencia artificial?

4. ¿Cómo crees que la IA podría cambiar la forma en que los estudiantes aprenden y los profesores enseñan en las escuelas?

5. ¿Qué rol debería cumplir la tecnología en la educación? ¿Debería usarse solo para ciertas tareas o debería integrarse de manera más amplia?

6. ¿Cuál es la importancia de la interacción humana en el proceso de aprendizaje?

(2) Vocabulario   Identifica las palabras en el texto y luego indica qué definición corresponde a cada palabra.

_____ **1.** el sesgo

_____ **2.** el alcance

_____ **3.** la mejora

_____ **4.** señalar

_____ **5.** la retroalimentación

_____ **6.** brindar

_____ **7.** equilibrado/a

_____ **8.** la sutileza

a. ofrecer o dar algo a alguien

b. tendencia injustificada hacia algo o alguien

c. indicar o llamar la atención sobre algo

d. que tiene un balance adecuado

e. comentario que se da a alguien para que mejore

f. extensión o límites de algo

g. acción de hacerse mejor

h. detalle o aspecto delicado o difícil de percibir

IA: La revolución educativa del siglo XXI

La incorporación de la inteligencia artificial (IA) en la educación ha generado un intenso debate en los últimos años. Por un lado, los defensores argumentan que la IA puede transformar la forma en que los
5 estudiantes aprenden y los maestros enseñan. Por otro lado, los críticos señalan posibles desventajas y preocupaciones éticas. En este debate, discutiremos las ventajas y desventajas del uso de la inteligencia artificial en la educación.

Ventajas:

10 **1. Personalización del aprendizaje:** La IA puede adaptarse a las necesidades individuales de los estudiantes, proporcionando contenido y actividades educativas personalizadas. Esto permite que cada estudiante progrese a su propio ritmo y reciba una
15 educación más efectiva y significativa.

2. Retroalimentación inmediata: La IA puede brindar retroalimentación instantánea a los estudiantes sobre su progreso, identificando áreas de mejora y ofreciendo sugerencias para un aprendizaje más
20 eficiente. Esto permite a los estudiantes corregir errores de inmediato y aumenta su motivación y compromiso con el proceso de aprendizaje.

3. Acceso a recursos educativos: La IA puede facilitar el acceso a recursos educativos en línea, como libros
25 digitales, videos interactivos y simulaciones. Esto amplía el alcance de la educación y brinda a los estudiantes la oportunidad de explorar conceptos de manera más dinámica y atractiva.

4. Automatización de tareas administrativas: La IA
30 puede ayudar a los maestros a automatizar tareas administrativas tediosas. Esto les permite centrarse más en la planificación de clases y la interacción con los estudiantes.

Desventajas:

35 **1. Pérdida de la conexión humana:** La IA en la educación podría llevar a una disminución de la interacción humana, lo que es fundamental para el desarrollo social y emocional de los estudiantes. La presencia de un maestro real y la participación en
40 discusiones en el aula son elementos valiosos que

¿Será la IA la nueva normalidad en el área de la educación en el futuro cercano?

podrían verse comprometidos por la dependencia excesiva de la IA.

2. Falta de comprensión contextual: Aunque la IA puede adaptarse a las necesidades individuales de
45 los estudiantes, puede tener dificultades para comprender el contexto y las sutilezas del aprendizaje humano, como la creatividad, la empatía y el pensamiento crítico.

3. Sesgos y ética: La IA puede verse afectada por los
50 sesgos inherentes en los datos utilizados para entrenar los algoritmos. Esto puede perpetuar desigualdades y discriminación en el sistema educativo.

4. Dependencia tecnológica: El uso excesivo de la IA en la educación puede generar una dependencia
55 excesiva de la tecnología. Esto plantea la preocupación de que los estudiantes puedan perder habilidades importantes, como la resolución de problemas de manera independiente y la toma de decisiones basada en la reflexión crítica.

60 El uso de la inteligencia artificial en la educación presenta tanto ventajas como desventajas. Si se implementa de manera adecuada y equilibrada, la IA puede mejorar el aprendizaje personalizado, proporcionar retroalimentación instantánea y ampliar el
65 acceso a recursos educativos. Sin embargo, también es importante abordar los desafíos éticos y garantizar que la IA complemente la instrucción humana en lugar de reemplazarla. La educación del futuro debe encontrar el equilibrio adecuado entre la tecnología y la interacción
70 humana para brindar una educación de calidad y promover el desarrollo integral de los estudiantes. ●

Experiencias

Después de leer

(3) **Comprensión** Contesta las preguntas según la lectura.

1. ¿Cuáles son las ventajas de la incorporación de la inteligencia artificial en la educación?

2. ¿Cuál es una posible desventaja de la dependencia excesiva de la inteligencia artificial en la educación?

3. ¿Por qué es importante hablar sobre los desafíos éticos relacionados con el uso de la inteligencia artificial en la educación?

4. ¿Cuál es el objetivo de encontrar un equilibrio adecuado entre la tecnología y la interacción humana en la educación?

(4) **Análisis** En parejas, intercambien ideas y contesten las preguntas.

1. ¿Hay ventajas o desventajas de usar la IA en la educación que no se mencionan en el artículo? ¿Cuáles?

2. El artículo que acaban de leer sobre las ventajas y las desventajas de la inteligencia artificial fue escrito por la inteligencia artificial. ¿Qué piensan de eso? ¿Hay elementos que notan de la IA? ¿Cuáles? ¿La información parece creíble? ¿Creen que un artículo escrito por una persona tendría algunas características diferentes? ¿Por qué?

(5) **A escribir** Vas a escribir un ensayo de dos párrafos (entre 125 y 150 palabras) sobre tu tecnología favorita y por qué te gusta.

Estrategia de escritura: Create a Map of Ideas

To get started with a writing assignment, try a mapping activity. Begin by writing a key term on a piece of paper. Then, jot down all the other ideas or terms that come to mind around it, connecting them with lines. You can use various colored pens for connections, and even circles or highlighters. Once your map of ideas is complete, review it to identify any patterns or relationships among your ideas. These connections could serve as a foundation for your writing assignment.

Paso 1 Crea una red de ideas para "mi tecnología favorita".

Paso 2 Usa la información de tu red de ideas para escribir tu ensayo.

Paso 3 Con tu ensayo terminado, abre un programa de la inteligencia artificial y pídele que reescriba tu ensayo.

Paso 4 En parejas, compartan el ensayo que escribieron y el ensayo que reescribió la IA. Intercambien ideas sobre las dos versiones.

☐ **I CAN** compare practices and perspectives related to the use of artificial intelligence in education.

Resources

Vhlcentral

Online activities

Chiquita Barreto Burgos (1947–)

Amelia "Chiquita" Barreto Burgos nació en Caaguazú, Paraguay. Barreto centra su escritura en la narración y ha publicado tres libros de cuentos: *Con pena y sin gloria* (1990), *Con el alma en la piel: 9 relatos eróticos* (1994) y *Delirios y certezas* (1995). A través de sus historias, Chiquita abarca situaciones relacionadas con la vida cotidiana, la superficialidad en las interacciones, la indiferencia, la hipocresía y la opresión. La escritora paraguaya —que también ejerce como profesora en la Universidad del Norte de Paraguay— está involucrada en la Unión de Mujeres para Ayuda Mutua (UMPAM), una organización sin fines de lucro que ofrece apoyo a mujeres víctimas de violencia en su país.

Antes de leer

Estrategia de lectura: Reading from Different Perspectives

Rereading is a technique that helps with comprehension of a text because after each reading, you catch more details. Reading a text multiple times from different perspectives also helps you comprehend more each time you read. Follow these steps for reading from different perspectives: 1) Read the story for the first time; 2) Identify a number of characters that could be connected to important ideas; 3) Reread the passage two or three times, each time looking for statements and descriptions that reflect the needs and concerns of each character or perspective you have identified; 4) Create one- or two-sentence summary statements that convey each perspective.

(1) Temas "La fotografía" forma parte del libro de cuentos titulado *Con pena y sin gloria*. Selecciona los posibles temas que podrías encontrar en el cuento.

- ☐ la familia de Chiquita
- ☐ el trabajo de un(a) fotógrafo/a
- ☐ la casa donde creció la autora
- ☐ una descripción de una foto
- ☐ la historia de la fotografía en Paraguay
- ☐ el proceso de sacar una fotografía

(2) Vocabulario Vas a familiarizarte con el vocabulario de la selección.

Paso 1 Lee por encima (*skim*) el fragmento e identifica todos los cognados.

Paso 2 Identifica estas frases en el cuento y luego, en parejas, expliquen su significado.

1. "Su fantasía había quedado pequeña para la realidad".

2. "Cruzaron la calle que era un río de automóviles…"

3. "El silencio era un lenguaje conocido por ambos".

(3) Diferentes perspectivas Lee el cuento de Chiquita Barreto siguiendo los cuatro pasos de la estrategia de lectura.

La fotografía

El ómnibus se detuvo finalmente en la calzada°. El guarda gritó para despertar del todo a los últimos pasajeros adormilados°, ¡última parada señores! Descendieron en la calle húmeda y sucia. Un fuerte olor
5 a orín° les arañó la garganta.

El niño miraba sorprendido hacia todos lados con los ojos agrandados.

Hacía mucho que se preparaba para el gran día. Desde que su madre le anunció el viaje. Pero su fantasía había
10 quedado pequeña para la realidad.

Las casas parecían gigantes de rostro enojado. No tenían el colorido alegre de las chatas° casitas de su pueblo.

Cuánta gente. Todas serias y apuradas°. ¿No se conocían esas gentes? Nadie saludaba a nadie.

15 El corazón le latía con tanta fuerza, que el dum dum le retumbaba en el oído.

La mujer lo llevaba de una mano casi arrastrado°: sus piernas se habían vuelto de repente torpes como si en ese momento aprendiera a caminar.

20 Cruzaron la calle que era un río de automóviles y el niño miró a su madre admirado y sorprendido.

Cuando llegaron a la plaza, la mujer le soltó la mano y por un rato se miraron y una leve sonrisa les iluminó la cara a ambos. El niño recuperó sus piernas.

25 Siguieron caminando ya sin prisa, sin que ninguno de los dos abriera la boca. El silencio era un lenguaje conocido por ambos.

Al llegar al lugar, la mujer dejó en el suelo la valijita° de cuero que llevaba en la mano y por un rato el niño
30 se sentó encima. Con un gesto ella le indicó que se levantara, luego, despaciosamente, con infinita paciencia desató todos los nudos del piolín° con que estaba atado y lo abrió.

Sacó un pantalón largo de color celeste° y una camisa
35 amarilla, que le pasó al niño. Era todo el contenido.

El niño se quitó la camisita desteñida° y se puso la otra. El pantalón se vistió encima del que traía puesto sin sacarse los zapatos, opacos y duros.

La mujer se inclinó° para ayudarlo. Primero metió la cola de
40 la camisa dentro del pantalón. Pero al darse cuenta que le quedaba grande en la cintura, lo sujetó con el mismo piolín con que había asegurado la valija y ocultó el improvisado cinto° con la camisa. El niño ya estaba vestido.

Ella tenía la boca seca: haciendo un esfuerzo escupió°
45 en su mano por tres veces una saliva espumosa y blanca, le humedeció un poco el cabello y le peinó. Y ella a su vez se peinó. Y los dos se pusieron firmes y tensos frente al fotógrafo. Esperaron sin preguntar nada, con tranquila seguridad que el profesional
50 terminara su trabajo. Ninguno de los dos demostró curiosidad ni prisa.

El fotógrafo miró la imagen aún húmeda y blanda. Había captado el pantalón celeste, la camisa amarilla y los ojos asombrados del niño y el cabello engominado
55 de saliva y el rostro ajado° de la mujer, mas el ritual de ternura que le precedió quedó flotando entre los enormes árboles de la plaza. Miró largamente la fotografía hasta que el papel se secó y los colores quedaron nítidos, luego se la pasó a la mujer y acarició
60 torpemente la cabeza del niño.

Por un instante fugaz se vio repetido en él. ●

---

calzada *road* **adormilados** *drowsy* **orín** *urine* **chatas** *short* **apuradas** *in a hurry* **arrastrado** *dragged* **valijita** *small suitcase* **piolín** *cord* **celeste** *light-blue*
desteñida *discolored* **se inclinó** *bent* **cinto** *belt* **escupió** *spat* **ajado** *weathered*

Después de leer

(4) La historia Completa la tabla con la información del cuento. Luego, en parejas, compartan sus respuestas.

Personajes principales	
Lugar	
Problema	
Cómo se resuelve el problema	

(5) Análisis En parejas, conversen sobre las preguntas.

1. El cuento describe a una madre e hijo de baja situación económica. ¿Qué detalles en el texto justifican esa afirmación?

2. ¿Cómo se siente el niño al llegar a la ciudad? Expliquen su respuesta.

3. ¿Por qué no podía caminar bien el niño?

4. ¿Por qué le cambió la madre la ropa al niño?

5. ¿Piensan que la madre y su hijo sonrieron en la foto? Expliquen su respuesta.

6. ¿En qué pensaba el fotógrafo mientras esperaba que se secara la foto?

7. ¿Cómo creen que esta historia representa temas más amplios como la transformación, la adaptación y la relación entre lo familiar y lo nuevo?

(6) Investigación En la actualidad, muchas personas toman fotos de ellos mismos sin necesidad de un(a) fotógrafo/a. Investiga sobre la netiqueta, o etiqueta en línea, y piensa en las fotos que tomas normalmente. Luego contesta las preguntas.

1. ¿Cuáles son las normas que sugiere la netiqueta con respecto a las fotos?

2. ¿Crees que es necesario pedir permiso antes de tomar fotos de otras personas? ¿Por qué?

3. ¿Es importante pedirles permiso a las personas que fotografías antes de subir las fotos a una aplicación en internet? Explica tu respuesta.

Resources

Vhlcentral

Online activities

☐ **I CAN** interpret different perspectives in a narration.

Video:
Culture

Cocodrilo

Vas a ver un cortometraje sobre una mujer que interactúa en línea con un *gamer* durante la transmisión de uno de sus videos. Lee la estrategia intercultural antes de ver el video.

Estrategia intercultural: Engage in Non-Judgmental Observation

Increase your developing intercultural competency by observing cultural practices without passing judgment on the actions of others. Refrain from forming opinions by comparing what you consider to be "normal" behavior in your culture to that of other cultures. Instead of passing judgment, analyze possible reasons for differences in behavior connected to cultural values. It is very likely that you will learn something that you did not understand previously.

Antes de ver

(1) Preparación En parejas, conversen sobre estas preguntas.

1. ¿En qué te hace pensar el título del cortometraje, *Cocodrilo*? ¿A qué crees que se refiere en el cortometraje?

2. ¿Sigues a alguna persona que crea contenido en línea? ¿Ves sus transmisiones en vivo (*live*)? ¿Participas con comentarios o preguntas?

3. ¿Cuáles son las ventajas y desventajas de la comunicación en línea por medio de comentarios o foros (*forums*)?

(2) Vocabulario Indica qué definición corresponde a cada palabra o expresión que aparece en el video.

_____ **1.** la campaña

_____ **2.** las gafas

_____ **3.** hacer las paces

_____ **4.** cotilla

_____ **5.** llevarse bien

a. lentes que se usan para corregir la visión

b. tener una buena relación con alguien

c. que es curioso/a o chismoso/a

d. reconciliarse después de una disputa

e. acción para conseguir un objetivo

Mientras ves el video

(3) Preguntas y respuestas Mientras ves el video identifica lo siguiente.

1. Escribe tres preguntas que le hacen al *gamer*.

2. Escribe las respuestas que él da a esas tres preguntas.

4 **Escenas** Escribe la letra de la imagen que corresponde a cada cita del video.

A

B

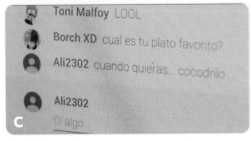

Toni Malfoy LOOL

Borch XD cual es tu plato favorito?

Ali2302 cuando quieras... cocodrilo

Ali2302

Di algo...

C

D

_____ **1.** "Las gafas, ¿las has visto?"

_____ **2.** "Claro que quiero hacer las paces con mis padres, pero no es tan fácil".

_____ **3.** "Ya tengo muchos, no vale la pena ir a por ellos".

_____ **4.** "Antes... Antes era muy de pizza: pizza para comer, para cenar…"

Después de ver

5 **Comprensión** Contesta las preguntas sobre el cortometraje.

1. ¿Por qué estaba viendo la mujer la transmisión del *gamer*?

2. ¿Por qué la mujer le escribió "cocodrilo" en el mensaje público que envió?

3. ¿Por qué se sorprendió el *gamer* al leer ese mensaje?

4. ¿Cuál crees que va a ser el resultado del mensaje? ¿Por qué?

6 **Observación sin juicios** Como en *Cocodrilo*, piensa en un malentendido (*misunderstanding*) que resultó de una situación en la que juzgaste (*judged*) a alguien sin entender sus perspectivas o donde alguien te juzgó a ti sin entender tus perspectivas. Luego, en parejas, compartan sus respuestas.

- ¿Qué pasó? ¿Por qué actuaste o reaccionaste así?
- ¿Qué no sabías de las perspectivas de la otra persona o qué no sabía la otra persona de tus perspectivas?
- ¿Cómo actuarías ahora o cómo actuaría la otra persona si conociera tus perspectivas?

☐ **I CAN** identify ways to engage in non-judgmental observation.

Resources

Ⓢ

VhIcentral

Online activities

Experiencias

Proyectos

Learning Objectives:
Describe possible impacts of technology on our lives.
Create goals for increasing your proficiency.

1 **¿Qué rol tiene la tecnología en nuestra vida?** Cada día hay más descubrimientos e innovaciones en la tecnología. Vas a preparar un informe con las opiniones de tus compañeros/as y la tuya sobre las consecuencias en nuestra vida de cambios muy drásticos en el campo tecnológico.

Paso 1 Consulta los materiales del capítulo: videos, lectura, presentaciones, etc. También repasa el vocabulario y la gramática del capítulo. Toma nota de las palabras y expresiones útiles.

Paso 2 Haz una red de ideas sobre posibles preguntas para el tema de los cambios drásticos en nuestras vidas debido a la tecnología. Por ejemplo:

- Si perdiéramos el acceso a todas las formas de comunicación digital, ¿qué aspectos de nuestras vidas cambiarían?

- Si la realidad virtual fuera indistinguible de la vida real, ¿cómo podría cambiar nuestra percepción de la realidad?

- Si la tecnología nos permitiera controlar el clima, ¿cómo cambiarían la agricultura, los ecosistemas y la planificación urbana?

Paso 3 Selecciona dos o tres preguntas y entrevista a cinco compañeros/as.

Paso 4 Prepara un informe con un análisis de los resultados de tus entrevistas y con tu perspectiva personal. Usa gráficos para ilustrar tus ideas.

☐ **I CAN** describe possible impacts of technology on our lives.

> **¡ATENCIÓN!**
>
> Ask your instructor to share the **Rúbrica** to understand how your work will be assessed.

Experiencias profesionales Vas a visitar una clase de español de nivel avanzado.

Paso 1 Busca una clase de nivel avanzado que puedas visitar y contáctate con el/la profesor(a). Durante la visita a la clase, toma notas de lo que sucede en el aula, el nivel de lengua (básico, intermedio, avanzado, casi nativo) que tienen los estudiantes, etc. Si es posible, pídele al/a la profesor(a) que entregue una breve encuesta a los estudiantes con estas preguntas:

- ¿Cuáles son tus planes para usar el español en el futuro?

- ¿Cuáles son tus recomendaciones para los estudiantes de nivel intermedio que quieran mejorar sus habilidades en español?

Paso 2 Escribe un resumen de una página (250-300 palabras) en español sobre lo que observaste en la clase y haz una reflexión sobre lo que puedes hacer para mejorar tu español. Incluye los resultados de la encuesta si la pudiste hacer.

☐ **I CAN** create goals for increasing my proficiency.

Repaso

Audio:
Vocabulary Tools

Repaso de objetivos

Reflect on your progress toward the chapter main goals.

I am able to...

	Well	Somewhat
Identify perspectives on the role of technology in how we communicate.	☐	☐
Exchange information about the impacts of modern technology on society.	☐	☐
Compare products, practices, and perspectives related to the use of technology.	☐	☐
Describe possible impacts of technology on our lives.	☐	☐
Create goals for increasing my proficiency.	☐	☐

Repaso de vocabulario

La tecnología   *Technology*
el archivo   *file*
la casilla   *box*
el código de verificación   *verification code*
la contraseña   *password*
el disco duro   *hard drive*
el dispositivo   *device*
el enlace   *link*
la herramienta   *tool*
el (teléfono) móvil   *cell phone*
la nube   *cloud*
la red   *Internet*
el teléfono inteligente   *smartphone*
el usuario   *user*
la videollamada   *video call*

adjuntar   *to attach*
almacenar   *to store*
cargar   *to load*
descargar   *to download*
guardar   *to save*
hacer clic   *to click*
ingresar (información)   *to enter (information)*
registrarse   *to sign up*
subir   *to upload*

Cognados
la aplicación
la cámara web
el ícono
el monitor
la plataforma
la tableta
el wifi

(des)conectado/a
digital
interactivo/a

activar
conectar
instalar

Los avances tecnológicos y sus desafíos   *Technological advances and their challenges*
el acceso   *access*
la brecha digital   *digital gap*
los datos   *data*
el equilibrio   *balance*
el mensaje instantáneo   *instant message*
el perfil   *profile*

actualizado/a   *updated*
desactualizado/a   *outdated*

acceder   *to access*
intercambiar   *to exchange*
mejorar   *to improve*

Cognados
la dependencia
la desinformación
la inteligencia artificial
la privacidad
el virus

chatear
comentar
interactuar

Repaso

Repaso de gramática

1 The conditional

Subject pronouns	conectar	aprender	subir
yo	conectaría	aprendería	subiría
tú	conectarías	aprenderías	subirías
él, ella, Ud.	conectaría	aprendería	subiría
nosotros/as	conectaríamos	aprenderíamos	subiríamos
vosotros/as	conectaríais	aprenderíais	subiríais
ellos, ellas, Uds.	conectarían	aprenderían	subirían

Verbs	Altered stem
hacer	har-
poder	podr-
poner	pondr-
querer	querr-
saber	sabr-
salir	saldr-
tener	tendr-
venir	vendr-

2 The imperfect subjunctive

Subject pronouns	hablar	leer	decir
yo	hablara	leyera	dijera
tú	hablaras	leyeras	dijeras
él, ella, Ud.	hablara	leyera	dijera
nosotros/as	habláramos	leyéramos	dijéramos
vosotros/as	hablarais	leyerais	dijerais
ellos, ellas, Uds.	hablaran	leyeran	dijeran

3 *Si* clauses

Situation	*Si* clause	Main (Result) clause
Highly probable, expected or routine	**Si** + present indicative	present indicative future
Habitual in the past	**Si** + imperfect indicative	imperfect indicative
Hypothetical (unlikely to happen, not reflective of reality)	**Si** + imperfect subjunctive	conditional

Resources

Vhlcentral

Online activities

¿Cómo podemos participar en la comunidad?

OBJETIVOS DE APRENDIZAJE

By the end of this chapter, I will be able to...

- Identify perspectives and practices related to community engagement and volunteering.
- Talk about civic engagement and human rights.
- Compare products, practices, and perspectives related to volunteering and service learning.
- Apply for a service or volunteer position at a nonprofit organization.
- Report on a professional visit.

ENCUENTROS

Sofía sale a la calle: Perspectivas sobre el servicio comunitario

Panorama actual: El voluntariado

EXPLORACIONES

Vocabulario

Los programas sociales y organizaciones humanitarias

Las buenas prácticas

Gramática

The future perfect and the conditional perfect

The past perfect subjunctive

EXPERIENCIAS

Blog: Café de las Sonrisas

Cultura y sociedad: Hacer un voluntariado

Literatura: *La pantera,* de Quince Duncan

Intercambiemos perspectivas: *¿Qué es aprendizaje servicio en la UC?*

Proyectos: ¿Cómo podemos participar en la comunidad?, Experiencias profesionales

Perspectivas sobre el servicio comunitario

Lee y reflexiona sobre la estrategia intercultural de este capítulo.

Estrategia intercultural: Active Listening

Listening is not something that comes naturally for most of us. It is a skill that must be practiced. *Active listening* means that we make a conscious effort to fully engage with the speaker. It is the difference between simply *hearing*, and *listening with the intent to truly understand*. Dialogue takes place when people generously listen to others. It requires us to turn off internal conversation in our brains, listen with curiosity, and show genuine interest.

Antes de ver

(**1**) **Entrando en el tema** Sofía entrevista a Viviana y Michelle con respecto al servicio comunitario. Reflexiona sobre las oportunidades de servicio comunitario en tu comunidad y tu propia participación.

Paso 1 Completa la tabla para identificar qué oportunidades de servicio comunitario están disponibles en tu comunidad y en cuáles participaste. Después agrega tres más a la lista.

¿Disponible?	¿Participaste?	Actividad de servicio comunitario en tu comunidad
		Servir de tutor(a) para niños de las escuelas primarias.
		Visitar residencias de ancianos.
		Preparar, servir o repartir comida.
		Limpiar un parque u otro espacio público recogiendo basura o limpiando los baños.
		Organizar actividades para niños o jóvenes como parte de un campamento de verano.
		Participar en festivales y otros eventos para recaudar fondos.
		Visitar a los pacientes internados en hospitales por enfermedades graves como el cáncer.
		Ayudar a completar documentos a personas que hablan poco inglés.

Paso 2 En parejas comparen sus respuestas. Expliquen qué actividades hicieron, con quién y dónde.

Mientras ves

(2) Perspectivas Indica si cada oración es **cierta (C)** o **falsa (F)**, según las respuestas de Viviana y Michelle. Luego, corrige las falsas.

Sofía

Viviana

Michelle

1. Michelle menciona que el servicio voluntario puede proveer ayuda espiritual a los demás. .... **C F**

2. Viviana trabaja en su iglesia enseñando la Biblia a los niños de segundo grado. .... **C F**

3. Michelle y Viviana han podido trabajar como voluntarias en otros países. .... **C F**

4. Viviana cree que el trabajo voluntario te puede ayudar a conseguir un trabajo en el futuro. .... **C F**

5. Michelle dice que hacer trabajo voluntario no tiene desventajas, pero Viviana nota que uno no recibe dinero. .... **C F**

6. Para Sofía, ser voluntario o voluntaria te ayuda a conocerte a ti mismo. .... **C F**

Estrategia de aprendizaje: Speaking of Community Engagement

Have you wondered how to engage in the community outside of your Spanish course? Many university courses in the United States now offer service-learning components… *Go online to watch the complete learning strategy.*

 **Video: Strategy**

Después de ver

(3) Análisis En grupos pequeños, analicen las perspectivas del video usando las preguntas como guía.

1. ¿Cuáles son las ventajas y las desventajas del servicio comunitario voluntario según Michelle?

2. Viviana dice: "La ventaja de hacer trabajo voluntario es que te provee experiencia para conseguir empleo en el futuro". ¿Qué quiere decir? ¿Por qué?

3. ¿Qué ha aprendido Michelle al ser voluntaria?

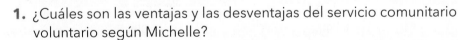

☐ **I CAN** identify perspectives on community service and volunteering.

Resources

Vhlcentral

Online activities

El voluntariado°

Es difícil identificar una sola definición de **voluntario/a°** o voluntariado que sea aceptable para todos o que se aplique a todos los contextos. Sin embargo, para muchos estas palabras implican algún tipo de servicio o trabajo no remunerado que tiene como objetivo hacer una diferencia positiva para el beneficio de una persona, un grupo o alguna **organización no gubernamental°** o **sin fines de lucro°**. El voluntariado requiere de tiempo y esfuerzo, y a veces ciertos conocimientos y destrezas específicas. Sin importar el tipo de servicio que se ofrezca o el contexto donde se haga, la intención del voluntariado es mejorar algo, como el estado emocional de personas mayores en un hogar de ancianos o el nivel de alfabetización de niños, o bien **recaudar fondos°** para construir un nuevo parque para la comunidad. En muchos casos las más notables mejoras ocurren en la vida y la perspectiva de la persona que hace el voluntariado. En este **Panorama actual** aprenderás algunos datos sobre el voluntariado y algunas razones de por qué es beneficioso ser voluntario/a.

voluntariado *voluntary work* **voluntario/a** *volunteer* **organización no gubernamental** *NGO*
sin fines de lucro *nonprofit* **recaudar fondos** *to raise funds*

5 ventajas de ser voluntario

1

Dar y aprender

Das lo que tú conoces y aprendes de las comunidades, su organización y relaciones. Nos humanizamos en estos encuentros.

2

Aprendes de personas diferentes

Conoces a mucha gente de diversas comunidades y entornos; tu mente se abre a nuevos puntos de vista que no habías contemplado.

3

Mente activa

Hacer una actividad concreta hace que tu cabeza genere más y más ideas que te pueden ser útiles.

5 ### Te gratifica a nivel personal

No hay nada que te alegre más el día que ver que tu labor y tus consejos han ayudado a alguien a mejorar su vida y además te lo agradecen.

Fuente: Voluntariado UCAB

4

Ganas experiencia

El voluntariado te permite aprender, ya sea a través de cursos y formaciones, colaborando en proyectos concretos, en actividades de tiempo libre con niños o mayores, etc. o incluso puedes llegar a descubrir una nueva vocación o habilidad.

Estadísticas sobre el voluntariado

10 Datos estadísticos sobre la demografía de los voluntarios 2018
Informe de servicio nacional y comunitario
Informe más reciente

① 77.4 millones de estadounidenses voluntarios.

② 6.9 mil millones de horas de voluntariado acumuladas en 2018.

③ 50,6% de los residentes del estado de Utah participaron en el voluntariado. Este es el porcentaje más alto de todos los estados.

④ 45,1% de los residentes de Minnesota participaron en el voluntariado, siguiendo a Utah como el estado con la segunda tasa más alta.

⑤ Los mejores 10 Los siguientes estados siguen en la lista de estados con los niveles más altos de voluntariado después de Minnesota: Oregón, Iowa, Alaska, Nebraska, D.C., Montana, Maine, Idaho.

⑥ 33,8% de las mujeres participan en el voluntariado.

⑦ 26,5% de los hombres participan en el voluntariado.

⑧ 36,4% de las personas de la generación X (1965-1979) que son residentes de EE.UU. participan en el voluntariado; el nivel más alto de todas las generaciones.

⑨ 30,7% de los *baby boomers* (1944-1964) que son residentes de EE.UU. participan en el voluntariado. Representan la segunda generación con más participación en el voluntariado.

⑩ 28,2% de los mileniales (1980-1996) que son residentes de EE.UU. participan en el voluntariado. Representan la tercera generación con más participación en el voluntariado.

Fuente: Track It Forward

---

① Comprensión Completa las oraciones según la información de esta presentación.

1. El objetivo principal del voluntariado es…
2. Un beneficio personal para la persona que hace voluntariado es…
3. En comparación con el porcentaje de hombres que participan en el voluntariado…
4. Definir el voluntariado puede ser…

② Analizar En parejas, conversen sobre estas preguntas.

1. Observen la infografía **Estadísticas sobre el voluntariado**. ¿Qué tipo de información incluye? ¿Cuál se deja afuera? ¿Cuál es la fuente de la información? ¿Es una fuente de autoridad? ¿Cómo lo saben?
2. Según los datos estadísticos, ¿qué generación está dispuesta a involucrarse más en las actividades de voluntariado?
3. Consideren la infografía **5 ventajas de ser voluntario**. ¿Qué razones presenta? ¿Están presentadas en un orden de importancia o son todas iguales?
4. ¿Cómo la infografía **5 ventajas de ser voluntario** apoya o contradice la introducción sobre el tema? ¿Qué perspectivas nuevas ofrece?
5. La descripción de la primera ventaja del voluntariado menciona que "Nos humanizamos en estos encuentros". ¿Qué quiere decir esta frase?

③ Para investigar Elige un tema para investigar.

1. Contáctate con alguna oficina de tu universidad o de tu ciudad o región que se encargue del voluntariado y el compromiso comunitario. Investiga cuáles son las diferentes oportunidades de compromiso comunitario o voluntariado en tu universidad o tu comunidad y elige una para describir en detalle.
2. Busca en internet tres excursiones humanitarias fuera de tu país y escribe un breve resumen del objetivo de cada una, es decir, el servicio o proyecto que harán.

☐ **I CAN** identify practices and perspectives about volunteerism and community engagement.

Los programas sociales y organizaciones humanitarias

Las **organizaciones humanitarias** y los **programas sociales** trabajan para proteger los derechos humanos de cada persona, como por ejemplo el derecho a la vida, a la educación, a las posesiones propias y a la **libertad de expresión**. Estos derechos, entre otros, forman parte de la Declaración Universal de los Derechos Humanos, originalmente adoptada por las Naciones Unidas en 1948. Es importante que haya programas sociales para apoyar a las personas más **vulnerables**, es decir, a las personas que están en una situación de fragilidad o inseguridad. Las crisis económicas hacen que aumenten las necesidades básicas, la tasa delictiva y el desempleo. No tienes que ser **activista** para hacer **trabajo comunitario** y **luchar por** la defensa de los derechos humanos. En tu propia universidad o comunidad, hay **proyectos de incidencia e impacto social** en los cuales podrías estar **involucrado** o **involucrada** para **luchar contra** las injusticias, y así ayudar a que todos respeten las **garantías fundamentales** de cada persona, **reconocidas** globalmente como derechos humanos.

Más palabras

la abogacía *advocacy*

el activismo juvenil *youth activism*

la asistencia social *social assistance*

la campaña *campaign*

los derechos
 civiles *civil rights*
 fundamentales *fundamental rights*

la dignidad *dignity*

el entrenamiento *training*

la equidad de género *gender equity*

la igualdad *equality*

la libertad de prensa *freedom of the press*

la organización no gubernamental (ONG) *non-governmental organization (NGO)*

la organización sin fines de lucro *nonprofit organization*

el voluntariado *voluntary service*

el/la voluntario/a *volunteer*

emprender *to undertake; to start*

recaudar fondos *to raise funds*

Cognados

el impacto

la justicia social

las oportunidades de...

coordinar

donar

1 **El Centro Cultural Batahola Norte** Cristina se graduó hace tres años de una universidad en Boston y ahora trabaja en Nicaragua en el Centro Cultural Batahola Norte.

Paso 1 Escucha la descripción de Cristina e identifica las actividades que organiza el centro.

☐ Promueve la dignidad y los derechos humanos.

☐ Ofrece clases de arte y música.

☐ Hace presentaciones de danza clásica.

☐ Hay clases de alfabetización para mujeres.

☐ Ofrece clases de cocina.

☐ Ofrece entrenamiento para recaudar fondos.

☐ Ha hecho una campaña para recaudar fondos.

Paso 2 Si fueras voluntario/a en el Centro Cultural Batahola Norte, ¿cómo podrías aplicar tus conocimientos y talentos a los programas que ofrecen? En parejas, conversen sobre la manera más útil de contribuir a los objetivos de esta organización sin fines de lucro.

2 **Recomendaciones** Un amigo tuyo quiere empezar a trabajar para una organización educativa sin fines de lucro como el Centro Cultural Batahola Norte y quiere conocer tus ideas...

Paso 1 Piensa en algunos consejos que puedes darle a tu amigo y completa la tabla.

Consejos	Para la abogacía por los derechos humanos	Para los proyectos de incidencia e impacto social
Es necesario que...		
Es importante que...		
Es mejor que...		

Paso 2 En parejas, compartan los consejos que dieron y elijan los que consideren más útiles.

(3) Tus opiniones Algunas personas dicen que cuando trabajas como voluntario/a aprendes y recibes más de lo que das a esa comunidad. En parejas, conversen sobre estas preguntas y comparen sus opiniones acerca del tema.

Según la Oficina del Censo de Estados Unidos, en 2021, el 23% de la población mayor de dieciséis años realizó trabajos de voluntariado.

1. ¿Crees que todos los estudiantes deben hacer trabajo en la comunidad? Explica tu respuesta.

2. ¿Qué ventajas ofrece trabajar para la comunidad en persona o en línea? ¿Tienes alguna preferencia? ¿Por qué?

3. ¿Qué derechos humanos son más importantes para ti? Explica tu respuesta.

4. ¿Qué oportunidades de voluntariado hay en tu comunidad en organizaciones sin fines de lucro?

5. En tu opinión, ¿cómo se manifiestan las injusticias en la sociedad?

6. ¿Qué impacto tienen los programas sociales y organizaciones humanitarias en tu comunidad?

(4) El español cerca de ti Investiga en línea o en tu comunidad una organización sin fines de lucro que ofrezca servicios en español. Según tu investigación de los siguientes datos, prepara un resumen sobre la organización.

• Nombre de la organización

• Ubicación de la organización

• Número aproximado de miembros

• Grupo(s) representado(s) por la organización

• Objetivos principales de la organización

• Otros detalles: ¿La organización recibe fondos del gobierno para realizar su trabajo? En tu opinión, ¿cumple la organización un servicio importante en la sociedad? ¿Por qué?

STUDENT TIP: Learning a Language is a Cumulative Process (by Maria Fraulini, Xavier University)

I have had to keep in mind that for language courses, not only is the final exam cumulative, but language study in general is a cumulative process. Cramming for a quiz or test is not the best thing... *Go online to watch the complete learning tip.*

Video: Tip

☐ **I CAN** talk about human rights as they relate to the work of civic engagement.

Tutorial

Identifying actions that will have and would have happened: The future perfect and the conditional perfect

Future perfect

The future perfect is generally used in a sentence to identify an action that will have taken place by a specified point in the future:

Al terminar mi carrera universitaria, **yo habré participado** en bastantes actividades de aprendizaje servicio.

Upon completion of my university degree, I will have participated in a lot of service learning activities.

Muchos dicen que para el año 2030 el consumismo **habrá aumentado** significativamente.

Many say that by the year 2030 consumerism will have significantly increased.

En diez años, la tasa de analfabetismo **habrá disminuido** mucho en mi comunidad.

In ten years, the rate of illiteracy will have been reduced greatly in my community.

Similar to the present perfect and past perfect, the future perfect is made up of two parts:

future tense of **haber** + [PAST PARTICIPLE]

The forms of the future tense of **haber** are in the following table:

Subject pronouns (singular)	haber	Subject pronouns (plural)	haber
yo	habré	nosotros/as	habremos
tú	habrás	vosotros/as	habréis
él, ella, usted	habrá	ellos, ellas, ustedes	habrán

Recall that regular past participles are formed with the endings **-ado** (**-ar** verbs) and **-ido** (**-er** and **-ir** verbs). Several common verbs, however, have irregular past participle forms: abrir > ab**ierto**; cubrir > cub**ierto**; decir > **dicho**; escribir > escr**ito**; hacer > h**echo**; morir > m**uerto**; poner > p**uesto**; romper > r**oto**; ver > v**isto**; volver > v**uelto**.

¡ATENCIÓN!

Antes de empezar, repasa la formación del participio pasado en la sección **Gramática 2** del Capítulo 7.

¿Qué observas?

1. In each of the examples given, identify the phrase that refers to a future point in time when the action stated in the future perfect will take place.

2. Which will come first, the action described by the future perfect or the future time reference identified in 1?

¡ATENCIÓN!

Research on learning Spanish as a second language has found that learners acquire certain structures, such as the future perfect and conditional perfect, later. Becoming proficient in using them in spontaneous conversation takes many years of exposure and practice. Therefore, the goal is to support you in comprehending the form when encountered in various text types.

Exploraciones

Conditional perfect

Unlike the future perfect tense that presents actions that will have taken place by a certain time in the future, the conditional perfect presents actions that would have taken place given certain conditions. Sometimes a hypothetical condition is presented using a construction such as: **De haber** + [PAST PARTICIPLE]. The hypothetical result is then presented in the conditional perfect.

De haber mejorado los derechos humanos en ese país, no **habrían sufrido** tantas personas.

If human rights had been improved in that country (hypothetical condition), not as many people would have suffered (hypothetical result).

Sometimes the hypothetical result is stated as a way to contrast with a concrete condition.

La crisis económica **habría dividido** a la población; sin embargo, se mantuvo unida.

The economic crisis would have divided (hypothetical result) the population; however, they were united (concrete condition).

Like the other perfect tenses, the conditional perfect is made up of two parts:

conditional of **haber** + [PAST PARTICIPLE]

The conditional forms of **haber** are in the following table:

Subject pronouns (singular)	haber	Subject pronouns (plural)	haber
yo	habría	nosotros/as	habríamos
tú	habrías	vosotros/as	habríais
él, ella, usted	habría	ellos, ellas, ustedes	habrían

1 **La organización no gubernamental** Miguel terminó sus estudios universitarios en Santiago de Chile y desea crear una ONG en su país para ayudar a combatir el analfabetismo y la desigualdad económica y social.

Paso 1 Escucha la presentación que Miguel hace a unos donantes para recaudar fondos para su nueva organización. Luego, completa cada oración con el tiempo en el que Miguel cree que puede lograr cada meta.

1. En menos de _____ año, veinte universidades habrán acordado trabajar con la organización de Miguel.

2. En _____ años, los voluntarios habrán completado alrededor de 12.000 horas de servicio en los lugares elegidos.

3. En _____ años, la ONG de Miguel habrá ampliado la red de organizaciones con las que trabaja.

4. En _____ años, 300 estudiantes habrán empezado su voluntariado para participar en programas de alfabetización y búsqueda de empleo.

5. En menos de _____ años, el dinero donado habrá influido positivamente en la vida de alguien.

Paso 2 Verifica la comprensión de cada oración del **Paso 1**. Completa la siguiente información para cada una.

Oración	¿Cuándo habrá ocurrido?	¿Quién o qué lo habrá hecho?	¿Qué habrá pasado?
1.			
2.			
3.			
4.			
5.			

Exploraciones

2 **Predicciones sobre el futuro** Es común querer especular sobre el futuro de la sociedad, según las condiciones actuales.

Paso 1 Completa cada afirmación con el verbo apropiado según el contexto.

habremos alcanzado	habrá aumentado	habrán aumentado
habrá desaparecido	habrá mejorado	habrán recaudado

1. En cinco años, la situación de los derechos humanos de las personas más vulnerables _____.

2. En cien años, _____ la equidad de género en el trabajo.

3. En diez años, la pobreza y el analfabetismo _____ en las zonas rurales del mundo.

4. El año que viene, el activismo juvenil _____ un 25% en las universidades de este país.

5. En 150 años, la libertad de prensa _____ en muchos países desarrollados.

6. En seis meses, las organizaciones sin fines de lucro de la comunidad _____ fondos suficientes si todos colaboramos.

Paso 2 En parejas, compartan si están de acuerdo con las predicciones del **Paso 1** y expliquen por qué. Usen el futuro simple.

> **Modelo** *En 5 años, la situación de los derechos humanos de las personas más vulnerables (no) mejorará porque...*

3 **Opiniones y especulaciones** Completa cada afirmación con el condicional perfecto y con una razón o un propósito lógico para especular sobre estos eventos del pasado.

1. Los derechos civiles de los afroamericanos en el sur de Estados Unidos y de los pueblos originarios en América Latina _____ (violarse) por tanto tiempo porque...

2. La vivienda en las grandes ciudades situadas en las costas del país en los años ochenta _____ (volverse) tan cara porque...

3. La crisis económica o Gran Recesión de 2008 en todo el mundo _____ (causarse) porque...

4. Las personas que perdieron sus trabajos en las fábricas durante la crisis económica _____ (buscar) algún tipo de capacitación para...

STUDENT TIP: Scheduling Time for Spanish (by Gina Deaton, Xavier University)

Learning a new language takes time. That means scheduling time daily to practicing Spanish actively... *Go online to watch the complete learning tip.*

 **Video: Tip**

Resources

Vhlcentral

WebSAM

☐ **I CAN** identify actions that will have and would have happened.

Las buenas prácticas

Para participar activamente en la comunidad, es fundamental ser **respetuoso**, **empático** y tener **iniciativa propia**. Si decides trabajar en una organización no gubernamental (ONG), es importante que **te comprometas** a cumplir sus reglas y protocolos y dejes de lado tus opiniones personales, que dependen de tu contexto y situación particular. No cumplir estas reglas puede **impedir** el éxito del programa, así como el desarrollo de la **solidaridad cívica** y la **responsabilidad social**. Una vez completes la capacitación requerida, estarás cualificado o cualificada para participar en programas que se ajusten a las necesidades de la comunidad y que cumplan sus **expectativas**.

Más palabras

la ética *ethics*
el fortalecimiento *strengthening*

abnegado/a *selfless, self-sacrificing*
capaz *capable*
egoísta *selfish*
humilde *humble*

colaborar *to collaborate*
encargarse *to take care of; to oversee*
esforzarse *to make an effort, to strive*

impulsar *to drive, to promote*
inscribirse *to register*

Cognados

la injusticia

competente
justo/a

Exploraciones

1 **Cualidades** Kevin López trabaja para Education Matters, una organización sin fines de lucro de Cincinnati, Ohio. Kevin describe varias características necesarias para trabajar de voluntario/a en su organización.

Paso 1 Identifica las cualidades que son necesarias para trabajar en la organización Education Matters, según Kevin.

Es necesario que los voluntarios…

- ☐ **1.** sean capaces de fortalecer la comunidad.
- ☐ **2.** sean empáticos.
- ☐ **3.** hagan un máximo de cinco horas semanales de trabajo.
- ☐ **4.** sean competentes y estén cualificados.
- ☐ **5.** tengan experiencias en muchos tipos de exámenes.
- ☐ **6.** sepan trabajar sin supervisión directa.

Paso 2 En parejas, comparen sus listas y conversen sobre las características que debe tener un(a) buen(a) voluntario/a. ¿Cuál creen que es la característica más importante? ¿Por qué? En el futuro, ¿participarán como voluntarios/as? ¿Por qué?

2 **El respeto y las buenas prácticas** Estás preparándote para tu primer trabajo comunitario. Reflexiona sobre cada una de estas afirmaciones en relación con el respeto y las buenas prácticas que debes seguir. Luego, en parejas, conversen sobre cada una. ¿Están de acuerdo? ¿Por qué?

1. Durante tu trabajo, puedes tomar fotos de los clientes y más tarde publicarlas en tus redes sociales.

2. Debes tener cuidado de siempre ser respetuoso/a y humilde.

3. Estás organizando las donaciones de alimentos y encuentras unas galletas que te gustan mucho. Decides guardarlas para comer más tarde, a la hora del descanso.

4. Piensas que es importante ser honesto/a al describir los distintos aspectos del proyecto a los clientes, incluidas las limitaciones, para que las expectativas sean las mismas que las que tiene la ONG.

5. La organización debe ofrecerte algún tipo de entrenamiento antes de que comiences a trabajar con los clientes.

6. Crees que está bien compartir tu cuenta de mensajes instantáneos con los clientes.

7. No hay problema en darles regalos a los clientes y recibir regalos de ellos.

Resources

Vhlcentral

WebSAM

☐ **I CAN** describe best practices for engaging in my community.

Identifying hypothetical situations that would have happened under certain conditions: The past perfect subjunctive

The past perfect subjunctive is commonly used to present hypothetical situations that do not represent reality:

Si **hubiéramos pasado** más tiempo en el extranjero, habríamos desarrollado más sensibilidad cultural.

If we had spent more time abroad, we would have developed more cultural sensitivity.

Si Josefina **hubiera seguido** las reglas de la ONG, no habriamos tenido este problema.

If Josefina had followed the NGO's rules, we wouldn't have had this issue.

Similar to the other perfect tenses, the past perfect subjunctive is made up of two parts:

imperfect subjunctive of **haber** + [PAST PARTICIPLE]

In **Capítulo 9** you learned that the imperfect subjunctive is formed by using the third-person plural of the preterit, removing the **-ron** ending from it and adding the following endings: **-ra, -ras, -ra, -ramos, -rais, -ran.**

Past perfect subjunctive: imperfect subjunctive of *haber* + past participle				
	imperfect subjunctive of *haber*	**trabajar**	**comprender**	**asistir**
yo	hubie**ra**			
tú	hubie**ras**			
él, ella, usted	hubie**ra**	trabaj**ado**	comprend**ido**	asist**ido**
nosotros/as	hubié**ramos**			
vosotros/as	hubie**rais**			
ellos, ellas, ustedes	hubie**ran**			

¿Qué observas?

1. In addition to the past perfect subjunctive, what is the other perfect tense that appears in each sentence?

2. How does this other verb tense complete the meaning of this hypothetical statement?

¡ATENCIÓN!

Research on learning Spanish as a second language has found that the subjunctive, especially the past structures such as the past perfect subjunctive, is a structure that learners acquire later. This is especially true for those whose native languages, such as English, do not have or use the subjunctive. Becoming proficient in using the subjunctive in spontaneous conversation takes many years of exposure and practice. Therefore, the goal is to support you in comprehending the form when encountered in various text types.

Exploraciones

1 **El progreso individual** Marcos, un estudiante universitario de España, participó en un programa de servicio comunitario en la República Dominicana. Antes de irse, el director del programa le hace una última entrevista para ver qué aprendió en cuanto a lo académico y personal.

Paso 1 Indica si cada oración es **cierta (C)** o **falsa (F)**, según la entrevista que el director le hace a Marcos.

1. Marcos está a punto de empezar un programa de aprendizaje servicio en la República Dominicana. .... **C F**

2. Marcos siempre se ha considerado una persona muy abnegada y empática. .... **C F**

3. Marcos trabajó principalmente en las áreas urbanas de la República Dominicana. .... **C F**

4. Marcos considera que el grupo de dominicanos con el que colaboró en el programa trabaja muy duro. .... **C F**

5. Al participar en el programa, Marcos aprendió a pensar en los demás. .... **C F**

6. Marcos estaba convencido de la necesidad de viajar a otro país. .... **C F**

7. Hay algunos que creen que este tipo de programa tiene aspectos negativos. .... **C F**

8. Marcos cree que los mismos dominicanos dirían que la colaboración con la gente del programa no ayudó mucho. .... **C F**

Paso 2 Reescribe las oraciones falsas para que reflejen verdaderamente lo que se dijo en la entrevista.

En 2022, el gobierno de la República Dominicana aumentó en 26,1% el salario mínimo de los trabajadores de las ONG que prestan servicios en los campos de la salud y la educación.

2 **¿Qué hubiera pasado?** Reflexiona sobre tus años en la escuela secundaria y lo que habría sucedido allí si se te hubieran presentado ciertas circunstancias.

Paso 1 Empareja cada situación hipotética con el resultado hipotético más lógico.

Situaciones hipotéticas	Resultados hipotéticos
1. Si hubiera practicado seriamente un deporte,…	**a.** habría conocido la cultura de otro pueblo.
2. Si hubiera conocido a más personas de distintos lugares,…	**b.** habría participado en programas de servicio comunitario.
3. Si hubiera viajado a otro país,…	**c.** habría sacado mejores notas.
4. Si hubiera sabido más sobre las ONG,…	**d.** habría jugado por mi universidad.
5. Si me hubiera esforzado más en la secundaria,…	**e.** les habría preguntado sobre sus culturas.

Paso 2 Empareja cada resultado hipotético con la situación hipotética más lógica.

Resultados hipotéticos	Situaciones hipotéticas
1. La maestra habría tenido más paciencia…	**a.** si mis profesores hubieran aceptado mis ideas creativas y un poco atípicas.
2. Como estudiantes habríamos sentido más responsabilidad cívica…	**b.** si los alumnos hubieran demostrado más disciplina e interés trabajando solos en clase.
3. Yo habría tenido más iniciativa propia…	**c.** si hubiéramos hecho más servicio comunitario en las comunidades cercanas a la escuela.
4. Habría aprendido más español…	**d.** si hubiera tenido menos miedo de cometer errores y hubiera hablado más.

3 **Reflexiones** Algunos estudiantes universitarios terminan sus estudios y no se sienten preparados para entrar al mercado laboral. En parejas, reflexionen sobre cómo habría cambiado la situación de esos estudiantes si se hubieran hecho ciertas acciones. Usen la tabla como guía.

Estudiante A	Estudiante B
Si los estudiantes hubieran asistido a las ferias de trabajo,…	… habrían…
Si el plan de estudios de la universidad hubiera…,	
Si los profesores hubieran…,	

☐ **I CAN** identify hypothetical situations.

Exploraciones

Podcast

Learning Objective: Reflect on your progress using language related to community engagement.

 Audio: Reading

Episodio #10: Pablo Montoya Villahermosa

Antes de escuchar

① **La historia de Pablo** Pablo va a hablar sobre una organización sin fines de lucro que dirige en El Salvador. Escribe tres datos que conozcas sobre ese país. Si es necesario, busca información en internet.

Mientras escuchas

② **Preguntas** Escucha lo que cuenta Pablo y selecciona la respuesta correcta.

1. ¿Cuántas personas hay en el pueblo de San Vicente?
   a. 6.000
   b. 60.000
   c. 70.000

2. ¿Qué hay cerca de San Vicente?
   a. un volcán famoso
   b. un lago famoso
   c. un río famoso

3. ¿Qué pasó en 2001 en El Salvador?
   a. Hubo una serie de tornados.
   b. Hubo dos terremotos.
   c. Hubo graves inundaciones.

4. ¿Cuántas personas murieron en 2001 a causa de los desastres naturales en El Salvador?
   a. casi cien personas
   b. casi quinientas personas
   c. casi mil personas

5. ¿Cómo se llama la organización que fundó Pablo?
   a. Nuestra Gente
   b. Nuestro País
   c. Nuestra Comunidad

6. ¿Cuál es una clase que toman los voluntarios en San Vicente?
   a. de cocina
   b. de servicios médicos
   c. de deportes

Después de escuchar

③ **Alguien como Pablo** Piensa en una persona como Pablo Montoya que decidió hacer algo para solucionar un problema en su comunidad.

Paso 1 Describe a esta persona usando estas preguntas como guía.

- ¿Qué pasó en la comunidad?

- ¿Qué hizo esta persona?

- ¿Qué características tiene esta persona?

- ¿Qué crees que habría pasado si no hubiese hecho nada esta persona?

Paso 2 En parejas, túrnense para compartir sus descripciones. ¿Tienen características en común estas personas? ¿Cuáles?

Resources

Vhlcentral

Online activities

☐ **I CAN** express ideas related to community engagement.

Café de las Sonrisas

Lee el blog de Sofía sobre el Café de las Sonrisas en Granada, Nicaragua.

● ● ● www.el_blog_de_sofia.com/cafe_de_las_sonrisas 🔍 ‹ ›

Café de las Sonrisas

Fui a Granada, Nicaragua, en busca del Café de las Sonrisas, recomendado por mi amiga Michelle. Se abrió en 2012 como el primer café en las Américas y el cuarto en el mundo en ser atendido íntegramente por personas con discapacidad auditiva. El café tiene capacidad para grupos de hasta cuarenta personas y sirven desayunos y almuerzos. Además de una comida saludable, ofrece actividades divertidas y educativas. ¡Puedes aprender frases del lenguaje de señas! Aunque me encantó todo, lo que más me conmovió fue la historia de su fundador, don Antonio. Antonio Prieto, un cocinero profesional español, decidió viajar a Costa Rica para abrir un restaurante. Pero, en el año 2005, se encontró con una situación que cambiaría su vida para siempre. Durante un viaje de Costa Rica a Guatemala, su coche se descompuso y, debido a una tormenta, tuvo que quedarse en Las Mercedes, un pueblo al norte de Nicaragua. Empezó a cocinar con los niños, y vio que uno de ellos era muy alegre, pero no hablaba: era mudo. Cuando la tormenta por fin se acabó, Antonio se dio cuenta de que su vida había cambiado: sintió un gran afecto hacia el joven mudo y los otros niños. Por esta razón, decidió quedarse en Nicaragua y contribuir al desarrollo de los jóvenes con discapacidades.

Don Antonio, dueño del Café de las Sonrisas

---

(1) El menú Busca en internet el menú del Café de las Sonrisas o de otro restaurante del mundo hispanohablante con características similares. Luego contesta las preguntas.

1. ¿Qué platos reconoces? ¿Cuáles son nuevos para ti?

2. Si fueras a ese restaurante, ¿qué plato pedirías? ¿Por qué?

3. ¿Cómo podrías comunicarte con los meseros y las meseras si fueran personas con discapacidades auditivas?

(2) Mi blog Escribe sobre algún obstáculo que hayas superado en tu vida o un evento que te haya cambiado la vida para siempre. ¿Qué ocurrió? ¿Cómo te cambió? ¿Cómo te sentías? Puedes incluir una foto, un dibujo o una imagen para acompañar tu descripción.

☐ **I CAN** talk about life changing experiences.

Experiencias — Cultura y sociedad

Algunos estudios muestran que el voluntariado ofrece beneficios físicos y mentales para las personas que lo hacen. Existen muchas oportunidades para participar en nuestras propias comunidades y también en otras comunidades y culturas. Vas a leer una lectura sobre la experiencia de una persona que hizo un voluntariado y las razones que ofrece para hacerlo.

 Audio: Reading

Antes de leer

1 **Ser voluntario/a** ¿Alguna vez has hecho voluntariado en tu comunidad o en otra? Reflexiona sobre estas experiencias.

Paso 1 En parejas, hablen de una experiencia positiva que hayan tenido al trabajar en la comunidad.

Paso 2 Escribe una lista con las tres razones más importantes para ser voluntario/a, desde tu punto de vista.

2 **Vocabulario** Identifica las palabras en el texto y luego indica qué definición corresponde a cada palabra.

_____ **1.** adquirir

_____ **2.** animar

_____ **3.** aprobarse

_____ **4.** el esfuerzo

_____ **5.** el orfanato

_____ **6.** otorgar

_____ **7.** remunerado/a

a. dar aliento o motivación a alguien para que haga algo

b. que recibe un pago o compensación económica por un trabajo

c. conceder o dar algo a alguien

d. institución que alberga y cuida a niños huérfanos

e. acciones o trabajos para lograr un objetivo

f. obtener una aprobación o ser aceptado oficialmente

g. obtener, comprar o conseguir algo

Siete razones para hacer un voluntariado

Me llamo Ana María y quiero compartir mi experiencia como voluntaria, y ofrecerte unas sugerencias si lo estás pensando. Cuando tenía 24 años, me había graduado de la universidad y tenía un buen trabajo,
5 pero sentía que faltaba algo en mi vida, aunque no sabía qué. Fue entonces cuando decidí buscar una oportunidad de hacer un voluntariado, y encontré una organización sin fines de lucro que trabajaba con orfanatos. Al principio, les ayudé a recaudar fondos
10 para educar a los niños y, después, se me presentó la oportunidad de ir a Ecuador a un orfanato para enseñar a los niños a leer y escribir, y así reducir el analfabetismo. Me enamoré del país y de la gente de Ecuador. Sé que he podido contribuir en la educación
15 de los niños del orfanato, pero realmente siento que he aprendido más que ellos. Me han enseñado a ser empática y al mismo tiempo a ser menos egoísta. Quiero ofrecerte algunas ideas de lo que aprendí de mi experiencia. Hacer voluntariado es bueno
20 para los demás, pero sobre todo para uno mismo. Según un estudio del Departamento de Psicología de la Universidad de British Columbia, en Canadá, el voluntariado es bueno para el corazón de los que lo realizan. A continuación, te daré siete razones con
25 las que te identificarás si eres voluntario o que te animarán a serlo, en caso de que no lo seas.

1) Colaborar con las personas que más lo necesitan. Seguramente sea la principal razón por la que una gran cantidad de personas decide participar en un
30 voluntariado, pero no es la única.

2) Mejorar nuestra autoestima. Hacer un voluntariado no solo te hará sentir bien, sino que verás cómo las personas con las que interactúas y los nuevos compañeros que conozcas te valorarán y te
35 comenzarán a ver de otra forma debido a tu esfuerzo.

3) Formar parte de la historia. Cada vez que se apruebe una ley, o se tome una nueva medida que ayude a los demás, recordarás que has contribuido de forma humilde a mejorar su situación.

40 **4) Cuidar el medioambiente.** No solo existen voluntariados para ayudar a las personas, también los hay para proteger la naturaleza.

5) Mejorar tus relaciones sociales. En un voluntariado conocerás a gente nueva y, si tienes problemas con
45 las relaciones personales, esta experiencia te ayudará a abrirte a los demás. También te ayudará a que sean más fáciles tus futuros trabajos en grupo.

6) Introducirte en el mercado laboral. Aunque el voluntariado no sea remunerado, puedes realizar
50 tareas que tengan relación con tu carrera u oficio, y gracias a ello practicarás y adquirirás experiencia para futuros trabajos.

7) Desarrollar la empatía. El desarrollo de la empatía debería ser esencial en nuestra educación. Sin
55 embargo, todavía no se le otorga la importancia que realmente debería tener. Una magnífica oportunidad que te ofrece el voluntariado es aprender a ser más empático con los demás. ●

Experiencias

Después de leer

(3) **Comprensión** Ordena las siete razones para hacer un voluntariado de la lectura, según la importancia que tú les das. Luego, en parejas, comparen sus listas y justifiquen sus respuestas.

(4) **Conversación** En parejas, conversen y den su opinión sobre las preguntas usando la información de la lectura y su propia experiencia.

1. ¿Cuáles son algunas de las razones por las cuales las personas no se ofrecen de voluntarias?

2. ¿Creen que las personas desarrollan más empatía por medio del servicio? ¿Por qué?

3. ¿Hay alguien en su vida que ha sido un buen ejemplo por su trabajo en la comunidad? Describan a esta persona y expliquen por qué ha sido un ejemplo para ustedes.

(5) **A escribir** Vas a escribirle una carta a una persona que conoces sobre la idea de hacer un voluntariado. Lee la estrategia de escritura y sigue los pasos.

Estrategia de escritura: Writing a Letter

Although the basic structure of the body of a letter written in Spanish is similar to that of one you write in English, there are some specific phrases and information that you should include in a Spanish letter.

• **Greetings:** First, be sure to include the date: list the day first, the month and the year to avoid confusion. Include a greeting in your letter. If your letter is formal, begin with **Estimado/a** and the name of the person. Include the person's title, such as **señor (Sr.), señora (Sra.), profesor (Prof.), profesora (Profa.)** or **ingeniero/a (Ing.).**

• **Introduction and body:** Greet the person further, by stating **Espero que todo vaya bien** for a formal letter or **¿Cómo te va?** for an informal letter. Next, clearly state the purpose of your letter, details regarding your purpose and your request.

• **Closing:** To conclude your letter, you will need to include a respectful phrase before signing your name. For a business letter, sign **Atentamente** and your name. For an informal letter, **Saludos** works fine.

Paso 1 Escribe una carta a una persona que conoces animándola a que busque una oportunidad de hacer voluntariado. Ofrécele sugerencias sobre cuáles son los tipos de servicio disponibles en su área. También, cuéntale los beneficios del servicio y cómo le podría ayudar en su vida.

Paso 2 En parejas, túrnense para compartir lo que escribieron.

Resources

Vhlcentral

Online activities

☐ **I CAN** compare practices and perspectives related to becoming a volunteer.

Learning Objective: Critically reflect on perspectives of social justice in a literary passage.

 Audio: Reading

Quince Duncan (1940–)

Quince Duncan nació en Costa Rica y es el primer escritor costarricense afrocaribeño que escribe en español. Lleva más de 53 años como escritor literario y es autor de más de treinta obras que incluyen novelas, colecciones de cuentos, ensayos y textos educativos. Escribe sobre temas relacionados con los derechos humanos y la educación, e intenta luchar contra el racismo, los prejuicios, la discriminación y las injusticias a través de su escritura. Para Duncan, el racismo es algo inventado para justificar el poder de un grupo sobre otro grupo de personas. Es profesor emérito de historia y de inglés en la Universidad Nacional de Costa Rica.

Antes de leer

Estrategia de lectura: Inferring the Meaning from the Context

When you are reading in Spanish, you will come across unfamiliar vocabulary words. Rather than using the dictionary every time you find a word you do not know, you can learn one of the quickest and most effective ways of dealing with words you don't know by gathering clues from the text to infer the meaning of the unknown vocabulary.

1 **Injusticias** *La pantera* es un relato (*short story*) sobre las injusticias que sufren los afrocaribeños. Selecciona las ideas que piensas encontrar en el texto.

- ☐ el dilema de las decisiones éticas
- ☐ la resistencia de las mujeres afrocostarricenses
- ☐ el sueño de una vida libre e independiente
- ☐ el trabajo en Costa Rica
- ☐ las víctimas de la opresión
- ☐ una descripción de cómo movilizar a la población afrocaribeña
- ☐ una búsqueda de mejores condiciones salariales
- ☐ las consecuencias de trabajar demasiado

2 **Vocabulario** Vas a familiarizarte con el vocabulario del relato.

Paso 1 Lee por encima (*Skim*) el texto e identifica los cognados.

Paso 2 Busca cada uno de estos términos en el relato. Utiliza el contexto para inferir lo que significan.

un puerto bananero	emprendedor	el descarrilamiento
la riqueza	un acto heroico	una pequeña propiedad

Paso 3 Identifica las pistas (*clues*) que te ayudaron a comprender el significado de cada término. Escribe una oración que incorpore la palabra nueva.

La pantera

Oficinas de Northern Railway Company, en Limón, Costa Rica, a inicios del siglo XX

Muy joven Marcus, siguiendo a su tío, se fue de Jamaica, para establecerse en Costa Rica, en un lugar llamado, vamos a ver, llamado Limón. Un puerto bananero que queda en alguna parte de
5 Centroamérica, en la costa caribeña. Allí su tío, como un hombre educado y emprendedor que era, tenía una buena posición en la Northern Railway Company, lo que le permitió colocar bien a su sobrino en las oficinas como planillero°.

10 Así que el joven Marcus tuvo la oportunidad de ver la suerte de los jamaicanos que habían emigrado a Centroamérica. Y no le gustó lo que vio.

Está, por ejemplo, el caso de José. Marcus me contó la historia. José escuchó hablar de Limón y decidió
15 aventurarse para tratar de hacer dinero. Eso era posible para los que trabajaban duro, les explicó el agente de la compañía que reclutaba los trabajadores para Costa Rica. Su sueño era trabajar por unos años y regresar a Jamaica, comprarse una pequeña propiedad, construir
20 una casa y encontrarse una buena esposa y ver crecer a sus hijos de conformidad con los nuevos tiempos, libres e independientes.

Todo iba muy bien al principio. Pero un día José, en un esfuerzo por salvar a un compañero que estaba en
25 peligro, perdió el control y una de las plataformas de carga se descarriló. Fue algo sencillo, de esas cosas que pasan en un santiamén°. José estaba frenando° el carro y la plataforma colapsó. Creo que fue eso. No sé mucho de trenes, de modo que tengo que atenerme a°
30 lo que Marcus me dijo. Como consecuencia, uno de los trabajadores estaba suspendido sobre el acantilado°, aferrándose a la vida. Por supuesto que la acción de José, al salvar de manera espontánea la vida de su compañero, fue calificada como un acto heroico por los
35 trabajadores. Pero el descarrilamiento tomó energía y tiempo. De modo que la compañía perdió dinero en la operación y despidió a José. Fue así de sencillo. Las autoridades lo despidieron por anteponer la vida humana a sus obligaciones de defender la integridad de
40 la propiedad de la empresa. Porque prevalecían en esto las ganancias de los dueños allá en Boston y el beneficio de los consumidores que podían disfrutar de un "banana glasse" en un restaurante francés en Londres.

Después de escuchar la historia de José, decidí que
45 Costa Rica no era lugar para un joven jamaicano. Yo quería hacer mi propia fortuna, pero tampoco había muchas oportunidades en Jamaica. Así que me alegró acompañar a Marcus a Europa, tras el regreso de su insólita aventura centroamericana. No le dije
50 nada, pero tenía la esperanza de que una vez en la "Madre Patria" yo pudiera encontrar las respuestas de mis modestos sueños. Porque Marcus había estado en Panamá, en Colombia, en Ecuador, en Nicaragua, en Honduras, y en todas partes se había encontrado
55 con la misma vieja historia de la pobreza de los indios y de los negros, víctimas de la opresión. Para ellos, independencia y libertad no tenían sentido.

Pero mientras estuvo en Costa Rica, Marcus comenzó a devolver los golpes°. Su familia local no estaba muy
60 contenta con esto. Pero él había sido golpeado toda su vida. Comenzó a trabajar duro, publicando sus ideas en periódicos como *The Nation* en Limón y *The Press* en Bocas del Toro, tratando de movilizar a la población negra en defensa de sus derechos. Estaba preocupado
65 por el hecho de que en todos los lugares en que había vivido, había visto a los negros creando riqueza para la población blanca y mestiza. Así que planeó el viaje a Europa, en busca del país del negro, con empresas controladas por negros, con escuelas que enseñasen la
70 historia del negro. ●

---

planillero *timekeeper* **en un santiamén** *in no time at all* **frenando** *braking* **atenerme a** *to abide by* **acantilado** *cliff* **comenzó a devolver los golpes** *began to return the blows*

Después de leer

(3) Marcus Selecciona la opción correcta para completar las oraciones sobre Marcus.

1. Marcus se mudó a…
- **a.** Jamaica.
- **b.** Limón.
- **c.** San José.
- **d.** San Juan.

2. Su tío lo ayudó a conseguir un trabajo…
- **a.** de planillero en una compañía de trenes.
- **b.** en la recepción de un hotel.
- **c.** de conductor de tren.
- **d.** con una empresa de construcción.

3. Marcus decidió irse de Jamaica…
- **a.** para vivir en Costa Rica.
- **b.** para vivir sin violencia.
- **c.** para estudiar español.
- **d.** para comprar una granja.

4. Marcus empezó a hacer abogacía por los derechos de los afrocaribeños…
- **a.** participando en marchas.
- **b.** protestando en la capital, San José.
- **c.** abriendo su propia empresa y pagando mejores sueldos.
- **d.** escribiendo artículos para los periódicos.

(4) José Ordena cronológicamente estos eventos sobre lo que le pasó a José.

_____ La compañía perdió dinero en la operación de ese día a causa de las acciones de José.

_____ José frenaba un carro.

_____ La compañía despidió a José.

_____ Un compañero de trabajo de José se quedó suspendido sobre el acantilado.

_____ José salvó la vida de su compañero de trabajo.

_____ La plataforma colapsó.

(5) Análisis En parejas, conversen sobre estas preguntas.

1. ¿Por qué perdió José su trabajo?

2. ¿Habrían hecho lo mismo que José si hubieran estado en una situación similar? Expliquen sus respuestas.

3. ¿Qué explica el autor sobre la opresión de los indios y los afrocaribeños?

4. ¿Por qué menciona el autor el postre _banana glasse_?

5. Según el autor, ¿por qué no le gustó a Marcus lo que vio en Limón?

6. ¿Creen que Marcus encontró en Europa lo que buscaba? Expliquen su respuesta.

7. ¿Cuál podría ser otro título para el relato?

Resources

Vhlcentral

Online activities

□ **I CAN** critically reflect on perspectives of social justice in a literary passage.

¿Qué es aprendizaje servicio en la UC?

Vas a ver un video sobre un programa de aprendizaje servicio en la Pontificia Universidad Católica de Chile. Lee la estrategia intercultural antes de ver el video.

> **Estrategia intercultural: Community Engaged "Glocal" Learning**
>
> Your Spanish course may offer you a local opportunity to address global issues through participating in academic community engaged learning. Whether you engage in a project on the ground locally or work on a project virtually with students at other universities, the opportunities to work together to examine global challenges will provide you with learning experiences that connect you with others across multiple boundaries and borders. "Glocal" learning is an exciting opportunity to expand the skills, attitudes and knowledge that lead to intercultural competence, to acquire sensitivities needed to work with diverse populations and to enhance your mindset as a global citizen.

Antes de ver

(1) Preparación En parejas, compartan sus experiencias sobre el aprendizaje servicio.

1. ¿Qué es el aprendizaje servicio para ustedes? ¿Han tomado alguna clase que tuviera un componente de aprendizaje servicio? ¿Cómo era?

2. ¿Se ponen nerviosos/as cuando trabajan con personas desconocidas? ¿Por qué?

3. ¿Cómo se diferencia el aprendizaje servicio del voluntariado?

(2) Vocabulario Indica qué definición corresponde a cada palabra que aparece en el video.

_____ **1.** el vínculo

_____ **2.** el/la docente

_____ **3.** comprometido/a

_____ **4.** retornar

_____ **5.** el/la egresado/a

_____ **6.** remunerar

a. persona que ha terminado sus estudios en una institución educativa

b. persona que enseña en una institución educativa

c. relación o conexión entre personas o cosas

d. pagar o recompensar por un trabajo o servicio

e. que está dedicado/a o involucrado/a seriamente en algo

f. volver o regresar a una situación o lugar previo

Mientras ves el video

(3) **Escenas** Escribe la letra de la imagen que corresponde a cada cita del video.

_____ **1.** "… se le otorgó una ayuda que no es remunerada…"

_____ **2.** "Porque nosotros tenemos instancias para reflexionar…"

_____ **3.** "… no viva exclusivamente en su ámbito de estudio…"

_____ **4.** "… impactando positivamente en una docencia de calidad y generando vínculos con los socios comunitarios…"

Después de ver

(4) **Comprensión** Selecciona la opción que represente la idea principal del video del aprendizaje servicio. Luego explica por qué la seleccionaste.

1. El aprendizaje servicio beneficia a los estudiantes, a los profesores y a la comunidad.

2. El aprendizaje servicio debería ser un componente obligatorio de los estudios universitarios.

3. En ciertas carreras, el aprendizaje servicio resulta útil, pero en otras no es así.

(5) **Aprendizaje *glocal*** Piensa en un asunto de tu comunidad que también le podría afectar a una comunidad lejana, quizás en otro país. Haz una reflexión sobre tus circunstancias y las decisiones que tomas que pueden afectar a los demás y luego contesta las preguntas.

- ¿Qué asunto elegiste?

- ¿Qué decisiones identificaste?

- ¿Qué acciones puedes tomar en el futuro?

□ **I CAN** identify local issues to examine global challenges.

Resources

Vhlcentral

Online activities

Experiencias

Proyectos

① **¿Cómo podemos participar en la comunidad?** Varias organizaciones no gubernamentales o sin fines de lucro ofrecen puestos de voluntariado o servicio para estudiantes universitarios. Vas a solicitar un puesto en una organización que te interese.

Paso 1 Consulta los materiales del capítulo: videos, lectura, presentaciones, etc. También repasa el vocabulario y la gramática del capítulo. Toma nota de las palabras y expresiones útiles.

Paso 2 Consulta recursos en tu universidad o tu comunidad para encontrar ONG locales o internacionales que ofrezcan puestos de voluntariado o servicio. También, puedes buscar en internet. Considera: Si pudieras trabajar en cualquier lugar, ¿qué lugar elegirías? ¿Por qué? ¿Qué aprenderás de esa experiencia?

> **¡ATENCIÓN!**
>
> Ask your instructor to share the **Rúbrica** to understand how your work will be assessed.

Paso 3 Busca un puesto que te interese. Lee detenidamente su descripción y considera cómo tu perfil encaja (*matches*): ¿Qué experiencia tienes? ¿Cómo podrías contribuir? ¿Cuáles serían tus responsabilidades? ¿Cómo se beneficiaría la organización?

Paso 4 Prepara una presentación para solicitar al puesto con la información de los pasos anteriores. Incluye:

- una descripción de la organización y por qué la elegiste
- la descripción del puesto (las responsabilidades y las actividades)
- qué aprenderás de la experiencia
- cómo contribuirías a los objetivos de la organización

☐ **I CAN** apply for a service or volunteer position at a non-profit organization.

Experiencias profesionales Vas a visitar un lugar relacionado con tu área de interés.

Paso 1 Visita un sitio relacionado con tu área de interés profesional donde se use el español. Puede ser una clínica médica, un aula de ESL, una organización sin fines de lucro, etc. La visita debe durar entre 45 minutos y una hora. Puedes ofrecerte como voluntario/a.

Paso 2 Escribe un resumen de tu visita e incluye esta información: ¿Qué lugar visitaste y cómo era? ¿Qué hiciste durante la visita? ¿Hiciste algunas observaciones interesantes? ¿Viste algunos elementos de la cultura hispana en tu visita? Si escuchaste hablar español, ¿en qué circunstancias se usaba?

Paso 3 En parejas, túrnense para leer sus resúmenes. ¿Hay puntos en común en sus visitas? ¿Cómo se diferencian?

☐ **I CAN** report on a professional visit.

Repaso

Repaso de objetivos

Reflect on your progress toward the chapter main goals.

I am able to...

	Well	Somewhat
Identify perspectives and practices related to community engagement and volunteering.	☐	☐
Talk about civic engagement and human rights.	☐	☐
Compare products, practices, and perspectives related to volunteering and service learning.	☐	☐
Apply for a service or volunteer position at a nonprofit organization.	☐	☐
Report on a professional visit.	☐	☐

Repaso de vocabulario

Los programas sociales y organizaciones humanitarias *Social programs and humanitarian organizations*
la abogacía   *advocacy*
el activismo juvenil   *youth activism*
la asistencia social   *welfare*
la campaña   *campaign*
los derechos
   civiles   *civil rights*
   fundamentales   *fundamental rights*
la dignidad   *dignity*
el entrenamiento   *training*
la equidad de género   *gender equity*
las garantías fundamentales   *fundamental guarantees*
la igualdad   *equality*
la libertad de expresión   *freedom of expression*
la libertad de prensa   *freedom of the press*
la organización no gubernamental (ONG)   *non-governmental organization (NGO)*
la organización sin fines de lucro   *nonprofit organization*
el proyecto de incidencia/impacto social   *community service project*

el trabajo comunitario   *community work*
el voluntariado   *voluntary service*
el/la voluntario/a   *volunteer*

involucrado/a   *involved*
reconocido/a   *recognized*

emprender   *to undertake; to start*
luchar (por/contra)   *to fight (for/against)*
recaudar fondos   *to raise funds*

Cognados
el/la activista
el impacto
la justicia social
las oportunidades de…

vulnerable

coordinar
donar

Las buenas prácticas   *Best practices*
la ética   *ethics*
las expectativas   *expectations*
el fortalecimiento   *strengthening*
la iniciativa propia   *self-initiative*

abnegado/a   *selfless; self-sacrificing*
capaz   *capable*
egoísta   *selfish*
empático/a   *empathetic*
humilde   *humble*
respetuoso/a   *respectful*

colaborar   *to collaborate*
comprometerse   *to commit; to commit oneself*
encargarse de…   *to take care of; to oversee*
esforzarse (o:ue)   *to make an effort; to strive*
impedir (e:i)   *to prevent*
impulsar   *to drive, to promote*
inscribirse   *to register*

Cognados
la injusticia
la responsabilidad social
la solidaridad cívica

competente
justo/a

Repaso de gramática

1 The future perfect and the conditional perfect

Future perfect: future of *haber* + past participle				
Subject pronouns	**future of *haber***	**trabajar**	**comprender**	**asistir**
yo	habré			
tú	habrás			
él, ella, usted	habrá	trabaj**ado**	comprend**ido**	asist**ido**
nosotros/as	habremos			
vosotros/as	habréis			
ellos, ellas, ustedes	habrán			

Conditional perfect: conditional of *haber* + past participle				
Subject pronouns	**conditional of *haber***	**trabajar**	**comprender**	**asistir**
yo	habría			
tú	habrías			
él, ella, usted	habría	trabaj**ado**	comprend**ido**	asist**ido**
nosotros/as	habríamos			
vosotros/as	habríais			
ellos, ellas, ustedes	habrían			

2 The past perfect subjunctive

Past perfect subjunctive: imperfect subjunctive of *haber* + past participle				
Subject pronouns	**imperfect subjunctive of *haber***	**trabajar**	**comprender**	**asistir**
yo	hubie**ra**			
tú	hubie**ras**			
él, ella, usted	hubie**ra**	trabaj**ado**	comprend**ido**	asist**ido**
nosotros/as	hubié**ramos**			
vosotros/as	hubie**rais**			
ellos, ellas, ustedes	hubie**ran**			

Resources

Vhlcentral

Online activities

OBJETIVOS DE APRENDIZAJE

By the end of this chapter, I will be able to...

- Identify perspectives and practices related to film and music.
- Talk about the entertainment industry and media.
- Compare products, practices, and perspectives related to the role of entertainment in society.
- Present a movie review.
- Reflect on the career skills and interests related to my field of study.

ENCUENTROS

Sofía sale a la calle: Perspectivas sobre el entretenimiento

Panorama actual: La música y el cine

EXPLORACIONES

Vocabulario

La industria del cine y la música

Los medios de comunicación

Gramática

Summary of the subjunctive

The passive voice and **se** *constructions*

EXPERIENCIAS

Blog: Juan Magán en concierto

Cultura y sociedad: El papel de la mujer en la industria del cine

Literatura: *Santitos*, de María Amparo Escandón

Intercambiemos perspectivas: *Sueños*

Proyectos: ¿Cuánto influyen los medios en nuestra sociedad?, Experiencias profesionales

Perspectivas sobre el entretenimiento

Lee y reflexiona sobre la estrategia intercultural de este capítulo.

> **Estrategia intercultural: Withholding Judgment**
>
> Becoming more interculturally competent calls us to be open to vulnerability, by sharing uncomfortable moments. At the same time, it calls us to listen intently as we interact with others and make an effort not to prejudge. Withholding judgment takes effort, because our first tendency is to place people in categories and apply stereotypes. Make an effort to get to know others by withholding judgments and stereotypes. You will likely be surprised at the results!

Antes de ver

(1) **Entrando en el tema** Sofía entrevista a Gastón, Patricia, Steve y Dan sobre sus preferencias en relación con la música y el cine.

Paso 1 Entrevista a tres compañeros/as sobre sus gustos musicales. ¿Qué tipo de música les gusta más? ¿Cuál les gusta menos?

country	electrónica	hip hop	latina
pop	rap	rock	otros

Paso 2 Entrevista a tres compañeros/as sobre las películas que ven. ¿Qué tipos de películas son sus preferidas? ¿Cuáles no les gustan?

acción	documental	ciencia ficción	comedia
drama	musical	terror	otros

Paso 3 En parejas, comparen sus resultados e identifiquen las tendencias que vean. ¿Qué tipos de música y de películas parecen ser los favoritos del grupo? ¿Y los menos preferidos?

Estrategia de aprendizaje: Learning a Language through Music

How can music help us to learn languages? Our brains react to the fun melodies of music by connecting words to memory in a magical way… *Go online to watch the complete learning strategy.*

Video: Strategy

Mientras ves

(2) Perspectivas Mira el video e identifica cuál es la música y película
favoritas de Gastón, Patricia, Steve y Dan.

Gastón

Patricia

Steve

Dan

Música favorita

_____ 1. la música de los setenta, ochenta y noventa

_____ 2. la música alternativa y electrónica

_____ 3. la música pop

_____ 4. la música ranchera

Película extranjera favorita

_____ 1. *Noviembre*

_____ 2. *La vita è bella* (La vida es bella)

_____ 3. *Amélie*

_____ 4. *La llamada*

Después de ver

(3) Analizar En parejas, analicen las perspectivas presentadas en el video.

1. A Gastón le gusta la música que lo pone de buen humor y que es
pegadiza (*catchy*). Además del tipo de música que menciona, ¿qué otro
tipo de música podrían describir ustedes de esa manera?

2. A Steve le gusta la música que lo atrae a momentos de su niñez. ¿Creen
que esa razón es común entre sus amigos y las personas que conocen?

3. Steve dice que él no compra taquillas (*tickets*) para ir a los conciertos,
pero sí ha ido a varios. ¿Por qué creen ustedes que él asiste a los
conciertos entonces?

4. ¿Cuál de los entrevistados no va al cine con frecuencia? ¿Por qué?
¿Creen que es una opinión común entre las personas que conocen?

5. Patricia piensa que en el caso de las películas extranjeras "se nota mucho
el país de donde viene cuando es cine independiente". ¿Qué quiere decir?

Resources

Ⓢ

VhIcentral

Online
activities

□ **I CAN** identify perspectives on entertainment.

La música y el cine

La música y el cine han sido fuentes de entretenimiento para millones de personas durante años: la música por milenios y el cine por un poco más de un siglo°. Estas expresiones artísticas requieren creatividad, talento y trabajo duro°. En la época moderna, la música y el cine han llegado a ser **industrias** que generan enormes ingresos para los artistas y las empresas que los crean, producen y comercializan. Además, en muchos casos, los cantantes y actores exitosos se convierten en celebridades ricas, famosas, poderosas y reconocidas en muchos países del mundo sin importar la cultura. Como ocurre con otros tipos de expresiones artísticas, existen diversos **géneros** musicales y cinematográficos° y los gustos de las personas son sumamente variados. En este **Panorama actual**, analizaremos los gustos de la gente con respecto a la música y al cine a nivel mundial.

siglo *century* **trabajo duro** *hard work* **géneros musicales y cinematográficos** *music and movie genres*

Y tú, ¿qué música escuchas?

Encuestados que escuchan los siguientes géneros musicales a través de servicios de música digital (en %)

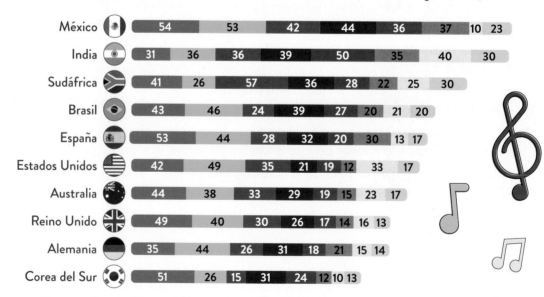

- ● Pop/música contemporánea para adultos
- ● Rock/alternativa/indie
- ● Música urbana (hip hop, R&B, etc.)
- ● Dance/electrónica
- ● Música clásica
- ● Música del mundo
- ○ Country
- ● Jazz/blues

	Pop	Rock	Urbana	Dance	Clásica	Mundo	Country	Jazz
México	54	53	42	44	36	37	10	23
India	31	36	36	39	50	35	40	30
Sudáfrica	41	26	57	36	28	22	25	30
Brasil	43	46	24	39	27	20	21	20
España	53	44	28	32	20	30	13	17
Estados Unidos	42	49	35	21	19	12	33	17
Australia	44	38	33	29	19	15	23	17
Reino Unido	49	40	30	26	17	14	16	13
Alemania	35	44	26	31	18	21	15	14
Corea del Sur	51	26	15	31	24	12	10	13

Encuesta online a 21.683 oyentes de contenidos musicales digitales de 18 a 64 años entre enero y marzo de 2021. Respuesta múltiple. Países seleccionados.

Fuente: Statista Global Consumer Survey

Ingresos por venta de **entradas°** de la película más **taquillera°** a nivel mundial por género cinematográfico (en millones de dólares)

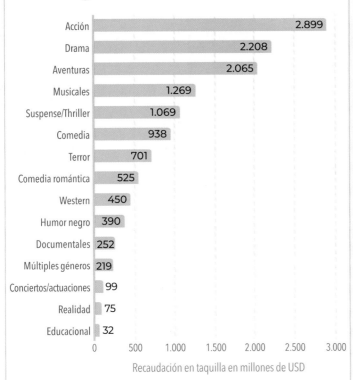

Género	Recaudación
Acción	2.899
Drama	2.208
Aventuras	2.065
Musicales	1.269
Suspense/Thriller	1.069
Comedia	938
Terror	701
Comedia romántica	525
Western	450
Humor negro	390
Documentales	252
Múltiples géneros	219
Conciertos/actuaciones	99
Realidad	75
Educacional	32

Recaudación en taquilla en millones de USD

Fuente: Statista

DATO INTERESANTE

Hasta enero de 2023, *Avatar* era la película de acción de mayor éxito en los cines del mundo, con una recaudación° de aproximadamente 2.900 millones de dólares estadounidenses.

Fuente de datos: Statista

entradas *tickets* **más taquillera** *biggest box-office earner* **recaudación** *revenue*

---

1 **Comprensión** Contesta las preguntas según la información de esta presentación.

1. Entre los países encuestados ¿cuáles son los dos géneros musicales más y menos escuchados? ¿Qué país parece tener más interés en la música *country* que Estados Unidos?

2. A nivel mundial y a lo largo de la historia hasta 2023, ¿cuáles son los tres géneros cinematográficos que han generado más ingresos? ¿Y el género menos exitoso en cuanto a las ventas de boletos?

2 **Analizar** En grupos pequeños, conversen sobre estas preguntas.

1. Observen el gráfico sobre las preferencias musicales. ¿Se puede identificar alguna tendencia? ¿Qué limitaciones deben tenerse en cuenta al interpretar este gráfico? ¿Existen posibles sesgos (*bias*) u otros factores que podrían afectar la precisión de los datos?

2. Examinen el gráfico sobre los ingresos de taquilla. ¿Hay información sobre qué países se consideraron? ¿Se puede inferir algo sobre el tipo de películas que la gente prefiere (o no) ver en el cine?

3 **Para investigar** Elige un tema para investigar.

1. Investiga qué tipo de música le gusta escuchar a la gente de un país que no aparezca en el gráfico. ¿Hay algún tipo de música que no aparece en el gráfico? ¿Sus preferencias son similares a algún país del gráfico?

2. Investiga cuáles son las mayores compañías productoras de películas del mundo. ¿Qué tipos de películas hacen? ¿Cuáles han sido sus películas más taquilleras?

☐ **I CAN** identify key information related to music and movie preferences worldwide.

La industria del cine y la música

La **industria del cine** está compuesta por las compañías, los estudios y las personas que participan en la creación de películas para **entretener** al público: desde **camarógrafos** y **directores** hasta diseñadores y **estrellas de cine**. Los actores deben **interpretar el papel de** sus personajes y pensar en cómo representar con su **actuación** las diferentes **escenas** del **argumento**. Existen distintos **géneros** cinematográficos, como los **dibujos animados**, que son **aptos para toda la familia**. Aunque muchas personas ya no suelen ir al cine, las películas siguen **estrenándose** en los cines y podemos encontrar **reseñas** sobre cada producción en periódicos o en internet. Algunas películas son nominadas para recibir **premios**, así como también los actores, directores e incluso los **compositores** que escriben la **banda sonora**. Todo esto forma parte del fascinante mundo del cine, una industria que continúa cautivando a las audiencias de todas partes.

Más palabras

la **butaca** *theater seat*
la **cartelera** *billboard; movie listings*
la **entrada** *ticket*
la **grabación** *recording*
el **guion** *script*
la **película**
   de acción *action movie*
   de terror *horror movie*

aficionado/a a... *fond of...*
entretenido/a *entertaining*
exitoso/a *successful*

Cognados

la comedia
el documental
el drama
los efectos especiales
el póster
el tráiler

filmar
producir (c:zc)

1 **Cine Súper** Estás en el coche con tu amigo en Cuernavaca, México, y
escuchas en la radio un anuncio comercial del Cine Súper.

CINE SÚPER
CARTELERA

MI VILLANO FAVORITO   AVENGERS   MISIÓN: IMPOSIBLE

Paso 1 Escucha el anuncio de la radio e indica si cada oración es **cierta** (**C**)
o **falsa** (**F**).

1. Si vas al Cine Súper, puedes elegir entre tres formas
de ver una película. .... **C F**

2. El cine prémium tiene butacas más cómodas que las regulares. .... **C F**

3. En el cine prémium, puedes pedir comida y bebidas
por medio de una tableta que está en la butaca. .... **C F**

4. En el cine 4D puedes sentir movimientos que pasan
en la película en tu propia butaca. .... **C F**

5. Con el cine extremo, puedes sentir la lluvia cuando
llueve en la película. .... **C F**

6. La experiencia del audio de la banda sonora en el
cine extremo es de alta definición. .... **C F**

7. Esta semana puedes ir al Cine Súper para ver una
película de terror. .... **C F**

Paso 2 Completa la tabla con las características más interesantes del Cine
Súper en tu opinión. Luego, en parejas decidan qué opción prefieren para ir al
cine este fin de semana.

Prémium	4D	Extremo

Exploraciones

(2) Mi película preferida Para tu curso de negocios, el profesor te pide que prepares un póster para promocionar tu película favorita.

Paso 1 Contesta estas preguntas sobre la película que selecciones.

1. ¿Cuál es el título?
2. ¿Qué tipo de película es?
3. ¿Dónde tiene lugar?
4. ¿Es apta para toda la familia? ¿Por qué?
5. ¿Qué tiene de interés?
6. ¿Cuándo la estrenaron?
7. ¿Quién es el/la director(a)?
8. ¿Ha ganado algún premio?

Paso 2 Usa tu creatividad para diseñar un póster de tu película favorita.

(3) ¿Aficionado/a al cine? Completa el cuestionario para determinar si eres muy aficionado/a al cine.

Paso 1 Lee cada oración y selecciona las que te describan.

☐ He leído libros sobre cine este año.

☐ Guardo una lista de títulos de películas en mi computadora, con detalles sobre cada una.

☐ He asistido a un festival de cine.

☐ Tengo cuentas en tres plataformas de *streaming* para ver películas en mi tiempo libre.

☐ Me gusta tomar fotos de los pósters de las películas.

☐ Soy miembro de un cineclub.

☐ Tengo un proyector en casa para ver películas en grande.

☐ Veo más de una película a la semana.

☐ Tengo un blog relacionado con el mundo del cine.

☐ Guardo las entradas al cine de las películas que he visto.

☐ He escrito (o he intentado escribir) un guion para el cine.

☐ He visto una película más de diez veces y me sé de memoria el diálogo.

☐ Tengo una butaca preferida en el cine más cercano a mi casa.

☐ De vez en cuando me quedo dormido/a viendo una película por la noche.

☐ Leo las novelas en las que se basan las películas que veo en línea o en el cine.

 Paso 2 Compara tus respuestas con las de tu compañero/a. ¿Cuántas han marcado? ¿Se consideran aficionados/as al cine? ¿Por qué?

(4) El español cerca de ti Investiga si en tu universidad o comunidad se celebra algún festival de cine con películas en español. Si no, busca en internet la comunidad más cercana donde haya un festival de cine. ¿Qué películas van a estrenar? ¿Cuándo es el festival? ¿Cuánto cuestan los boletos? ¿Qué película te gustaría ver?

☐ **I CAN** talk about the film and music entertainment industry.

STUDENT TIP: Memorizing Expressions (by Catherine Sholtis, Xavier University)

I try to memorize a structure or an expression as a 'chunk.' And it's a lot easier than trying to memorize based on individual words… *Go online to watch the complete learning tip.*

Video: Tip

Gramática 1 | **Learning Objective:** Express desire, need, doubt, probability or emotion.

 Tutorial

Expressing desire, need, doubt, probability, or emotion: Summary of the subjunctive

In previous chapters, you learned several uses of the subjunctive, most of which are summarized in the following tables. In most cases, the subjunctive form of the verb generally appears after the word **que**. Some use acronyms to remember the sorts of clauses that require the subjunctive after **que**, like W.E.D.D.I.N.G. as displayed in the table. This acronym might help you remember when to use the subjunctive mode early on, but over time you will rely on it less and less.

 ¡ATENCIÓN!

Antes de empezar, repasa las secciones de **Gramática** de los Capítulos 2 al 8, relacionadas con el subjuntivo.

Function	Verb in indicative or expression	que	Verb in subjunctive
Wants, **W**ishes, **W**ill	Los actores prefieren	que	la cartelera **tenga** sus nombres.
Emotion	Los aficionados se alegran de	que	la banda sonora **esté** disponible.
Doubt	Los críticos dudan	que	esa actriz **gane** el Óscar.
Denial	Lo estudios niegan	que	los boletos **cuesten** más que el año pasado.
Impersonal expressions	Es necesario	que	esa estrella de cine **interprete** el papel principal.
Negation **N**on-existent/ **N**ot defined	Los aficionados no creen No conozco a nadie	que que	la película **reciba** ningún premio. **sepa** más de cine que tú.
God	Ojalá	que	las butacas **sean** cómodas.

Some words that express a hypothetical condition imply probability or future action and are followed by subjunctive.

Function	Word or expression	Verb in subjunctive
probability	Quizás/Tal vez	la película no **tenga** muchos efectos especiales.
hypothetical condition	Si	**fuera** estrella de cine, tendría mucho dinero.
implied future actions	Cuando/Después (de) que/En cuanto/Tan pronto como	**estrenen** la película, iré con mis amigos.

Exploraciones

Remember that when you are faced with a decision to choose the subjunctive or indicative in the second clause, the subjunctive is generally used to refer to actions or states that are not for certain, are hypothetical, or are projected to occur in the future.

Indicative in the second clause	Subjunctive in the second clause
Los productores buscan a una actriz que **es** alta. (*An actress of this description is known to them, but they can't find her.*)	Los productores buscan una actriz que **sea** alta. (*An actress of this description has not been identified yet and they are still looking.*)
Es cierto que los camarógrafos **están** de huelga. (*It is known that they are on strike.*)	Es improbable que los camarógrafos **estén** de huelga. (*It is not known for sure but is doubtful that the camera operators are on strike.*)
Cuando se **estrena** una nueva película, los boletos están a la venta unas semanas antes. (*It is routine that when a movie comes out the tickets go on sale a few weeks before.*)	Cuando se **estrene** la nueva película de Gael García Bernal, los boletos se acabarán rápido. (*When this particular movie comes out, a time frame which is unknown, the tickets will sell out quickly.*)

In some cases, deciding on the subjunctive takes little thought as certain adverbial conjunctions that imply the result of a future action or provide additional information about the verb *always* take the subjunctive: **para que, a fin de que, antes de que, con tal de que.**

Los actores memorizan las líneas del guion **para que** los directores no **se enojen** con ellos.

The actors memorize the script lines so the directors don't get angry with them.

Con tal de que llegues temprano al cine, conseguiremos buenos asientos.

As long as you get to the movie theater early, we'll get good seats.

1 **Cine a lo grande** Escucha al conductor de un programa de cine hablar sobre el actor Gael García Bernal y su carrera. Según lo que escuches, completa las oraciones seleccionando la opción correcta.

La película *Coco* fue estrenada en 2017.

1. El conductor dice que no existe otro programa que…

   a. entreviste a tantas estrellas del cine.

   b. tenga mejor información sobre el cine.

   c. sea a la misma hora.

2. Tal vez la película *Coco*…

   a. te enseñe un poco sobre el Día de los Muertos.

   b. no sea la mejor actuación de Gael García Bernal.

   c. sea un documental.

3. El conductor recomienda que los televidentes…

   a. vean *Coco* por el trabajo de Bernal.

   b. eviten *Coco* por los estereotipos que tiene.

   c. lean sobre la vida de Ernesto "Che" Guevara antes de ver *Coco*.

4. Para los que quieren ver *Diarios de motocicleta* es necesario que primero…

   a. hagan un viaje en motocicleta.

   b. visiten varios países de América Latina.

   c. lean sobre la vida de Guevara.

5. El conductor se alegró de que…

   a. Bernal celebrara el Día de los Muertos todos los años.

   b. Bernal decidiera trabajar en la película *Amores Perros*.

   c. Bernal recibiera el premio Golden Globe por una de sus actuaciones.

2 **En la sala de cine** A veces, cuando vamos al cine, nos olvidamos de que nuestro comportamiento puede afectar la experiencia de otras personas.

Paso 1 Recuérdales (*Remind*) a tus amigos cómo deben comportarse en el cine, dándoles seis sugerencias. Puedes usar la imagen como guía.

Paso 2 En parejas, compartan sus recomendaciones. ¿Qué comportamientos creen que son más importantes que las personas sigan en las salas de cine?

Exploraciones

3 **Mi película favorita** ¿Tienes una película favorita? ¿Cuál es? Si no tienes una película favorita, piensa en una que hayas visto recientemente y te haya gustado.

Paso 1 Completa las oraciones para expresar tu opinión sobre la película.

1. No hay otra película que _____

2. Me alegro de que esta película _____

3. Los críticos recomiendan que _____

4. Es lamentable que esta película _____

5. Tal vez esta película _____

6. Recomiendo que _____

7. Me encanta que _____

Paso 2 En grupos pequeños, compartan sus opiniones sobre su película favorita y contesten las preguntas de sus compañeros/as.

4 **Situaciones** En parejas, hagan los papeles de A y de B para representar la situación.

Estudiante A Eres un(a) aficionado/a al cine y aunque cueste mucho más ir al cine que alquilar una película en línea, crees que ver una película debe ser un acto social compartido con otras personas. Conversas con un(a) amigo/a que tiene una opinión totalmente diferente. Expresa tu opinión sobre los beneficios de ir al cine (**Creo/No creo que…, Es necesario/importante que…, Voy al cine para que…**) y hazle recomendaciones para que aprenda a valorar la experiencia (**Sugiero que…**).

Estudiante B Te gusta ver películas, pero te parece más conveniente y más barato descargarlas en tu dispositivo electrónico que ir al cine. Conversas con un(a) amigo/a que solo ve películas en el cine. Explícale por qué prefieres no ir al cine (**Estoy seguro/a/ No estoy seguro/a de que…, Dudo que…, Es imposible que…**) y ofrécele algunas sugerencias para poder disfrutar de las películas fuera de las salas de cine.

Resources

Vhlcentral

WebSAM

☐ **I CAN** express desire, need, doubt, probability or emotion.

Los medios de comunicación

Los **medios de difusión**, como la televisión, la radio, los **periódicos** y las redes sociales, son **canales** clave que influyen en las opiniones de las personas. Los periodistas, a través de sus mensajes **transmitidos** en estos medios, tienen un impacto considerable en nuestra visión de la realidad. Los **locutores** de radio y los **noticieros** de televisión de los distintos canales y **emisoras** nos presentan una variedad de **reportajes** y entrevistas desde diferentes perspectivas. Tanto los programas **en vivo** como los **grabados** nos ofrecen diversos puntos de vista sobre los acontecimientos. Es fundamental estar expuestos a distintas fuentes de información para poder formar nuestra propia opinión acerca de una **noticia** y tener una visión más completa de los hechos. Además, en la era digital, podemos acceder a periódicos en línea, lo que nos permite entender los distintos temas desde variadas perspectivas y así formar una opinión más informada y crítica sobre los temas de interés.

Más palabras	Cognados
el programa de	el episodio
concursos *gameshow*	el/la presentador(a)
entrevistas *interview show*	el público
realidad *reality show*	
la revista *magazine*	
la telenovela *soap opera*	
el/la televidente *viewer*	
actual *current*	

Exploraciones

(1) **Emisoras de radio** Para tu clase de comunicaciones, vas a investigar emisoras de radio. Escucha la descripción de cuatro emisoras de radio y de su programación.

Paso 1 Indica si cada oración es **cierta** (**C**) o **falsa** (**F**), según lo que escuchas.

1. Radio Cultura transmite las 24 horas del día. .... **C F**

2. Radio Cultura transmite entrevistas, concursos
   y programas de realidad. .... **C F**

3. Radio Universal ofrece música tropical de América Latina. .... **C F**

4. Hay dos emisoras que tienen en su programación
   noticias deportivas: Radio 925 AM y Radio 970 AM. .... **C F**

5. Dos emisoras tienen presencia en internet: Radio
   Cultura 99.5 y Radio Latina 103 FM. .... **C F**

6. Si uno quiere escuchar un partido de fútbol, puede
   buscar la emisora 925 AM. .... **C F**

Paso 2 Completa la tabla con información sobre las cuatro emisoras.

Emisora	Programación	¿24 horas?	¿Presencia en línea?

Paso 3 En parejas, comparen sus respuestas y conversen sobre las emisoras. ¿Qué emisora prefieren escuchar? Expliquen sus respuestas.

(2) **¿Opiniones** En parejas, expresen sus opiniones sobre las siguientes oraciones. Utilicen expresiones como **(no) creo que, dudo que, (no) pienso que, (no) estoy seguro/a de que, (no) es cierto/verdad/evidente que...**

1. Internet es el medio de difusión más importante del mundo.

2. Es ilegal grabar una película y ponerla en línea.

3. La mayoría de jóvenes no escucha la radio.

4. No existe la censura en este país.

5. Los canales de televisión ofrecen una excelente variedad de programas.

3 **Preferencias** En parejas, conversen sobre sus preferencias relacionadas con los medios de comunicación. Usen las preguntas como guía.

1. ¿Cuál es el medio que usan para estar informados/as?

2. ¿Qué tipos de programas en vivo ven o escuchan?

3. ¿Qué tipo de televidente son? ¿Les gustan los programas de realidad? ¿O prefieren ver series con muchos episodios?

4. ¿Han asistido a la grabación de algún programa como público? ¿O han participado en algún programa de concursos? ¿Cómo fue la experiencia?

5. ¿Qué opinión tienen de los podcasts? ¿Escuchan alguno en particular? ¿Qué tipo de podcast es?

4 **El español cerca de ti** La música puede ser un puente (*bridge*) que une a la gente que habla distintos idiomas o que son de diferentes culturas. Busca una emisora de radio en español en tu comunidad o en internet y escúchala. ¿Qué tipo de música transmite? ¿Hay palabras o expresiones que reconozcas en las canciones?

Paso 1 Completa la tabla con la información sobre dos canciones que escuches en esa emisora.

Canciones	Título	Cantante	Expresión nueva
Canción N.º 1			
Canción N.º 2			

Enrique Santos presenta programas de radio y podcasts biculturales a través de IHeartLatino.

Paso 2 En parejas, comparen la información que encontraron. ¿Creen que la música crea un puente entre culturas? ¿Por qué?

☐ **I CAN** talk about the media.

Expressing actions without identifying the person or thing doing the action: The passive voice and *se* constructions

In Spanish, like English, there are times when we don't want to include the person or thing doing the action of the verb because it is not important to us or we simply don't know who or what did it.

There are three ways to express actions without identifying the person or thing doing the action in Spanish:

1. Using the passive voice with the verb **ser** + [PAST PARTICIPLE]:

La película **fue filmada** el verano pasado.	*The movie was filmed last summer.*

In the passive voice, the past participle agrees with the subject in number and gender.

Normalmente los subtítulos **son traducidos** inmediatamente después de filmar.	*Normally subtitles are translated immediately following filming.*

In cases when you want to identify the person or thing doing the action, it appears after the word **por**: **por** + [DOER].

Normalmente los subtítulos son traducidos inmediatamente después de filmar **por traductores profesionales.**	*Normally subtitles are translated immediately following filming by professional translators.*

2. Using the pronoun **se** (also called called the "passive **se**"):

Se compuso la música para la película antes que el guion.	*The music was composed for the movie before the script.*
Los premios **se entregaron** en el espectáculo de los Óscar.	*The awards were given during the Oscars show.*

In the previous examples, we do not know who composed the music or who gave the awards, just that music was composed before the script and the awards were given during the Oscars.

3. Using the impersonal **se** (which is always used in the third person singular form and often translated as the generic *one*, *you*, or *they*):

Se vive bien en las telenovelas.	*One lives well in soap operas.*
Se está mucho más cómodo viendo el noticiero en casa.	*You are much more comfortable watching the news from home.*
Se habla mucho de política en la televisión de América Latina.	*They talk a lot about politics on TV in Latin America.*

Two other uses of **se** that we have seen previously, but that are not related to
the uses above, are worth reviewing: the **se** in double object pronouns and the
reflexive pronoun **se**:

▶ In cases where the indirect pronoun **le** or **les** would normally appear before the
direct object pronouns **lo/la** or **los/las**, the pronoun **se** is used as a replacement.

Los actores rechazaron los premios para protestar, así que no **se** los dieron. (se = les; los = los premios)	*The actors rejected the awards in protest so they were not given to them.*

▶ **Se** is used in reflexive constructions in which the subject of the verb doing the
action is also the object receiving the action.

El presentador **se** graba mientras ensaya para el programa. (se = el presentador)	*The host records himself while rehearsing for the show.*

(1) **Programa de televisión** Escucha lo que cuenta la presentadora de
televisión, Maribel González, y luego selecciona la opción que complete
las oraciones correctamente.

1. El programa de Maribel se enfoca en…
   a. el análisis de los noticieros de México y las últimas noticias
   internacionales.
   b. hablar sobre los programas de realidad mexicanos.
   c. comentar lo que pasa en las telenovelas mexicanas.

2. En el programa de Maribel…
   a. se habla de lo que puede pasar en los programas que analizan.
   b. se entrevista a los protagonistas de los programas que analizan.
   c. se contestan las preguntas del público.

3. *TeleLatina* se llama…
   a. el programa de televisión que la conductora está comentando
   esta semana.
   b. el canal de televisión que transmite el programa de Maribel.
   c. la compañía de José Alonso.

4. Se sabe que…
   a. la novia de Ricardo es María.
   b. Ricardo tiene un muy buen trabajo.
   c. Ricardo tiene mucho éxito con las mujeres.

5. En el próximo episodio del *Secretos del corazón* se sabrá(n)…
   a. quién es el dueño de la compañía.
   b. las razones de María para actuar así.
   c. quiénes fueron a la fiesta de la compañía.

Exploraciones

(2) Opinión Estás leyendo la sección de comentarios de las noticias en línea.

Paso 1 Lee este comentario sobre los medios de comunicación y selecciona los verbos en la voz pasiva, el **se** pasivo y el **se** impersonal.

> Frecuentemente escuchamos que la influencia de los medios de comunicación es profunda en la sociedad contemporánea. Se dice que las opiniones son moldeadas y las tendencias son establecidas por las noticias y la programación televisiva. También se advierte que el consumo excesivo de contenido mediático puede llevar a una percepción distorsionada de la realidad. Observamos también que las noticias a menudo se filtran y se presentan de manera selectiva. Se sabe que los medios juegan un papel crucial en la formación de la opinión pública, así que es fundamental que analicemos críticamente la información que consumimos. Depende de nosotros.

Paso 2 Selecciona las afirmaciones con las que estás de acuerdo y con las que no estás de acuerdo. Luego, en parejas, conversen sobre este comentario.

(3) Programas de televisión Piensa en dos de tus programas favoritos de televisión y sus características principales.

Paso 1 Para cada uno de los programas, toma nota de cuatro de sus características, utilizando el **se** pasivo y el **se** impersonal para no especificar quiénes hacen las acciones.

> **Modelo** *En este programa se cuenta la historia de estudiantes universitarios... Se ven los problemas de... Se habla de...*

Univisión es la cadena de televisión en español con más televidentes en Estados Unidos.

Paso 2 En parejas, sin mencionar el nombre del programa, describan sus programas con la información del paso anterior. Háganse preguntas sobre los programas sin especificar quiénes hacen las acciones para adivinar (*guess*) los nombres de los programas.

(4) Preguntas variadas En parejas, con ayuda de un dispositivo electrónico, un(a) estudiante va a buscar y anotar las respuestas de las preguntas 1, 3, 5 y 7, y la otra persona, las de las preguntas 2, 4 y 6. Háganle las preguntas a su compañero/a. Él/Ella debe contestarlas (sin consultar ningún dispositivo) usando la voz pasiva con **ser** + *participio pasado* + **por** + *quien hace la acción*.

> **Modelo** **Estudiante A:** *¿Quién interpretó el papel de Antón Chigurh en No Country for Old Men?*
> **Estudiante B:** *El papel de Antón Chigurh fue interpretado por Javier Bardem.*
> **Estudiante A:** *Correcto. El papel fue interpretado por Javier Bardem.*

1. ¿Quién dirigió la película *Roma*?

   _____

2. ¿Quién hizo el papel de Anita en la película *West Side Story* de 2021?

   _____

3. ¿Quién compuso la canción "We don't talk about Bruno" de la película *Encanto*?

   _____

4. ¿Qué país ganó la Copa Mundial de Fútbol en 2022?

   _____

5. ¿Quién lideró el Grito de Independencia en México el 16 de septiembre de 1810?

   _____

6. ¿Quién escribió la novela *Como agua para chocolate*?

   _____

7. ¿Qué tenista español ganó el torneo de Roland Garros nueve veces?

   _____

STUDENT TIP: Listening to Music (by Katie Kennedy, Xavier University)

One of my favorite things to do in Spanish is to listen to Spanish music outside of class. It's a good way for me to learn new vocabulary… *Go online to watch the complete learning tip.*

 Video: Tip

---

⑤ **Situaciones** En parejas, hagan los papeles de A y de B para representar la situación.

Estudiante A Trabajas para una estrella de cine. Le estás contando a un(a) amigo/a la poca independencia que tienen los famosos porque muchas personas hacen cosas por ellos. Descríbele la rutina diaria de la estrella de cine (**levantarse, peinarse, comprarse la comida, arreglarse, maquillarse, vestirse, coordinar el horario**, etc.). También, cuéntale los mitos que la gente cree sobre la vida de los famosos que no son ciertos (**Se dice que…, Se cree que…**, etc.).

Estudiante B Estás conversando con un(a) amigo/a que trabaja para una estrella de cine muy famosa. Él/Ella te está contando sobre la rutina diaria de la estrella de cine y estás sorprendido/a de todas las cosas que otras personas hacen por él/ella. Hazle preguntas a tu amigo/a para saber qué cosas hace la estrella de cine y cuáles no. Pregúntale también sobre algunos rumores que has escuchado sobre el estilo de vida de los famosos (**Se dice que…, Se cree que…**, etc.).

☐ **I CAN** express actions without identifying the person or thing doing the action.

Learning Objective: Express ideas about pastimes related to music, acting, movies or art.

Audio: Reading

Episodio #11: Lidia Sánchez Molina

Antes de escuchar

1 La historia de Lidia Lidia va a hablar sobre su carrera musical.

Paso 1 Busca información sobre la música ranchera y escucha algunas canciones. Luego contesta las preguntas.

1. ¿Cómo es la música ranchera? Descríbela.

2. ¿Cuáles son los instrumentos que se usan en este tipo de música?

3. ¿Dónde se originó esta música?

4. ¿Quiénes son los cantantes más populares de esta música?

Paso 2 En parejas, compartan sus opiniones sobre este tipo de música.

Mientras escuchas

2 Afirmaciones falsas Escucha lo que cuenta Lidia y corrige estas oraciones falsas para que sean ciertas.

1. Lidia empezó a cantar cuando tenía doce años.

2. Lidia no toca ningún instrumento.

3. El concierto más grande que ha dado la banda fue en Puebla.

4. La banda va a grabar su segundo álbum.

5. La banda planea mudarse a Estados Unidos.

Después de escuchar

3 Pasatiempo artístico Piensa en un pasatiempo artístico que tengas (relacionado con la música, la actuación, el cine o el arte).

Paso 1 Describe tu pasión o pasatiempo artístico. Incluye estas preguntas.

- ¿Cómo nació este pasatiempo o pasión?

- ¿Quién fue una influencia en este pasatiempo?

- ¿Has participado en algún evento público demostrando este pasatiempo?

- ¿Qué esperas para el futuro en relación con este pasatiempo? ¿Crees que este pasatiempo pueda convertirse en un trabajo a tiempo completo?

Paso 2 En parejas, compartan sus descripciones. ¿Quién tiene el pasatiempo menos común?

Resources

Vhlcentral

Online activities

□ **I CAN** express ideas about pastimes related to music, acting, movies or art.

Juan Magán en concierto

Lee el blog de Sofía sobre el artista de música electrolatina, Juan Magán.

www.el_blog_de_sofia.com/Juan_Magan

Juan Magán en concierto

La última vez que estuve en España, fui a un concierto de Juan Magán en Barcelona. Magán es productor discográfico, mezclador, disyóquey (*DJ*), compositor, letrista y cantante, y se ha dedicado a la música desde el año 1995. Hace algunos años se convirtió en una figura internacional, primero por su trabajo en el dúo llamado Magán y Rodríguez, y luego como solista. Hoy día vive en la República Dominicana, pero nació y creció en Badalona, España. Se casó con la dominicana Mariah Elisa Peralta y tienen cuatro hijos. En mayo de 2015, el cantante adquirió la ciudadanía dominicana y cuenta que se siente tan dominicano como español.

Durante el concierto de música electrolatina, un género que creó Magán y que fusiona la música electrónica y la latina, reconocí varias de sus canciones, como *Verano azul*, *Mariah*, *Bailando por ahí*, *Love me*, *Bailando por el mundo* y *Se vuelve loca*. El público se puso a bailar con pasión y alegría cuando Magán tocó y canto su éxito *He llorado*, con casi 300 millones de reproducciones en línea. Para muchos, su música es terapia para el cuerpo, el alma y la mente; es una cura para nuestro mundo, lleno de estrés y caos. Su música es tan poderosa que cuando muchos la oyen los puede transportar a un momento especial. Después del concierto, estoy convencida de que Juan se ha convertido en una de las figuras más importantes de la música latina internacional. ¡Creo que estoy de acuerdo con quienes piensan que él es el rey del sonido electrolatino!

(1) Canciones ¿Has escuchado la música de Magán? ¿Qué canciones has escuchado? Si no lo has hecho, haz una búsqueda en internet de sus canciones. ¿Qué canciones te gustan más? ¿Cómo describirías el estilo de su música?

(2) Letra Elige una canción de Juan Magán y busca la letra. Escribe una explicación para justificar tu selección. Copia la letra de la canción e intenta traducirla al inglés. ¿La letra en inglés va en sincronía con la música original? Luego, en parejas, compartan su trabajo. ¿Qué piensan de las canciones?

(3) Mi blog En tu blog, escribe sobre tu cantante preferido/a. Puede ser una estrella de música *hip hop*, *R&B*, reguetón u otro género. ¿De dónde es? ¿Cuáles son sus canciones más conocidas? ¿Qué significan las letras de sus canciones para ti? ¿Has ido a alguno de sus conciertos alguna vez? ¿Cómo fue la experiencia? Puedes incluir fotos del/de la cantante.

☐ **I CAN** examine the work of a famous musician.

Experiencias   Cultura y sociedad

Las mujeres en la industria del cine históricamente han sufrido una significativa subrepresentación y disparidades de género. En muchas ocasiones se les ha puesto en un segundo lugar: en roles estereotipados o en limitados puestos detrás de cámara. Vas a leer un texto donde se describe esta situación y se ofrecen algunas propuestas para mejorarla.

Audio: Reading

Antes de leer

(1) La industria del cine Contesta las preguntas. Luego, en parejas, compartan sus respuestas.

1. ¿Quién es tu actriz favorita? ¿Por qué?

2. ¿Cuál fue la última película protagonizada por una mujer que viste?

3. Piensa en cinco actrices famosas de hoy en día. ¿Cómo son ellas? ¿Cuántos años tienen más o menos?

4. ¿Cuáles son los papeles que realizan las mujeres en el cine o la televisión?

5. ¿Qué actrices hispanas o latinas conoces? Elige una y describe uno de sus papeles más importantes.

6. ¿Cuáles son los desafíos de ser actriz de cine en tu opinión?

(2) Vocabulario Identifica las palabras en el texto y luego indica qué definición corresponde a cada palabra.

_____ **1.** taquillero/a

_____ **2.** galardonado/a

_____ **3.** reflejar

_____ **4.** dirigir

_____ **5.** significativo/a

_____ **6.** relegado/a

_____ **7.** el/la amante

a. guiar y entrenar a los actores y demás personas que intervienen en una película

b. pareja romántica de una persona casada con otra

c. mostrar o reproducir una imagen o idea

d. que recibe un premio

e. que tiene una importancia o propósito

f. que fue asignado/a a un lugar inferior o menos importante

g. espectáculo pagado que atrae a mucho público

El papel de la mujer
en la industria del cine

El papel de las mujeres en el cine no refleja adecuadamente los cambios ocurridos en la sociedad, especialmente para las mujeres hispanas. A lo largo de la historia de los premios Óscar, ninguna
5 mujer hispana ha ganado el premio a la mejor actriz, y solo tres han sido galardonadas como mejores actrices secundarias: Rita Moreno en *West Side Story* (1961), Penélope Cruz en *Vicky Christina Barcelona* (2009) y Ariana DeBose en *West Side Story* (2021).
10 Además, las mujeres siguen siendo relegadas a roles limitados tanto en el cine y la televisión, a menudo interpretando personajes de esposa, hermana, novia o amante, con pocas oportunidades para papeles más significativos.

15 En un artículo de la revista *Variety* sobre la industria cinematográfica en 2022, se encontró que las mujeres solo representaron el 33% de los protagonistas en las cien películas más taquilleras de Estados Unidos. Asimismo, las mujeres representaron solamente el
20 37% de todos los personajes que hablan, mientras que el 80% de las películas presentaba más personajes masculinos que femeninos. Además, se observó que los personajes femeninos que hablan eran predominantemente blancos (64%), seguidos
25 por personajes negros (18%), latinos (7%) y asiáticos (8%). Otro problema significativo es que los papeles para mujeres tienden a desaparecer al llegar a cierta edad; la mayoría de los papeles femeninos en estas películas son para actrices menores de 40 años, con
30 solo un 14% entre las edades de 40 y 49 años, y un escaso 7% para mujeres mayores de 60 años.

Para mejorar esta situación en la industria cinematográfica mundial, es necesario promover la participación activa de más mujeres como
35 directoras y escritoras en la toma de decisiones° sobre el cine y elenco°. Estudios han demostrado que cuando una mujer dirige o escribe una película, más de la mitad de los protagonistas son mujeres, mientras que en producciones con exclusivamente
40 directores y escritores masculinos, este número disminuye al 23%. Asimismo, es fundamental lograr

Ariana DeBose y Rita Moreno en la celebración de los Premios AFI

la igualdad de salarios entre actores y actrices, pues sigue existiendo una desigualdad significativa que necesita ser corregida. Finalmente, el público debe
45 demandar más mujeres protagonistas en papeles importantes, promoviendo personajes femeninos fuertes y significativos, en lugar de roles secundarios o meramente decorativos. Con estos cambios, podemos mejorar la situación para las actrices en
50 todo el mundo. ●

toma de decisiones *decision making* **elenco** *cast*

Experiencias

Después de leer

(3) Para entender los números Busca estos números en el texto y escribe un breve resumen de su significado con la información correspondiente del texto.

1. 7%
2. 23%
3. 14%
4. 33%
5. 80%
6. 0

(4) Análisis En parejas, conversen y den su opinión sobre las preguntas.

1. ¿Por qué creen que en las películas hay más hombres que mujeres?

2. ¿Cómo se puede aumentar el número de mujeres como protagonistas en las películas?

3. Las películas con superhéroes casi siempre tienen hombres como protagonistas con algunas pocas excepciones en años recientes. ¿Por qué creen que ha sido así?

4. ¿Cuáles creen que son las razones de la representación desigual de mujeres en el cine actual?

5. La población mayor tampoco está representada equitativamente en el cine. ¿Cómo se puede representar mejor a esta población?

(5) A escribir Vas a escribir un ensayo corto sobre los salarios en el cine. Lee la estrategia de escritura y sigue los pasos.

⟳ Estrategia de escritura: Circumlocution

As you write, you may come to a roadblock, unable to think of a word in Spanish. Instead of relying on a dictionary or translating, use the circumlocution strategy where you think of another way to say something, other words to describe what you mean when you can't think of or don't know the word you need. This workaround forces you to keep thinking in Spanish and serves to focus your attention on what you would like to say in Spanish so you can continue writing.

Paso 1 Un estudio de la Universidad de Wisconsin encontró que las estrellas de cine femeninas ganan un promedio de un millón de dólares menos que sus colegas masculinos por papeles similares. Escribe un ensayo corto de 125 a 150 palabras en el que expliques tu opinión sobre este estudio.

Paso 2 En parejas, compartan lo que escribieron y ayúdense a corregir la gramática y la estructura de los ensayos.

Resources

Vhlcentral

Online activities

☐ **I CAN** compare practices and perspectives related to gender inequalities in the motion picture industry.

María Amparo Escandón (1957–)

María Amparo Escandón es una destacada escritora de novelas y narrativa breve, además de ser guionista y productora bilingüe. Su carrera literaria se centra en temas como el feminismo, la migración, el biculturalismo y la relación entre México –su país de origen– y Estados Unidos –su país de residencia–. Entre sus obras más destacadas se encuentra *Santitos*, una novela que ha sido traducida a veinte idiomas y publicada en ochenta países. Escandón también escribió el guion para la película basada en su exitosa obra del mismo nombre.

Antes de leer

Estrategia de lectura: Using Capitalized Words

To help you get a head start on comprehending a reading, try finding all of the proper nouns or all of the capitalized words in a reading. Underline or highlight each one as you look over the text. Then, use the words that you have identified to see if they give you a picture of what the text is about. Where does it take place? Who are the main people involved? Use this information to help you form an idea about what you are about to read. Once you read the text a few times, you can decide if your predictions were correct.

(1) **Temas** La protagonista de este fragmento, Esperanza Díaz, es una joven viuda (*widow*) que busca a su hija desaparecida. Selecciona las ideas que piensas encontrar en el texto.

☐ la familia de Esperanza

☐ una descripción de la hija de Esperanza

☐ los detalles de la desaparición de la hija de Esperanza

☐ la ciudad de origen de Esperanza

☐ lo que piensa hacer Esperanza para buscar a su hija

☐ los amigos de Esperanza

☐ la vida diaria de Esperanza

(2) **Vocabulario** Vas a familiarizarte con el vocabulario del fragmento.

Paso 1 Lee por encima (*Skim*) el fragmento e identifica todos los cognados.

Paso 2 Encuentra cada término en el texto y escribe a qué se refiere específicamente según el contexto.

el recado	de puntillas	la veladora
el nicho	milagroso	la tumba

Paso 3 En México, la gente devota reza a sus santos (*pray to the saints*) a través de sus estatuas en las iglesias y en pequeños altares en sus casas. Lee rápidamente el texto para encontrar los santos mencionados.

Santitos

(fragmento)

Mira, san Martín, tú que eres tan bueno, tan milagroso, por favor dale este recado a san Judas Tadeo: dile que tenía razón. Dile que Blanca, mi hija, no está en su tumba. Pregúntale qué
5 debo hacer ahora. Yo misma se lo preguntaría, pero no quiero ir a su nicho, allá enfrente, en este estado. Toda la gente me miraría y se distraería de la misa.

San Martín de Porres permaneció quieto, pero Esperanza vio que sus ojos miraban en dirección a
10 san Antonio de Padua, al otro lado de las bancas°. Esperanza supo en ese momento con qué santo debía hablar y agradeció a san Martín su ayuda. De puntillas se acercó a san Antonio, patrono de la gente perdida, e invocado por mujeres que desean conseguir marido°.

15 San Antonio de Padua vestía una túnica de terciopelo azul, descolorida y rasgada. Docenas de fotos de novios y jovencitas listas para el casamiento colgaban de ella prendidas° con alfileres°. Por unos novios de azúcar, de los que adornan los pasteles de bodas, subía una hilera
20 de hormigas° que llegaba hasta el pelo de chocolate de la novia. En la pared que había detrás de la figura del santo, algunos retablos y devotos mostraban ilustraciones de niños perdidos, o de viejas solteronas que al fin se habían casado. San Antonio de Padua
25 cargaba al Niño Jesús en el brazo derecho y sostenía una lila° de cera° polvorienta y desgastada en la mano izquierda. Esperanza sacó de su cartera, mojada y cubierta de lodo, una foto tamaño pasaporte de Blanca y la prendió a la túnica del santo con un segurito que
30 encontró en el suelo.

—San Antonio —le dijo al santo en voz baja—, yo sé que tú, que eres tan milagroso, puedes encontrar un grano de sal en el desierto, así que ayúdame a encontrar a Blanca.

35 A continuación encendió una veladora y metió una moneda° por la ranura de la caja de limosna°. En ese momento, como si hubiera sido activado por la moneda como un cochecito de feria, san Antonio de Padua volvió la mirada° hacia Esperanza. Su tez° brillaba. La
40 cera que cubría la flor se derritió y debajo apreció una lila natural salpicada de rocío que despedía un aroma imposible de identificar, quizá porque en Tlacotalpan no había lilas. Las voces gangosas de las viejitas que cantaban a toda nariz y los demás ruidos de la iglesia
45 se esfumaron de pronto y dejaron a Esperanza sola con su santo hasta que el padre Salvador pronunció las últimas palabras.

—En el nombre del Padre, del Hijo y del Espíritu Santo, Amén. Podéis ir en paz, que la misa° ha terminado.
50 Pueden irse a amarse los unos a los otros.

El padre hizo la señal de la cruz en el aire con el fin de abarcar a todos los fieles de una vez y desapareció detrás de la puerta lateral. Esperanza se arrodilló° en el reclinatorio y se cubrió la cara, como si estuviera
55 muy concentrada en un rezo°, para que no la vieran. No quería alarmar a nadie. Cuando dejó de oír pasos, se levantó. Estaba sola, rodeada únicamente de estatuas que representaban a santos estoicos y sufrientes.

—Gracias por darme tanta fuerza, san Antonio. Ya la
60 siento recorrer mi cuerpo. Tenías razón. Blanca es un granito de sal en el desierto, pero tú me vas a ayudar — le dijo emocionada—. Es más —agregó dirigiéndose a los demás santos—, todos ustedes me van a acompañar.

Los ojos de san Antonio de Padua volvieron a ser de mármol.
65 Su lila se cubrió de cera. Esperanza le dio un beso en el dedo gordo del pie y corrió en busca del padre Salvador. ●

---

bancas *benches* **marido** *husband* **prendidas** *attached* **alfileres** *pins* **hormigas** *ants* **lila** *lily* **cera** *wax* **moneda** *coin* **caja de limosna** *alms box* **volvió la mirada** *turned his gaze* **tez** *skin* **misa** *mass* **se arrodilló** *knelt* **rezo** *prayer*

Después de leer

(3) **Comprensión** Selecciona la opción correcta para completar las oraciones según el texto.

1. Esperanza le habla primero a…
   a. san Antonio de Padua.
   b. san Martín de Porres.
   c. san Judas Tadeo.

2. Esperanza habla con san Antonio de Padua porque…
   a. él es el santo patrono de la gente perdida.
   b. san Martín estaba ayudando a otra persona.
   c. Esperanza quiere casarse.

3. Esperanza puso en la túnica del santo…
   a. la foto de Blanca.
   b. una veladora.
   c. un poco de dinero.

4. Esperanza quiere que san Antonio de Padua…
   a. la cure de su enfermedad.
   b. le encuentre un esposo.
   c. le ayude a encontrar a Blanca.

5. Después de encender la veladora, Esperanza…
   a. se fue a escuchar misa.
   b. puso dinero en la caja de limosna.
   c. comió una figura de azúcar.

(4) **Análisis** En parejas, intercambien ideas y contesten las preguntas.

1. ¿Cómo se ve la importancia de los santos en la vida de algunos mexicanos?

2. ¿Qué comparación hace la autora cuando Esperanza le pone la moneda a san Antonio de Padua?

3. ¿Qué eventos inexplicables pasan en la narración?

4. ¿Por qué creen que Esperanza va a hablar con el padre Salvador?

(5) **Investigación** Busca en internet el tráiler de la película *Santitos*, basada en la novela de María Amparo Escandón.

Paso 1 Mira el tráiler y haz una lista de las escenas.

Paso 2 Contesta las preguntas.

1. ¿Cómo reaccionan las personas cuando Esperanza les dice que piensa buscar a su hija Blanca?

2. ¿Qué piensas que va a pasar en la película? ¿Logrará encontrar a su hija?

Paso 3 En parejas, comparen su lista de escenas. ¿Notaron las mismas escenas? ¿Qué otro nombre le pondrían a la película? ¿Por qué?

Resources

VhIcentral

Online activities

☐ **I CAN** interpret a literary passage.

Sueños

Vas a ver un cortometraje sobre un vendedor ambulante (*street vendor*) que sube a los autobuses para vender distintos artículos, entre otros, sueños (*dreams*). Lee la estrategia intercultural antes de ver el video.

Estrategia intercultural: Interactions With Native Speakers

One of the best ways to increase your cultural awareness and competency is through interactions with native speakers of Spanish. Search for a native speaker in your community who may want to participate in a language exchange, speaking English for half of the time and Spanish for the other half. If none are available, you can also consider exploring online language exchanges. For such an exchange to be successful, keep an open mind, listen intently, and try not to prejudge the practices, products, and perspectives of those with whom you speak. This can help you develop greater cultural sensitivity and expose you to various cultures in the Spanish-speaking world.

Antes de ver

1 **Preparación** En parejas, compartan sus opiniones sobre los sueños. ¿Es importante tener sueños sobre lo que queremos lograr en la vida? ¿Se ha cumplido algún sueño que tenían de niños/as? ¿Alguna vez han pedido un deseo al echar una moneda en una fuente? ¿Se cumplió?

2 **Vocabulario** Indica qué definición corresponde a cada palabra.

_____ **1.** anhelar

_____ **2.** apagado/a

_____ **3.** desesperado/a

_____ **4.** empujar

_____ **5.** el hilo

a. desear intensamente algo

b. que no tiene energía

c. hacer fuerza para mover algo o a alguien

d. que ha perdido la esperanza

e. material textil delgado utilizado para coser

Mientras ves el video

3 **Expresiones y palabras regionales** Intenta adivinar (*guess*) el significado de estas expresiones características del habla argentina, según el contexto. Luego, en parejas, comparen sus respuestas.

el pibe	luchándola	el bondi
el colectivo	che	bancarse

4 **Escenas** Ordena las escenas A, B, C y D según aparecen en el cortometraje.
Escribe 1, 2, 3 o 4 en la imagen correspondiente.

_____ **A.** "Es que a la gente no le va
bien. Están cada día más
apagados, más grises".

_____ **C.** "Cuando vos dijiste lo del
sueño, yo cerré los ojos
bien fuerte…"

_____ **B.** "Voy a permitirme robarles dos
minutos de su amable atención".

_____ **D.** "Les voy a vender un sueño"

Después de ver

5 **Comprensión** En parejas, contesten estas preguntas.

1. ¿Cómo era la conducta de las personas que viajaban en el autobús?

2. La abuela dice que la gente está cada vez más apagada. ¿Por qué lo dice?

3. ¿Por qué fue el hombre a la casa del vendedor de sueños?

6 **Interacciones con hablantes nativos** El próximo año planeas viajar a la
tierra del vendedor de sueños, Argentina. Además de estudiar español, has
aprendido algunas expresiones propias del habla de ese país, pero quieres
interactuar con hablantes nativos antes del viaje para conocer mejor la cultura.

Paso 1 Busca en internet un servicio que conecte a estudiantes de español
con hablantes nativos argentinos. Incluye esta información.

- nombre y costo del servicio
- forma de interacción: audio,
  video, texto
- características de los hablantes
  nativos
- otros aspectos del servicio

Paso 2 En parejas, compartan la información que encontraron. ¿Qué servicio
les parece mejor? ¿Por qué?

Resources

Ⓢ
Vhlcentral

🛜
Online
activities

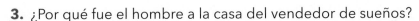

☐ **I CAN** identify opportunities to interact with native speakers.

Experiencias

Proyectos

1 **¿Cuánto influyen los medios en nuestra sociedad?** ¿Lees reseñas de películas antes de verlas? Para el club de cine, la presidenta le ha pedido a cada miembro hacer una reseña de una película para compartirla en la página web del club. Así todos los miembros podrán seleccionar las películas según sus gustos.

Paso 1 Consulta los materiales del capítulo: videos, lectura, presentaciones, etc. También repasa el vocabulario y la gramática del capítulo. Toma nota de las palabras y expresiones útiles.

Paso 2 Elige una película que te interese.

Paso 3 Mientras ves la película, toma apuntes sobre el argumento, los/las protagonistas y las escenas principales. ¿Cuál es el género de la película? ¿Es apta para toda la familia? ¿Tiene efectos especiales? ¿Quiénes interpretan a los personajes principales? ¿Cómo es la banda sonora? ¿Qué impacto ha tenido en tu cultura o en la sociedad?

Paso 4 Escribe tu reseña incluyendo la información del paso anterior. También incluye un resumen de la historia y una evaluación de las interpretaciones de los papeles más importantes y del argumento. ¿Recomiendas que la vean? ¿Por qué?

Paso 5 Presenta tu reseña con la información que preparaste. Trata de convencer a tu audiencia de por qué (no) deben ver esa película. Puedes compartir fotos de la película o de los actores y actrices que participan.

☐ **I CAN** present a movie review.

> **¡ATENCIÓN!**
>
> Ask your instructor to share the **Rúbrica** to understand how your work will be assessed.

Experiencias profesionales Vas a escribir una reflexión sobre tus **Experiencias profesionales** de los Capítulos 7 al 10.

Paso 1 En parejas, intercambien ideas y contesten las preguntas.

1. ¿Qué has aprendido sobre tu área de interés profesional haciendo **Experiencias profesionales**?

2. ¿Cuál fue tu actividad favorita? ¿Por qué?

3. ¿Qué actividad fue un desafío completar?

4. ¿Cómo puedes usar el español en tu carrera profesional en el futuro?

5. ¿Cómo te ayudaría en tu carrera profesional si sigues estudiando español?

Paso 2 Usa la información del paso anterior para escribir una reflexión de entre 250 y 300 palabras en español sobre lo que has aprendido de la cultura hispana, el español, tu área de interés profesional y el uso del español en esa área. Incluye tus planes para el futuro sobre el español en tu carrera.

☐ **I CAN** reflect on the career skills and interests related to my field of study.

Repaso

Audio:
Vocabulary Tools

Repaso de objetivos

Reflect on your progress toward the chapter main goals.

I am able to...

	Well	Somewhat
Identify perspectives and practices related to film and music.	☐	☐
Talk about the entertainment industry and media.	☐	☐
Compare products, practices, and perspectives related to the role of entertainment in society.	☐	☐
Present a movie review.	☐	☐
Reflect on the career skills and interests related to my field of study.	☐	☐

Repaso de vocabulario

La industria del cine y la música
The movie and music industry
la actuación   *performance*
el argumento   *plot*
la banda sonora   *soundtrack*
la butaca   *theater seat*
el/la camarógrafo/a   *camera operator*
la cartelera   *billboard; movie listings*
el/la compositor(a)   *song writer, composer*
los dibujos animados   *cartoons*
la entrada   *ticket*
la escena   *scene*
la estrella de cine   *movie star*
el género   *genre*
la grabación   *recording*
el guion   *script*
la película
   de acción   *action movie*
   de terror   *horror movie*
el premio   *award, prize*
la reseña   *review*

aficionado/a...   *fond of...*
apto/a para toda la familia   *suitable for the
   entire family*
entretenido/a   *entertaining*
exitoso/a   *successful*

entretener   *to entertain*
estrenar   *to premiere*
interpretar el papel de...   *to play the role of...*

Cognados
la comedia
el/la director(a)
el documental
el drama
los efectos especiales
el póster
el tráiler

filmar
producir (c:zc)

Los medios de comunicación   *Media*
el canal   *channel*
la emisora   *radio station*
el/la locutor(a)   *announcer, presenter*
los medios de difusión   *broadcast media*
la noticia   *news*
el noticiero   *news (program)*
el periódico   *newspaper*
el programa de
   concursos   *gameshow*
   entrevistas   *interview show*
   realidad   *reality show*
el reportaje   *report*
la revista   *magazine*
la telenovela   *soap opera*
el/la televidente   *viewer*

actual   *current*
en vivo   *live*

grabar   *to record*
transmitir   *to broadcast*

Cognados
el episodio
el/la presentador(a)
el público

Repaso de gramática

1 Summary of the subjunctive

Function	Verb in indicative or expression	que	Verb in subjunctive
Wants, **W**ishes, **W**ill	Los actores prefieren	que	la cartelera **tenga** sus nombres.
Emotion	Los aficionados se alegran de	que	la banda sonora **esté** disponible.
Doubt	Los críticos dudan	que	esa actriz **gane** el Óscar.
Denial	Lo estudios niegan	que	los boletos **cuesten** más que el año pasado.
Impersonal expressions	Es necesario	que	esa estrella de cine **interprete** el papel principal.
Negation **N**on-existent/ **N**ot defined	Los aficionados no creen No conozco a nadie	que que	la película **reciba** ningún premio. **sepa** más de cine que tú.
God	Ojalá	que	las butacas **sean** cómodas.

Function	Word or expression	Verb in subjunctive
probability	Quizás/Tal vez	la película no **tenga** muchos efectos especiales.
hypothetical condition	Si	**fuera** estrella de cine, tendría mucho dinero.
implied future actions	Cuando/Después (de) que/En cuanto/Tan pronto como	**estrenen** la película, iré con mis amigos.

2 Passive voice and **se** constructions

- Passive voice: La película **fue filmada** el año pasado.
- Passive **se**:   **Se compuso** la música de la película antes que el guion.
     Los premios **se entregaron** en el espectáculo de los Óscar.
- Impersonal **se**:   **Se vive** bien en las telenovelas.

Other uses of **se**:

- Double object pronoun: Los actores rechazaron los premios para protestar, así que no **se** los dieron.
- Reflexive construction: El presentador **se** graba mientras ensaya para el programa.

Resources

Vhlcentral

Online activities

Capítulo 12 | ¿Cómo podemos construir puentes entre culturas?

OBJETIVOS DE APRENDIZAJE

By the end of this chapter, I will be able to...

- Identify perspectives and practices related to living in a globalized society.
- Talk about studying abroad and using idiomatic expressions.
- Compare products, practices, and perspectives related to studying abroad.
- Describe strategies for effective intercultural interactions.
- Describe what I learned in relation to my area of professional interest.

ENCUENTROS

Sofía sale a la calle: Perspectivas sobre vivir en un mundo globalizado

Panorama actual: Estudiar en el extranjero

EXPLORACIONES

Vocabulario

Los estudios en el extranjero

Las expresiones idiomáticas

Gramática

The infinitive

Relative pronouns

EXPERIENCIAS

Blog: Estudiar en el extranjero

Cultura y sociedad: El choque cultural

Literatura: *El cuaderno de Maya*, de Isabel Allende

Intercambiemos perspectivas: *Entre Campus: Pasantía Perú*

Proyectos: ¿Cómo podemos construir puentes entre culturas?, Experiencias profesionales

Perspectivas sobre vivir en un mundo globalizado

Lee y reflexiona sobre la estrategia intercultural de este capítulo.

Estrategia intercultural: Seeing the World through a New Lens

As you examine new experiences and perspectives, you will begin to see the world through a new lens. Sometimes we get caught up in our own world or "bubble," and we don't notice that there is a whole world of different ways of viewing reality. Seeing the world through a new lens means that you realize that your way of thinking and doing things is not *the* way, but simply one way. There are many others to consider and to learn about.

Antes de ver

1 **Entrando en el tema** Sofía entrevista a Viviana, Gastón y Michelle sobre cómo el viajar nos puede ayudar a apreciar otras culturas. El concepto "cultura" puede significar muchas cosas diferentes y la interpretación de su significado varía entre las personas.

Paso 1 Completa el diagrama, primero con los elementos que creas que son esenciales para definir una cultura (como la comida, por ejemplo) en los rectángulos más cercanos a "Cultura". Luego agrega más detalles relacionados con esos elementos en los rectángulos más alejados.

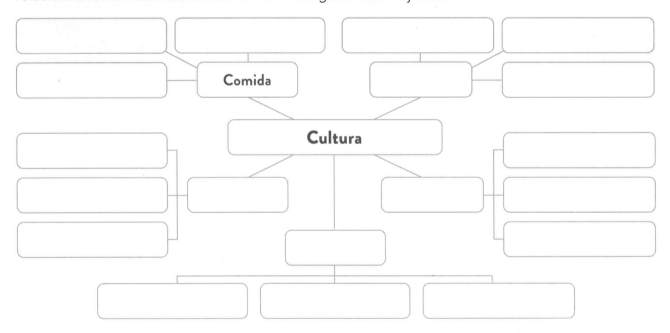

Paso 2 En parejas, comparen sus respuestas e identifiquen similitudes y diferencias.

Mientras ves

2 **Perspectivas** Mira el video y presta atención a las opiniones de
los entrevistados.

Viviana

Gastón

Michelle

Paso 1 Completa las oraciones con las palabras y frases de la lista para
describir los choques culturales que experimentaron los entrevistados.

nivel de libertad de las mujeres	tamaño del desayuno	supermercado

1. Michelle experimentó un choque cultural cuando estaba en el _____.

2. A Gastón le sorprendió el _____.

3. A Viviana le costó adaptarse al _____.

Paso 2 Todos los entrevistados consideraron viajar al extranjero como algo
positivo. Empareja el beneficio citado con la persona que lo dijo.

1. _____ Gastón

2. _____ Viviana

3. _____ Michelle

a. "Empezamos a aprender todo sobre esos países".

b. "Uno entiende que el posicionamiento que uno tiene es único".

c. "Puedes ver realmente por qué las personas hacen ciertas cosas".

**Estrategia de aprendizaje:
Considering Study Abroad**

Have you thought about
studying abroad? When I was
in college, I learned that there
are many options for studying
abroad, but not enough
students take advantage of
them… *Go online to watch
the complete learning strategy.*

 **Video: Strategy**

Después de ver

3 **Análisis** En grupos pequeños, analicen las perspectivas presentadas
en el video.

1. Michelle dice que "viajar a otros países nos educa". ¿Qué significa
esta frase? ¿De qué manera viajar puede educar?

2. ¿Qué dos aspectos son importantes para los entrevistados para poder
adaptarse a un país nuevo?

Resources

 Vhlcentral

Online
activities

□ **I CAN** identify perspectives related to living in a globalized society.

Estudiar en el extranjero

Para muchos, conocer, respetar y apreciar a personas de otras culturas y nacionalidades forma una parte fundamental de los estudios universitarios. Al aprender sobre otras culturas y países nos damos cuenta de la inmensa diversidad lingüística, social y cultural que existe en el planeta. También, vemos que nuestros valores y punto de vista° representan un solo sistema cultural entre muchas otras opciones. Al estudiar en el extranjero, el/la estudiante tiene la oportunidad de **sumergirse°** completamente en la cultura, interactuando cara a cara con personas del lugar. Esta experiencia **enriquecedora°** permite comprender más profundamente las costumbres, tradiciones y formas de pensar de esa cultura específica. En este **Panorama actual** vas a analizar unos datos sobre los países con más estudiantes en el extranjero, los principales destinos de los estudiantes estadounidenses y los beneficios que ofrece esta experiencia.

punto de vista *point of view* **sumergirse** *immerse himself/herself* **enriquecedora** *enriching*

Países con el mayor número de estudiantes en el extranjero, 2017

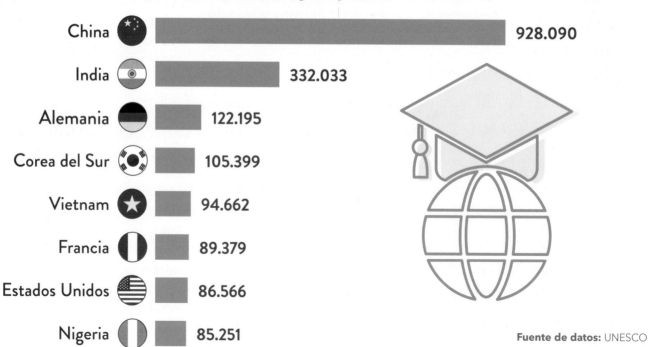

País	Estudiantes
China	928.090
India	332.033
Alemania	122.195
Corea del Sur	105.399
Vietnam	94.662
Francia	89.379
Estados Unidos	86.566
Nigeria	85.251

Fuente de datos: UNESCO

Destinos principales de los estudiantes estadounidenses que estudian en el extranjero, 2020/21

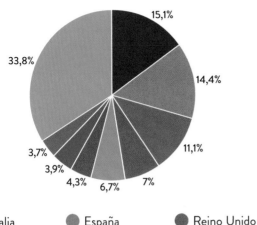

- 15,1%
- 14,4%
- 33,8%
- 11,1%
- 3,7%
- 3,9%
- 4,3%
- 6,7%
- 7%

- ● Italia
- ● Francia
- ● Costa Rica
- ● España
- ● Corea del Sur
- ● Israel
- ● Reino Unido
- ● Dinamarca
- ● Otros

Fuente de datos: Open Doors

Beneficios de estudiar en el extranjero

 35% de los participantes reportan una diferencia notable en sus planes de carrera.

 58% de los estudiantes que participan en programas de estudios en el extranjero buscan activamente continuar sus carreras en otros países.

 73% de las empresas ven la experiencia de estudiar en el extranjero como una ventaja al tomar decisiones para contratar a un candidato.

 90% de las empresas cree que los estudiantes que estudian en el extranjero tienen habilidades altamente deseables.

Fuente: Amerispan, Frontiers Journal

---

① **Comprensión** Contesta las preguntas según la información de esta presentación.

1. ¿Cuáles fueron los tres países con la mayor cantidad de estudiantes en el extranjero en 2017? ¿Existen diferencias significativas entre algunos países del gráfico?

2. ¿Qué países específicos recibieron más del 10% de los estudiantes estadounidenses entre 2020 y 2021? ¿En qué región o regiones del mundo se encuentran esos países?

3. ¿Qué porcentaje de las empresas dice que haber estudiado en el extranjero les da mejores opciones a los candidatos para obtener un puesto de trabajo?

② **Analizar** En grupos pequeños, intercambien ideas y contesten las preguntas.

1. ¿Existe alguna tendencia en relación con las regiones que tienen más estudiantes estudiando en el extranjero? ¿Qué tipos de factores podrían explicar la inclusión de esos países en ese *ranking*?

2. ¿Qué factores podrían influir en las preferencias de los estudiantes estadounidenses hacia ciertos destinos? ¿Qué implicaciones culturales y lingüísticas podría tener el hecho de que una gran cantidad de estudiantes estadounidenses elijan ciertos destinos en lugar de otros?

3. ¿Por qué las empresas parecen tener una opinión tan positiva de los candidatos con experiencia en el extranjero? ¿Qué habilidades asumen que esos candidatos han desarrollado debido a su estancia en el extranjero?

③ **Para investigar** Elige un tema para investigar.

1. Investiga un país en el cual te gustaría estudiar. Busca información sobre la historia, la geografía, la economía y el gobierno. También investiga sobre las costumbres cotidianas.

2. Investiga sobre otros beneficios de estudiar en el extranjero, como en las habilidades personales, interpersonales y cognitivas, y en el desarrollo profesional.

☐ **I CAN** identify key information related to studying abroad.

Los estudios en el extranjero

Es importante que tengas tu pasaporte **vigente** si decides estudiar en el extranjero. En algunos países, necesitarás una visa de estudiante para **estadías** superiores a treinta días. Obtener la visa requiere completar varios formularios e ir al **consulado** más cercano para confirmar tu identidad. Siempre es una buena idea sacar un seguro específico para viajes al extranjero y consultar con tu médico o médica sobre las **vacunas** recomendadas. Una vez que hayas completado estos **trámites**, estarás listo o lista para embarcarte en la **aventura** de vivir en otro país y **sumergirte** en una nueva cultura. Es normal experimentar **choques culturales** y **malentendidos**, pero si practicas habilidades de competencia intercultural, podrás tener interacciones **enriquecedoras** y **transformadoras**. No olvides asistir al **taller de orientación** de tu universidad o programa, para prepararte y ser **resiliente** en los momentos más desafiantes. Sin duda, esta experiencia será **inolvidable** y te brindará un gran **crecimiento personal**.

Más palabras

el albergue (juvenil) *(youth) hostel*
la duración *length (of time)*
la embajada *embassy*
los requisitos *requirements*
la temporada alta/baja *high season/ low season*

exigente *demanding*

alojarse *to stay (in lodging)*
exigir *to require*
hospedar *to host*

Cognados

la inmersión
la perspectiva global

independiente

---

1 **Cómo prepararte para estudiar en el extranjero** Escucha el podcast de una estudiante que ofrece consejos para estudiar en el extranjero.

Paso 1 Mientras escuchas el podcast, indica cuáles de estos consejos se mencionan.

_____ Investiga si el país requiere un visado.

_____ Lleva por lo menos tres maletas grandes si vas a quedarte un semestre.

_____ Es mejor que no te alojes en albergues juveniles.

_____ Consulta con tu doctor(a) sobre las vacunas necesarias.

_____ Lleva una tarjeta de crédito para sacar dinero en efectivo de un cajero automático.

_____ Saca un seguro médico para tu estadía.

_____ Regístrate en el consulado de tu país una vez que llegues.

_____ Compra un pasaje de ida y vuelta con mucha anticipación.

_____ Viaja durante la temporada alta.

Paso 2 En parejas, conversen sobre la idea de estudiar en el extranjero. Mencionen las razones por las que lo harían. ¿A qué países les gustaría viajar? ¿Cuáles podrían ser los desafíos?

2 **Investigaciones** Busca información sobre programas de estudios o estadías en el extranjero en la oficina de estudios internacionales de tu universidad o en páginas web gubernamentales o privadas.

Paso 1 Investiga tres programas y completa la tabla con la información que encuentres.

Características	Programa N.° 1	Programa N.° 2	Programa N.° 3
Duración			
Precio			
Fechas			
Ciudad			
Tipo de alojamiento			
Horario de clases			
Excursiones incluidas			

Paso 2 En parejas, compartan la información que encontraron. Decidan qué programa es mejor para cada uno/a.

Exploraciones

(3) Adaptaciones Asistes a una sesión de orientación para estudiar en el extranjero. En la sesión les dan a los asistentes un cuestionario y hablan del choque cultural y de cómo adaptarse a distintas situaciones.

Paso 1 Completa el cuestionario sobre situaciones hipotéticas en el extranjero, indicando el nivel de dificultad que cada situación tiene para ti, del 1 al 5 (1 si consideras que la situación no es difícil y 5 si piensas que la situación es muy difícil).

Situaciones	Nivel de dificultad
Parece que tuviste un malentendido con la familia que te hospeda y no sabes cómo explicarlo en español.	1 2 3 4 5
Tu profesor(a) de lengua es muy exigente, mucho más que los profesores de tu universidad (en tu país).	1 2 3 4 5
La madre de la familia que te hospeda te sirve alimentos desconocidos para la cena. Los has probado, pero te sirve otro plato y no quieres comer más.	1 2 3 4 5
Hiciste tres maletas enormes. La familia que te va a hospedar viene al aeropuerto a recogerte, pero tienen un coche muy pequeño y tus maletas no caben (*fit*) en el maletero del coche.	1 2 3 4 5
Cuando vas a clase el primer día, te das cuenta de que hay un montón de expresiones nuevas que no conoces y no entiendes mucho lo que dicen en clase.	1 2 3 4 5
Haces planes con un(a) compañero/a de clase para tomar un café, pero él/ella llega media hora tarde y tienes otro compromiso en media hora.	1 2 3 4 5

Paso 2 ¿Eres una persona que puede adaptarse fácilmente a un nuevo ambiente o situación? ¿Qué harías en cada una de las situaciones anteriores? En parejas, intercambien ideas sobre lo que harían en cada una de ellas.

(4) El español cerca de ti Investiga cómo se adaptó algún/alguna estudiante que estudió en un país hispanohablante o que llegó a tu país como estudiante internacional. Puedes entrevistar a alguien de tu universidad o leer un blog de un(a) estudiante. ¿Qué diferencias notó en cuanto a la comida, el tiempo, los horarios de clases, el comportamiento en clase y las normas culturales en general? ¿Cómo cambiaron sus perspectivas después de vivir un tiempo en ese lugar?

STUDENT TIP: Studying Abroad (by Maria Fraulini, Xavier University)

I highly recommend studying abroad. You can go to the center for international education at your university and they can help you find the program that best fits you…
Go online to watch the complete learning tip.

 **Video: Tip**

☐ **I CAN** talk about experiences related to studying abroad.

Describing actions: The infinitive

One notable difference between English and Spanish grammar is the way in which the dictionary form of a verb, or infinitive, can be used. For example, the infinitive in Spanish **correr** would be roughly equivalent to the English infinitive *to run* since the person doing the running is not mentioned. There are several key uses of the Spanish infinitive.

1. **Two verbs:** The infinitive form in Spanish often occurs immediately after another verb that has already been matched to the subject. In these cases, the two verbs form a verb phrase, combining to complete the meaning of the sentence.

   Mi amiga **piensa alojarse** con una familia durante el semestre de estudios en Panamá.

   My friend plans to stay with a family during her semester abroad in Panama.

   Note that in many cases, a preposition or the word **que** will come between the first verb form and the infinitive. You have already learned many such verbs: **empezar a** + [INFINITIVE], **tener que** + [INFINITIVE], and so on.

   Antonio **tiene que ponerse** unas vacunas antes de su viaje.

   Antonio has to get some vaccines before his trip.

2. **After prepositions:** Unlike English, Spanish always uses the infinitive form of the verb after prepositions: [PREPOSITION] + [INFINITIVE]. Common prepositions in Spanish before infinitives are **a, de, para, por**, and **sin**.

   Para reservar una habitación en el albergue, Flor tuvo que llamar con mucha anticipación.

   In order to reserve a room at the hostel, Flor had to call ahead of time.

   Después de llegar al albergue, Flor llamó a sus padres.

   After arriving at the hostel, Flor called her parents.

3. **Infinitive as a noun:** In some instances, infinitives in Spanish function as a noun while English uses the *-ing*, or gerund, form.

   Tener un buen seguro médico durante la estadía es importante.

   Having good health insurance during the stay is important.

   Notice that the noun form of **tener** is considered singular as can be seen from the fact that **ser** is conjugated in the singular **es** in the previous example. This usage sometimes includes the definite article **el: El tener un buen seguro médico...**

4. **Impersonal command:** Another use of the infinitive in Spanish is to make impersonal commands, such as those found on public signs that are directed to a general audience. Similar to the previous case, English sometimes uses the *-ing* form.

   Ceder el paso.

   Yield the right of way.

   No **fumar**.

   No smoking.

Exploraciones

1 **Estudios en Cuba** Escucha a un representante de programas para estudiantes internacionales en Cuba describir los beneficios de estudiar en ese país.

Paso 1 Completa las oraciones seleccionando la opción correcta según lo que dice el representante.

1. Hoy en día el viajar a Cuba…
   a. sigue prohibido para los ciudadanos estadounidenses que no hablen inglés.
   b. se permite solo a los que tienen familia en Cuba.
   c. está permitido a estudiantes universitarios estadounidenses.

2. Al estudiar en Cuba, los estudiantes podrán…
   a. vivir con otros estudiantes internacionales para practicar el español.
   b. pasar tiempo con familias en las que nadie habla inglés.
   c. tener al menos un hablante del inglés en la casa con ellos.

3. Las empresas del sigo XXI…
   a. capacitan a sus empledos para comunicarse en contextos internacionales.
   b. quieren tener empleados que pertenezcan a minorías lingüísticas.
   c. prefieren contratar a personas que además de hablar otro idioma, también sepan comunicarse en contextos multiculturales.

4. El representante enfatiza la importancia de…
   a. aprender las grandes obras literarias y artísticas de Cuba.
   b. poder conocer lo bueno de Cuba, pero también los problemas que hay.
   c. comparar las economías de Cuba y Estados Unidos.

5. Para ser ciudadanos globales es importante…
   a. conocer la cultura y las lenguas de los países cercanos al nuestro.
   b. familiarizarnos con nuestra propia cultura antes de aprender otras.
   c. reconocer las imperfecciones y malas decisiones de nuestro gobierno.

Paso 2 Completa cada oración con tus opiniones sobre la posibilidad de estudiar en Cuba.

1. Viajar a Cuba…

2. Estar lejos de mi familia y mis amigos por varios semanas o meses…

3. Estudiar en otro país…

4. Vivir con una familia cubana…

5. Mejorar mi español…

6. Ser una minoría lingüística…

En el año académico 2019-2020, más de mil estadounidenses estudiaron en Cuba.

(2) **Carteles de aviso** Es muy común encontrarse con carteles de aviso en lugares públicos.

Paso 1 En parejas, observen las imágenes y creen por lo menos dos carteles de aviso (*warning signs*) para cada imagen en los que se indique qué no se debe hacer. Usen mandatos impersonales.

Paso 2 Expliquen por qué las personas de las ilustraciones no deben hacer lo que escribieron en sus carteles.

(3) **Situaciones** En parejas, hagan los papeles de A y de B para representar la situación.

Estudiante A En tu último año de la universidad, has decidido viajar a otro país y estudiar en el extranjero para terminar los requisitos de tu carrera en español. Conversas con un(a) amigo/a que no sabe cuáles son los beneficios de estudiar en el extranjero y lo considera una mala idea. Explícale por qué quieres viajar al extranjero, cuáles son los beneficios y lo que vas a aprender allí que no puedes aprender en tu país (**Quiero..., Puedo..., Voy a...**).

Estudiante B Tu amigo/a te informa que durante el último semestre de su último año de la universidad ha decidido participar en un programa de estudios en otro país. Aunque entiendes el deseo de tu amigo/a de estudiar en el extranjero, no estás seguro/a de que sea buena idea. Explícale a tu amigo/a todas las cosas que no va a poder hacer si pasa el último semestre en otro país. También dile qué debería hacer en su último semestre de la universidad y por qué.

☐ **I CAN** describe actions.

Las expresiones idiomáticas

Cuando viajas al extranjero, las **expresiones idiomáticas** son una forma de conectar con la gente del lugar y comprender mejor su forma de vida. Además, conocer expresiones idiomáticas te ayudará a evitar malentendidos y a comunicarte de manera más efectiva. A veces, las palabras pueden tener significados diferentes en situaciones distintas, pero al comprender las expresiones idiomáticas locales, puedes captar mejor el sentido real detrás de las palabras y adaptarte más fácilmente a la forma de comunicación del lugar que visitas.

Expresiones idiomáticas

andarse por las ramas *to beat around the bush; not to get to the point*

costar (o:ue) un ojo de la cara *to be expensive, to cost an arm and a leg*

dar en el clavo *to hit the nail on the head; to be on spot*

dejar (a alguien) plantado/a *to leave (someone) hanging, to stand (someone) up*

echar una mano *to lend a hand; to help out*

entre la espada y la pared *between a rock and a hard place; (to be) in a difficult position*

hacer cola *to line up; to wait in line*

hacerle caso (a alguien) *to pay attention to, to heed*

matar dos pájaros de un tiro *to kill two birds with one stone*

ponerse las pilas *to get your act together; to do something about it*

quedar en ridículo *to make a fool of yourself*

valer la pena *to be worth the effort*

STUDENT TIP: Conversing Outside of Class (by Katie Kennedy, Xavier University)

Meet new people in your class and make friends with other Spanish majors or native speakers because they have other ways of speaking Spanish… *Go online to watch the complete learning tip.*

 Video: Tip

1 **Habla cotidiana** Marta Ramírez ha producido un podcast sobre las expresiones idiomáticas en español.

Paso 1 Escucha lo que cuenta Marta y selecciona las expresiones idiomáticas que utiliza.

_____ andarse por las ramas

_____ costar un ojo de la cara

_____ dar en el clavo

_____ dejar (a alguien) plantado/a

_____ echar una mano

_____ entre la espada y la pared

_____ hacer cola

_____ hacerle caso (a alguien)

_____ matar dos pájaros de un tiro

_____ ponerse las pilas

_____ quedar en ridículo

_____ valer la pena

Paso 2 Indica si cada oración es **cierta** (**C**) o **falsa** (**F**), según lo que dijo Marta.

1. Según el médico de Marta, la mejor manera de evitar un ataque cardíaco es hacer ejercicio aeróbico todos los días. .... **C F**

2. A Marta le gusta mucho el club de salud donde hace ejercicio. .... **C F**

3. Marta quiere buscar un entrenador nuevo. .... **C F**

4. Para Marta, es difícil empezar una rutina de ejercicio porque le duele mucho el cuerpo después de hacer ejercicio. .... **C F**

5. Marta siempre cumple con sus citas con el entrenador. .... **C F**

6. Según el entrenador de Marta, hacer ejercicio le puede ayudar a dormir mejor. .... **C F**

Paso 3 En parejas, tomen en cuenta la opinión de Marta e intercambien ideas sobre su experiencia con los clubes de salud, los gimnasios y el ejercicio. ¿Tienen una rutina de ejercicio? ¿Cómo es? ¿Cuántas veces a la semana la hacen? ¿Notan resultados en otros aspectos de su vida? Expliquen sus respuestas.

2 **Juego** En parejas, túrnense para adivinar (*guess*) expresiones idiomáticas. El/La estudiante que explica la expresión idiomática no puede utilizar ninguna palabra de la expresión en su explicación. Gana el/la estudiante que más expresiones adivine.

3 **El español cerca de ti** Hay expresiones idiomáticas que son propias de cada país y cultura. Entrevista en tu comunidad a un(a) hispanohablante para conversar sobre las expresiones típicas de su país o busca en internet un video, blog o artículo en español que describa las expresiones idiomáticas de un país hispanohablante. Aprende tres o cuatro expresiones nuevas que sean apropiadas para compartir con la clase.

Resources

Vhlcentral

WebSAM

☐ **I CAN** utilize idiomatic expressions in interactive situations.

Connecting ideas and avoiding repetition: Relative pronouns

A relative pronoun is a word that introduces another clause (dependent clause) and connects it to an independent clause. In particular, relative pronouns usually introduce clauses that describe nouns (people, things).

Voy a completar los formularios **que** me dieron en el consulado.	*I'm going to fill out the forms that they gave me at the consulate.*

In the previous example, **que** is the relative pronoun that connects the dependent clause with the independent clause (*I'm going to fill out forms*) to give further information about *forms*, that is, that those were given to me at the consulate.

In this chapter, we will focus on the most common relative pronouns in Spanish.

Que

Que is the most common relative pronoun in Spanish. Although relative pronouns are sometimes optional in English, they are always required in Spanish.

Los estudiantes **que** viajan mañana están muy contentos.	*The students who travel tomorrow are very happy.*
Perdí la mochila **que** me regaló mi hermano.	*I lost the backpack that my brother gave me.*

Quien, quienes

Like **que**, the relative pronouns **quien** and **quienes** can be used to describe a person or people. Those pronouns can be used after some prepositions like **a** and **con**.

Mi primo Manuel, **quien** llegó anoche, está muy cansado.	*My cousin Manuel, who arrived last night, is very tired.*
Voy a ir al taller de orientación con Pedro y Silvia, a **quienes** no veo hace mucho.	*I'm going to attend the orientation workshop with Pedro and Silvia, whom I haven't seen in a long time.*

El que, la que, los que, las que

The relative pronouns **el que** and **la que** (and their corresponding plural forms, **los que** and **las que**) can also be used to describe people or objects (with or without a preposition).

El amigo con **el que** Jaime viajó estudia física.	*The friend with whom Jaime traveled studies physics.*
Las habitaciones del albergue, **las que** no tienen aire acondicionado, son muy espaciosas.	*The rooms in the hostel, which do not have air conditioning, are very spacious.*

¡ATENCIÓN!

Research on learning Spanish as a second language has found that learners acquire certain structures, such as the relative pronouns, later. Becoming proficient in using them in spontaneous conversation takes many years of exposure and practice. Therefore, the goal is to support you in comprehending the form when encountered in various text types.

¿Qué observas?

Which of the two examples does not require the relative pronoun in English?

1 **Vivir en el extranjero** Becky empezó este semestre un programa de estudios en Chile y ha notado algunas diferencias entre las expectativas de los profesores de esa universidad y la suya, en Estados Unidos. Decide hablar con la profesora de su universidad a cargo del programa para entender mejor las diferencias.

Paso 1 Identifica al menos dos expectativas que difieren entre el sistema que Becky conoce y el de la universidad chilena.

Las expectativas de Becky	Las expectativas de los profesores de Becky en Chile

Paso 2 Completa las oraciones según tu opinión respecto a la enseñanza y el aprendizaje. Ten en cuenta que tendrás que incluir un verbo conjugado para completar la oración y usar el sujeto apropiado.

1. La buena enseñanza es la que…

2. Un(a) buen(a) profesor(a) es el/la que…

3. Las actividades de las que aprendo mucho…

4. Las clases en las que me siento (in)cómodo/a…

5. El estilo de enseñanza que no me gusta…

2 **Expresiones idiomáticas** Repasa el significado de las expresiones idiomáticas y completa cada oración usando la expresión adecuadamente. Luego indica cuál es el pronombre relativo que aparece en cada oración.

> **Modelo** **dar en el clavo:** Mi amiga, la que estudia neurociencia,…
> Mi amiga, la que estudia neurociencia, *casi siempre da en el clavo con sus respuestas en clase.*
> **Pronombre relativo:** *la que*

1. **dejar (a alguien) plantado/a:** Mi mejor amigo/a es el/la que…

2. **hacerle caso (a alguien):** Eran mis padres a quienes a veces yo no…

3. **ponerse las pilas:** Los estudiantes ambiciosos con los que he tenido contacto…

4. **costar un ojo de la cara:** El auto que compró mi amigo/a…

5. **echar una mano:** Mi hermana mayor, a la que quiero mucho,…

6. **andarse por las ramas:** En una clase que llevo este semestre,…

☐ **I CAN** connect ideas and avoid repetition.

Resources

Vhlcentral

WebSAM

Exploraciones

Learning Objective: Reflect on your progress using language related to hosting visiting students.

Audio: Reading

Episodio #12: Elena Menéndez Pelayo

Antes de escuchar

1 **La historia de Elena** Elena va a hablar de su experiencia hospedando a estudiantes internacionales en su casa. En parejas, conversen sobre las preguntas antes de escuchar el podcast.

1. ¿Cuál piensan ustedes que es la parte más difícil de tener invitados en su casa o apartamento?

2. ¿Qué es lo que las personas esperan de ustedes cuando los/las visitan?

3. Cuando ustedes viajan, ¿dónde se alojan normalmente? ¿Se quedan en las casas de sus amigos o familiares si ellos viven en ese lugar?

4. ¿Han hospedado alguna vez en su casa a un(a) estudiante de intercambio de otro país? ¿Cómo fue la experiencia?

Mientras escuchas

2 **Atracciones turísticas** Escucha lo que cuenta Elena sobre las atracciones que visitan los estudiantes en Panamá y completa la tabla.

Atracción	Descripción
1.	
2.	
3.	

Después de escuchar

3 **Estudiante de intercambio** Imagina que vas a hospedar a un(a) estudiante hispanohablante por un semestre. Explícale:

• su rutina diaria;

• los lugares o atracciones que debe conocer de tu pueblo o región;

• algunas expresiones idiomáticas que le podrían ser útiles.

☐ **I CAN** express ideas related to hosting visiting students.

Resources

Vhlcentral

Online activities

Estudiar en el extranjero

Lee el blog de Sofía acerca de estudiar en el extranjero.

---

www.el_blog_de_sofia.com/estudiar_en_el_extranjero   🔍 ‹ ›

Estudiar en el extranjero

A estas alturas ya me conoces. Soy amiga de la lengua española y los países donde la hablan. Solo quiero decirte que si tienes la oportunidad de estudiar en el extranjero, lo hagas. A continuación, incluyo algunas recomendaciones —basadas en mis experiencias— para aprovechar al máximo esta oportunidad una vez que estés en el país donde vas estudiar.

1. Intenta conseguir un(a) compañero/a de conversación. De esta forma, podrás conocer a alguien del lugar y practicar el idioma con él/ella.

2. No salgas siempre con los estudiantes de tu país. Será una lástima si no interactúas y conversas con las personas del lugar durante tu experiencia en el extranjero.

3. Busca oportunidades para prestar servicio en la comunidad. Es una buena manera de integrarte en ella y practicar el idioma.

4. Investiga si el programa ofrece puestos para enseñar inglés. Así puedes ganar un poco de dinero y conocer a otras personas.

5. Escribe tus ideas y reflexiones en un diario. La mejor manera de aprender es reflexionando sobre tus experiencias.

6. Quédate con una familia. Tendrás la oportunidad de probar platos típicos del país y compartirán las normas y prácticas de la vida cotidiana contigo. Es una buena manera de aprender de la cultura.

¡Estudiar en el extranjero puede ser una de las mejores experiencias que vivas durante tus estudios universitarios!

---

(1) Recomendaciones En parejas, conversen sobre cada una de las recomendaciones de Sofía. ¿Están de acuerdo con sus ideas? Expliquen sus respuestas.

(2) Mi blog Reflexiona sobre la idea de estudiar en el extranjero. Incluye en tu reflexión las respuestas a estas preguntas.

- ¿Has investigado las posibilidades?
- ¿Cuáles son los costos?
- ¿A qué país puedes viajar y estudiar?

- ¿Te gustaría vivir con una familia?
- ¿Qué clases te gustaría tomar?
- ¿Qué recomendaciones tienes para otras personas que quieran estudiar en el extranjero?

☐ **I CAN** analyze advice regarding studying abroad.

Experiencias

Cultura y sociedad

Learning Objective: Compare practices and perspectives related to dealing with culture shock while traveling.

A muchas personas les gusta viajar y ver el mundo. Sin embargo, al pasar más tiempo en otra cultura y con otras personas, se puede empezar a sufrir lo que se llama "el choque cultural". Vas a leer un artículo sobre la experiencia de una estudiante universitaria con el choque cultural, las diferentes fases de esta experiencia y cómo se pueden mitigar sus efectos.

Audio: Reading

Antes de leer

(1) Mis experiencias viajando Contesta estas preguntas con un(a) compañero/a.

   1. ¿Te gusta viajar? ¿Por qué?

   2. ¿Has viajado fuera del país? ¿Adónde? ¿Cuál es tu lugar favorito en el mundo?

   3. ¿Qué es lo más difícil de viajar?

   4. ¿Te gusta viajar solo/a o con alguien? ¿Por qué?

   5. ¿Quién es el/la mejor compañero/a de viaje?

(2) Vocabulario Identifica las palabras en el texto y luego indica qué definición corresponde a cada palabra.

_____ **1.** abrumado/a	**a.** zona o territorio que rodea un lugar
_____ **2.** acostumbrarse	**b.** gustarle o tener simpatía hacia alguien
_____ **3.** los alrededores	**c.** participar activamente en algo
_____ **4.** anfitrión/anfitriona	**d.** adaptarse o familiarizarse con algo
_____ **5.** caerle bien	**e.** periodo o fase de desarrollo o progreso
_____ **6.** cotidiano/a	**f.** periodo de inusual armonía
_____ **7.** la etapa	**g.** relacionado/a con la rutina diaria
_____ **8.** la luna de miel	**h.** agobiado/a o preocupado/a por algo
_____ **9.** involucrarse	**i.** que recibe a invitados o visitantes
_____ **10.** el matiz	**j.** detalle o característica sutil

El choque cultural

Heather estaba muy animada porque iba a pasar siete semanas en Mérida, México y en sus alrededores estudiando español y aprendiendo de la gente y las culturas de esa región. Ella había viajado antes
5 a ese lugar, así que no pensaba que tendría ningún problema viviendo allí. También conocía al profesor que iba a dirigir el programa en Mérida porque había tomado una clase antes con él. Al llegar a Mérida, estaba cansada, pero feliz de poder vivir
10 con una familia y otras dos estudiantes. Después de dos semanas, empezó a sentirse un poco deprimida. Seguía cansada y se irritaba por cosas que normalmente no le molestarían. No sabía lo que le pasaba porque visitaba unos lugares increíbles,
15 sus compañeras de casa le caían bien y la familia la cuidaba con atención. Extrañaba mucho a su novio y no se sentía tan animada como al principio. "¿Qué me pasa?", se preguntaba.

Miles de estudiantes van a distintos países para
20 estudiar, pero muchos, poco después, se dan cuenta de que han dejado todo lo conocido y pueden pasarlo bastante mal hasta que se acostumbran al nuevo lugar. Cuando estudias en el extranjero, tu rutina diaria, tu cultura y las actitudes de las personas a
25 tu alrededor ya no son familiares y esto te puede dejar un poco inquieto a la hora de procesar toda la información nueva. Las etapas de reconocimiento, comprensión y adaptación a estos cambios son parte del proceso que se conoce como "choque cultural".
30 Normalmente, las personas que van a un sitio nuevo pasan por cuatro fases de adaptación cultural.

La primera fase es de euforia y también se conoce con el nombre de "luna de miel". Tras llegar por primera vez a un nuevo lugar, te quedas maravillado por todas
35 las cosas nuevas. Hay nuevos sonidos, costumbres, personas, comidas y tradiciones. Todo te parece fascinante y uno pasa todo el tiempo sacando fotos y hablando con amigos de lo interesante que es el viaje. Después llega la siguiente fase, una de irritación.
40 Poco a poco, la euforia va disminuyendo. Las cosas pequeñas empiezan a molestarte. Te das cuenta de todas las diferencias y echas de menos lo conocido de tu lugar de origen. Empiezas a decir cosas como "en mi país no se hace así". Te sientes abrumado por todas las
45 cosas a las que tienes que adaptarte y puedes sentirte irritado u obligado a hacer las cosas como se hacen en el nuevo país. En la tercera fase, una de comprensión, empiezas a entender un poco más las razones tras las acciones de los habitantes del lugar. En vez de
50 sentirte irritado, estás comprendiendo las diferencias y los porqués. Comienzas a tener una perspectiva más positiva y tienes más interés en aprender más sobre tu país anfitrión, y en hacer más esfuerzo para formar parte de la nueva cultura. La cuarta fase es de
55 adaptación. El orden de las cosas tiene sentido, puedes hablar con las personas del lugar con facilidad, así como entender los matices culturales. Tu rutina es más natural y te sientes más cómodo en el lugar. Todavía echas de menos a tus amigos y familiares, pero tus
60 nuevos amigos y actividades se han convertido en una parte importante de tu vida cotidiana.

Hay muchas cosas que puedes hacer para minimizar el choque cultural: (1) aprende, de antemano, mucho sobre el país al que vas para que sepas qué es lo que
65 te espera; (2) haz nuevos amigos entre las personas que conozcas; (3) mantén un diario con todos tus pensamientos para que puedas reconocer las diferentes fases del choque cultural; (4) involúcrate en la comunidad, porque al servir a los demás, puedes
70 olvidar tus propios problemas; y finalmente, (5) aprende expresiones del lugar porque te va a ayudar a entender mejor las perspectivas de las personas que te rodean. Si haces estas cosas, vas a disfrutar al máximo tu estancia en otro país. ●

Experiencias

Después de leer

(3) Comprensión Completa la tabla con las cuatro fases del choque cultural y dos adjetivos que caractericen cómo se siente una persona en cada una de ellas. Luego, en parejas, compartan sus respuestas e intercambien ideas.

Fase del choque cultural	Adjetivo 1	Adjetivo 2
1.ª fase:		
2.ª fase:		
3.ª fase:		
4.ª fase:		

(4) Conversación En parejas, analicen y contesten las preguntas usando la información del artículo y sus propias ideas.

1. ¿Han experimentado algún choque cultural en su vida? ¿Cómo fue?

2. ¿Cómo se pueden entender mejor las diferencias entre culturas al viajar?

3. ¿Es posible tener un choque cultural en su propio país? ¿Por qué?

(5) A escribir Vas a darle recomendaciones a un amigo tuyo que está estudiando en Colombia y que está experimentando un choque cultural. Lee la estrategia de escritura y sigue los pasos.

Estrategia de escritura: Metacognition

Metacognition is an awareness of your thought process. You can use metacognitive strategies to think about your writing. For instance, before writing, you can clarify your purpose for your writing and what vocabulary you might need. While you write, you can monitor how the writing process is going and what ideas are challenging to share. After writing, you can check the grammaticality and overall flow of your ideas.

Paso 1 Escríbele un correo electrónico de 125-150 palabras a tu amigo y dale consejos para que pueda reducir los efectos del choque cultural y para que pueda disfrutar del tiempo que le queda en Medellín. Anota los temas y conceptos que te cuesten más describir y expresar en español.

Paso 2 En parejas, compartan lo que escribieron y pídanle a su compañero/a sugerencias sobre las ideas que les costó describir.

☐ **I CAN** compare practices and perspectives related to dealing with culture shock while traveling.

Resources

Vhlcentral

Online activities

Isabel Allende (1942–)

Isabel Allende es una destacada autora conocida por sus novelas creativas que combinan hechos históricos con historias intrigantes. Nació en Lima, Perú en 1942 mientras su padre estaba en una misión diplomática para el gobierno de Chile. Asistió a varios colegios privados en diferentes países antes de regresar a Santiago de Chile, donde completó sus estudios. En 1973, durante el golpe de estado del general Augusto Pinochet, se exilió en Venezuela. Durante su exilio, escribió su primera novela, *La casa de los espíritus*. Hasta la fecha, Allende ha escrito veintisiete libros, los que han sido traducidos a más de cuarenta idiomas, vendido millones de copias y recibido cerca de sesenta premios. Es considerada una de las escritoras más importantes de América Latina.

Antes de leer

Estrategia de lectura: Activating Previous Knowledge

Recalling previous knowledge on a topic prior to reading a passage can support your comprehension. New ideas make sense in our brains only when they connect to previously learned information. Thinking about what you are about to read first will help your brain prepare for the task.

1 **Temas** En *El cuaderno de Maya*, Allende describe el pasado complicado y oscuro de Maya, una muchacha estadounidense de veinte años que escapa a la isla de Chiloé, en Chile.

Paso 1 Contesta las preguntas para activar tus conocimientos previos sobre el fragmento que vas a leer.

1. ¿Qué sabes de Chile? ¿Qué conoces de su geografía?

2. ¿Cómo crees que se siente vivir en una isla?

3. ¿Qué pasado problemático podrías imaginar que tiene Maya?

4. ¿Cuáles son algunos cambios que podría tener que hacer Maya en Chile?

Paso 2 Selecciona las ideas que piensas encontrar en el texto.

- ☐ la familia de Maya
- ☐ el choque cultural de Maya
- ☐ la descripción del lugar de origen de Maya
- ☐ la vida diaria de los habitantes de Chiloé
- ☐ una descripción de la cultura de la isla
- ☐ la historia de la gente que migra a la isla
- ☐ las razones por las que buscan a Maya en su país

2 **Vocabulario** Lee por encima (*Skim*) el fragmento e identifica todos los cognados.

El cuaderno de Maya

(fragmento)

Casas típicas de Chiloé

En la tarde, una vez terminado mi trabajo con Manuel, me voy al pueblo trotando; la gente me mira extrañada y más de uno me ha preguntado adónde voy tan apurada. Necesito ejercicio o me pondré redonda, estoy comiendo demasiados carbohidratos, pero no se ven obesos por ninguna parte, debe de ser por el esfuerzo físico, aquí hay que moverse mucho. Azucena Corrales está un poco gorda para sus trece años y no he logrado que salga a correr conmigo, le da vergüenza, "qué va a pensar la gente", dice. Esta muchacha lleva una vida muy solitaria, porque hay pocos jóvenes en el pueblo, solo algunos pescadores°, media docena de adolescentes ociosos y volados con marihuana, y el chico del café-internet, donde el café es Nescafé y la señal de Internet es caprichosa, y donde yo procuro ir lo menos posible para evitar la tentación del correo electrónico. Las únicas personas en esta isla que viven incomunicadas somos doña Lucinda y yo, ella por anciana y yo por fugitiva. Los demás habitantes del pueblo cuentan con sus celulares y con las computadoras del café-internet...

Los vecinos del pueblo me han abierto sus puertas, aunque eso es una manera de hablar, ya que las puertas están siempre abiertas. Como mi español ha mejorado bastante, podemos conversar a tropezones. Los chilotes tienen un acento cerrado y usan palabras y giros gramaticales que no figuran en ningún texto y según Manuel provienen del castellano antiguo, porque Chiloé estuvo aislado del resto del país por mucho tiempo. Chile se independizó de España en 1810, pero Chiloé no lo hizo hasta 1826, fue el último territorio español en el cono sur de América.

Manuel me había advertido que los chilotes son desconfiados°, pero esa no ha sido mi experiencia: conmigo son muy amables. Me invitan a sus casas, nos sentamos frente a la estufa a charlar y tomar mate, una infusión de hierba verde y amarga, servida en una calabaza, que pasa de mano en mano, todos chupando° de la misma bombilla. Me hablan de sus enfermedades y las enfermedades de las plantas, que pueden ser causadas por la envidia de un vecino. Varias familias están peleadas por chismes° o sospechas de brujería°; no me explico cómo se las arreglan para seguir enemistados, ya que sólo somos alrededor de trescientas personas y vivimos en un espacio reducido, como pollos en un gallinero. Ningún secreto se puede guardar en esta comunidad, que es como una familia grande, dividida, rencorosa y obligada a convivir y prestarse ayuda en caso de necesidad.

Hablamos de las papas —hay cien variedades o "calidades", papas rojas, moradas, negras, blancas, amarillas, redondas, alargadas, papas y más papas—, de cómo se plantan en luna menguante° y nunca en domingo, de cómo se dan gracias a Dios al plantar y cosechar la primera y cómo se les canta cuando están dormidas bajo tierra. Doña Lucinda, con ciento nueve años cumplidos, según calculan, es una de las cantoras que romancea a la cosecha: "Chilote cuida tu papa, cuida tu papa chilote, que no venga otro de afuera y te la lleve, chilote". Se quejan de las salmoneras°, culpables de muchos males, y de las fallas del gobierno, que promete mucho y cumple poco, pero coinciden en que Michelle Bachelet es el mejor presidente que han tenido, aunque sea mujer. Nadie es perfecto. ●

---

pescadores *fishers* **desconfiados** *distrustful* **chupando** *sucking* **chismes** *gossip* **brujería** *witchcraft* **luna menguante** *waning moon* **salmonera** *salmon farming companies*

Después de leer

3 **Prácticas, productos y perspectivas** Maya hace varias observaciones culturales sobre Chiloé. Completa la tabla con la información que ella comparte según sus experiencias.

Categorías	Observaciones culturales
Productos	
Prácticas/costumbres	
Perspectivas	
Historia	

4 **Comprensión** En parejas, contesten las preguntas.

1. ¿Cómo se sabe que Maya no es hispanohablante?
2. Según Maya, ¿cómo es el español de los chilotes?
3. ¿Qué es un café-internet?
4. ¿Cómo describe Maya las interacciones con los chilotes?
5. ¿Qué es el mate?
6. ¿Cómo describe Maya la comunidad de los chilotes?
7. ¿Qué prácticas describe Maya sobre las papas en la isla?
8. ¿Qué opinan los chilotes de su presidenta?

5 **Investigación** Investiga la ubicación de Chiloé y busca fotos de la isla y de su geografía para contestar las preguntas. Luego, en parejas, compartan sus respuestas e intercambien ideas.

1. ¿Qué notas sobre la geografía de la isla?
2. Describe algo que te interese de Chiloé.
3. ¿Te gustaría visitar la isla? Explica tu respuesta.

Resources

Vhlcentral

Online activities

☐ **I CAN** interpret perspectives in a literary narrative passage.

Video: Culture

Entre Campus: Pasantía Perú

Vas a ver un video sobre unas estudiantes colombianas que hicieron una pasantía en Perú. Lee la estrategia intercultural antes de ver el video.

Estrategia intercultural: Immerse Yourself in the Language While Abroad

To maximize intercultural learning during an internship or study abroad experience, consider the following strategies. Immerse yourself in the local culture by engaging in daily activities with native speakers, such as living with a local family, participating in community engagement, and attending cultural events. Seek opportunities to speak Spanish regularly by signing up for language exchanges, joining clubs, volunteering, and interacting with your host family and co-workers. Maintain a language journal to reflect on experiences and questions you may have about your language development. And finally, embrace this once-in-a-lifetime global learning experience!

Antes de ver

1 **Preparación** En parejas, intercambien ideas y contesten las preguntas.

1. ¿Cuáles son las razones principales que impiden que los estudiantes estudien en el extranjero?

2. ¿Cuáles son los lugares que más les interesaría visitar para estudiar español? ¿Por qué?

3. ¿Hay algo que les preocupe de estudiar en el extranjero?

4. ¿Qué podrían hacer durante su tiempo en el extranjero para aprovechar al máximo esa experiencia?

2 **Vocabulario** Indica qué definición corresponde a cada palabra que aparece en el video.

_____ **1.** mioeléctrico/a

_____ **2.** el intercambio

_____ **3.** potencializar

_____ **4.** llamativo/a

_____ **5.** patrocinar

_____ **6.** la prótesis

a. dispositivo artificial que reemplaza una parte del cuerpo humano

b. que atrae la atención por su aspecto o características

c. apoyar económicamente a una persona, proyecto o evento

d. que sustituye a un músculo y tiene un funcionamiento eléctrico

e. mejorar o aumentar la aptitud o el rendimiento de algo

f. acción de cambiar recíprocamente algo

Mientras ves el video

3 **Las ventajas de una pasantía** Identifica las razones que dan Mariana y Andrea para hacer una pasantía.

4 **Escenas** Escribe la letra de la imagen que corresponde a cada cita del video.

A

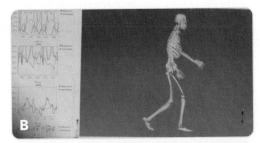

B

C

D

_____ **1.** "… me iban a capacitar en todo lo que era análisis de miembros inferiores con el proyecto que ellos ya tenían".

_____ **2.** "… te conseguí la posibilidad que hagas una pasantía allá, con la parte de las prótesis mioeléctricas".

_____ **3.** "Entonces se comparten conocimientos y formas diferentes de hacer las mismas cosas".

_____ **4.** "… son como casas muy grandes, muy conservadas. Y, pues en sí, no es colorida".

Después de ver

5 **Comprensión** Contesta las preguntas.

1. ¿Cuáles fueron las contribuciones que dieron Mariana, Andrea e Isabel a sus proyectos?

2. Describe la diferencia entre el trabajo de Andrea y el de Isabel.

6 **Sumérgete en la cultura y el idioma** Selecciona las ventajas de sumergirte en otra cultura y otro idioma que se incluyeron en el video. Luego indica con qué ventajas estás de acuerdo y si estas ventajas coinciden con tus metas para una pasantía en otro país.

☐ Se te abren las perspectivas al mundo.

☐ Intercambias conocimientos y culturas.

☐ Se ve bien en tu currículum.

☐ Tienes la oportunidad de conocer gente nueva.

☐ Aprendes nuevas formas de hacer las mismas cosas.

Resources

Vhlcentral

Online activities

☐ **I CAN** identify the benefits of immersing myself in Spanish while abroad.

Experiencias

Proyectos

1. **¿Cómo podemos construir puentes entre culturas?** Vas a compartir con tus compañeros/as los detalles de un programa en el extranjero que te interese, así como las estrategias que piensas seguir para que sea una experiencia inolvidable.

Paso 1 Consulta los materiales del capítulo: videos, lectura, presentaciones, etc. También repasa el vocabulario y la gramática del capítulo. Toma nota de las palabras y expresiones útiles.

Paso 2 Consulta recursos en tu universidad para encontrar programas de estudios en algún país hispanohablante. También, si es necesario, busca en internet oportunidades en organizaciones gubernamentales y privadas que ofrezcan este tipo de programas.

Paso 3 Describe el programa de estudios que mejor represente tus intereses. Explica por qué lo elegiste. Considera: la ciudad o el país, los requisitos, el alojamiento, la temporada, el costo y el plan de estudios.

Paso 4 Piensa en los conocimientos, actitudes y destrezas que aplicarías para ser un(a) buen(a) viajero/a, para tu crecimiento personal, para tu desarrollo de la competencia intercultural y para tener una experiencia inolvidable. Prepara una lista de estrategias.

Paso 5 Crea una presentación en la que describas tu programa de estudios en el extranjero con la información de los pasos anteriores. No olvides incluir tu lista de estrategias para lograr una experiencia transformadora y de gran crecimiento personal. Usa fotos o gráficos si lo deseas.

> **¡ATENCIÓN!**
>
> Ask your instructor to share the **Rúbrica** to understand how your work will be assessed.

☐ **I CAN** describe strategies for appropriate and effective intercultural interactions.

Experiencias profesionales Vas a preparar una presentación de entre dos y tres minutos en español sobre lo que has aprendido sobre este idioma y las culturas hispanohablantes en tu área de interés.

- Explica cuál fue tu área de interés profesional y por qué la elegiste.

- Explica lo que aprendiste de la visita al sitio relacionado con tu área de interés.

- Explica cómo la asistencia a la clase avanzada y la actividad cultural de la comunidad te ayudaron a aprender más sobre el idioma y las culturas hispanohablantes.

- Presenta las palabras o frases nuevas que aprendiste durante tus **Experiencias profesionales**.

- Describe tus planes futuros con el español.

☐ **I CAN** describe what I have learned in relation to my area of professional interest.

Repaso

Audio:
Vocabulary Tools

Repaso de objetivos

Reflect on your progress toward the chapter main goals.

I am able to...

	Well	Somewhat
• Identify perspectives and practices related to living in a globalized society.	☐	☐
• Talk about studying abroad and using idiomatic expressions.	☐	☐
• Compare products, practices, and perspectives related to studying abroad.	☐	☐
• Describe strategies for effective intercultural interactions.	☐	☐
• Describe what I learned in relation to my area of professional interest.	☐	☐

Repaso de vocabulario

Los estudios en el extranjero *Studying abroad*
el albergue (juvenil) *(youth) hostel*
el choque cultural *culture shock*
el consulado *consulate*
el crecimiento personal *personal growth*
la duración *length (of time)*
la embajada *embassy*
la estadía *stay*
el malentendido *misunderstanding*
los requisitos *requirements*
el taller de orientación *orientation workshop*
la temporada alta/baja *high season/low season*
los trámites *paperwork, procedures*
la vacuna *vaccine*

enriquecedor(a) *enriching*
exigente *demanding*
inolvidable *unforgettable*
transformador(a) *transformational*
vigente *valid*

alojarse *to stay (in lodging)*
exigir (g:j) *to require*
hospedar *to host*
sumergirse (g:j) en *to immerse oneself in*

Cognados
la aventura
la inmersión
la perspectiva global

independiente
resiliente

Las expresiones idiomáticas *Idiomatic expressions*
andarse por las ramas *to beat around the bush; not to get to the point*
costar (o:ue) un ojo de la cara *to be expensive, to cost an arm and a leg*
dar en el clavo *to hit the nail on the head; to be on spot*
dejar (a alguien) plantado/a *to leave (someone) hanging, to stand (someone) up*
echar una mano *to lend a hand; to help out*
entre la espada y la pared *between a rock and a hard place; (to be) in a difficult position*
hacer cola *to line up; to wait in line*
hacerle caso (a alguien) *to pay attention to, to heed*
matar dos pájaros de un tiro *to kill two birds with one stone*
ponerse las pilas *to get your act together; to do something about it*
quedar en ridículo *to make a fool of yourself*
valer la pena *to be worth the effort*

Repaso

Repaso de gramática

1 The infinitive

- Two verbs

  Mi amiga **piensa alojarse** con una familia durante el semestre de estudios en Panamá.

  My friend plans to stay with a family during her semester abroad in Panama.

- After prepositions

  Después de llegar al albergue, Flor llamó a sus padres.

  After arriving at the hostel, Flor called her parents.

- Infinitive as a noun

  Tener un buen seguro médico durante la estadía es importante.

  Having good health insurance during the stay is important.

- Impersonal command

  No **fumar**.

  No smoking.

2 Relative pronouns

- **que**

  Los estudiantes **que** viajan mañana están muy contentos.

  The students who travel tomorrow are very happy.

- **quien, quienes**

  Mi primo Manuel, **quien** llegó anoche, está muy cansado.

  My cousin Manuel, who arrived last night, is very tired.

- **el que, la que, los que, las que**

  Las habitaciones del albergue, **las que** no tienen aire acondicionado, son muy espaciosas.

  The rooms in the hostel, which do not have air conditioning, are very spacious.

Resources

Vhlcentral

Online activities

Consulta

Contenido

Verb Conjugation Tables

Verb Conjugation Tables

The verb lists

The list of verbs below and the model-verb tables that start on page A4 show you how to conjugate common Spanish verbs. Each verb in the list is followed by a model verb that is conjugated according to the same pattern. The number in parentheses indicates where in the tables you can find the conjugated forms of the model verb. If you want to find out how to conjugate **divertirse**, for example, look up number 33, **sentir**, the model for verbs that follow the **e:ie** stem-change pattern.

How to use the verb tables

In the tables you will find the infinitive, present and past participles, and all the simple forms of each model verb. The formation of the compound tenses of any verb can be inferred from the table of compound tenses, pages A4–A5, either by combining the past participle of the verb with a conjugated form of **haber** or combining the present participle with a conjugated form of **estar**.

---

abrir   like **vivir** (3) *except past participle is* **abierto**
aburrir(se)   like **vivir** (3)
acabar   like **hablar** (1)
acampar   like **hablar** (1)
aconsejar   like **hablar** (1)
acostar(se) (o:ue)   like **contar** (24)
afeitar(se)   like **hablar** (1)
ahorrar   like **hablar** (1)
aliviar   like **hablar** (1)
almorzar (o:ue)   like **contar** (24) *except* **(z:c)**
alquilar   like **hablar** (1)
apagar (g:gu)   like **llegar** (41)
aprender   like **comer** (2)
apurar(se)   like **hablar** (1)
arrancar (c:qu)   like **tocar** (44)
arreglar(se)   like **hablar** (1)
asistir   like **vivir** (3)
aumentar   like **hablar** (1)
bailar   like **hablar** (1)
bajar(se)   like **hablar** (1)
bañar(se)   like **hablar** (1)
barrer   like **comer** (2)
beber   like **comer** (2)
brindar   like **hablar** (1)
bucear   like **hablar** (1)
buscar (c:qu)   like **tocar** (44)
caer(se)   (5)
calentarse (e:ie)   like **pensar** (30)
cambiar   like **hablar** (1)
caminar   like **hablar** (1)
cantar   like **hablar** (1)
cargar   like **llegar** (41)
casarse   like **hablar** (1)
celebrar   like **hablar** (1)

cenar   like **hablar** (1)
cepillar(se)   like **hablar** (1)
cerrar (e:ie)   like **pensar** (30)
chatear   like **hablar** (1)
chocar (c:qu)   like **tocar** (44)
cobrar   like **hablar** (1)
cocinar   like **hablar** (1)
coleccionar   like **hablar** (1)
columpiar(se)   like **hablar** (1)
comenzar (e:ie) (z:c)   like **empezar** (26)
comer   (2)
compartir   like **vivir** (3)
componer   like **poner** (15)
comprar   like **hablar** (1)
comprender   like **comer** (2)
comprometerse   like **comer** (2)
conducir (c:zc)   (6)
conectar(se)   like **hablar** (1)
confirmar   like **hablar** (1)
conocer (c:zc)   (35)
conseguir (e:i) (g:gu)   like **seguir** (32)
conservar   like **hablar** (1)
consumir   like **vivir** (3)
contar (o:ue)   (24)
contestar   like **hablar** (1)
contratar   like **hablar** (1)
controlar   like **hablar** (1)
conversar   like **hablar** (1)
correr   like **comer** (2)
cortar   like **hablar** (1)
costar (o:ue)   like **contar** (24)
creer (y)   (36)
cruzar (z:c)   (37)
cuidar   like **hablar** (1)

cumplir   like **vivir** (3)
dañar   like **hablar** (1)
dar(se)   (7)
deber   like **comer** (2)
decidir   like **vivir** (3)
decir (e:i)   (8)
dejar   like **hablar** (1)
depositar   like **hablar** (1)
desarrollar   like **hablar** (1)
desayunar   like **hablar** (1)
descansar   like **hablar** (1)
descargar   like **llegar** (41)
describir   like **vivir** (3) *except*
   past participle is **descrito**
descubrir   like **vivir** (3) *except*
   past participle is **descubierto**
desear   like **hablar** (1)
despedir (e:i)   like **pedir** (29)
despertar(se) (e:ie)   like **pensar** (30)
destruir (y)   (38)
dibujar   like **hablar** (1)
disfrutar   like **hablar** (1)
divertirse (e:ie)   like **sentir** (33)
divorciarse   like **hablar** (1)
doblar   like **hablar** (1)
doler (o:ue)   like **volver** (34) *except*
   past participle is regular
dormir(se) (o:ue, u)   (25)
duchar(se)   like **hablar** (1)
dudar   like **hablar** (1)
empezar (e:ie) (z:c)   (26)
enamorarse   like **hablar** (1)
encantar   like **hablar** (1)
encontrar (o:ue)   like **contar** (24)

enfermarse like hablar (1)
enojar(se) like hablar (1)
ensayar like hablar (1)
enseñar like hablar (1)
ensuciar like hablar (1)
entender (e:ie) (27)
entrenar(se) like hablar (1)
entrevistar like hablar (1)
enviar (envío) (39)
escalar like hablar (1)
escanear like hablar (1)
escribir like vivir (3) *except*
  past participle is **escrito**
escuchar like hablar (1)
esperar like hablar (1)
esquiar (esquío) like enviar (39)
estacionar like hablar (1)
estar (9)
estudiar like hablar (1)
evitar like hablar (1)
experimentar like hablar (1)
explicar (c:qu) like tocar (44)
explorar like hablar (1)
faltar like hablar (1)
fascinar like hablar (1)
firmar like hablar (1)
fumar like hablar (1)
funcionar like hablar (1)
ganar like hablar (1)
gastar like hablar (1)
grabar like hablar (1)
graduarse (gradúo) (40)
guardar like hablar (1)
gustar like hablar (1)
haber (hay) (10)
hablar (1)
hacer (11)
importar like hablar (1)
imprimir like vivir (3)
indicar (c:qu) like tocar (44)
insistir like vivir (3)
interesar like hablar (1)
invertir (e:ie) like sentir (33)
invitar like hablar (1)
ir(se) (12)
jubilarse like hablar (1)
jugar (u:ue) (g:gu) (28)
lastimar(se) like hablar (1)
lavar(se) like hablar (1)
leer (y) like creer (36)
levantar(se) like hablar (1)
limpiar like hablar (1)
llamar(se) like hablar (1)
llegar (g:gu) (41)
llenar like hablar (1)
llevar(se) like hablar (1)

llover (o:ue) like volver (34) *except*
  past participle is regular
mandar like hablar (1)
manejar like hablar (1)
mantenerse (e:ie) like tener (20)
maquillar(se) like hablar (1)
mejorar like hablar (1)
merendar (e:ie) like pensar (30)
mirar like hablar (1)
molestar like hablar (1)
montar like hablar (1)
morir (o:ue) like dormir (25)
  except past participle is **muerto**
mostrar (o:ue) like contar (24)
mudarse like hablar (1)
nacer (c:zc) like conocer (35)
nadar like hablar (1)
necesitar like hablar (1)
negar (e:ie) like pensar (30) *except* (g:gu)
nevar (e:ie) like pensar (30)
obtener (e:ie) like tener (20)
odiar like hablar (1)
ofrecer (c:zc) like conocer (35)
oír (y) (13)
olvidar like hablar (1)
ordenar like hablar (1)
pagar (g:gu) like llegar (41)
parar like hablar (1)
parecer (c:zc) like conocer (35)
pasar like hablar (1)
pasear like hablar (1)
patinar like hablar (1)
pedir (e:i) (29)
peinar(se) like hablar (1)
pensar (e:ie) (30)
perder (e:ie) like entender (27)
pertenecer (c:zc) like conocer (35)
pescar (c:qu) like tocar (44)
pintar like hablar (1)
planchar like hablar (1)
poder (o:ue) (14)
poner(se) (15)
practicar (c:qu) like tocar (44)
preferir (e:ie) like sentir (33)
preguntar like hablar (1)
preocupar(se) like hablar (1)
preparar like hablar (1)
prestar like hablar (1)
probar(se) (o:ue) like contar (24)
producir (c:zc) like conducir (6)
prohibir (42)
proponer like poner (15)
proteger (g:j) (43)
quedar(se) like hablar (1)
querer (e:ie) (16)
quitar(se) like hablar (1)
recibir like vivir (3)

reciclar like hablar (1)
recoger (g:j) like proteger (43)
recomendar (e:ie) like pensar (30)
recordar (o:ue) like contar (24)
reducir (c:zc) like conducir (6)
regalar like hablar (1)
regresar like hablar (1)
reír(se) (e:i) (31)
relajarse like hablar (1)
renunciar like hablar (1)
repetir (e:i) like pedir (29)
resolver (o:ue) like volver (34)
respirar like hablar (1)
romper(se) like comer (2) *except*
  past participle is **roto**
saber (17)
sacar(se) (c:qu) like tocar (44)
sacudir like vivir (3)
salir (18)
saltar like hablar (1)
secar (c:qu) like tocar (44)
seguir (e:i) (gu:g) (32)
sentarse (e:ie) like pensar (30)
sentir(se) (e:ie) (33)
separarse like hablar (1)
ser (19)
servir (e:i) like pedir (29)
solicitar like hablar (1)
sonar (o:ue) like contar (24)
sonreír (e:i) like reír(se) (31)
sorprender like comer (2)
subir like vivir (3)
sudar like hablar (1)
sufrir like vivir (3)
sugerir (e:ie) like sentir (33)
suponer like poner (15)
temer like comer (2)
tender (e:ie) like entender (27)
tener (e:ie) (20)
terminar like hablar (1)
textear like hablar (1)
tomar like hablar (1)
toser like comer (2)
trabajar like hablar (1)
traducir (c:zc) like conducir (6)
traer (21)
tratar like hablar (1)
usar like hablar (1)
vender like comer (2)
venir (e:ie) (22)
ver (23)
vestir(se) (e:i) like pedir (29)
viajar like hablar (1)
visitar like hablar (1)
vivir (3)
volar (o:ue) like contar (24)
volver (o:ue) (34)

Verb Conjugation Tables

Regular verbs: Simple tenses

	Infinitive	INDICATIVE					SUBJUNCTIVE		IMPERATIVE
		Present	Imperfect	Preterit	Future	Conditional	Present	Past	
1	hablar	hablo	hablaba	hablé	hablaré	hablaría	hable	hablara	
		hablas	hablabas	hablaste	hablarás	hablarías	hables	hablaras	habla tú (no hables)
	Participles:	habla	hablaba	habló	hablará	hablaría	hable	hablara	hable Ud.
	hablando	hablamos	hablábamos	hablamos	hablaremos	hablaríamos	hablemos	habláramos	hablemos
	hablado	habláis	hablabais	hablasteis	hablaréis	hablaríais	habléis	hablarais	hablad (no habléis)
		hablan	hablaban	hablaron	hablarán	hablarían	hablen	hablaran	hablen Uds.
2	comer	como	comía	comí	comeré	comería	coma	comiera	
		comes	comías	comiste	comerás	comerías	comas	comieras	come tú (no comas)
	Participles:	come	comía	comió	comerá	comería	coma	comiera	coma Ud.
	comiendo	comemos	comíamos	comimos	comeremos	comeríamos	comamos	comiéramos	comamos
	comido	coméis	comíais	comisteis	comeréis	comeríais	comáis	comierais	comed (no comáis)
		comen	comían	comieron	comerán	comerían	coman	comieran	coman Uds.
3	vivir	vivo	vivía	viví	viviré	viviría	viva	viviera	
		vives	vivías	viviste	vivirás	vivirías	vivas	vivieran	vive tú (no vivas)
	Participles:	vive	vivía	vivió	vivirá	viviría	viva	viviera	viva Ud.
	viviendo	vivimos	vivíamos	vivimos	viviremos	viviríamos	vivamos	viviéramos	vivamos
	vivido	vivís	vivíais	vivisteis	viviréis	viviríais	viváis	vivierais	vivid (no viváis)
		viven	vivían	vivieron	vivirán	vivirían	vivan	vivieran	vivan Uds.

All verbs: Compound tenses

PERFECT TENSES											
INDICATIVE								SUBJUNCTIVE			
Present Perfect		Past Perfect		Future Perfect		Conditional Perfect		Present Perfect		Past Perfect	
he		había		habré		habría		haya		hubiera	
has		habías		habrás		habrías		hayas		hubieras	
ha	hablado	había	hablado	habrá	hablado	habría	hablado	haya	hablado	hubiera	hablado
hemos	comido	habíamos	comido	habremos	comido	habríamos	comido	hayamos	comido	hubiéramos	comido
habéis	vivido	habíais	vivido	habréis	vivido	habríais	vivido	hayáis	vivido	hubierais	vivido
han		habían		habrán		habrían		hayan		hubieran	

PROGRESSIVE TENSES

INDICATIVE							SUBJUNCTIVE			
Present Progressive		**Past Progressive**		**Future Progressive**		**Conditional Progressive**		**Present Progressive**		**Past Progressive**	
estoy estás está estamos estáis están	hablando comiendo viviendo	estaba estabas estaba estábamos estabais estaban	hablando comiendo viviendo	estaré estarás estará estaremos estaréis estarán	hablando comiendo viviendo	estaría estarías estaría estaríamos estaríais estarían	hablando comiendo viviendo	esté estés esté estemos estéis estén	hablando comiendo viviendo	estuviera estuvieras estuviera estuviéramos estuvierais estuvieran	hablando comiendo viviendo

Irregular verbs

	Infinitive	INDICATIVE					SUBJUNCTIVE		IMPERATIVE
		Present	Imperfect	Preterit	Future	Conditional	Present	Past	
4	caber Participles: cabiendo cabido	**quepo** cabes cabe cabemos cabéis caben	cabía cabías cabía cabíamos cabíais cabían	**cupe** **cupiste** **cupo** **cupimos** **cupisteis** **cupieron**	**cabré** **cabrás** **cabrá** **cabremos** **cabréis** **cabrán**	**cabría** **cabrías** **cabría** **cabríamos** **cabríais** **cabrían**	**quepa** **quepas** **quepa** **quepamos** **quepáis** **quepan**	**cupiera** **cupieras** **cupiera** **cupiéramos** **cupierais** **cupieran**	cabe tú (no **quepas**) **quepa** Ud. **quepamos** cabed (no **quepáis**) **quepan** Uds.
5	caer(se) Participles: **cayendo** **caído**	**caigo** caes cae caemos caéis caen	caía caías caía caíamos caíais caían	caí **caíste** **cayó** **caímos** **caísteis** **cayeron**	caeré caerás caerá caeremos caeréis caerán	caería caerías caería caeríamos caeríais caerían	**caiga** **caigas** **caiga** **caigamos** **caigáis** **caigan**	**cayera** **cayeras** **cayera** **cayéramos** **cayerais** **cayeran**	cae tú (no **caigas**) **caiga** Ud. **caigamos** caed (no **caigáis**) **caigan** Uds.
6	conducir (c:zc) Participles: conduciendo conducido	**conduzco** conduces conduce conducimos conducís conducen	conducía conducías conducía conducíamos conducíais conducían	**conduje** **condujiste** **condujo** **condujimos** **condujisteis** **condujeron**	conduciré conducirás conducirá conduciremos conduciréis conducirán	conduciría conducirías conduciría conduciríamos conduciríais conducirían	**conduzca** **conduzcas** **conduzca** **conduzcamos** **conduzcáis** **conduzcan**	**condujera** **condujeras** **condujera** **condujéramos** **condujerais** **condujeran**	conduce tú (no **conduzcas**) **conduzca** Ud. **conduzcamos** conducid (no **conduzcáis**) **conduzcan** Uds.
7	dar Participles: dando dado	**doy** das da damos dais dan	daba dabas daba dábamos dabais daban	**di** **diste** **dio** **dimos** **disteis** **dieron**	daré darás dará daremos daréis darán	daría darías daría daríamos daríais darían	**dé** **des** **dé** **demos** **deis** **den**	**diera** **dieras** **diera** **diéramos** **dierais** **dieran**	da tú (no **des**) **dé** Ud. **demos** dad (no **deis**) **den** Uds.

Verb Conjugation Tables

	Infinitive	INDICATIVE					SUBJUNCTIVE		IMPERATIVE
		Present	Imperfect	Preterit	Future	Conditional	Present	Past	
8	decir (e:i)	digo	decía	dije	diré	diría	diga	dijera	
		dices	decías	dijiste	dirás	dirías	digas	dijeras	**di** tú (no **digas**)
	Participles:	dice	decía	dijo	dirá	diría	diga	dijera	**diga** Ud.
	diciendo	decimos	decíamos	dijimos	diremos	diríamos	digamos	dijéramos	**digamos**
	dicho	decís	decíais	dijisteis	diréis	diríais	digáis	dijerais	decid (no **digáis**)
		dicen	decían	dijeron	dirán	dirían	digan	dijeran	**digan** Uds.
9	estar	estoy	estaba	estuve	estaré	estaría	esté	estuviera	
		estás	estabas	estuviste	estarás	estarías	estés	estuvieras	**está** tú (no **estés**)
	Participles:	está	estaba	estuvo	estará	estaría	esté	estuviera	**esté** Ud.
	estando	estamos	estábamos	estuvimos	estaremos	estaríamos	estemos	estuviéramos	estemos
	estado	estáis	estabais	estuvisteis	estaréis	estaríais	estéis	estuvierais	estad (no estéis)
		están	estaban	estuvieron	estarán	estarían	estén	estuvieran	**estén** Uds.
10	haber	he	había	hube	habré	habría	haya	hubiera	
		has	habías	hubiste	habrás	habrías	hayas	hubieras	
	Participles:	ha	había	hubo	habrá	habría	haya	hubiera	
	habiendo	hemos	habíamos	hubimos	habremos	habríamos	hayamos	hubiéramos	
	habido	habéis	habíais	hubisteis	habréis	habríais	hayáis	hubierais	
		han	habían	hubieron	habrán	habrían	hayan	hubieran	
11	hacer	hago	hacía	hice	haré	haría	haga	hiciera	
		haces	hacías	hiciste	harás	harías	hagas	hicieras	**haz** tú (no **hagas**)
	Participles:	hace	hacía	hizo	hará	haría	haga	hiciera	**haga** Ud.
	haciendo	hacemos	hacíamos	hicimos	haremos	haríamos	hagamos	hiciéramos	**hagamos**
	hecho	hacéis	hacíais	hicisteis	haréis	haríais	hagáis	hicierais	haced (no **hagáis**)
		hacen	hacían	hicieron	harán	harían	hagan	hicieran	**hagan** Uds.
12	ir	voy	iba	fui	iré	iría	vaya	fuera	
		vas	ibas	fuiste	irás	irías	vayas	fueras	**ve** tú (no **vayas**)
	Participles:	va	iba	fue	irá	iría	vaya	fuera	**vaya** Ud.
	yendo	vamos	íbamos	fuimos	iremos	iríamos	vayamos	fuéramos	**vamos** (no **vayamos**)
	ido	vais	ibais	fuisteis	iréis	iríais	vayáis	fuerais	id (no **vayáis**)
		van	iban	fueron	irán	irían	vayan	fueran	**vayan** Uds.
13	oír (y)	oigo	oía	oí	oiré	oiría	oiga	oyera	
		oyes	oías	oíste	oirás	oirías	oigas	oyeras	**oye** tú (no **oigas**)
	Participles:	oye	oía	oyó	oirá	oiría	oiga	oyera	**oiga** Ud.
	oyendo	oímos	oíamos	oímos	oiremos	oiríamos	oigamos	oyéramos	**oigamos**
	oído	oís	oíais	oísteis	oiréis	oiríais	oigáis	oyerais	oíd (no **oigáis**)
		oyen	oían	oyeron	oirán	oirían	oigan	oyeran	**oigan** Uds.

		INDICATIVE				SUBJUNCTIVE		IMPERATIVE
Infinitive	Present	Imperfect	Preterit	Future	Conditional	Present	Past	
14 poder (o:ue)	**puedo**	podía	**pude**	**podré**	**podría**	**pueda**	**pudiera**	
	puedes	podías	**pudiste**	**podrás**	**podrías**	**puedas**	**pudieras**	**puede** tú (no **puedas**)
Participles:	**puede**	podía	**pudo**	**podrá**	**podría**	**pueda**	**pudiera**	**pueda** Ud.
pudiendo	podemos	podíamos	**pudimos**	**podremos**	**podríamos**	podamos	**pudiéramos**	podamos
podido	podéis	podíais	**pudisteis**	**podréis**	**podríais**	podáis	**pudierais**	poded (no podáis)
	pueden	podían	**pudieron**	**podrán**	**podrían**	**puedan**	**pudieran**	**puedan** Uds.
15 poner	**pongo**	ponía	**puse**	**pondré**	**pondría**	**ponga**	**pusiera**	
	pones	ponías	**pusiste**	**pondrás**	**pondrías**	**pongas**	**pusieras**	**pon** tú (no **pongas**)
Participles:	pone	ponía	**puso**	**pondrá**	**pondría**	**ponga**	**pusiera**	**ponga** Ud.
poniendo	ponemos	poníamos	**pusimos**	**pondremos**	**pondríamos**	**pongamos**	**pusiéramos**	**pongamos**
puesto	ponéis	poníais	**pusisteis**	**pondréis**	**pondríais**	**pongáis**	**pusierais**	poned (no **pongáis**)
	ponen	ponían	**pusieron**	**pondrán**	**pondrían**	**pongan**	**pusieran**	**pongan** Uds.
16 querer (e:ie)	**quiero**	quería	**quise**	**querré**	**querría**	**quiera**	**quisiera**	
	quieres	querías	**quisiste**	**querrás**	**querrías**	**quieras**	**quisieras**	**quiere** tú (no **quieras**)
Participles:	**quiere**	quería	**quiso**	**querrá**	**querría**	**quiera**	**quisiera**	**quiera** Ud.
queriendo	queremos	queríamos	**quisimos**	**querremos**	**querríamos**	queramos	**quisiéramos**	queramos
querido	queréis	queríais	**quisisteis**	**querréis**	**querríais**	queráis	**quisierais**	quered (no queráis)
	quieren	querían	**quisieron**	**querrán**	**querrían**	**quieran**	**quisieran**	**quieran** Uds.
17 saber	**sé**	sabía	**supe**	**sabré**	**sabría**	**sepa**	**supiera**	
	sabes	sabías	**supiste**	**sabrás**	**sabrías**	**sepas**	**supieras**	sabe tú (no **sepas**)
Participles:	sabe	sabía	**supo**	**sabrá**	**sabría**	**sepa**	**supiera**	**sepa** Ud.
sabiendo	sabemos	sabíamos	**supimos**	**sabremos**	**sabríamos**	**sepamos**	**supiéramos**	**sepamos**
sabido	sabéis	sabíais	**supisteis**	**sabréis**	**sabríais**	**sepáis**	**supierais**	sabed (no **sepáis**)
	saben	sabían	**supieron**	**sabrán**	**sabrían**	**sepan**	**supieran**	**sepan** Uds.
18 salir	**salgo**	salía	salí	**saldré**	**saldría**	**salga**	saliera	
	sales	salías	saliste	**saldrás**	**saldrías**	**salgas**	salieras	**sal** tú (no **salgas**)
Participles:	sale	salía	salió	**saldrá**	**saldría**	**salga**	saliera	**salga** Ud.
saliendo	salimos	salíamos	salimos	**saldremos**	**saldríamos**	**salgamos**	saliéramos	**salgamos**
salido	salís	salíais	salisteis	**saldréis**	**saldríais**	**salgáis**	salierais	salid (no **salgáis**)
	salen	salían	salieron	**saldrán**	**saldrían**	**salgan**	salieran	**salgan** Uds.
19 ser	**soy**	**era**	**fui**	seré	sería	**sea**	**fuera**	
	eres	**eras**	**fuiste**	serás	serías	**seas**	**fueras**	**sé** tú (no **seas**)
Participles:	**es**	**era**	**fue**	será	sería	**sea**	**fuera**	**sea** Ud.
siendo	**somos**	**éramos**	**fuimos**	seremos	seríamos	**seamos**	**fuéramos**	**seamos**
sido	**sois**	**erais**	**fuisteis**	seréis	seríais	**seáis**	**fuerais**	sed (no **seáis**)
	son	**eran**	**fueron**	serán	serían	**sean**	**fueran**	**sean** Uds.
20 tener	**tengo**	tenía	**tuve**	**tendré**	**tendría**	**tenga**	**tuviera**	
	tienes	tenías	**tuviste**	**tendrás**	**tendrías**	**tengas**	**tuvieras**	**ten** tú (no **tengas**)
Participles:	**tiene**	tenía	**tuvo**	**tendrá**	**tendría**	**tenga**	**tuviera**	**tenga** Ud.
teniendo	tenemos	teníamos	**tuvimos**	**tendremos**	**tendríamos**	**tengamos**	**tuviéramos**	**tengamos**
tenido	tenéis	teníais	**tuvisteis**	**tendréis**	**tendríais**	**tengáis**	**tuvierais**	tened (no **tengáis**)
	tienen	tenían	**tuvieron**	**tendrán**	**tendrían**	**tengan**	**tuvieran**	**tengan** Uds.

Verb Conjugation Tables

		INDICATIVE					SUBJUNCTIVE		IMPERATIVE
Infinitive		Present	Imperfect	Preterit	Future	Conditional	Present	Past	
21	traer	**traigo**	traía	**traje**	traeré	traería	**traiga**	**trajera**	
		traes	traías	**trajiste**	traerás	traerías	**traigas**	**trajeras**	trae tú (no **traigas**)
	Participles:	trae	traía	**trajo**	traerá	traería	**traiga**	**trajera**	**traiga** Ud.
	trayendo	traemos	traíamos	**trajimos**	traeremos	traeríamos	**traigamos**	**trajéramos**	**traigamos**
	traído	traéis	traíais	**trajisteis**	traeréis	traeríais	**traigáis**	**trajerais**	traed (no **traigáis**)
		traen	traían	**trajeron**	traerán	traerían	**traigan**	**trajeran**	**traigan** Uds.
22	venir	**vengo**	venía	**vine**	**vendré**	**vendría**	**venga**	**viniera**	
		vienes	venías	**viniste**	**vendrás**	**vendrías**	**vengas**	**vinieras**	**ven** tú (no **vengas**)
	Participles:	**viene**	venía	**vino**	**vendrá**	**vendría**	**venga**	**viniera**	**venga** Ud.
	viniendo	venimos	veníamos	**vinimos**	**vendremos**	**vendríamos**	**vengamos**	**viniéramos**	**vengamos**
	venido	venís	veníais	**vinisteis**	**vendréis**	**vendríais**	**vengáis**	**vinierais**	venid (no **vengáis**)
		vienen	venían	**vinieron**	**vendrán**	**vendrían**	**vengan**	**vinieran**	**vengan** Uds.
23	ver	**veo**	**veía**	**vi**	veré	vería	**vea**	**viera**	
		ves	**veías**	**viste**	verás	verías	**veas**	**vieras**	**ve** tú (no **veas**)
	Participles:	ve	**veía**	**vio**	verá	vería	**vea**	**viera**	**vea** Ud.
	viendo	vemos	**veíamos**	**vimos**	veremos	veríamos	**veamos**	**viéramos**	**veamos**
	visto	veis	**veíais**	**visteis**	veréis	veríais	**veáis**	**vierais**	ved (no **veáis**)
		ven	**veían**	**vieron**	verán	verían	**vean**	**vieran**	**vean** Uds.

Stem-changing verbs

		INDICATIVE					SUBJUNCTIVE		IMPERATIVE
Infinitive		Present	Imperfect	Preterit	Future	Conditional	Present	Past	
24	contar (o:ue)	**cuento**	contaba	conté	contaré	contaría	**cuente**	contara	
		cuentas	contabas	contaste	contarás	contarías	**cuentes**	contaras	**cuenta** tú (no **cuentes**)
		cuenta	contaba	contó	contará	contaría	**cuente**	contara	**cuente** Ud.
	Participles:	contamos	contábamos	contamos	contaremos	contaríamos	contemos	contáramos	contemos
	contando	contáis	contabais	contasteis	contaréis	contaríais	contéis	contarais	contad (no contéis)
	contado	**cuentan**	contaban	contaron	contarán	contarían	**cuenten**	contaran	**cuenten** Uds.
25	dormir (o:ue)	**duermo**	dormía	dormí	dormiré	dormiría	**duerma**	**durmiera**	
		duermes	dormías	dormiste	dormirás	dormirías	**duermas**	**durmieras**	**duerme** tú (no **duermas**)
	Participles:	**duerme**	dormía	**durmió**	dormirá	dormiría	**duerma**	**durmiera**	**duerma** Ud.
	durmiendo	dormimos	dormíamos	dormimos	dormiremos	dormiríamos	**durmamos**	**durmiéramos**	**durmamos**
	dormido	dormís	dormíais	dormisteis	dormiréis	dormiríais	**durmáis**	**durmierais**	dormid (no **durmáis**)
		duermen	dormían	**durmieron**	dormirán	dormirían	**duerman**	**durmieran**	**duerman** Uds.
26	empezar	**empiezo**	empezaba	**empecé**	empezaré	empezaría	**empiece**	empezara	
	(e:ie) (z:c)	**empiezas**	empezabas	empezaste	empezarás	empezarías	**empieces**	empezaras	**empieza** tú (no **empieces**)
		empieza	empezaba	empezó	empezará	empezaría	**empiece**	empezara	**empiece** Ud.
	Participles:	empezamos	empezábamos	empezamos	empezaremos	empezaríamos	**empecemos**	empezáramos	**empecemos**
	empezando	empezáis	empezabais	empezasteis	empezaréis	empezaríais	**empecéis**	empezarais	empezad (no **empecéis**)
	empezado	**empiezan**	empezaban	empezaron	empezarán	empezarían	**empiecen**	empezaran	**empiecen** Uds.

	Infinitive	INDICATIVE					SUBJUNCTIVE		IMPERATIVE
		Present	Imperfect	Preterit	Future	Conditional	Present	Past	
27	entender (e:ie)	entiendo	entendía	entendí	entenderé	entendería	entienda	entendiera	
		entiendes	entendías	entendiste	entenderás	entenderías	entiendas	entendieras	entiende tú (no entiendas)
		entiende	entendía	entendió	entenderá	entendería	entienda	entendiera	entienda Ud.
	Participles:	entendemos	entendíamos	entendimos	entenderemos	entenderíamos	entendamos	entendiéramos	entendamos
	entendiendo	entendéis	entendíais	entendisteis	entenderéis	entenderíais	entendáis	entendierais	entended (no entendáis)
	entendido	entienden	entendían	entendieron	entenderán	entenderían	entiendan	entendieran	entiendan Uds.
28	jugar (u:ue)	juego	jugaba	jugué	jugaré	jugaría	juegue	jugara	
	(g:gu)	juegas	jugabas	jugaste	jugarás	jugarías	juegues	jugaras	juega tú (no juegues)
		juega	jugaba	jugó	jugará	jugaría	juegue	jugara	juegue Ud.
	Participles:	jugamos	jugábamos	jugamos	jugaremos	jugaríamos	juguemos	jugáramos	juguemos
	jugando	jugáis	jugabais	jugasteis	jugaréis	jugaríais	juguéis	jugarais	jugad (no juguéis)
	jugado	juegan	jugaban	jugaron	jugarán	jugarían	jueguen	jugaran	jueguen Uds.
29	pedir (e:i)	pido	pedía	pedí	pediré	pediría	pida	pidiera	
		pides	pedías	pediste	pedirás	pedirías	pidas	pidieras	pide tú (no pidas)
		pide	pedía	pidió	pedirá	pediría	pida	pidiera	pida Ud.
	Participles:	pedimos	pedíamos	pedimos	pediremos	pediríamos	pidamos	pidiéramos	pidamos
	pidiendo	pedís	pedíais	pedisteis	pediréis	pediríais	pidáis	pidierais	pedid (no pidáis)
	pedido	piden	pedían	pidieron	pedirán	pedirían	pidan	pidieran	pidan Uds.
30	pensar (e:ie)	pienso	pensaba	pensé	pensaré	pensaría	piense	pensara	
		piensas	pensabas	pensaste	pensarás	pensarías	pienses	pensaras	piensa tú (no pienses)
		piensa	pensaba	pensó	pensará	pensaría	piense	pensara	piense Ud.
	Participles:	pensamos	pensábamos	pensamos	pensaremos	pensaríamos	pensemos	pensáramos	pensemos
	pensando	pensáis	pensabais	pensasteis	pensaréis	pensaríais	penséis	pensarais	pensad (no penséis)
	pensado	piensan	pensaban	pensaron	pensarán	pensarían	piensen	pensaran	piensen Uds.
31	reír (e:i)	río	reía	reí	reiré	reiría	ría	riera	
		ríes	reías	reíste	reirás	reirías	rías	rieras	ríe tú (no rías)
		ríe	reía	rio	reirá	reiría	ría	riera	ría Ud.
	Participles:	reímos	reíamos	reímos	reiremos	reiríamos	riamos	riéramos	riamos
	riendo	reís	reíais	reísteis	reiréis	reiríais	riais	rierais	reíd (no riais)
	reído	ríen	reían	rieron	reirán	reirían	rían	rieran	rían Uds.
32	seguir (e:i)	sigo	seguía	seguí	seguiré	seguiría	siga	siguiera	
	(gu:g)	sigues	seguías	seguiste	seguirás	seguirías	sigas	siguieras	sigue tú (no sigas)
		sigue	seguía	siguió	seguirá	seguiría	siga	siguiera	siga Ud.
	Participles:	seguimos	seguíamos	seguimos	seguiremos	seguiríamos	sigamos	siguiéramos	sigamos
	siguiendo	seguís	seguíais	seguisteis	seguiréis	seguiríais	sigáis	siguierais	seguid (no sigáis)
	seguido	siguen	seguían	siguieron	seguirán	seguirían	sigan	siguieran	sigan Uds.
33	sentir (e:ie)	siento	sentía	sentí	sentiré	sentiría	sienta	sintiera	
		sientes	sentías	sentiste	sentirás	sentirías	sientas	sintieras	siente tú (no sientas)
		siente	sentía	sintió	sentirá	sentiría	sienta	sintiera	sienta Ud.
	Participles:	sentimos	sentíamos	sentimos	sentiremos	sentiríamos	sintamos	sintiéramos	sintamos
	sintiendo	sentís	sentíais	sentisteis	sentiréis	sentiríais	sintáis	sintierais	sentid (no sintáis)
	sentido	sienten	sentían	sintieron	sentirán	sentirían	sientan	sintieran	sientan Uds.
34	volver (o:ue)	vuelvo	volvía	volví	volveré	volvería	vuelva	volviera	
		vuelves	volvías	volviste	volverás	volverías	vuelvas	volvieras	vuelve tú (no vuelvas)
		vuelve	volvía	volvió	volverá	volvería	vuelva	volviera	vuelva Ud.
	Participles:	volvemos	volvíamos	volvimos	volveremos	volveríamos	volvamos	volviéramos	volvamos
	volviendo	volvéis	volvíais	volvisteis	volveréis	volveríais	volváis	volvierais	volved (no volváis)
	vuelto	vuelven	volvían	volvieron	volverán	volverían	vuelvan	volvieran	vuelvan Uds.

Verb Conjugation Tables

Verbs with spelling changes only

Infinitive	INDICATIVE					SUBJUNCTIVE		IMPERATIVE
	Present	Imperfect	Preterit	Future	Conditional	Present	Past	
35 conocer (c:zc)	**conozco**	conocía	conocí	conoceré	conocería	**conozca**	conociera	
	conoces	conocías	conociste	conocerás	conocerías	**conozcas**	conocieras	conoce tú (no **conozcas**)
	conoce	conocía	conoció	conocerá	conocería	**conozca**	conociera	**conozca** Ud.
Participles:	conocemos	conocíamos	conocimos	conoceremos	conoceríamos	**conozcamos**	conociéramos	**conozcamos**
conociendo	conocéis	conocíais	conocisteis	conoceréis	conoceríais	**conozcáis**	conocierais	conoced (no **conozcáis**)
conocido	conocen	conocían	conocieron	conocerán	conocerían	**conozcan**	conocieran	**conozcan** Uds.
36 creer (y)	creo	creía	**creí**	creeré	creería	crea	**creyera**	
	crees	creías	**creíste**	creerás	creerías	creas	**creyeras**	cree tú (no creas)
	cree	creía	**creyó**	creerá	creería	crea	**creyera**	crea Ud.
Participles:	creemos	creíamos	**creímos**	creeremos	creeríamos	creamos	**creyéramos**	creamos
creyendo	creéis	creíais	**creísteis**	creeréis	creeríais	creáis	**creyerais**	creed (no creáis)
creído	creen	creían	**creyeron**	creerán	creerían	crean	**creyeran**	crean Uds.
37 cruzar (z:c)	cruzo	cruzaba	**crucé**	cruzaré	cruzaría	**cruce**	cruzara	
	cruzas	cruzabas	cruzaste	cruzarás	cruzarías	**cruces**	cruzaras	cruza tú (no **cruces**)
	cruza	cruzaba	cruzó	cruzará	cruzaría	**cruce**	cruzara	**cruce** Ud.
Participles:	cruzamos	cruzábamos	cruzamos	cruzaremos	cruzaríamos	**crucemos**	cruzáramos	**crucemos**
cruzando	cruzáis	cruzabais	cruzasteis	cruzaréis	cruzaríais	**crucéis**	cruzarais	cruzad (no **crucéis**)
cruzado	cruzan	cruzaban	cruzaron	cruzarán	cruzarían	**crucen**	cruzaran	**crucen** Uds.
38 destruir (y)	**destruyo**	destruía	destruí	destruiré	destruiría	**destruya**	**destruyera**	
	destruyes	destruías	destruiste	destruirás	destruirías	**destruyas**	**destruyeras**	**destruye** tú (no **destruyas**)
	destruye	destruía	**destruyó**	destruirá	destruiría	**destruya**	**destruyera**	**destruya** Ud.
Participles:	destruimos	destruíamos	destruimos	destruiremos	destruiríamos	**destruyamos**	**destruyéramos**	**destruyamos**
destruyendo	destruís	destruíais	destruisteis	destruiréis	destruiríais	**destruyáis**	**destruyerais**	destruid (no **destruyáis**)
destruido	**destruyen**	destruían	**destruyeron**	destruirán	destruirían	**destruyan**	**destruyeran**	**destruyan** Uds.
39 enviar (envío)	**envío**	enviaba	envié	enviaré	enviaría	**envíe**	enviara	
	envías	enviabas	enviaste	enviarás	enviarías	**envíes**	enviaras	**envía** tú (no **envíes**)
	envía	enviaba	envió	enviará	enviaría	**envíe**	enviara	**envíe** Ud.
Participles:	enviamos	enviábamos	enviamos	enviaremos	enviaríamos	**enviemos**	enviáramos	enviemos
enviando	enviáis	enviabais	enviasteis	enviaréis	enviaríais	**enviéis**	enviarais	enviad (no **enviéis**)
enviado	**envían**	enviaban	enviaron	enviarán	enviarían	**envíen**	enviaran	**envíen** Uds.

	Infinitive	INDICATIVE					SUBJUNCTIVE		IMPERATIVE
		Present	Imperfect	Preterit	Future	Conditional	Present	Past	
40	graduarse (gradúo)	**gradúo**	graduaba	gradué	graduaré	graduaría	**gradúe**	graduara	
		gradúas	graduabas	graduaste	graduarás	graduarías	**gradúes**	graduaras	**gradúa** tú (no **gradúes**)
		gradúa	graduaba	graduó	graduará	graduaría	**gradúe**	graduara	**gradúe** Ud.
	Participles:	graduamos	graduábamos	graduamos	graduaremos	graduaríamos	graduemos	graduáramos	graduemos
	graduando	graduáis	graduabais	graduasteis	graduaréis	graduaríais	graduéis	graduarais	graduad (no graduéis)
	graduado	**gradúan**	graduaban	graduaron	graduarán	graduarían	**gradúen**	graduaran	**gradúen** Uds.
41	llegar (g:gu)	llego	llegaba	**llegué**	llegaré	llegaría	**llegue**	llegara	
		llegas	llegabas	llegaste	llegarás	llegarías	**llegues**	llegaras	llega tú (no **llegues**)
		llega	llegaba	llegó	llegará	llegaría	**llegue**	llegara	**llegue** Ud.
	Participles:	llegamos	llegábamos	llegamos	llegaremos	llegaríamos	**lleguemos**	llegáramos	**lleguemos**
	llegando	llegáis	llegabais	llegasteis	llegaréis	llegaríais	**lleguéis**	llegarais	llegad (no **lleguéis**)
	llegado	llegan	llegaban	llegaron	llegarán	llegarían	**lleguen**	llegaran	**lleguen** Uds.
42	prohibir (prohíbo)	**prohíbo**	prohibía	prohibí	prohibiré	prohibiría	**prohíba**	prohibiera	**prohíbe** tú (no **prohíbas**)
		prohíbes	prohibías	prohibiste	prohibirás	prohibirías	**prohíbas**	prohibieras	**prohíba** Ud.
		prohíbe	prohibía	prohibió	prohibirá	prohibiría	**prohíba**	prohibiera	prohibamos
	Participles:	prohibimos	prohibíamos	prohibimos	prohibiremos	prohibiríamos	prohibamos	prohibiéramos	prohibid (no prohibáis)
	prohibiendo	prohibís	prohibíais	prohibisteis	prohibiréis	prohibiríais	prohibáis	prohibierais	**prohíban** Uds.
	prohibido	**prohíben**	prohibían	prohibieron	prohibirán	prohibirían	**prohíban**	prohibieran	
43	proteger (g:j)	**protejo**	protegía	protegí	protegeré	protegería	**proteja**	protegiera	
		proteges	protegías	protegiste	protegerás	protegerías	**protejas**	protegieras	protege tú (no **protejas**)
		protege	protegía	protegió	protegerá	protegería	**proteja**	protegiera	**proteja** Ud.
	Participles:	protegemos	protegíamos	protegimos	protegeremos	protegeríamos	**protejamos**	protegiéramos	**protejamos**
	protegiendo	protegéis	protegíais	protegisteis	protegeréis	protegeríais	**protejáis**	protegierais	proteged (no **protejáis**)
	protegido	protegen	protegían	protegieron	protegerán	protegerían	**protejan**	protegieran	**protejan** Uds.
44	tocar (c:qu)	toco	tocaba	**toqué**	tocaré	tocaría	**toque**	tocara	
		tocas	tocabas	tocaste	tocarás	tocarías	**toques**	tocaras	toca tú (no **toques**)
		toca	tocaba	tocó	tocará	tocaría	**toque**	tocara	**toque** Ud.
	Participles:	tocamos	tocábamos	tocamos	tocaremos	tocaríamos	**toquemos**	tocáramos	**toquemos**
	tocando	tocáis	tocabais	tocasteis	tocaréis	tocaríais	**toquéis**	tocarais	tocad (no **toquéis**)
	tocado	tocan	tocaban	tocaron	tocarán	tocarían	**toquen**	tocaran	**toquen** Uds.
45	vencer (c:z)	**venzo**	vencía	vencí	venceré	vencería	**venza**	venciera	
		vences	vencías	venciste	vencerás	vencerías	**venzas**	vencieras	vence tú (no **venzas**)
		vence	vencía	venció	vencerá	vencería	**venza**	venciera	**venza** Ud.
	Participles:	vencemos	vencíamos	vencimos	venceremos	venceríamos	**venzamos**	venciéramos	**venzamos**
	venciendo	vencéis	vencíais	vencisteis	venceréis	venceríais	**venzáis**	vencierais	venced (no **venzáis**)
	vencido	vencen	vencían	vencieron	vencerán	vencerían	**venzan**	vencieran	**venzan** Uds.

Spanish-English Glossary

Guide to Glossary

Note on alphabetization

For purposes of alphabetization, **ch** and **ll** are not treated as separate letters, but **ñ** still follows **n**. Therefore, in this glossary, you will find that **cañón**, for example, appears after **cantar**.

Abbreviations used in this glossary

adj. adjective	*m.* masculine	*pron.* pronoun
adv. adverb	*n.* noun	*sing.* singular
exp. expression	*pl.* plural	*v.* verb
f. feminine	*poss.* possessive	
interrog. interrogative	*prep.* preposition	

A

a tiempo completo *adv.* full-time **2**
a tiempo parcial *adv.* part-time **2**
abandonar (los estudios) *v.* to drop out (*of school*) **8**
abnegado/a *adj.* selfless; self-sacrificing **10**
la abogacía *n. f.* advocacy **10**
abordar *v.* to board **6**
abrocharse el cinturón de seguridad *v.* to fasten one's seat belt **6**
abstracto/a *adj.* abstract **5**
académico/a *adj.* academic **8**
acceder *v.* to access **9**
accesible *adj.* accessible **6**
el acceso *n. m.* access **9**
activar *v.* to activate **9**
la actividad física *n. f.* physical activity **3**
el activismo juvenil *n. m.* youth activism **10**
el/la activista *n. m./f.* activist **10**
la actuación *n. f.* performance **11**
actual *adj.* current **11**
actualizado/a *adj.* updated **9**
el acuerdo *n. m.* agreement **7**
adaptarse *v.* to adapt **1**
adjuntar *v.* to attach **9**
administrar (el tiempo) *v.* to manage (time) **8**
¿adónde? *interrog. pron.* where (to)? **1**
adornar *v.* to decorate **5**
la aerolínea *n. f.* airline **6**
el aeropuerto *n. m.* airport **6**
aficionado/a... *adj.* fond of ... **11**
la agencia de viajes *n. f.* travel agency **6**
agotarse *v.* to run out **4**
agrícola *adj.* farming, agricultural **7**
el/la agricultor(a) *n. m./f.* farmer **7**
la agricultura *n. f.* agriculture **7**
el agroturismo *n. m.* agrotourism **6**
ahorrar *v.* to save **2**
los ahorros *n. m. pl.* savings **2**

el albergue (juvenil) *n. m.* (youth) hostel **12**
alcanzar *v.* to reach **2**
la alegría *n. f.* joy **5**
la alergia *n. f.* allergy **3**
la alfabetización *n. f.* literacy **8**
la alimentación *n. f.* food; diet **3**
el alimento *n. m.* food **3**
almacenar *v.* to store **9**
el alojamiento *n. m.* lodging **6**
alojarse *v.* to stay (*in lodging*) **12**
el alquiler *n. m.* rent **2**
alto/a *adj.* high **7**
el alumnado *n. m.* student body **8**
el ambiente laboral *n. m.* work environment **2**
la amenaza *n. f.* threat **4**
amenazar *v.* to threaten **4**
el analfabetismo *n. m.* illiteracy **8**
andarse por las ramas *exp.* to beat around the bush; not to get to the point **12**
el/la antepasado/a *n. m./f.* ancestor **1**
el antibiótico *n. m.* antibiotic **3**
el antihistamínico *n. m.* antihistamine **3**
el antiinflamatorio *n. m.* anti-inflammatory **3**
la aplicación *n. f.* app **9**
apoyar *v.* to support **6**
apreciar *v.* to appreciate; to observe **5**
el aprendizaje *n. m.* learning **8**
aprobar (o:ue) (un examen, una asignatura) *v.* to pass (an exam, a subject) **8**
aprovechar *v.* to take advantage of **8**
apto/a para toda la familia *adj.* suitable for the entire family **11**
los apuntes *n. m. pl.* notes **8**
el archivo *n. m.* file **9**
el argumento *n. m.* plot **11**
la arquitectura *n. f.* architecture **5**
artesanal *adj.* handcrafted, artisanal **5**
la artesanía *n. f.* craft, handicraft **5**
el/la artesano/a *n. m./f.* crafter, artisan **5**
el/la artista *n. m./f.* artist **5**

artístico/a *adj.* artistic **5**
la ascendencia *n. f.* ancestry **1**
el ascensor *n. m.* elevator **6**
el asiento *n. m.* seat **6**
  el asiento de pasillo *n. m.* aisle seat **6**
  el asiento de ventanilla *n. m.* window seat **6**
el asilo *n. m.* asylum **1**
asimilarse *v.* to assimilate **1**
la asistencia social *n. f.* welfare **10**
el/la asistente de vuelo *n. m./f.* flight attendant **6**
la aspirina *n. f.* aspirin **3**
aterrizar *v.* to land **6**
la atracción turística *n. f.* tourist attraction **6**
el aumento de sueldo *n. m.* raise **2**
el autorretrato *n. m.* self-portrait **5**
los avances tecnológicos *n. m. pl.* technological advances **9**
la aventura *n. f.* adventure **12**
los azúcares *n. m. pl.* sugars **3**

B

el bailarín/la bailarina *n. m./f.* dancer **5**
bajar de *v.* to get off **6**
bajo/a *adj.* low **7**
la bandeja *n. f.* tray **6**
la banda sonora *n. f.* soundtrack **11**
el bastón *n. m.* cane **3**
la beca *n. f.* scholarship **8**
los beneficios *n. m. pl.* benefits **2**
  los beneficios sociales *n. m. pl.* social benefits **1**
bicultural *adj.* bicultural **1**
el bienestar *n. m.* well-being **1**
bilingüe *adj.* bilingual **1**
el billete *n. m.* ticket **6**
  el billete de ida y vuelta *n. m.* round-trip ticket **6**
el biocombustible *n. m.* biofuel **4**
la biodiversidad *n. f.* biodiversity **4**

el boleto *n. m.* ticket **6**

  el boleto de ida y vuelta *n. m.* round-trip ticket **6**

el brazo fracturado *n. m.* broken arm **3**

la brecha digital *n. f.* digital divide **9**

la bronquitis *n. f.* bronchitis **3**

las buenas prácticas *n. f. pl.* best practices **10**

la butaca *n. f.* theater seat **11**

C

la cadena (de hoteles) *n. f.* hotel chain **6**

la cadera *n. f.* hip **3**

el calentamiento global *n. m.* global warming **4**

la calidad *n. f.* quality **7**

callejero/a *adj.* street **5**

la cámara web *n. f.* webcam **9**

el/la camarógrafo/a *n. m./f.* camera operator **11**

el cambio climático *n. m.* climate change **4**

la camioneta *n. f.* pick-up truck **7**

la campaña *n. f.* campaign **10**

el campo *n. m.* countryside; field **7**

  el campo de estudio *n. m.* field of study **8**

el canal *n. m.* channel **11**

la canasta *n. f.* basket **5**

cancelado/a *adj.* canceled **6**

el/la candidato/a *n. m./f.* candidate **2**

las capacidades restringidas *n. f. pl.* restricted abilities **6**

capacitarse *v.* to get/be trained **8**

capaz *adj.* capable **10**

la cara *n. f.* face **3**

los carbohidratos *n. m. pl.* carbohydrates **3**

la carga *n. f.* burden **1**

cargar *v.* to load **9**

las carnes *n. f. pl.* types of meat **3**

la carrera *n. f.* major **8**

las cartas de recomendación *n. f.* letters of recommendation **2**

la cartelera *n. f.* billboard; movie listings **11**

la casilla *n. f.* box **9**

el catarro *n. m.* cold (*illness*) **3**

celebrar *v.* to celebrate **1**

la cerámica *n. f.* ceramics **5**

cercano/a *adj.* close, nearby **7**

los cereales *n. m. pl.* cereals **3**

el cerebro *n. m.* brain **3**

chatear *v.* to chat **9**

el choque cultural *n. m.* culture shock **12**

la cifra *n. f.* number, figure (*in statistics*) **8**

la ciudadanía *n. f.* citizenship **1**

el/la ciudadano/a *n. m./f.* citizen **1**

el/la cliente *n. m./f.* client; customer **2**

el código de verificación *n. m.* verification code **9**

el codo *n. m.* elbow **3**

colaborar *v.* to collaborate **10**

colaborativo/a *adj.* collaborative **2**

colorido/a *adj.* colorful **5**

el combustible fósil *n. m.* fossil fuel **4**

la comedia *n. f.* comedy **11**

comentar *v.* to comment on **9**

el comercio *n. m.* trade **7**

  el comercio directo *n. m.* direct trade **7**

  el comercio justo *n. m.* fair trade **4**

la comida chatarra *n. f.* junk food **3**

¿cómo? *interrog. pron.* how?; what? **1**

cómodo/a *adj.* comfortable **1**

el compartimiento superior *n. m.* overhead compartment **6**

competente *adj.* competent **10**

el/la compositor(a) *n. m./f.* song writer, composer **11**

el compostaje *n. m.* compost, composting **4**

el/la comprador(a) *n. m./f.* buyer **7**

comprometerse *v.* to commit; to commit oneself **10**

las comunidades locales *n. f. pl.* local communities **6**

concentrarse *v.* to focus **8**

conectado/a *adj.* connected **9**

conectar *v.* to connect **9**

la conexión *n. f.* connection **6**

los conflictos generacionales *n. m. pl.* generation gap **1**

consciente de *adj.* aware of, conscious of **6**

conservar *v.* to conserve, to keep **1**

el consulado *n. m.* consulate **12**

consultar al médico *v.* to consult with the doctor **3**

el consultorio *n. m.* doctor's office **3**

el/la consumidor(a) *n. m./f.* consumer **7**

consumir *v.* to consume **4**

el consumo de energía *n. m.* energy consumption **4**

la contaminación *n. f.* pollution **4**

la contraseña *n. f.* password **9**

contratar *v.* to hire **2**

el contrato *n. m.* contract **2**

contribuir (y) *v.* to contribute **1**

convencional *adj.* conventional **7**

coordinar *v.* to coordinate **10**

el corazón *n. m.* heart **3**

la cosecha *n. f.* harvest **7**

coser *v.* to sew **5**

costar (o:ue) un ojo de la cara *exp.* to be expensive, to cost an arm and a leg **12**

las costillas *n. f. pl.* ribs **3**

el costo *n. m.* cost **7**

las costumbres *n. f. pl.* traditions **1**

el cráneo *n. m.* skull **3**

crecer (c:zc) *v.* to grow **1**

el crecimiento personal *n. m.* personal growth **12**

criar *v.* to breed **7**

¿cuál(es)? *interrog. pron.* which?; what? **1**

cualificado/a *adj.* skilled, qualified **1**

¿cuándo? *interrog. pron.* when? **1**

¿cuánto/a? *interrog. pron.* how much? **1**

¿cuántos/as? *interrog. pron.* how many? **1**

el cuello *n. m.* neck **3**

el cuero *n. m.* leather **5**

el cuerpo *n. m.* body **3**

cuidarse *v.* to take care of oneself **3**

cultivar *v.* to cultivate, to grow; to harvest **4, 7**

el cultivo *n. m.* farming; crops **7**

la curiosidad *n. f.* curiosity **5**

el currículum *n. m.* CV, résumé **2**

D

la danza *n. f.* dance **5**

dañino/a *adj.* harmful **4**

el daño *n. m.* damage **4**

dar en el clavo *exp.* to hit the nail on the head; to be spot on **12**

los datos *n. m. pl.* data **9**

¿de dónde? *interrog. pron.* from where? **1**

¿de qué? *interrog. pron.* from what? **1**

de temporada *adj.* seasonal **7**

los deberes *n. m. pl.* homework, assignments **8**

la deforestación *n. f.* deforestation **4**

dejar *v.* to leave **1**

  dejar (a alguien) plantado/a *exp.* to leave (someone) hanging, to stand (someone) up **12**

la dependencia *n. f.* dependence **9**

deprimente *adj.* depressing **5**

el derecho *n. m.* right **7**

  los derechos civiles *n. m. pl.* civil rights **10**

  los derechos fundamentales *n. m. pl.* fundamental rights **10**

  los derechos humanos *n. m. pl.* human rights **8**

desactualizado/a *adj.* outdated **9**

el desafío *n. m.* challenge **1**

desarrollar *v.* to develop **4**

el desarrollo *n. m.* development **4**

  el país en vías de desarrollo *n. m.* developing country **8**

el desastre *n. m.* disaster **4**

descargar *v.* to download **9**

desconectado/a *adj.* disconnected **9**

desear *v.* to wish **2**

desechable *adj.* disposable **4**

el desempleo *n. m.* unemployment **2**

el deseo *n. m.* wish **2**

deshacer la maleta *v.* to unpack **6**

la desigualdad *n. f.* inequality **8**

la desinformación *n. f.* disinformation **9**

desmayarse *v.* to faint **3**

despegar *v.* to take off (*airplane*) **6**

desperdiciar *v.* to waste **4**

el desperdicio *n. m.* waste **4**

la destrucción *n. f.* destruction **4**

destruir *v.* to destroy **4**

la deuda *n. f.* debt **2**

Spanish-English Glossary

la diarrea *n. f.* diarrhea **3**
dibujar *v.* to draw, to sketch **5**
el dibujo *n. m.* drawing **5**
  los dibujos animados *n. m. pl.* cartoons **11**
los dientes *n. m. pl.* teeth **3**
la dieta *n. f.* diet **3**
digital *adj.* digital **9**
  la brecha digital *n. f.* digital divide **9**
la dignidad *n. f.* dignity **10**
la dinámica familiar *n. f.* family dynamics **2**
el dinero *n. m.* money **2**
el dióxido de carbono *n. m.* carbon dioxide **4**
la dirección *n. f.* management **7**
el/la director(a) *n. m./f.* director **11**
el disco duro *n. m.* hard drive **9**
discriminado/a *adj.* discriminated **1**
discutir *v.* to discuss; to argue **2**
diseñar *v.* to design **5**
disfrutar *v.* to enjoy **6**
disponible *adj.* available **7**
el dispositivo *n. m.* device **9**
la diversidad *n. f.* diversity **1**
el doctorado *n. m.* doctoral degree **8**
el documental *n. m.* documentary **11**
el documento *n. m.* document **1**
  el documento de identidad *n. m.* identification card **6**
doler (o:ue) (*used like* **gustar**) *v.* to hurt **3**
el dolor de estómago *n. m.* stomachache **3**
donar *v.* to donate **10**
¿dónde? *interrog. pron.* where? **1**
el drama *n. m.* drama **11**
el/la dueño/a *n. m./f.* owner **7**
la duración *n. f.* length (of time) **12**

E

echar una mano *exp.* to lend a hand; to help out **12**
la ecología *n. f.* ecology **4**
la economía familiar *n. f.* family finances **2**
la economía personal *n. f.* personal finances **2**
el ecosistema *n. m.* ecosystem **4**
el ecoturismo *n. m.* ecotourism **6**
la educación *n. f.* education **8**
  la educación preescolar *n. f.* preschool education **8**
  la educación primaria *n. f.* primary (elementary) education **8**
  la educación secundaria *n. f.* secondary (high school) education **8**
  la educación superior *n. f.* higher education **8**
el efecto invernadero *n. m.* greenhouse effect **4**
los efectos especiales *n. m. pl.* special effects **11**

egoísta *adj.* selfish **10**
la embajada *n. f.* embassy **12**
emigrar *v.* to emigrate **1**
la emisora *n. f.* radio station **11**
empático/a *adj.* empathetic **10**
el/la empleado/a *n. m./f.* employee **2**
emprender *v.* to undertake; to start **10**
la empresa *n. f.* company **2**
en vivo *adv.* live **11**
encargarse de *v.* to take care of; to oversee **10**
la energía *n. f.* energy **4**
enfermarse *v.* to get sick **3**
la enfermedad *n. f.* illness **3**
el enlace *n. m.* link **9**
enriquecedor(a) *adj.* enriching **12**
la entrada *n. f.* ticket **11**
entre la espada y la pared *exp.* between a rock and a hard place; (to be) in a difficult position **12**
el entrenamiento *n. m.* training **10**
entretener (e:ie) *v.* to entertain **11**
entretenido/a *adj.* entertaining **11**
el entretenimiento *n. m.* entertainment **2**
la entrevista *n. f.* interview **2**
el episodio *n. m.* episode **11**
la equidad de género *n. f.* gender equity **10**
el equilibrio *n. m.* balance **9**
el equipaje *n. m.* luggage **6**
  el equipaje de mano *n. m.* carry-on luggage **6**
  facturar el equipaje *v.* to check in luggage **6**
la escala *n. f.* layover **6**
escapar *v.* to escape **1**
la escena *n. f.* scene **11**
el/la escritor(a) *n. m./f.* writer **5**
la escritura *n. f.* writing **8**
esculpir *v.* to sculpt **5**
el/la escultor(a) *n. m./f.* sculptor **5**
la escultura *n. f.* sculpture **5**
esforzarse (o:ue) *v.* to make an effort; to strive **10**
el esfuerzo *n. m.* effort **8**
especializarse en *v.* to specialize in, to major in **8**
la especie *n. f.* species **4**
  la especie amenazada *n. f.* endangered species **4**
  la especie en peligro de extinción *n. f.* endangered species **4**
la esperanza *n. f.* hope **5**
establecerse (c:zc) *v.* to establish **1**
la estación *n. f.* station **6**
la estadía *n. f.* stay **12**
estar congestionado/a *v. irreg.* to be congested **3**
el estereotipo *n. m.* stereotype **1**
el estómago *n. m.* stomach **3**
estornudar *v.* to sneeze **3**

la estrella de cine *n. f.* movie star **11**
estrenar *v.* to premiere **11**
el estrés *n. m.* stress **3**
los estudios *n. m. pl.* studies
  los estudios en el extranjero *n. m. pl.* studies abroad **12**
  los estudios universitarios *n. m. pl.* university studies **8**
la ética *n. f.* ethics **10**
ético/a *adj.* ethical **6**
evitar *v.* to avoid **4**
evocar *v.* to evoke, to bring to mind **5**
la excursión *n. f.* excursion, trip **6**
exhibir *v.* to exhibit **5**
exigente *adj.* demanding **12**
exigir (g:j) *v.* to require **12**
el éxito *n. m.* success **1**
  tener (e:ie) éxito *v.* to be successful **1**
exitoso/a *adj.* successful **11**
el/la expatriado/a *n. m./f.* expat **1**
las expectativas *n. f. pl.* expectations **10**
la experiencia laboral *n. f.* work experience **2**
experimentar *v.* to experience **6**
la exposición *n. f.* exhibition **5**
expresarse *v.* to express oneself **5**
la expresión *n. f.* expression
  la expresión creativa *n. f.* creative expression **5**
  la expresión idiomática *n. f.* idiomatic expression **12**
extinguirse *v.* to become extinct **4**
el/la extranjero/a *n. m./f.* foreigner **1**
extranjero/a *adj.* foreign **1**
las extremidades *n. f. pl.* extremities **3**

F

facturar el equipaje *v.* to check in luggage **6**
la falta de *n. f.* shortage of, lack of **8**
el/la farmacéutico/a *n. m./f.* pharmacist **3**
la farmacia *n. f.* pharmacy **3**
el fertilizante *n. m.* fertilizer **7**
la fiebre *n. f.* fever **3**
la figura *n. f.* figure **5**
filmar *v.* to film **11**
la finca *n. f.* farm **7**
flexible *adj.* flexible **2**
fomentar *v.* to promote **8**
formar *v.* to train, to educate **8**
el fortalecimiento *n. m.* strengthening **10**
la fortaleza *n. f.* strength **1**
el/la fotógrafo/a *n. m./f.* photographer **5**
fracturarse *v.* to fracture **3**
la frente *n. f.* forehead **3**
fresco/a *adj.* fresh **7**
las frutas *n. f. pl.* fruits **3**
la fuerza laboral *n. f.* labor force **2**

G

la galería de arte *n. f.* art gallery 5
el ganado *n. m.* cattle 7
las garantías fundamentales *n. f. pl.* fundamental guarantees 10
garantizar *v.* to ensure 8
la garganta *n. f.* throat 3
el gas natural *n. m.* natural gas 4
gastar *v.* to spend 2
los gastos *n. m. pl.* expenses 2
la generación *n. f.* generation 1
el género *n. m.* genre 11
el/la gerente *n. m./f.* manager 2
la grabación *n. f.* recording 11
grabar *v.* to record 11
graduarse *v.* to graduate 8
el granero *n. m.* barn 7
los granos *n. m. pl.* grains 3
las grasas *n. f. pl.* fats 3
gratuito/a *adj.* free (*no cost*) 8
la gripe *n. f.* flu 3
guardar *v.* to save 9
la guerra *n. f.* war 1
el/la guía turístico/a *n. m./f.* tour guide 6
el guion *n. m.* script 11

H

la habilidad *n. f.* ability, skill 8
la habitación *n. f.* room 6
los hábitos de estudio *n. m. pl.* study habits 8
hacer *v.* to make; to do
  hacer clic *v.* to click 9
  hacer cola *exp.* to line up; to wait in line 12
  hacer gárgaras *v.* to gargle 3
  hacer la maleta *v.* to pack 6
  hacerle caso (a alguien) *exp.* to pay attention to, to heed 12
  hacerse un análisis de sangre *v.* to have a blood test 3
hecho/a a mano *adj.* handmade 5
la herencia *n. f.* heritage 1
la herida *n. f.* wound 3
la herramienta *n. f.* tool 9
híbrido/a *adj.* hybrid 4
el hielo *n. m.* ice 3
la hierba *n. f.* grass 7
las hierbas *n. f. pl.* herbs 3
hinchado/a *adj.* swollen 3
el horario *n. m.* schedule 2
hospedar *v.* to host 12
la huella de carbono *n. f.* carbon footprint 4
el huerto *n. m.* kitchen garden 7
los huesos *n. m. pl.* bones 3
el/la huésped *n. m./f.* (hotel) guest 6
humilde *adj.* humble 10

I

el icono *n. m.* icon 9
la identidad cultural *n. f.* cultural identity 1
identificarse *v.* to identify oneself 1
la igualdad *n. f.* equality 10
ilustrar *v.* to illustrate 5
el impacto *n. m.* impact 10
impedir (e:i) *v.* to prevent 10
impresionante *adj.* impressive 5
impulsar *v.* to drive, to promote 10
inclusivo/a *adj.* inclusive 6
independiente *adj.* independent 12
la indignación *n. f.* indignation, dissatisfaction 5
la industria del cine *n. f.* movie industry 11
la infección de *n. f.* infection 3
ingresar (información) *v.* to enter (information) 9
los ingresos *n. m. pl.* income 2
la iniciativa propia *n. f.* self-initiative 10
la injusticia *n. f.* injustice 10
la inmersión *n. f.* immersion 12
la inmigración *n. f.* immigration 1
el/la inmigrante *n. m./f.* immigrant 1
inmigrar *v.* to immigrate 1
innovador(a) *adj.* innovative 4
inolvidable *adj.* unforgettable 12
inscribirse *v.* to register 10
instalar *v.* to install 9
la institución *n. f.* institution 8
integrarse *v.* to integrate 1
la inteligencia artificial *n. f.* artificial intelligence 9
interactivo/a *adj.* interactive 9
interactuar *v.* to interact 9
intercambiar *v.* to exchange 9
el interés *n. m.* interest 2
el/la intermediario/a *n. m./f.* intermediary, middle-man 7
la interpretación *n. f.* interpretation 5
interpretar *v.* to interpret 5
  interpretar el papel de... *v.* to play the role of ... 11
el invernadero *n. m.* greenhouse 4
invertir (e:ie) *v.* to invest 2
involucrado/a *adj.* involved 10
ir a la sala de emergencias *v. irreg.* to go to the emergency room 3
el itinerario *n. m.* itinerary 6

J

el jarabe para la tos *n. m.* cough syrup 3
el jefe/la jefa *n. m./f.* boss; manager 2
las joyas *n. f. pl.* jewelry 5
la justicia social *n. f.* social justice 10
justo/a *adj.* just, fair 10

L

los labios *n. m. pl.* lips 3
el lápiz de color *n. m.* colored pencil 5
la lectura *n. f.* reading 8
legal *adj.* legal 1
legalizar *v.* to legalize 1
la lengua *n. f.* tongue 3
las leyes *n. f. pl.* laws 1
la libertad *n. f.* liberty 1
  la libertad de expresión *n. f.* freedom of expression 10
  la libertad de prensa *n. f.* freedom of the press 10
libre de *adj.* free from 7
la licenciatura *n. f.* Bachelor's degree 8
la literatura *n. f.* literature 5
llamativo/a *adj.* striking 5
la llegada *n. f.* arrival 6
la lluvia ácida *n. f.* acid rain 4
el/la locutor(a) *n. m./f.* announcer, presenter 11
lograr *v.* to achieve 1
luchar (por/contra) *v.* to fight (for/against) 10

M

la madera *n. f.* wood 4
la maestría *n. f.* Master's degree 8
el malentendido *n. m.* misunderstanding 12
el malestar *n. m.* ailment, discomfort 3
la maleta *n. f.* suitcase 6
manejar *v.* to manage 2
mantener (e:ie) contacto *v.* to maintain contact 1
mantenerse (e:ie) sano/a *v.* to maintain good health 3
las manualidades *n. f. pl.* handmade crafts 5
los marcadores *n. m. pl.* markers 5
la máscara folclórica *n. f.* folkloric mask 5
el máster *n. m.* Master's degree 8
matar dos pájaros de un tiro *exp.* to kill two birds with one stone 12
la matrícula *n. f.* enrollment; tuition 8
matricularse *v.* to enroll, to register 8
el medioambiente *n. m.* environment 4
los medios *n. m. pl.* media
  los medios de comunicación *n. m. pl.* media 11
  los medios de difusión *n. m. pl.* broadcast media 11
mejorar *v.* to improve 9
el mensaje *n. m.* message 5
  el mensaje instantáneo *n. m.* instant message 9
el mercado *n. m.* market 7
las metas financieras *n. f. pl.* financial goals 2

Spanish-English Glossary

el/la microproductor(a) *n. m./f.* microproducer **7**
la migración *n. f.* migration **1**
el/la migrante *n. m./f.* migrant **1**
el mineral *n. m.* mineral **4**
moderno/a *adj.* modern **5**
el monitor *n. m.* monitor, screen **9**
el mostrador *n. m.* counter **6**
el móvil *n. m.* cell phone **9**
mudarse *v.* to move, to relocate **1**
las muletas *n. f. pl.* crutches **3**
multicultural *adj.* multicultural **1**
multilingüe *adj.* multilingual **1**
la muñeca *n. f.* wrist; doll **3, 5**
el mural *n. m.* mural **5**
los músculos *n. m. pl.* muscles **3**
el museo *n. m.* museum **5**
la música *n. f.* music **11**
el muslo *n. m.* thigh **3**
mutuo/a *adj.* common, mutual **7**

N

la nariz tapada/congestionada *n. f.* stuffy/congested nose **3**
la narración *n. f.* narrative **5**
natural *adj.* natural **7**
la necesidad *n. f.* need **2**
negociar *v.* to negotiate **2**
no procesado/a *adj.* unprocessed **3**
no renovable *adj.* nonrenewable **4**
la nota *n. f.* grade **8**
  sacar buenas/malas notas *v.* to get good/bad grades **8**
la noticia *n. f.* news **11**
el noticiero *n. m.* news (program) **11**
la nube *n. f.* cloud **9**
la nutrición *n. f.* nutrition **3**
nutritivo/a *adj.* nutritious **3**

O

obligatorio/a *adj.* mandatory, required **8**
la obra *n. f.* work (*of art*) **5**
obtener (e:ie) *v.* to get **2**
la oferta de trabajo *n. f.* job offer **2**
las oportunidades de *n. f. pl.* opportunities to/for **10**
orgánico/a *adj.* organic **7**
la organización *n. f.* organization
  la organización estudiantil *n. f.* student organization **8**
  la organización no gubernamental (ONG) *n. f.* non-governmental organization (NGO) **10**
  la organización sin fines de lucro *n. f.* nonprofit organization **10**
  las organizaciones humanitarias *n. f. pl.* humanitarian organizations **10**
  el órgano *n. m.* organ (*human body*) **3**

orgulloso/a *adj.* proud **1**
original *adj.* original **5**

P

el/la paciente *n. m./f.* patient **3**
el país *n. m.* country
  el país desarrollado *n. m.* developed country **8**
  el país en vías de desarrollo *n. m.* developing country **8**
la paleta *n. f.* pallet **5**
la pantorrilla *n. f.* calf (*leg*) **3**
el paquete turístico *n. m.* package tour **6**
la pasantía *n. f.* internship **2**
el pasaporte *n. m.* passport **6**
pasar por el control de seguridad *v.* to pass through security **6**
el pasillo *n. m.* aisle **6**
la paz *n. f.* peace **5**
el pecho *n. m.* chest **3**
la película *n. f.* movie **11**
  la película de acción *n. f.* action movie **11**
  la película de terror *n. f.* horror movie **11**
el peligro *n. m.* danger **4**
perder (e:ie) (el vuelo, el tren, el autobús/bus) *v.* to miss (the flight, the train, the bus) **6**
la pérdida *n. f.* loss **4**
el perfil *n. m.* profile **9**
el periódico *n. m.* newspaper **11**
permanecer (c:zc) *v.* to stay **1**
la persecución *n. f.* persecution **1**
el personaje *n. m.* character (*in a play, story*) **5**
la perspectiva global *n. f.* global perspective, worldview **12**
las pestañas *n. f. pl.* eyelashes **3**
el pesticida *n. m.* pesticide **4**
el petróleo *n. m.* oil **4**
la piel *n. f.* skin **3**
el/la piloto/a *n. m./f.* pilot **6**
el pincel *n. m.* paint brush **5**
el/la pintor(a) *n. m./f.* painter **5**
la pintura *n. f.* painting **5**
el plagio *n. m.* plagiarism **8**
el plan de estudios *n. m.* curriculum **8**
el plan de pensiones *n. m.* retirement plan **2**
planear *v.* to plan **6**
el planeta *n. m.* planet **4**
planificar *v.* to plan **2**
la planta *n. f.* plant **7**
la plataforma *n. f.* platform **9**
poco cualificado/a *adj.* low-skilled **1**
poner *v.* to put; to place; to set
  poner una inyección *v.* to give an injection to someone **3**
  ponerle hielo *v.* to put ice on someone **3**
  ponerle un vendaje *v.* to put a bandage on someone **3**

ponerle un yeso *v.* to put a cast on someone **3**
ponerse gotas en los ojos *v.* to put eye drops in your eyes **3**
ponerse las pilas *exp.* to get your act together; to do something about it **12**
¿por qué? *interrog. pron.* why? **1**
el posgrado *n. m.* graduate studies **8**
el póster *n. m.* poster **11**
potable *adj.* drinkable **3**
el precio *n. m.* price **7**
el prejuicio *n. m.* prejudice **1**
el premio *n. m.* award, prize **11**
el/la presentador(a) *n. m./f.* presenter, TV host **11**
la preservación *n. f.* preservation **4**
preservar *v.* to preserve **4**
el préstamo *n. m.* loan **2**
el presupuesto *n. m.* budget **2**
los primeros auxilios *n. m. pl.* first aid **3**
la privacidad *n. f.* privacy **9**
probar (o:ue) *v.* to taste, to try **7**
procesado/a *adj.* processed **3**
producir (c:zc) *v.* to make, to produce **7, 11**
el/la productor(a) *n. m./f.* producer **7**
los productos lácteos *n. m. pl.* dairy products **3**
el profesorado *n. m.* faculty **8**
el programa *n. m.* program, show **11**
  el programa de concursos *n. m.* gameshow **11**
  el programa de entrevistas *n. m.* interview show **11**
  el programa de realidad *n. m.* reality show **11**
  los programas sociales *n. m. pl.* social programs **10**
promover (o:ue) *v.* to promote **1**
proteger (g:j) *v.* to protect **4**
protegido/a *adj.* protected **4**
las proteínas *n. f. pl.* proteins **3**
la protesta *n. f.* protest **5**
proveer *v.* to provide **4**
provenir (e:ie) *v.* to come from **1**
el proyecto de incidencia/impacto social *n. m.* community service project **10**
el público *n. m.* public; audience **11**
la puerta (de embarque) *n. f.* (boarding) gate **6**
el puesto de trabajo *n. m.* job **2**
los pulmones *n. m. pl.* lungs **3**

Q

¿qué? *interrog. pron.* what? **1**
quedar en ridículo *exp.* to make a fool of yourself **12**
¿quién(es)? *interrog. pron.* who? **1**

Spanish-English Glossary

el tráiler *n. m.* movie trailer **11**
tramitar *v.* to process (*paperwork*) **1**
los trámites *n. m. pl.* paperwork, procedures **12**
la transacción *n. f.* transaction **7**
transformador(a) *adj.* transformational **12**
transmitir *v.* tobroadcast **11**
el transporte *n. m.* transportation **2**
  el transporte público *n. m.* public
    transportation **6**
la tristeza *n. f.* sadness **5**
el tronco *n. m.* trunk (*of the body*) **3**
los tubérculos *n. m. pl.* tubers **3**
el turismo *n. m.* tourism **6**
el/la turista *n. m./f.* tourist **6**
turístico/a *adj.* tourist, pertaining to tourism **6**

U

único/a *adj.* unique **5**
universitario/a *adj.* relating to a university,
  college **8**
las uñas *n. f. pl.* nails **3**
usar *v.* to use
  usar un bastón *v.* to use a cane **3**
  usar muletas *v.* to use crutches **3**
el/la usuario/a *n. m./f.* user **9**

V

la vacuna *n. f.* vaccine **12**
valer la pena *exp.* to be worth the effort **12**
el valor *n. m.* value **7**
los valores *n. m. pl.* values **1**
el vehículo adaptado *n. m.* handicap
  transport **6**
las venas *n. f. pl.* veins **3**
el vendaje *n. m.* bandage **3**
la venta *n. f.* sale; sales **7**
la ventaja *n. f.* benefit **1**
viajar *v.* to travel **6**
el viaje *n. m.* travel **6**
el/la viajero/a *n. m./f.* passenger; traveler **6**
la videollamada *n. f.* video call **9**
vigente *adj.* valid **12**
la violencia *n. f.* violence **1**
el virus *n. m.* virus **9**
la visa/el visado *n. f. / n. m.* visa **1**
la visita guiada *n. f.* guided tour **6**
el voluntariado *n. m.* voluntary service **10**
el vuelo *n. m.* flight **6**
vulnerable *adj.* vulnerable **10**

W

el wifi *n. m.* Wi-Fi **9**

Y

el yeso *n. m.* cast **3**

English-Spanish Glossary

A

ability *n. f.* **la habilidad** 8
abstract *adj.* **abstracto/a** 5
academic *adj.* **académico/a** 8
access *n. m.* **el acceso** 9
access *v.* **acceder** 9
accessible *adj.* **accesible** 6
achieve *v.* **lograr** 1
acid rain *n. f.* **la lluvia ácida** 4
action movie *n. f.* **la película de acción** 11
activate *v.* **activar** 9
activism: youth activism *n. m.* **el activismo juvenil** 10
activist *n. m./f.* **el/la activista** 10
activity: physical activity *n. f.* **la actividad física** 3
adapt *v.* **adaptarse** 1
advance: technological advances *n. m. pl.* **los avances tecnológicos** 9
advantage: take advantage of *v.* **aprovechar** 8
adventure *n. f.* **la aventura** 12
advocacy *n. f.* **la abogacía** 10
agreement *n. m.* **el acuerdo** 7
agricultural *adj.* **agrícola** 7
agriculture *n. f.* **la agricultura** 7
agrotourism *n. m.* **el agroturismo** 6
ailment *n. m.* **el malestar** 3
airline *n. f.* **la aerolínea** 6
airport *n. m.* **el aeropuerto** 6
aisle (*in a plane*) *n. m.* **el pasillo** 6
  aisle seat *n. m.* **el asiento de pasillo** 6
allergy *n. f.* **la alergia** 3
ancestor *n. m./f.* **el/la antepasado/a** 1
ancestry *n. f.* **la ascendencia** 1
ankle *n. m.* **el tobillo** 3
announcer *n. m./f.* **el/la locutor(a)** 11
antibiotics *n. m. pl.* **los antibióticos** 3
  take antibiotics **tomar antibióticos** 3
antihistamines *n. m. pl.* **los antihistamínicos** 3
  take an antihistamine *v.* **tomar antihistamínicos** 3
anti-inflamatories *n. m. pl.* **los antiinflamatorios** 3
  take anti-inflamatories *v.* **tomar antiinflamatorios** 3
app *n. f.* **la aplicación** 9
apply (for a job) *v.* **solicitar (un trabajo)** 2
appreciate *v.* **apreciar** 5
architecture *n. f.* **la arquitectura** 5
argue *v.* **discutir** 2
arrival *n. f.* **la llegada** 6
art gallery *n. f.* **la galería de arte** 5
artificial intelligence *n. f.* **la inteligencia artificial** 9
artisan *n. m./f.* **el/la artesano/a** 5
artisanal *adj.* **artesanal** 5
artist *n. m./f.* **el/la artista** 5

artistic *adj.* **artístico/a** 5
aspirin *n. f.* **la aspirina** 3
  take aspirin *v.* **tomar aspirinas** 3
assignments (*homework*) *n. m. pl.* **los deberes** 8
assimilate *v.* **asimilarse** 1
asylum *n. m.* **el asilo** 1
attach *v.* **adjuntar** 9
attraction: tourist attraction *n. f.* **la atracción turística** 6
audience *n. m.* **el público** 11
available *adj.* **disponible** 7
avoid *v.* **evitar** 4
award *n. m.* **el premio** 11
aware of *adj.* **consciente** 6

B

Bachelor's degree *n. f.* **la licenciatura** 8
balance *n. m.* **el equilibrio** 9
bandage *n. m.* **el vendaje** 3
  have a bandage on *v.* **tener (e:ie) un vendaje** 3
  put a bandage on someone *v.* **ponerle un vendaje** 3
barn *n. m.* **el granero** 7
basket *n. f.* **la canasta** 5
beat around the bush *exp.* **andarse por las ramas** 12
become extinct *v.* **extinguirse** 4
benefit *n. f.* **la ventaja** 1
  benefits *n. m. pl.* **los beneficios** 2
  social benefits *n. m. pl.* **los beneficios sociales** 1
best practices *n. f. pl.* **las buenas prácticas** 10
between a rock and a hard place *exp.* **entre la espada y la pared** 12
bicultural *adj.* **bicultural** 1
bilingual *adj.* **bilingüe** 1
billboard *n. f.* **la cartelera** 11
biodiversity *n. f.* **la biodiversidad** 4
biofuel *n. m.* **el biocombustible** 4
blood *n. f.* **la sangre** 3
  blood test *n. m.* **el análisis de sangre** 3
  draw blood *v.* **sacar sangre** 3
board (a plane) *v.* **abordar** 6
boarding gate *n. f.* **la puerta de embarque** 6
body *n. m.* **el cuerpo** 3
bones *n. m. pl.* **los huesos** 3
boss *n. m./f.* **el jefe/la jefa** 2
box *n. f.* **la casilla** 9
brain *n. m.* **el cerebro** 3
breathe *v.* **respirar** 3
breed *v.* **criar** 7
bring to mind *v.* **evocar** 5
broadcast *v.* **transmitir** 11
  broadcast media *n. m. pl.* **los medios de difusión** 11

broken (*body part*) *adj.* **fracturado/a** 3
bronchitis *n. f.* **la bronquitis** 3
budget *n. m.* **el presupuesto** 2
burden *n. f.* **la carga** 1
buyer *n. m./f.* **el/la comprador(a)** 7

C

calf (*leg*) *n. f.* **la pantorrilla** 3
camera operator *n. m./f.* **el/la camarógrafo/a** 11
campaign *n. f.* **la campaña** 10
canceled *adj.* **cancelado/a** 6
candidate *n. m./f.* **el/la candidato/a** 2
cane *n. m.* **el bastón** 3
capable *adj.* **capaz** 10
carbohydrates *n. m. pl.* **los carbohidratos** 3
carbon dioxide *n. m.* **el dióxido de carbono** 4
carbon footprint *n. f.* **la huella de carbono** 4
care *n. m.* **el cuidado**
  take care of (something) *v.* **encargarse de** 10
  take care of oneself *v.* **cuidarse** 3
carry-on luggage *n. m.* **el equipaje de mano** 6
cartoons *n. m. pl.* **los dibujos animados** 11
cast (*for a broken bone*) *n. m.* **el yeso** 3
  put a cast on someone *v.* **ponerle un yeso** 3
cattle *n. m.* **el ganado** 7
celebrate *v.* **celebrar** 1
cell phone *n. m.* **el móvil, el teléfono móvil** 9
ceramics *n. f.* **la cerámica** 5
cereals *n. m. pl.* **los cereales** 3
chain: hotel chain *n. f.* **la cadena (de hoteles)** 6
chalk *n. f.* **la tiza** 5
challenge *n. m.* **el desafío** 1
channel *n. m.* **el canal** 11
character (*in a play, story*) *n. m.* **el personaje** 5
chat *v.* **chatear** 9
check in luggage *v.* **facturar el equipaje** 6
chest *n. m.* **el pecho** 3
citizen *n. m./f.* **el/la ciudadano/a** 1
citizenship *n. f.* **la ciudadanía** 1
civic solidarity *n. f.* **la solidaridad cívica** 10
civil rights *n. m. pl.* **los derechos civiles** 10
click *v.* **hacer clic** 9
client *n. m./f.* **el/la cliente** 2
climate change *n. m.* **el cambio climático** 4
close *adj.* **cercano/a** 7
cloud *n. f.* **la nube** 9
cold (*illness*) *n. m.* **el catarro, el resfriado** 3
collaborate *v.* **colaborar** 10
collaborative *adj.* **colaborativo/a** 2
colored pencil *n. m.* **el lápiz de color** 5
colorful *adj.* **colorido/a** 5
comedy *n. f.* **la comedia** 11
comfortable *adj.* **cómodo/a** 1

English-Spanish Glossary

comment on *v.* **comentar** 9
commit; commit oneself *v.*
  comprometerse 10
community *n. f.* **la comunidad**
  community work *n. m.* **el trabajo**
    comunitario 10
  community service project *n. m.* **el proyecto**
    de incidencia/impacto social 10
  local communities *n. f. pl.* **las comunidades**
    locales 6
company *n. f.* **la empresa** 2
compartment: overhead compartment *n. m.* **el**
  compartimiento superior 6
competent *adj.* **competente** 10
composer *n. m./f.* **el/la compositor(a)** 11
compost, composting *n. m.* **el compostaje** 4
congested *adj.* **congestionado/a** 3
  congested nose *n. f.* **la nariz tapada/**
    congestionada 3
connect *v.* **conectar** 9
connected *adj.* **conectado/a** 9
connection *n. f.* **la conexión** 6
conscious of *adj.* **consciente** 6
conserve *v.* **conservar** 1
consulate *n. m.* **el consulado** 12
consult with the doctor *v.* **consultar al**
  médico 3
consume *v.* **consumir** 4
consumer *n. m./f.* **el/la consumidor(a)** 7
consumption: energy consumption *n. m.* **el**
  consumo de energía 4
contract *n. m.* **el contrato** 2
contribute *v.* **contribuir (y)** 1
conventional *adj.* **convencional** 7
coordinate *v.* **coordinar** 10
cost *n. m.* **el costo** 7
  cost an arm and a leg *exp.* **costar (o:ue) un**
    ojo de la cara 12
cough *n. f.* **la tos** 3
  have a cough *v.* **tener (e:ie) tos** 3
cough syrup *n. m.* **el jarabe para la tos** 3
  take cough syrup *v.* **tomar jarabe para la**
    tos 3
counter *n. m.* **el mostrador** 6
countryside *n. m.* **el campo** 7
craft *n. f.* **la artesanía** 5
crafter *n. m./f.* **el/la artesano/a** 5
creative expression *n. f.* **la expresión**
  creativa 5
crops *n. m.* **el cultivo** 7
crutches *n. f. pl.* **las muletas** 3
cultivate *v.* **cultivar** 4, 7
cultural identity *n. f.* **la identidad cultural** 1
culture shock *n. m.* **el choque cultural** 12
curiosity *n. f.* **la curiosidad** 5
current *adj.* **actual** 11
curriculum *n. m.* **el plan de estudios** 8
customer *n. m./f.* **el/la cliente** 2
CV (résumé) *n. m.* **el currículum** 2

D

dairy products *n. m. pl.* **los productos**
  lácteos 3
damage *n. m.* **el daño** 4
dance *n. f.* **la danza** 5
dancer *n. m./f.* **el bailarín/la bailarina** 5
danger *n. m.* **el peligro** 4
data *n. m. pl.* **los datos** 9
debt *n. f.* **la deuda** 2
decorate *v.* **adornar** 5
deforestation *n. f.* **la deforestación** 4
degree *n. m.* **el título** 8
  Bachelor's degree *n. f.* **la licenciatura** 8
  Master's degree *n. f.; n. m.* **la maestría; el**
    máster 8
delayed *adj.* **retrasado/a** 6
demanding *adj.* **exigente** 12
departure *n. f.* **la salida** 6
dependence *n. f.* **la dependencia** 9
depressing *adj.* **deprimente** 5
design *v.* **diseñar** 5
destroy *v.* **destruir** 4
destruction *n. f.* **la destrucción** 4
develop *v.* **desarrollar** 4
developed country *n. m.* **el país**
  desarrollado 8
developing country *n. m.* **el país en vías de**
  desarrollo 8
development *n. m.* **el desarrollo** 4
device *n. m.* **el dispositivo** 9
diarrhea *n. f.* **la diarrea** 3
diet *n. f.* **la alimentación; la dieta** 3
digital *adj.* **digital** 9
  digital divide *n. f.* **la brecha digital** 9
dignity *n. f.* **la dignidad** 10
direct trade *n. m.* **el comercio directo** 7
director *n. m./f.* **el/la director(a)** 11
disaster *n. m.* **el desastre** 4
discomfort *n. m.* **el malestar** 3
disconnected *adj.* **desconectado/a** 9
discriminated *adj.* **discriminado/a** 1
discuss *v.* **discutir** 2
disinformation *n. f.* **la desinformación** 9
disposable *adj.* **desechable** 4
diversity *n. f.* **la diversidad** 1
do *v.* **hacer**
doctor's office *n. m.* **el consultorio** 3
doctoral degree *n. m.* **el doctorado** 8
document *n. m. pl.* **el documento** 1
documentary *n. m.* **el documental** 11
doll *n. f.* **la muñeca** 5
donate *v.* **donar** 10
download *v.* **descargar** 9
drama *n. m.* **el drama** 11
draw *v.* **dibujar** 5
  draw blood *v.* **sacar sangre** 3
drawing *n. m.* **el dibujo** 5
drinkable *adj.* **potable** 3

drive forward *v.* **impulsar** 10
drop out (of school) *v.* **abandonar (los**
  estudios) 8
drought *n. f.* **la sequía** 4
dynamics: family dynamics *n. f.* **la dinámica**
  familiar 2

E

ecology *n. f.* **la ecología** 4
ecosystem *n. m.* **el ecosistema** 4
ecotourism *n. m.* **el ecoturismo** 6
educate *v.* **formar** 8
education *n. f.* **la educación** 8
  higher education *n. f.* **la educación**
    superior 8
  preschool education *n. f.* **la educación**
    preescolar 8
  primary (elementary) education *n. f.* **la**
    educación primaria 8
  secondary (high school) education *n. f.* **la**
    educación secundaria 8
effort *n. m.* **el esfuerzo** 8
  make an effort *v.* **esforzarse (o:ue)** 10
elbow *n. m.* **el codo** 3
elevator *n. m.* **el ascensor** 6
embassy *n. f.* **la embajada** 12
emergency room *n. f.* **la sala de**
  emergencias 3
emigrate *v.* **emigrar** 1
empathetic *adj.* **empático/a** 10
employee *n. m./f.* **el/la empleado/a** 2
endangered species *n. f.* **la especie**
  amenazada, la especie en peligro de
  extinción 4
energy *n. f.* **la energía** 4
  energy consumption *n. m.* **el consumo de**
    energía 4
enjoy *v.* **disfrutar** 6
enriching *adj.* **enriquecedor(a)** 12
enroll *v.* **matricularse** 8
enrollment *n. f.* **la matrícula** 8
ensure *v.* **garantizar** 8
enter (information) *v.* **ingresar**
  (información) 9
entertain *v.* **entretener (e:ie)** 11
entertaining *adj.* **entretenido/a** 11
entertainment *n. m.* **el entretenimiento** 2
environment *n. m.* **el medioambiente** 4
episode *n. m.* **el episodio** 11
equality *n. f.* **la igualdad** 10
escape *v.* **escapar** 1
establish *v.* **establecerse (c:zc)** 1
ethical *adj.* **ético/a** 6
ethics *adj.* **la ética** 10
evoke *v.* **evocar** 5
exchange *v.* **intercambiar** 9
excursion *n. f.* **la excursión** 6
exhibit *v.* **exhibir** 5
exhibition *n. f.* **la exposición** 5

expat *n. m./f.* **el/la expatriado/a 1**
expectations *n. f. pl.* **las expectativas 10**
expenses *n. m. pl.* **los gastos 2**
expensive: be expensive *exp.* **costar (o:ue) un ojo de la cara 12**
experience: work experience *n. f.* **la experiencia laboral 2**
experience *v.* **experimentar 6**
express oneself *v.* **expresarse 5**
expression *n. f.* **la expresión**
  creative expression *n. f.* **la expresión creativa 5**
  freedom of expression *n. f.* **la libertad de expresión 10**
  idiomatic expression *n. f.* **la expresión idiomática 12**
extinct: become extinct *v.* **extinguirse 4**
extremities *n. f. pl.* **las extremidades 3**
eyelashes *n. f. pl.* **las pestañas 3**

F

face *n. f.* **la cara 3**
faculty *n. m.* **el profesorado 8**
fail (an exam, a subject) *v.* **reprobar (o:ue) (un examen, una asignatura) 8**
faint *v.* **desmayarse 3**
fair *adj.* **justo/a 10**
  fair trade *n. m.* **el comercio justo 4**
family finances *n. f.* **la economía familiar 2**
farm *n. f.* **la finca 7**
farmer *n. m./f.* **el/la agricultor(a) 7**
farming *n. m.; adj.* **el cultivo; agrícola 7**
fasten one's seat belt *v.* **abrocharse el cinturón de seguridad 6**
fats *n. f. pl.* **las grasas 3**
feel unwell *v.* **sentirse mal (e:ie) 3**
fertilizer *n. m.* **el fertilizante 7**
fever *n. f.* **la fiebre 3**
  have a fever *v.* **tener (e:ie) fiebre 3**
field *n. m.* **el campo 7**
  field of study *n. m.* **el campo de estudio 8**
fight (for/against) *v.* **luchar (por/contra) 10**
figure *n. f.* **la figura;** *(in statistics)* **la cifra 5, 8**
file *n. m.* **el archivo 9**
fill out (the applications) *v.* **rellenar (las solicitudes) 8**
film *v.* **filmar 11**
financial goals *n. f. pl.* **las metas financieras 2**
first aid *n. m. pl.* **los primeros auxilios 3**
flexible *adj.* **flexible 2**
flight *n. m.* **el vuelo 6**
flight attendant *n. m./f.* **el/la asistente de vuelo 6**
flu *n. f.* **la gripe 3**
focus *v.* **concentrarse 8**
food *n. f.; n. m.* **la alimentación; el alimento 3**
fond of *adj.* **aficionado/a a 11**

forehead *n. f.* **la frente 3**
foreign *adj.* **extranjero/a 1**
foreigner *n. m./f.* **el/la extranjero/a 1**
fossil fuel *n. m.* **el combustible fósil 4**
fracture *v.* **fracturarse 3**
free (*no cost*) *adj.* **gratuito/a 8**
free from *adj.* **libre de 7**
freedom *n. f.* **la libertad**
  freedom of expression *n. f.* **la libertad de expresión 10**
  freedom of the press *n. f.* **la libertad de prensa 10**
fresh *adj.* **fresco/a 7**
from what? *interrog. pron.* **¿de qué? 1**
from where? *interrog. pron.* **¿de dónde? 1**
fruits *n. f. pl.* **las frutas 3**
full-time *adv.* **a tiempo completo 2**
fundamental *adj.* **fundamental**
  fundamental guarantees *n. f. pl.* **las garantías fundamentales 10**
  fundamental rights *n. m. pl.* **los derechos fundamentales 10**

G

gameshow *n. m.* **el programa de concursos 11**
garden: kitchen garden *n. m.* **el huerto 7**
gargle *v.* **hacer gárgaras 3**
gate (*airport*) *n. f.* **la puerta 6**
gender equity *n. f.* **la equidad de género 10**
generation *n. f.* **la generación 1**
  generation gap *n. m. pl.* **los conflictos generacionales 1**
genre *n. m.* **el género 11**
get *v.* **obtener (e:ie) 2**
  get ahead *v.* **salir adelante 1**
  get good/bad grades *v.* **sacar buenas/malas notas 8**
  get off (a plane, bus, etc.) *v.* **bajar de 6**
  get on (bus, train, etc.) *v.* **subir a 6**
  get sick *v.* **enfermarse 3**
  get together *v.* **reunirse 2**
  get trained *v.* **capacitarse 8**
  get your act together *exp.* **ponerse las pilas 12**
global *adj.* **global**
  global perspective *n. f.* **la perspectiva global 12**
  global warming *n. m.* **el calentamiento global 4**
go all over *v.* **recorrer 6**
grade *n. f.* **la nota 8**
  get good/bad grades *v.* **sacar buenas/malas notas 8**
graduate *v.* **graduarse 8**
graduate studies *n. m.* **el posgrado 8**
grains *n. m. pl.* **los granos 3**
grass *n. f.* **la hierba 7**

greenhouse *n. m.* **el invernadero 4**
  greenhouse effect *n. m.* **el efecto invernadero 4**
grow *v.* **crecer (c:zc); cultivar 1; 4, 7**
guide: tour guide *n. m./f.* **el/la guía turístico/a 6**

H

handcrafted *adj.* **artesanal 5**
handicap transport *n. m.* **el vehículo adaptado 6**
handicraft *n. f.* **la artesanía 5**
handmade *adj.* **hecho/a a mano 5**
  handmade crafts *n. f. pl.* **las manualidades 5**
hard drive *n. m.* **el disco duro 9**
harmful *adj.* **dañino/a 4**
harvest *n. f.* **la cosecha 7**
harvest *v.* **cultivar 4, 7**
have *v.* **tener (e:ie)**
  have a bandage on *v.* **tener un vendaje 3**
  have a blood test *v.* **hacerse un análisis de sangre 3**
  have a broken arm *v.* **tener el brazo fracturado 3**
  have a cough *v.* **tener tos 3**
  have a fever *v.* **tener fiebre 3**
  have a wound *v.* **tener una herida 3**
healthy *adj.* **sano/a, saludable 3**
heart *n. m.* **el corazón 3**
heed *exp.* **hacerle caso (a alguien) 12**
help out *exp.* **echar una mano 12**
herbs *n. f. pl.* **las hierbas 3**
heritage *n. f.* **la herencia 1**
high *adj.* **alto/a 7**
higher education *n. f.* **la educación superior 8**
hip *n. f.* **la cadera 3**
hire *v.* **contratar 2**
hit the nail on the head *exp.* **dar en el clavo 12**
homework *n. m. pl.* **los deberes 8**
hope *n. f.* **la esperanza 5**
horror movie *n. f.* **la película de terror 11**
host *v.* **hospedar 12**
hostel *n. m.* **el albergue 12**
hotel guest *n. m./f.* **el/la huésped 6**
how? *interrog. pron.* **¿cómo? 1**
  how many? *interrog. pron.* **¿cuántos/as? 1**
  how much? *interrog. pron.* **¿cuánto/a? 1**
human rights *n. m. pl.* **los derechos humanos 8**
humanitarian organizations *n. f. pl.* **las organizaciones humanitarias 10**
humble *adj.* **humilde 10**
hurt *v.* **doler (o:ue)** (*used like* **gustar**) **3**
hybrid *adj.* **híbrido/a 4**

English-Spanish Glossary

I

ice *n.m.* **el hielo** 3
  put ice on someone *v.* **ponerle hielo** 3
icon *n.m.* **el icono** 9
identification card *n.m.* **el documento de identidad** 6
identify oneself *v.* **identificarse** 1
idiomatic expression *n.f.* **la expresión idiomática** 12
illiteracy *n.m.* **el analfabetismo** 8
illness *n.f.* **la enfermedad** 3
illustrate *v.* **ilustrar** 5
immerse oneself in *v.* **sumergirse (g:j) en** 12
immersion *n.f.* **la inmersión** 12
immigrant *n.m./f.* **el/la inmigrante** 1
immigrate *v.* **inmigrar** 1
immigration *n.f.* **la inmigración** 1
  immigration status *n.f.* **la situación migratoria** 1
impact *n.m.* **el impacto** 10
impressive *adj.* **impresionante** 5
improve *v.* **mejorar** 9
inclusive *adj.* **inclusivo/a** 6
income *n.m. pl.* **los ingresos** 2
independent *adj.* **independiente** 12
indignation *n.f.* **la indignación** 5
inequality *n.f.* **la desigualdad** 8
infection *n.f.* **la infección de** 3
injection *n.f.* **la inyección** 3
  give an injection to someone *v.* **poner una inyección** 3
injustice *n.f.* **la injusticia** 10
ink *n.f.* **la tinta** 5
innovative *adj.* **innovador(a)** 4
install *v.* **instalar** 9
institution *n.f.* **la institución** 8
insurance *n.m.* **el seguro** 2
  car insurance *n.m.* **el seguro del auto** 2
  health insurance *n.m.* **el seguro médico** 2
integrate *v.* **integrarse** 1
interact *v.* **interactuar** 9
interactive *adj.* **interactivo/a** 9
interest *n.m.* **el interés** 2
intermediary *n.m./f.* **el/la intermediario/a** 7
internet *n.f.* **la red** 9
internship *n.f.* **la pasantía** 2
interpret *v.* **interpretar** 5
interpretation *n.f.* **la interpretación** 5
interview *n.f.* **la entrevista** 2
  interview show *n.m.* **el programa de entrevistas** 11
invest *v.* **invertir (e:ie)** 2
involved *adj.* **involucrado/a** 10
itinerary *n.m.* **el itinerario** 6

J

jewelry *n.f. pl.* **las joyas** 5
job *n.m.* **el puesto de trabajo** 2
  job offer *n.f.* **la oferta de trabajo** 2
joy *n.f.* **la alegría** 5
junk food *n.f.* **la comida chatarra** 3
just (fair) *adj.* **justo/a** 10

K

keep *v.* **conservar** 1
kill two birds with one stone *exp.* **matar dos pájaros de un tiro** 12

L

labor force *n.f.* **la fuerza laboral** 2
lack of *n.f.* **la falta de** 8
land *n.m.* **el terreno** 4
land *v.* **aterrizar** 6
laws *n.f. pl.* **las leyes** 1
layover *n.f.* **la escala** 6
learning *n.m.* **el aprendizaje** 8
leather *n.m.* **el cuero** 5
leave *v.* **dejar** 1
  leave (someone) hanging *exp.* **dejar (a alguien) plantado/a** 12
legal *adj.* **legal** 1
legalize *v.* **legalizar** 1
lend a hand *exp.* **echar una mano** 12
length (of time) *n.f.* **la duración** 12
letters of recommendation *n.f.* **las cartas de recomendación** 2
liberty *n.f.* **la libertad** 1
line up *exp.* **hacer cola** 12
link *n.m.* **el enlace** 9
lips *n.m. pl.* **los labios** 3
literacy *n.f.* **la alfabetización** 8
literature *n.f.* **la literatura** 5
live *adv.* **en vivo** 11
load *v.* **cargar** 9
loan *n.m.* **el préstamo** 2
lodging *n.m.* **el alojamiento** 6
loss *n.f.* **la pérdida** 4
low *adj.* **bajo/a** 7
low-skilled *adj.* **poco cualificado/a** 1
luggage *n.m.* **el equipaje** 6
  carry-on luggage *n.m.* **el equipaje de mano** 6
  check in luggage *v.* **facturar el equipaje** 6
lungs *n.m. pl.* **los pulmones** 3

M

magazine *n.f.* **la revista** 11
maintain *v.* **mantener (e:ie), mantenerse (e:ie)** 1, 3
  maintain contact *v.* **mantener contacto** 1
  maintain good health *v.* **mantenerse sano/a** 3

major *n.f.* **la carrera** 8
major in *v.* **especializarse en** 8
make *v.* **hacer; producir (c:zc)** 7
  make an effort *v.* **esforzarse (o:ue)** 10
  make a fool of yourself *exp.* **quedar en ridículo** 12
manage *v.* **manejar** 2
  manage time *v.* **administrar el tiempo** 8
management *n.f.* **la dirección** 7
manager *n.m./f.* **el/la gerente; el jefe/la jefa** 2
mandatory *adj.* **obligatorio/a** 8
markers *n.m. pl.* **los marcadores, los rotuladores** 5
market *n.m.* **el mercado** 7
mask *n.f.* **la máscara** 8
Master's degree *n.f.; n.m.* **la maestría; el máster** 8
meat *n.f.* **la carne** 7
media *n.m. pl.* **los medios de comunicación** 11
medical services *n.m. pl.* **los servicios médicos** 3
medicine: take medicine *v.* **tomar medicinas** 3
meet *v.* **reunirse** 2
message *n.m.* **el mensaje** 5
  instant message *n.m.* **el mensaje instantáneo** 9
metro *n.m.* **el metro** 6
microproducer *n.m./f.* **el/la microproductor(a)** 7
middle-man *n.m./f.* **el/la intermediario/a** 7
migrant *n.m./f.* **el/la migrante** 1
migration *n.f.* **la migración** 1
mineral *n.m.* **el mineral** 4
miss (the flight, the train, the bus) *v.* **perder (e:ie) (el vuelo, el tren, el autobús/ bus)** 6
misunderstanding *n.m.* **el malentendido** 12
modern *adj.* **moderno/a** 5
money *n.m.* **el dinero** 2
monitor *n.m.* **el monitor** 9
move (*change residence*) *v.* **mudarse** 1
movie *n.f.* **la película** 11
  action movie *n.f.* **la película de acción** 11
  horror movie *n.f.* **la película de terror** 11
  movie industry *n.f.* **la industria del cine** 11
  movie listings *n.f.* **la cartelera** 11
  movie star *n.f.* **la estrella de cine** 11
  movie trailer *n.m.* **el tráiler** 11
multicultural *adj.* **multicultural** 1
multilingual *adj.* **multilingüe** 1
mural *n.m.* **el mural** 5
muscles *n.m. pl.* **los músculos** 3
museum *n.m.* **el museo** 5
music *n.f.* **la música** 11
mutual *adj.* **mutuo/a** 7

English-Spanish Glossary

requirements *n. m. pl.* **los requisitos** 12
reservation *n. f.* **la reservación** 6
resident *n. m./f.* **el/la residente** 1
resilient *adj.* **resiliente** 12
resources *n. m. pl.* **los recursos** 2
  natural resources *n. m. pl.* **los recursos naturales** 4
respect *v.* **respetar** 1
respectful *adj.* **respetuoso/a** 10
responsibilities *n. f. pl.* **las responsabilidades** 2
  social responsibility *n. f.* **la responsabilidad social** 10
responsible *adj.* **responsable** 6
restricted abilities *n. f. pl.* **las capacidades restringidas** 6
résumé *n. m.* **el currículum** 2
retirement plan *n. m.* **el plan de pensiones** 2
reuse *v.* **reutilizar** 4
review *n. f.* **la reseña** 11
ribs *n. f. pl.* **las costillas** 3
rights *n. m. pl.* **los derechos** 7
  civil rights *n. m. pl.* **los derechos civiles** 10
  fundamental rights *n. m. pl.* **los derechos fundamentales** 10
  human rights *n. m.* **los derechos humanos** 8
risk *n. m.* **el riesgo** 1
room *n. f.* **la habitación** 6
  emergency room *n. f.* **la sala de emergencias** 3
roots *n. f. pl.* **las raíces** 1
round-trip ticket *n. m.* **el billete/el boleto de ida y vuelta** 6
run out *v.* **agotarse** 4
rural *adj.* **rural** 7

S

sadness *n. f.* **la tristeza** 5
safe *adj.* **seguro/a** 1
salary *n. m.* **el sueldo** 2
sale(s) *n. f.* **la venta** 7
save *v.* **ahorrar; guardar** 2, 9
savings *n. m. pl.* **los ahorros** 2
scene *n. f.* **la escena** 11
schedule *n. m.* **el horario** 2
scholarship *n. f.* **la beca** 8
script *n. m.* **el guion** 11
sculpt *v.* **esculpir** 5
sculptor *n. m./f.* **el/la escultor(a)** 5
sculpture *n. f.* **la escultura** 5
seal *n. m.* **el sello** 7
season: high/low season *n. f.* **la temporada alta/baja** 12
seasonal *adj.* **de temporada** 7secondary (high school) education *n. f.* **la educación secundaria** 8
security *n. f.* **la seguridad** 6

seat *n. m.* **el asiento** 6
  aisle seat *n. m.* **el asiento de pasillo** 6
  theater seat *n. f.* **la butaca** 11
  window seat *n. m.* **el asiento de ventanilla** 6
seed *n. f.* **la semilla** 7
self-employed: to be self-employed *v.* **trabajar por cuenta propia** 2
  self-employed worker *n. m./f.* **el/la trabajador(a) por cuenta propia** 2
self-initiative *n. f.* **la iniciativa propia** 10
selfish *adj.* **egoísta** 10
selfless *adj.* **abnegado/a** 10
self-portrait *n. m.* **el autorretrato** 5
sew *v.* **coser** 5
shortage of *n. f.* **la falta de** 8
show *n. m.* **el programa** 11
sick: get sick *v.* **enfermarse** 3
sign up *v.* **registrarse** 9
sketch *v.* **dibujar** 5
skill *n. f.* **la habilidad** 8
skilled *adj.* **cualificado/a** 1
skin *n. f.* **la piel** 3
skull *n. m.* **el cráneo** 3
smartphone *n. m.* **el teléfono inteligente** 9
sneeze *v.* **estornudar** 3
soap opera *n. f.* **la telenovela** 11
social *adj.* **social**
  social justice *n. f.* **la justicia social** 10
  social programs *n. m. pl.* **los programas sociales** 10
  social responsibility *n. f.* **la responsabilidad social** 10
soil *n. f.* **la tierra** 7
solar *adj.* **solar** 4
song writer *n. m./f.* **el/la compositor(a)** 11
soundtrack *n. f.* **la banda sonora** 11
souvenir *n. m.* **el recuerdo** 5
sowing *n. f.* **la siembra** 7
special effects *n. m. pl.* **los efectos especiales** 11
specialize in *v.* **especializarse en** 8
species *n. f.* **la especie** 4
  endangered species *n. f.* **la especie amenazada, la especie en peligro de extinción** 4
spend *v.* **gastar** 2
sprain *v.* **torcerse (o:ue)** 3
station *n. f.* **la estación** 6
stand (someone) up *exp.* **dejar (a alguien) plantado/a** 12
start *v.* **emprender** 10
stay (*time spent in a place*) *n. f.* **la estadía** 12
stay *v.* **permanecer (c:zc), alojarse** 1, 12
stereotype *n. m.* **el estereotipo** 1
stomach *n. m.* **el estómago** 3
stomachache *n. m.* **el dolor de estómago** 3
  have a stomachache *v.* **tener (e:ie) dolor de estómago** 3

store *v.* **almacenar** 9
street *adj.* **callejero/a** 5
strength *n. f.* **la fortaleza** 1
strengthening *n. m.* **el fortalecimiento** 10
stress *n. m.* **el estrés** 3
striking *adj.* **llamativo/a** 5
strive *v.* **esforzarse (o:ue)** 10
student body *n. m.* **el alumnado** 8
student organization *n. f.* **la organización estudiantil** 8
studies abroad *n. m. pl.* **los estudios en el extranjero** 12
study habits *n. m. pl.* **los hábitos de estudio** 8
stuffy nose *n. f.* **la nariz tapada/congestionada** 3
success *n. m.* **el éxito** 1
successful *adj.* **exitoso/a** 11
  be successful *v.* **tener (e:ie) éxito** 1
sugars *n. m. pl.* **los azúcares** 3
suitable for the entire family *adj.* **apto/a para toda la familia** 11
suitcase *n. f.* **la maleta** 6
support *v.* **apoyar** 6
survival *n. f.* **la supervivencia** 4
sustainability *n. f.* **la sustentabilidad** 4
sustainable *adj.* **sostenible** 4
swollen *adj.* **hinchado/a** 3
  have a swollen ankle *v.* **tener (e:ie) el tobillo hinchado** 3
symptom *n. m.* **el síntoma** 3

T

tablet *n. f.* **la tableta** 9
take *v.* **sacar, tomar** 3
  take advantage of *v.* **aprovechar** 8
  take care of oneself *v.* **cuidarse** 3
  take cough syrup *v.* **tomar jarabe para la tos** 3
  take medicine, medication *v.* **tomar medicinas** 3
  take off (*airplane*) *v.* **despegar** 6
  take an X-ray *v.* **sacar una radiografía** 3
taste *v.* **probar (o:ue)** 7
technological advances *n. m. pl.* **los avances tecnológicos** 9
technology *n. f.* **la tecnología** 9
teeth *n. m. pl.* **los dientes** 3
telecommuting *n. m.* **el teletrabajo** 2
territory *n. m.* **el territorio** 1
theater *n. m.* **el teatro** 5
  theater seat *n. f.* **la butaca** 11
thigh *n. m.* **el muslo** 3
threat *n. f.* **la amenaza** 4
threaten *v.* **amenazar** 4
throat *n. f.* **la garganta** 3
throw away *v.* **tirar** 4
ticket *n. m.; n. f.* **el billete, el boleto; la entrada** 6, 11

Index

Credits

Photography and Art Credits

All images © by Vista Higher Learning unless otherwise noted.

Cover: Alfa 27/Adobe Stock.

Front Matter:
iv: Morgan Kuehl; **v:** Kamchatka/Deposit Photos; **vii:** Prostock Studio/Alamy; **ix:** George Cole Photo/Shutterstock; **xxxI:** (t) Courtesy of Vincent DiFrancesco; (m) Greg Thompson; (b) Marissa Noe.

Chapter 1:
1: Nd3000/Getty Images; **4:** Oscar Wong/Getty Images; **5:** F Armstrong Photography/Shutterstock; **6:** Westend 61/Getty Images; **12:** Ajdin Kamber/Shutterstock; **13:** Greg Bulla; **15:** (t) Everett Collection/Shutterstock; (mt) Abaca Press/Alamy; (m) Sipa USA/Alamy; (mb) NTB/Alamy; (b) Julius Schlosburg; **18:** Science History Images/Alamy; **20:** Roungroat/Rawpixel; **22:** (t) Drazen/Getty Images; (b) SDI Productions/Getty Images; **24:** Carlos David/Shutterstock; **25:** (r) Cargo/Getty Images; **27:** Otto Dusbaba/123RF; **29:** Arte Público Press; **30:** Maremagnum/Getty Images; **34:** Cameron Prins/Shutterstock.

Chapter 2:
37: Sturti/Getty Images; **40:** Bear Fotos/Shutterstock; **42:** Syda Productions/Deposit Photos; **47:** Evrmmmt/Deposit Photos; **48:** (tl) Panupong Piewkleng/Getty Images; (tm) Rido/123RF; (tr) Andrey Popov/Deposit Photos; (bl) Prostock Studio/Shutterstock; (bm) Antonio Guillem/123RF; (br) Elnur/Deposit Photos; **49:** Mark Bowden/123RF; **50:** Lyndon Stratford/123RF; **56:** Diego Cervo/Shutterstock; **57:** Maii Yossakorn/Shutterstock; **59:** Maskot/Alamy; **61:** Gary L. Aguilar; **62:** Visualspace/Getty Images; **66:** Prostock Studio/Shutterstock.

Chapter 3:
69: Disobey Art/Getty Images; **72:** Terry Vine/Getty Images; **85:** Worawan Simaroj/Alamy; **88:** Microgen/Shutterstock; **91:** Marako85/Shutterstock; **93:** Maik Kleinert/Shutterstock; **95:** Sueddeutsche Zeitung Photo/Alamy; **99:** Kent/Adobe Stock; **102:** Martina Monti/People Images/Adobe Stock.

Chapter 4:
105: People Images/Yuri A/Shutterstock; **108:** Liudmila Chernetska/123RF; **109:** SOLUBAG USA Inc./Digital Artist Pedro Esteban Slaib; **110:** Ammit Jack/Shutterstock; **111:** Morgan Kuehl; **116:** Ireneuke/Shutterstock; **117:** Nirutdps/Deposit Photos; **118:** (l) Westend61/Getty Images; (m) Dusan Petkovic/Shutterstock; (r) McKinsey/Rawpixel; **119:** Alexandra Lande/Shutterstock; **121:** Franck V/Shutterstock; **124:** Ilse Bermudez/123RF; **125:** Courtesy of Oscar Kennedy Mora; **127:** DFLC Prints/Shutterstock; **129:** Courtesy of Bruce dePyssler; **130:** Zef Art/Shutterstock; **134:** Franck Boston/Shutterstock.

Chapter 5:
137: Fotografía Inc/Getty Images; **140:** (t) James Brunker News/Alamy; (b) Castrovilli/123RF/*Guernica* © 2023 Estate of Pablo Picasso/Artists Rights Society (ARS), New York; **141:** (t) Archivo Fotográfico Magdalena Cáraves Heimpell; (m) Natacha Pisarenko/AP Images; (b) José Jimenez/Getty Images; **142:** Kozlik/Shutterstock; **143:** (l) Bbsferrari/Deposit Photos; (r) Oscar Espinosa/Shutterstock; **144:** (l) Courtesy of Diane Ceo-Difrancesco; (r) Courtesy of Alondra Guadalupe Arredondo Ibarra/Mireya Holguín Ornelas/Romina Milena Llaca Riccio/Frida Samantha Morán Santos; **147:** D Carreño/Alamy; **150:** (t) Cindy Hopkins/Alamy; (bl) Bjanka Kadic/Alamy; (br) Robert Fried/Alamy; **152:** Courtesy of Diane Ceo-Difrancesco; **153:** (t) Barna Tanko/123RF; (b) Anastasy Yarmolovich/Alamy; **154:** Ajr Photo /Shutterstock; **155:** Leonardo Álvarez Hernández/Getty Images; **156:** (l) Shutterstock.AI/Shutterstock; (r) Fresh Stock/Shutterstock; **157:** *Théâtre D'opéra Spatial* "©2022 Jason M Allen"; **159:** SUN/Newscom; **160:** Liudmila Wilchevskaya/Getty Images; **164:** George Cole Photo/Shutterstock.

Chapter 6:
167: Ippei Naoi/Getty Images; **169:** (b) Courtesy of Vincent DiFrancesco; **170:** Matthew Williams-Ellis/Getty Images; **171:** Mariel de Viaje; **173:** (tl) Kostiantyn Voitenko/Deposit Photos; (tm) Svitlana Hulko/Deposit Photos; (tr) Kostiantyn Voitenko/123RF; (bl) Hero Images Inc/Alamy; (bm) Wavebreak Media Premium/Alamy; (br) Vitalik Radko/Deposit Photos; **175:** Mauritius Images GmbH/Alamy; **177:** Amy/Adobe Stock; **179:** Photo Ability/Alamy; **180:** Bluegreen Pictures/Alamy; **185:** Diego Grandi/Alamy; **186:** Patricio Nahuelhual/Getty Images; **189:** Paul Springett C/Alamy; **191:** Juan Balboa en Granada 1968; **192:** Vystekimages/Shutterstock; **196:** Creative Family/123RF.

Chapter 7:
199: Wayne Eastep/Getty Images; **200:** Kostic Dusan/123RF; **206:** (b) Goricev Eduard/123RF; **209:** (t) Disobey Art/Shutterstock; (b) Ann Johansson/Getty Images; **210:** Matyas Rehak/123; **211:** Salmon Negro Stock/Shutterstock; **212:** (b) Anya Berkut/Fotolia; **214:** AGE Fotostock/Alamy; **216:** Fotos 593/Shutterstock; **217:** (r) Valery Shanin/Shutterstock; **219:** Sébastien Lecocq/Alamy; **221:** Ramón Espinosa/Associated Press/AP Images; **222:** Fran Alonso/Xinhua News Agency/Newscom/Newscom; **226:** Mike Harrington/Getty Images.

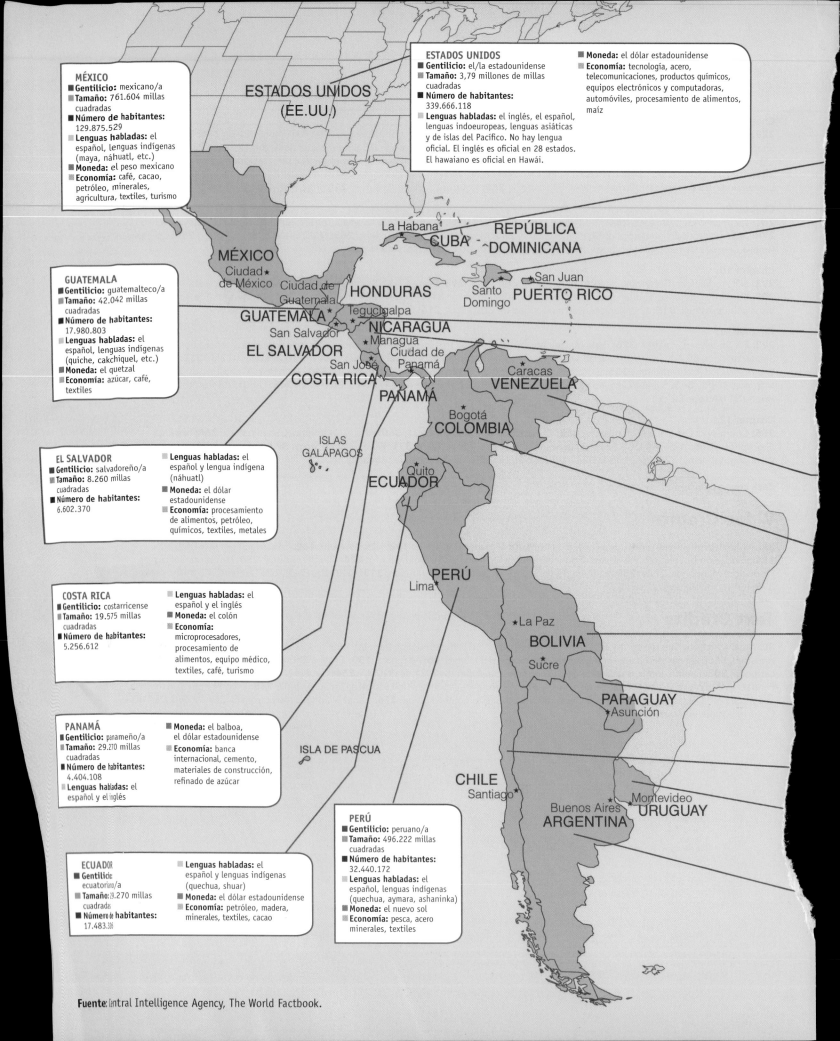

MÉXICO
- **Gentilicio:** mexicano/a
- **Tamaño:** 761.604 millas cuadradas
- **Número de habitantes:** 129.875.529
- **Lenguas habladas:** el español, lenguas indígenas (maya, náhuatl, etc.)
- **Moneda:** el peso mexicano
- **Economía:** café, cacao, petróleo, minerales, agricultura, textiles, turismo

ESTADOS UNIDOS
- **Gentilicio:** el/la estadounidense
- **Tamaño:** 3,79 millones de millas cuadradas
- **Número de habitantes:** 339.666.118
- **Lenguas habladas:** el inglés, el español, lenguas indoeuropeas, lenguas asiáticas y de islas del Pacífico. No hay lengua oficial. El inglés es oficial en 28 estados. El hawaiano es oficial en Hawái.
- **Moneda:** el dólar estadounidense
- **Economía:** tecnología, acero, telecomunicaciones, productos químicos, equipos electrónicos y computadoras, automóviles, procesamiento de alimentos, maíz

GUATEMALA
- **Gentilicio:** guatemalteco/a
- **Tamaño:** 42.042 millas cuadradas
- **Número de habitantes:** 17.980.803
- **Lenguas habladas:** el español, lenguas indígenas (quiche, cakchiquel, etc.)
- **Moneda:** el quetzal
- **Economía:** azúcar, café, textiles

EL SALVADOR
- **Gentilicio:** salvadoreño/a
- **Tamaño:** 8.260 millas cuadradas
- **Número de habitantes:** 6.602.370
- **Lenguas habladas:** el español y lengua indígena (náhuatl)
- **Moneda:** el dólar estadounidense
- **Economía:** procesamiento de alimentos, petróleo, químicos, textiles, metales

COSTA RICA
- **Gentilicio:** costarricense
- **Tamaño:** 19.575 millas cuadradas
- **Número de habitantes:** 5.256.612
- **Lenguas habladas:** el español y el inglés
- **Moneda:** el colón
- **Economía:** microprocesadores, procesamiento de alimentos, equipo médico, textiles, café, turismo

PANAMÁ
- **Gentilicio:** panameño/a
- **Tamaño:** 29.270 millas cuadradas
- **Número de habitantes:** 4.404.108
- **Lenguas habladas:** el español y el inglés
- **Moneda:** el balboa, el dólar estadounidense
- **Economía:** banca internacional, cemento, materiales de construcción, refinado de azúcar

ECUADOR
- **Gentilicio:** ecuatoriano/a
- **Tamaño:** 29.270 millas cuadradas
- **Número de habitantes:** 17.483.326
- **Lenguas habladas:** el español y lenguas indígenas (quechua, shuar)
- **Moneda:** el dólar estadounidense
- **Economía:** petróleo, madera, minerales, textiles, cacao

PERÚ
- **Gentilicio:** peruano/a
- **Tamaño:** 496.222 millas cuadradas
- **Número de habitantes:** 32.440.172
- **Lenguas habladas:** el español, lenguas indígenas (quechua, aymara, ashaninka)
- **Moneda:** el nuevo sol
- **Economía:** pesca, acero, minerales, textiles

ESTADOS UNIDOS (EE.UU.)

MÉXICO
Ciudad de México

La Habana
CUBA
REPÚBLICA DOMINICANA
San Juan
PUERTO RICO
Santo Domingo

HONDURAS
Ciudad de Guatemala
Tegucigalpa
GUATEMALA
NICARAGUA
San Salvador
Managua
EL SALVADOR
Ciudad de Panamá
San José
COSTA RICA
PANAMÁ
Caracas
VENEZUELA

Bogotá
COLOMBIA

ISLAS GALÁPAGOS

Quito
ECUADOR

PERÚ
Lima

La Paz
BOLIVIA
Sucre

PARAGUAY
Asunción

ISLA DE PASCUA

CHILE
Santiago
Montevideo
Buenos Aires
URUGUAY
ARGENTINA

PAÍSES DE HABLA HISPANA

CUBA
- **Gentilicio:** cubano/a
- **Tamaño:** 44.218 millas cuadradas
- **Número de habitantes:** 10.985.974
- **Lenguas habladas:** el español
- **Moneda:** el peso cubano, el peso convertible
- **Economía:** azúcar, tabaco, turismo

REPÚBLICA DOMINICANA
- **Gentilicio:** dominicano/a
- **Tamaño:** 18.816 millas cuadradas
- **Número de habitantes:** 10.694.700
- **Lenguas habladas:** el español
- **Moneda:** el peso dominicano
- **Economía:** azúcar, café, cacao, tabaco, cemento

ISLAS CANARIAS

Madrid
ESPAÑA
ISLAS BALEARES
Ceuta
Melilla

ESPAÑA
- **Gentilicio:** español/a
- **Tamaño:** 194.896 millas cuadradas
- **Número de habitantes:** 47.222.613
- **Lenguas habladas:** el castellano (español), el catalán, el gallego, el euskera
- **Moneda:** el euro
- **Economía:** maquinaria, textiles, metales, farmacéutica, aceituna, vino, turismo, textiles, metales

PUERTO RICO
- **Gentilicio:** puertorriqueño/a
- **Tamaño:** 3.435 millas cuadradas
- **Número de habitantes:** 3.057.311
- **Lenguas habladas:** el español y el inglés
- **Moneda:** el dólar estadounidense
- **Economía:** manufactura (farmacéuticos), turismo

HONDURAS
- **Gentilicio:** hondureño/a
- **Tamaño:** 43.277 millas cuadradas
- **Número de habitantes:** 9.571.352
- **Lenguas habladas:** el español y lenguas indígenas amerindias
- **Moneda:** el lempira
- **Economía:** bananas, café, azúcar, madera, textiles

NICARAGUA
- **Gentilicio:** nicaragüense
- **Tamaño:** 50.193 millas cuadradas
- **Número de habitantes:** 6.359.689
- **Lenguas habladas:** el español y lengua indígena (miskito)
- **Moneda:** el córdoba
- **Economía:** procesamiento de alimentos, químicos, metales, petróleo, calzado, tabaco

VENEZUELA
- **Gentilicio:** venezolano/a
- **Tamaño:** 362.143 millas cuadradas
- **Número de habitantes:** 30.518.260
- **Lenguas habladas:** el español y lenguas indígenas
- **Moneda:** el bolívar
- **Economía:** petróleo, metales, materiales de construcción

Malabo

GUINEA ECUATORIAL

COLOMBIA
- **Gentilicio:** colombiano/a
- **Tamaño:** 439.735 millas cuadradas
- **Número de habitantes:** 49.336.454
- **Lenguas habladas:** el español
- **Moneda:** el peso colombiano
- **Economía:** procesamiento de alimentos, petróleo, calzado, oro, esmeraldas, café, cacao, flores, textiles

GUINEA ECUATORIAL
- **Gentilicio:** guineano/a, ecuatoguineano/a
- **Tamaño:** 10.830 millas cuadradas
- **Número de habitantes:** 1.679.172
- **Lenguas habladas:** el español, el francés y lenguas indígenas (fang, bubi)
- **Moneda:** el franco CFA
- **Economía:** petróleo, madera, cacao, café

BOLIVIA
- **Gentilicio:** boliviano/a
- **Tamaño:** 424.165 millas cuadradas
- **Número de habitantes:** 12.186.079
- **Lenguas habladas:** el español y lenguas indígenas (quechua, aimara)
- **Moneda:** el boliviano
- **Economía:** gas, petróleo, minerales, tabaco, textiles

PARAGUAY
- **Gentilicio:** paraguayo/a
- **Tamaño:** 157.047 millas cuadradas
- **Número de habitantes:** 7.439.863
- **Lenguas habladas:** el español y lengua indígena (guaraní)
- **Moneda:** el guaraní
- **Economía:** azúcar, carne, textiles, cemento, madera, minerales

CHILE
- **Gentilicio:** chileno/a
- **Tamaño:** 292.257 millas cuadradas
- **Número de habitantes:** 18.549.457
- **Lenguas habladas:** el español y lengua indígena (mapudungun)
- **Moneda:** el peso chileno
- **Economía:** minerales (cobre), agricultura, pesca, vino

URUGUAY
- **Gentilicio:** uruguayo/a
- **Tamaño:** 68.037 millas cuadradas
- **Número de habitantes:** 3.416.264
- **Lenguas habladas:** el español
- **Moneda:** el peso uruguayo
- **Economía:** carne, metales, textiles, productos agrícolas

ARGENTINA
- **Gentilicio:** argentino/a
- **Tamaño:** 1.065.000 millas cuadradas
- **Número de habitantes:** 46.621.847
- **Lenguas habladas:** el español y lenguas indígenas (mapudungun, quechua)
- **Moneda oficial:** el peso argentino
- **Economía:** carne, trigo, lana, petróleo

- **Gentilicio:** Nationality
- **Tamaño:** Size
- **Número de habitantes:** Population
- **Lenguas habladas:** Languages Spoken
- **Moneda oficial:** Currency
- **Economía:** Economy